在宅・介護施設における対策実践ガイド

じょくそう ケアナビ

日本褥瘡学会・在宅ケア推進協会 編集

中央法規

はじめに

●在宅褥瘡の特殊性から「日本在宅褥瘡創傷ケア推進協会」が発足

　日本褥瘡学会が1998年に結成後，日本における褥瘡治療・予防が飛躍的に進歩したが，褥瘡学会初代理事長の大浦武彦氏は，介護施設や在宅において悲惨な状態が続いていることに気づいた。病院では医師・看護師をはじめ専門職がそろっており，多職種連携は普通に行え機器や医療材料がそろっている。しかし，在宅や介護施設での褥瘡ケアには，物資やマンパワーが不足し，褥瘡治療に詳しいかかりつけ医も少ない。地域ごとに在宅で活動できる職種も限られているうえに，多職種がかかわればそれにつれて経済的負担が家族にかかってくる。病院と違い，それぞれのサービスごとに負担費用が加わるため，家族が納得したサービスしか導入できない。医学的に最善を求めても，利用者・家族の生活や生き甲斐などQOL（生活の質）を損なう選択も受け入れられない。ないないづくしのなかで，利用者や家族の幸福を第一に考えて行っていくのが在宅褥瘡ケアである。

　これら在宅の特殊性・問題点を踏まえ，在宅褥瘡ケアに特化した団体として「日本在宅褥瘡創傷ケア推進協会（推進協会）」が2006年に発足した。さっそく在宅褥瘡に特化したテキストが必要とのことで，2008年に『床ずれケアナビ』を出版した。大変好評であり，在宅の知見が増えるにつれ，2011年に改訂第2版である『新床ずれケアナビ』を出版した。

●情勢の変化から日本褥瘡学会と合体

　褥瘡は圧迫やずれといった生活のなかでできるキズであり，病院で褥瘡を治しても在宅での生活環境が変わらなければ容易に再発する。また，入院期間短縮の流れから，褥瘡は治療途中で在宅へ移行することが一般化した。このなかで，在宅での褥瘡ケアの重要性が増し，日本褥瘡学会でも在宅褥瘡ケアへの関与が高まった。

　推進協会でも，日本褥瘡学会と協力して在宅褥瘡ケアを進めることがより効率的と判断し，2017年4月に日本褥瘡学会と合体した。

　合体にあたり，日本褥瘡学会の一般社団法人化と関連し，推進協会は「日本褥瘡学会・在宅ケア推進協会（在宅協）」と名前を変え，日本褥瘡学会の下部組織ではあるが，会則と会計・役員をもつ独立した組織となった。

●『床ずれケアナビ　全面改訂版』の出版

　合併するにあたり，日本褥瘡学会編集の『在宅褥瘡予防・治療ガイドブック』と『床ずれケアナビ』の整合性を検討し，それぞれに不足していた項目について補い合いながら，『ガイドブック』は教科書として，『床ずれケアナビ』は在宅の実際に即した参考書として運用していくこととなった。そのうえで，2017年に改訂第3版である『床ずれケアナビ　全面改訂版』を出版した。

●『床ずれ予防プログラム』を出版

　在宅では，褥瘡ケアに携わる専門職でも，知識や技術をもっている者ともっていない者が混在しており，個別の対象者に対し，限られた職種がチームとして対応する。このようなメンバーにとって，誰もがわかる言葉で書かれた共通の指標が求められる。そこで，在宅協は在宅ケアの要であるケアマネジャーが評価に使っている用語を用いて，8項目からなる「床ずれ危険度チェック表®」を作成した。身体に接触することなく評価できることから，ケアマネジャーはもとより，歯科医師やヘルパーなども，もちろん医師や看護師を含め，すべての職種が使えるものとなった。

　信頼性を証明し，ブレーデンスケールおよびOHスケールとの相関性・診断精度の検証も済み，安心して使用できる。

　「床ずれ危険度チェック表®」の8項目がなぜ褥瘡発症と関連があるかの解説を行い，また，チェック項目について解決策を提示し，さらに連携法についてもチェックリストをつくり，誰でも解決策がわかるようにした。これを『床ずれ予防プログラム』として2022年に出版した。

　褥瘡発症危険度を評価するだけではなく，チェックされた項目に関し家族や本人を交えて解決策を話し合い，家族も納得して対応法を選んでいける。実際に現場で使っている地域が増えており，本書の中でも紹介している。

●『床ずれケアナビ』から『じょくそうケアナビ』への名称変更

　日本褥瘡学会ができてから30年近くが経過し，介護施設でも「褥瘡」という名は一般的になってきた。日本褥瘡学会では表記を「褥瘡（じょくそう）」とすることに決まった。改訂第4版となる本書でも，「床ずれ」を「褥瘡（じょくそう）」と変更することとした。

●内容について

　本書の内容は以下のようになっている。

- 目次の項目立ては「わかりやすく生活に密着した名称」にした。
- 「第2章　じょくそうの見方」では，「床ずれ危険度チェック表®」の解説を加えた。
- 「第3章　じょくそうの治し方」では，「外用薬療法」と「創傷被覆材の特徴と使い方」を整理した。また，局所陰圧閉鎖療法（NPWT）が在宅で使えるようになり，項目を加えた。
- 「第4章　からだの動かし方」では，「移動・移乗法」「ポジショニング」「車いすの使い方とシーティング」「リフトの考え方と使い方」等を別項目としてわかりやすくした。具体的な対応として「認知症の方への対応はユニバーサルデザインケア」「フレイル・サルコペニア対策」を加えた。
- 「第5章　食べる!!」では，「在宅で行う口腔ケア」「摂食・嚥下評価と訓練」をより在宅の現場に即したものにした。「在宅で行う栄養療法」では，具体的なアイデアを入れ実践しやすくした。
- 「第6章　高齢者の皮膚を守る方法」では，「スキン-テア」と「失禁関連皮膚炎（IAD）」を

加えた。

- 「第7章 足と爪のこと」では，下肢潰瘍は褥瘡に付随あるいは類似したものがあり，いずれも予防・早期対応が重要であり，切断に至ることも珍しくない。今回は「フットケア」について充実させ，特に介護で行うケアをわかりやすくした。
- 「第9章 みんなで治そう・防ごう・つながろう」では，「遠隔診療」「災害・緊急時」のつながりを加えた。「認知症を伴う人とのつながり」では，認知症の方の立場から書いてもらったことで，私たちがどのように対応すれば皆が幸せになれるかのヒントとなっている。
- 「第10章 こんなふうにやってみたら成功した」は，各地の成功例を提示してもらった。

●【解説】と【意見】について

　在宅では機器や物資およびマンパワーが不足していることから，専門職であっても自分だけの専門領域を行っていればよいわけではなく，他職種の領域も可能な限り実施しなければならない。在宅では家族の了承した範囲内しか行えず，工夫が重要で，家族介護者に納得してもらう方法を模索して実施している。そのようななか，在宅に携わる者はそれぞれの経験や独自の工夫・こだわりもあり，意見の違いもみられる。意見の違うことは，無理に統一するのではなく，【意見】としてあえて並列で記載することとした。

　これらの内容は経験に基づき，エビデンスに乏しいものが多いため，本文中ではなく各章の最後に【意見】として記載することとした。『床ずれケアナビ　全面改訂版』までは，工夫や意見・解説はすべて【コラム】として扱ったが，今回は【意見】と【解説】を区別することにした。【解説】は本文中の内容に関連して，補足が必要な部分について追加した。

●最後に

　本書の構成は，初版からの意思を引き継ぎ，在宅で使いやすくわかりやすいものとなっている。薬剤については，一般名を使わず市販の薬剤名を使っている。機器名も製品名を使用している。原稿については編集委員が何回もチェックしディスカッションを重ね，なるべくエビデンスに基づき，『褥瘡予防・管理ガイドライン』との整合性にも注意した。在宅褥瘡の特殊性について説明したが，在宅現場では実情に合ったわかりやすいエキスパートオピニオンも取り入れた。本書ではエビデンスの詳細は割愛しているが，根拠をもったケアや知識も必要であり，その際は，『褥瘡予防・管理ガイドライン第5版』にあたってもらいたい。

2025年4月

日本褥瘡学会・在宅ケア推進協会理事長
「じょくそうケアナビ」編集委員会委員長

塚田邦夫

本書の使い方・読み方

1. 在宅で皆が使える実用書を目指しました。

　褥瘡（じょくそう）ケアは，医師や看護師だけでその発生を予防したり，部位を治したりするだけのものではありません。特に在宅では，ご本人の生活環境にかかわることが多く，家族との関係は重要です。また，医療職，介護職，行政職との連携が欠かせません。褥瘡においてはエビデンスに基づいたガイドブックや専門書が発刊されていますが，本書は在宅現場の実例や身近な話題を取り入れ，より実用的な読み物にしました。

2. わかりやすい表現にしました。

　一般的に医学書は，医療者向けに書かれています。専門用語が入って，どうしても難しくなりがちです。まず「褥瘡（じょくそう）」という用語は，読みにくく，書きにくい言葉です。そこで本書では，文章や言葉，表現を，よりわかりやすく，親しみやすくするように工夫しました。推薦する薬剤も，一般名ではなく，代表的な商品名で表しています。医療関係者だけでなく，ご本人にも，ご家族にも読める本を目指しています。また，写真やイラストも多く取り入れ，読むだけでなく，視覚的なイメージでとらえるようにしています。

3. どこからでも，必要な項目だけでも読めます。

　本書は項目を系統的に分類し，その分野に深くかかわっている方に分担して執筆いただきました。1つの項目を短めにして，項目ごとに読み切れる分量で記載しています。必要な項目や興味のある分野だけ先に学習できるように，どこから読み始めても理解できるように，わかりやすく工夫しました。

4. 褥瘡だけでなく，在宅ケアに関連する内容を広く取り入れました。

　褥瘡は，身体の動きが悪くなって発生します。特に身体の機能が低下していく高齢者は食べる力，動く力が弱まり，バランスを崩して，褥瘡ができやすい状態になります。また，生活環境も重要です。在宅で気をつけることを多方面から勉強していきましょう。褥瘡だけに特化するのではなく，生きていくために必要なことをさまざまな職種の立場で書きました。

　皆様がお困りのときに，本書を取り出して，問題解決できるように，やさしく，わかりやすい本にしました。お役に立てれば幸いです。

2025年4月

じょくそうケアナビ　編集委員会

編集・執筆者一覧

■ 編 集
日本褥瘡学会・在宅ケア推進協会

■ 編集委員（五十音順）
切手俊弘　（滋賀県健康医療福祉部次長）
田中秀子　（博悠会温泉病院副院長）
塚田邦夫　（高岡駅南クリニック院長，編集委員長）
中川宏治　（福田心臓・消化器内科副院長）
西林直子　（奈良県立医科大学附属病院看護部）
袋秀平　　（ふくろ皮膚科クリニック院長）
松田友美　（山形大学医学部看護学科教授）
三富陽子　（京都大学医学部附属病院看護部）

■ 執筆者（五十音順）
荒谷亜希子　（岩手県立宮古病院看護科）
飯坂真司　　（淑徳大学看護栄養学部栄養学科教授）
魚住三奈　　（フェイス調剤薬局）
梅村恵美　　（フェイス調剤薬局）
大内淑子　　（宮城県看護協会栗原訪問看護ステーション）
大浦紀彦　　（杏林大学医学部形成外科学教室教授）
大浦誠　　　（南砺市民病院内科副部長）
大場マッキー広美（一般社団法人フットヘルパー協会会長）
大山瞳　　　（ひたちなか総合病院TQM総括室）
岡田克之　　（桐生厚生総合病院副院長）
小川滋彦　　（小川医院院長）
小川豊美　　（株式会社とよみ代表取締役）
川口美喜子　（札幌保健医療大学大学院教授）
神野俊介　　（一般社団法人オーディナリーライフ）
切手俊弘　　（滋賀県健康医療福祉部次長）
木下幸子　　（＊Happy Circle＊歯科衛生士，社会福祉法人日野友愛会）
木下幹雄　　（TOWN訪問診療所理事長）
久保田恵子　（アシストひだまりの家ホームヘルプサービス所長）
熊谷英子　　（在宅WOCセンターセンター長）
栗原俊介　　（アップライド株式会社トランスファーサポートチーム営業リーダー）
栗原健　　　（くりはら皮フ形成外科院長）
五島朋幸　　（ふれあい歯科ごとう代表）
真井睦子　　（日本赤十字社栗山赤十字病院医療技術部栄養課栄養課長）

下元佳子	（一般社団法人ナチュラルハートフルケアネットワーク代表理事）
白瀬幸絵	（訪問看護ステーションめぐみ・みのり統括所長）
杉本はるみ	（南松山病院褥瘡管理室主任）
助川未枝保	（地域密着型サービス事業所リーベン鎌ヶ谷）
鈴木央	（鈴木内科医院院長）
鈴木衛	（三島中央病院外科医長）
陶山淑子	（鳥取大学医学部附属病院形成外科助教）
髙橋秀典	（JCHO福井勝山総合病院皮膚科診療部長）
高水勝	（アルケア株式会社事業管理本部）
田中秀子	（博悠会温泉病院副院長）
田中マキ子	（山口県立大学学長）
種田明生	（種田医院院長）
田村佳奈美	（福島学院大学短期大学部食物栄養学科准教授）
丹野智文	（認知症当事者ネットワークみやぎ，おれんじドア実行委員会代表）
塚田邦夫	（高岡駅南クリニック院長）
戸原玄	（東京科学大学大学院医歯学総合研究科摂食嚥下リハビリテーション学分野教授）
中川宏治	（福田心臓・消化器内科医院院長）
永崎真利子	（星総合病院看護部）
中村義徳	（天理よろづ相談所病院白川分院在宅世話どりセンター顧問）
西林直子	（奈良県立医科大学附属病院看護部）
畠山誠	（静和記念病院看護部）
播磨孝司	（札幌渓仁会リハビリテーション病院）
福島寿道	（一般社団法人ナチュラルハートフルケアネットワーク）
袋秀平	（ふくろ皮膚科クリニック院長）
藤井香織	（鳥取大学医学部附属病院看護部）
藤井美樹	（東京医科大学形成外科学分野准教授）
藤村真依	（在宅医療センター悠　管理栄養士）
堀田由浩	（希望クリニック院長）
松田友美	（山形大学医学部看護学科教授）
松本健吾	（大分岡病院創傷ケアセンター）
間宮直子	（大阪府済生会吹田病院看護部副看護部長）
三村卓司	（金田病院副院長）
柳田陵介	（東京科学大学病院摂食嚥下リハビリテーション科医員）
山口梨沙	（伊那中央病院フットケア・足病センター部長）
山下和典	（NPO法人 Life is Beautiful 理事長，訪問看護ステーションにしお代表取締役）
山本由利子	（松木泌尿器科医院高松WOCケアステーション）

目次

はじめに

本書の使い方・読み方

編集・執筆者一覧

第1章 じょくそうって何？

1. 褥瘡（じょくそう）の定義と発生のメカニズム（圧迫とずれ） ……… 2
2. 褥瘡（じょくそう）の発生と悪化を促進する要因と対策 ……… 9
3. 在宅褥瘡（じょくそう）の特徴 ……… 15

第2章 じょくそうの見方

1. 在宅での褥瘡（じょくそう）治療の流れ ……… 22
2. 診断とアセスメント ……… 30
3. 褥瘡（じょくそう）発生危険度のアセスメントツールの使い方 ……… 38
4. DESIGN-R®2020 ～褥瘡（じょくそう）状態判定スケールの紹介～ ……… 55

第3章 じょくそうの治し方

1. 外用薬療法 ……… 64
2. 創傷被覆材の特徴と使い方 ……… 75
3. デブリードマンの実際 ……… 87
4. 褥瘡（じょくそう）のポケットの治療 ……… 94
5. 在宅における局所陰圧閉鎖療法（NPWT） ……… 99
6. 褥瘡（じょくそう）の手術療法 ～デブリードマン以外の方法について～ ……… 111
7. 在宅褥瘡（じょくそう）ケアにおける薬剤師の役割 ……… 117

第4章 からだの動かし方

1. 在宅リハビリテーションの考え方・目指すもの ……… 124
2. 自然な動きを使った移動・移乗方法 ……… 129
3. からだの緊張を取る安楽なポジショニング ……… 136
4. 車いすの選び方とシーティング ……… 142
5. リフトの考え方と使い方 ……… 153
6. 認知症の人への対応はユニバーサルデザインケア ……… 161
7. 在宅でのフレイル，サルコペニア対策 ～リハビリと栄養療法の協働～ ……… 170

第5章　食べる!!

1. 褥瘡（じょくそう）予防と治療に栄養改善が必要な理由 …………………… 178
2. 高齢者の栄養アセスメント …………………………………………… 183
3. 在宅で行う口腔ケア ……………………………………………… 196
4. 摂食・嚥下評価と訓練 …………………………………………… 204
5. 在宅で行う栄養療法の考え方 …………………………………… 212
6. 市販食品を利用した栄養改善法 ………………………………… 221
7. 栄養補助食品を用いた栄養改善法 ……………………………… 225
8. 在宅での経腸栄養 ………………………………………………… 230

第6章　高齢者の皮膚を守る方法　～看護・介護のしごと～

1. 褥瘡（じょくそう）の予防を考えたケアプラン作成 ………………… 240
2. 訪問看護師の活動 ………………………………………………… 243
3. 在宅スキンケアの実際 …………………………………………… 248
4. スキン-テア ……………………………………………………… 255
5. 体圧分散管理　～寝具の選び方～ ……………………………… 261
6. おむつの選び方・使い方 ………………………………………… 268
7. 失禁関連皮膚炎（IAD）とは ……………………………………… 274
8. 終末期の褥瘡（じょくそう）ケア …………………………………… 279

第7章　足と爪のこと　～キズをみつけたら～

1. 在宅下肢創傷の現状と課題 ……………………………………… 288
2. 動脈性下肢潰瘍の診断と治療 …………………………………… 295
3. 静脈うっ滞性下腿潰瘍の治療 …………………………………… 301
4. 低温熱傷の治療 …………………………………………………… 307
5. 糖尿病性足潰瘍の治療とケア …………………………………… 310
6. 爪白癬関連の足潰瘍の治療 ……………………………………… 316
7. 爪の診断と爪切り法 ……………………………………………… 320
8. ウオノメ・タコ・イボの診断と治療 ……………………………… 328
9. 在宅で行うフットケア　～足浴・泡洗浄～ ……………………… 331

第8章　家族とヘルパーに知ってほしいこと

1. 家族に伝えておくこと …………………………………………… 336
2. ヘルパーの教育　～できることとできないこと～ ……………… 339
3. 認知症を伴う高齢者への対応 …………………………………… 344

第 9 章 みんなで治そう・防ごう・つながろう

1. 病院と，介護施設や在宅とのつながり …………………………………………………… 350
2. 医師同士のつながり ………………………………………………………………………… 355
3. 医師と他職種とのつながり ………………………………………………………………… 359
4. 遠隔診療でのつながり ……………………………………………………………………… 364
5. 災害・緊急時のつながり …………………………………………………………………… 370
6. 利用者・家族・介護者，医療・介護提供者の声 ………………………………………… 378

第 10 章 こんなふうにやってみたら成功した

1. ひたちなか市での取り組み ～在宅褥瘡ケアひたちなかメソッド®～（茨城県ひたちなか市）…… 400
2. コアスタッフ会議の活動（愛知県）………………………………………………………… 404
3. 地域連携と褥瘡（じょくそう）予防の取り組み（北海道旭川市）……………………… 407
4. 高岡地区での地域教育システム（富山県高岡市）………………………………………… 410
5. 地域のケアを支える仕組みづくり ～基本ケアとノーリフティングケアの普及～（高知県）… 413
6. 劇的な成果を実感した，行政を巻き込んで地域で取り組んだ褥瘡（じょくそう）予防対策（愛知県みよし市）…………………………………………………………………… 417
7. 奈良県での持続的な地域在宅褥瘡（じょくそう）ケアに関する活動 ………………… 419

付録

在宅褥瘡（じょくそう）ケア実施者が選んだお勧め商品 …………………………………… 424

- 意見 NPIAP2016分類とイメージ図の考え方について ……………………………………… 6
- 意見 外力における摩擦力にもっと注目しよう …………………………………………… 8
- 意見 巣ごもり生活のなかで発生した褥瘡（じょくそう）………………………………… 14
- 意見 塗り薬を甘くみないで！……………………………………………………………… 72
- 意見 ガーゼを使ってよいとき，悪いとき。使わないときどうするか。(1) …………… 73
- 意見 ガーゼを使ってよいとき，悪いとき。使わないときどうするか。(2) …………… 74
- 意見 在宅におけるラップ療法の考え方 …………………………………………………… 85
- 意見 シート状体圧検知センサーを用いた車いす利用の高齢者の座圧分布チェックリストの開発 …… 151
- 意見 ユマニチュード®の考え方 …………………………………………………………… 168
- 意見 ひとつのフットケア外来 ……………………………………………………………… 326
- 解説 在宅患者訪問褥瘡管理指導料 ………………………………………………………… 29
- 解説 創傷被覆材と保険制度 ………………………………………………………………… 84
- 解説 病棟，外来，在宅，介護施設等における，処置料・創傷被覆材・薬剤の保険請求の可否について …… 109
- 解説 褥瘡（じょくそう）の原因となる薬剤について …………………………………… 122
- 解説 福祉用具のレンタル制度 ……………………………………………………………… 149

第1章

じょくそうって何？

1 褥瘡（じょくそう）の定義と
発生のメカニズム（圧迫とずれ）

2 褥瘡（じょくそう）の発生と悪化を促進する要因と対策

3 在宅褥瘡（じょくそう）の特徴

1 褥瘡（じょくそう）の定義と発生のメカニズム（圧迫とずれ）

ポイント

- 身体の外から加わる力には大きく分けて圧迫力とずれ力があり，体内で両者が複合的に働き，特に骨に近い深い部分に力が集中する。
- 予防や治療のためには原因となる圧迫力やずれ力を見極め，できるだけ排除する計画を立て，チームで共有する。
- 骨が突出している場所に身体の外から加わる力が集中し，また，体位によって好発部位が異なるので，原因となる体位や移乗動作を理解して予防する。

褥瘡（じょくそう）の定義

- 褥瘡（じょくそう）は在宅現場で「床ずれ」ともいわれている。
- 日本褥瘡学会では，「身体に加わった外力は骨と皮膚表層の間の軟部組織の血流を低下，あるいは停止させる。この状況が一定時間持続されると組織は不可逆的な阻血状態に陥り褥瘡となる」と定義している。
- ここで，この定義を一歩深め，褥瘡を適切に予防・治療・ケアするために，褥瘡の発生メカニズムを解説していく。

褥瘡発生の原因は外力であり，圧迫力とずれ力に分けて考える

- 身体は，床面や座面（身体の外）から力を受けて，皮膚や皮下脂肪，筋肉などの柔らかい組織が靱帯や骨格などの硬い組織に挟まれて，変形しながら体重を支えている。
- 身体に加わる力（外力）は，身体に対して垂直方向の「圧迫力」だけでなく，横方向の「ずれ力」が複合的に影響し合って骨が飛び出している周囲の軟部組織の血流を悪化させている。さらに，この複合的な力は図1・2に示すように，骨に近い深部ほど大きくなっている。

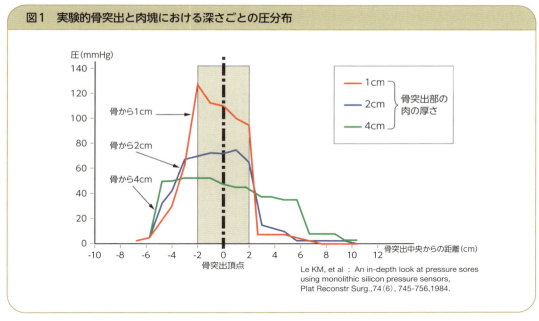

図1 実験的骨突出と肉塊における深さごとの圧分布

Le KM, et al : An in-depth look at pressure sores using monolithic silicon pressure sensors, Plat Reconstr Surg., 74(6), 745-756, 1984.

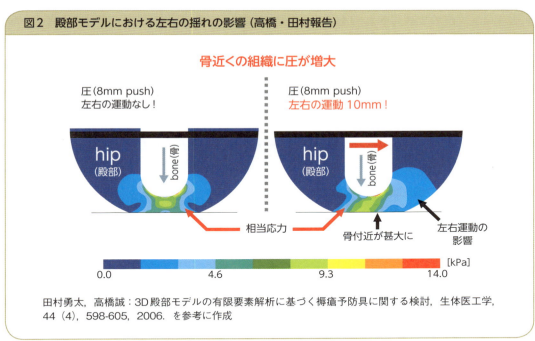

図2 殿部モデルにおける左右の揺れの影響（高橋・田村報告）

田村勇太，高橋誠：3D殿部モデルの有限要素解析に基づく褥瘡予防具に関する検討，生体医工学，44（4），598-605，2006. を参考に作成

- 以前は皮内のみの損傷と判定していた紅斑（DESIGN-R®2020の深さd1）でも，すでに深部は損傷を受けている可能性があり，皮膚が正常に見える場合でも，すでに骨に近い深部では褥瘡が発生している場合も存在することが超音波検査によっても指摘されている。
- 図3は，DESIGN-R®2020のd1，d2，D3，D4に，深部組織損傷（DTI：Deep Tissue Injury）がすでに存在している可能性を示した概念図である。d1やd2でもすでに深部が壊死を

起こしている可能性を示した。D3やD4では，皮下でより広い組織壊死がポケットの形成に至る可能性の一端を示している。

図3　DESIGN-R®2020の深さ分類に深部組織損傷を加味した概念図

褥瘡の発症原理からすると，深さd1やd2でも，あるいは外見上正常に見える皮膚でさえ，すでに皮下組織や筋が損傷している可能性がある。

深さd1　持続する発赤
深さd2　真皮までの損傷
深さD3　皮下組織までの損傷
深さD4　皮下組織を越える損傷

（図作成　塚田邦夫）

- 身体に加わる力（外力）の理解として「圧迫力」だけでなく，「ずれ力」の影響を十分考慮することが求められる。
- 図4は，ブタの皮膚にずれ力を作用させた後に圧迫を加えることで，ずれ力がどの程度組織を弱めるかを検討した実験である。ずれ力を加えた皮膚では，45mmHgで皮膚が損傷したが，ずれ力を加えなかった皮膚では6倍以上の圧（290mmHg）でも損傷は発症しなかった。
- ずれ力を起こすようなケアを続けると，組織の耐久性が低下して褥瘡が発生してしまうことになる。普段からのケアにおいて，いかにずれ力を発生させないかが肝要である。

図4　ずれ力の影響

ブタの皮膚に摩擦を与えた後に圧迫する
ずれ力の有無で比較
(Dinsdale SM:Decubitus ulcers:role of pressure and friction in causation, Arch Phys Med Rehabil., 55(4), 147-152, 1974.)

ずれ力＋圧迫力
45mmHgで損傷

圧迫力だけでは，
290mmHgでも損傷なし

日常生活動作で圧迫力とずれ力を排除する

- 褥瘡は，日常生活動作の活動性が低下した時点から危険性が生じる。この時点で「床ずれ危険度チェック表®」など，褥瘡発生リスクアセスメントツールなどで評価を行う。
- 患者を取り巻く環境について在宅医療チームで褥瘡発生リスクについて検討し，原因と

なる圧迫力とずれ力をできるだけ排除するように計画する。
- 患者を介助するスタッフは，ずれ力が発生しやすい介助動作を知って，圧迫力だけでなくずれ力も防止できるように，福祉用具を導入すると同時に技術を身につける。
  ① ベッド臥床時の頭側挙上は背部，尾骨部，両側の踵に集中するので，スライディンググローブを用いて圧抜きを行う（p164参照）。
  ② ベッド上で座位から臥位に戻る場合にも，背部全体から頭部にかけてずれ力が発生するので必ず圧抜きを行う。
  ③ 無意識にズボンを持ち上げて介助すると，尾骨部周囲や殿裂にずれ力による褥瘡が発生しやすい。リフトを積極的に導入したり，スライディングボードなどを活用する（第4章2や第4章5など参照）。

褥瘡好発部位

- 圧迫力とずれ力は骨が突出している部分に集中するので，褥瘡好発部位になりやすい。
- 仰臥位では後頭部，肩甲骨部，肘関節部，脊柱部（背中が曲がっている人：円背），仙骨部，そして踵部が，好発部位になる（図5）。
- 側臥位では，耳介部，肩関節，肘関節，腸骨部，大転子部，膝関節，腓骨部，外果部，座位では，坐骨部，尾骨部，肘関節，脊柱部（円背時に）などである。

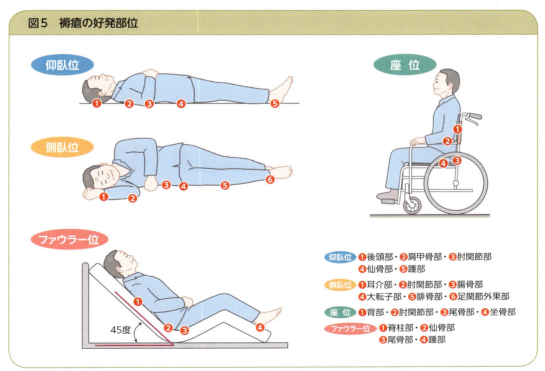

図5　褥瘡の好発部位

仰臥位 ①後頭部・②肩甲骨部・③肘関節部 ④仙骨部・⑤踵部
側臥位 ①耳介部・②肘関節部・③腸骨部 ④大転子部・⑤腓骨部・⑥足関節外果部
座位 ①背部・②肘関節部・③尾骨部・④坐骨部
ファウラー位 ①脊柱部・②仙骨部 ③尾骨部・④踵部

（堀田由浩・塚田邦夫）

意見　NPIAP2016分類とイメージ図の考え方について

　褥瘡（じょくそう）は骨と体表の間の軟部組織に，持続的な外力が加わって阻血性壊死に陥り発症します。外力の多くは圧迫とずれ力ですが，いずれも皮膚表面よりも深部の骨近くでより強く作用しています。しかも血流障害に強いのは真皮であり，皮下組織や筋肉は皮膚と比べると虚血に弱い組織です。

　これらのことから，私たちが観察できる皮膚に皮内出血や表皮剝離などの変化がみられたときには，深部の皮下組織により強い組織障害が起こっている可能性があります。

　この皮下の組織障害は，修復可能なものと，どのような治療を行っても後述するNPIAP分類のステージ3・4になるものとがありますが，褥瘡発生初期には区別はつきません。結果としてステージ3・4になったものを，新しいNPIAP分類ではDTPI（Deep Tissue Pressure Injury：深部組織損傷）と呼びます。NPIAP分類は，NPIAP（National Pressure Injury Advisory Panel：米国圧迫創傷諮問委員会）が提唱する褥瘡の深達度に応じたステージ分類法です。

　NPIAP分類では詳しく解説が述べられています。褥瘡の教科書ではこのNPIAP分類を解説するとき，イメージ図を入れるのが通例です。ほとんどの教科書では，ステージ1と2のイメージ図に皮下組織の障害はまったく描かれてはいません（**図1**）。

図1　一般的に示されるNPIAP2016の重症度分類の解説図

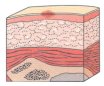
ステージ1
消退しない発赤

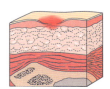
ステージ2
表皮欠損・水疱
真皮の欠損

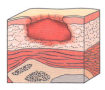
ステージ3
皮下組織の欠損
筋膜に至らない

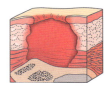
ステージ4
筋肉・腱・骨までに
至る損傷

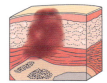
分類不能
壊死組織のため
深さ判定不能

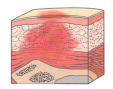
深部組織損傷（DTPI）
持続的な圧迫／ずれで
皮膚色素沈着と皮下組織損傷

（図作成　塚田邦夫）

しかし，これでは現実とは異なると考え，本書の解説には，あえて深部での組織障害のあるイメージ図をつけました（図2）。深部組織障害は回復可能なものと回復不能なものとがあります。そこで，組織障害の弱い図と強い図を併記しました。

図2　発症原理を踏まえたNPIAP2016の重症度分類の解説図

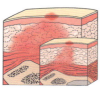
ステージ1
消退しない発赤

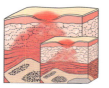
ステージ2
表皮欠損・水疱
真皮の欠損

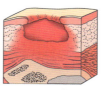
ステージ3
皮下組織の欠損
筋膜に至らない

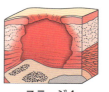
ステージ4
筋肉・腱・骨までに
至る損傷

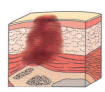
分類不能
壊死組織のため
深さ判定不能

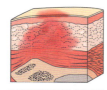
深部組織損傷（DTPI）
持続的な圧迫／ずれで
皮膚色素沈着と皮下組織損傷

体表から観察できるのは，皮膚表面の色と組織欠損の深さである。実際は皮下や創傷の奥の組織にも障害が起きている可能性がある。褥瘡では体表と骨との間の軟部組織に圧迫やずれなどによる組織障害が多少なりとも発生している。そこで，ステージ1～4に示すような組織障害が存在するイメージをもってケア対策を立てることが勧められる。

（図作成　塚田邦夫）

臨床現場では，皮下の硬結として触れた場合は深部組織損傷と診断できます。あるいは，超音波検査で深部組織損傷を診断できる場合もあります。

深部の組織障害が軽くても，治療やケアが不適切であればステージ4へと進行します。この点を踏まえ，ステージ1や2の例であっても，できるだけ早期に総合的なケアが必要なのです。

褥瘡の発症時には皮膚に変化が起こる前から痛みが先行します。寝たきりの方などで腰背部に痛みを訴えたときには，服の上からでよいので痛いところに手を当ててみてください。その部位が骨突出部だったら褥瘡を疑いましょう。できれば服をめくって皮膚を直接観察してください。皮内出血があれば褥瘡と考えます。

痛い部位をつまんでみて皮下に硬結があったら，重度褥瘡であるDTPI（深部組織損傷）と診断できます。DESIGN-R® 2020では「深部障害褥瘡（DTI）疑い」です。ただちに体圧分散，ずれ対策を含めた総合的な褥瘡治療の開始が必要です。

（塚田邦夫）

> **意見** 外力における摩擦力にもっと注目しよう

　褥瘡（じょくそう）の「原因」を突き詰めると，外から身体のある局所にかかる「力」ではないでしょうか？　したがって，「褥瘡対策には外力を軽減することが肝心」と考えます。

　まず，外力とは何かを考えます。「外力によって褥瘡は発生する」ことに誤りはありません。外力がかからなければ褥瘡はできませんし，外力のかからないところにできたキズは褥瘡とはいえません。

　「外力とは，圧力とずれ力である」といった言い方がされることがしばしばあります[1]。圧力は外から圧迫することに伴う物理力なので，間違いなく外力の一つです。しかし，ずれ力という表現のほかに，「摩擦力」をもっと強調したいと思います。身体の表面と内部で発生する物理力を，分けて考えてみます。ものがずれるときに伴って発生する，表面的な物理力は「摩擦力」です。一方，身体の内部に発生する物理力は「応力（内力ともいいます）」です。外力によって，圧力と摩擦力が生じ，それによって応力である「ずれ力」が発生します。以上より，外力対策では，圧力と摩擦力への同時対策が重要になります。

　持続的な圧迫に，繰り返す摩擦やずれが加わることで組織内部のダメージが大きくなることが知られています[2]。それは，「圧力」に加え，「摩擦力」およびこれらによって生じる「ずれ力」が組織内部に生じ，圧迫のみのときよりも大きな直接的なダメージおよび軟部組織の変形やゆがみをもたらすからです。

　こうした考察から，褥瘡ケアにおける外力対策としては，高機能エアマットレスによる持続的な圧迫軽減に加え，同時に局所摩擦力発生の持続的な軽減を図る必要があると考えます。TASS（Topical Aid Sliding Sheet）[3]の使用は，こうした目的に合致する1つの工夫ではないでしょうか。

（中村義徳）

引用文献

1) 一般社団法人日本褥瘡学会編：褥瘡ガイドブック，第2版，18，照林社，2015.
2) Dinsdale SM：Decubitus ulcers: Role of pressure and friction in causation. Arch Phys Med Rehabil, 55(4), 147-152, 1974.
3) 中村義徳，吉田道子，光田益士：在宅での褥瘡に対する持続的局所摩擦ずれ緩和シートを用いた3症例の治療経験，日本褥瘡学会誌，22(4), 401-406, 2020

2 褥瘡(じょくそう)の発生と悪化を促進する要因と対策

ポイント

- 褥瘡(じょくそう)の発生，悪化を予防するには，直接的な要因の外力である「圧迫」「ずれ力」をコントロールすることが重要である。
- 直接的要因のほかに，個体要因，環境・ケア要因，社会的要因，精神的要因も影響を及ぼしている。
- 在宅における褥瘡発生は，24時間の生活に密接に関係している。
- 褥瘡改善，再発予防のためには，褥瘡発生要因を本人，家族，多職種などで推察し，要因ごとの対策を立てることが重要である。

褥瘡(じょくそう)発生の要因

褥瘡(じょくそう)発生の直接的要因は外力(圧迫，ずれ力)

- 褥瘡(じょくそう)発生で重要な要因となるのは，外因性要因である圧迫，ずれ力，摩擦，マイクロクライメット(p11参照)であるが，浮腫，感覚減少，栄養不良など多くの対象者固有の内因性要因も褥瘡の進行に関係する。
- 特に，褥瘡発生の直接的な要因は外力(圧迫，ずれ力)である。身体に加わる外力が低減あるいは除去できていれば，褥瘡発生は予防でき，悪化および再発予防にもつながる。よって，まずはこの外力をコントロールすることが最重要である。

褥瘡発生の2つの要因

- 褥瘡発生には図1のように2つの要因がある。
  ①個体要因：対象者自身がもつ要因。褥瘡の危険因子でもある
  ②環境・ケア要因：対象者を取り巻く環境，医療者・介護者・家族などが提供するケアに関する要因

図1　褥瘡発生の概念図

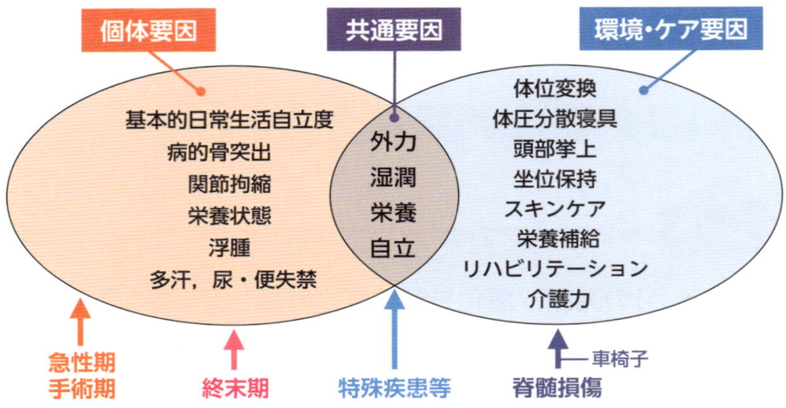

個体要因
- 基本的日常生活自立度
- 病的骨突出
- 関節拘縮
- 栄養状態
- 浮腫
- 多汗，尿・便失禁

↑急性期 手術期
↑終末期

共通要因
- 外力
- 湿潤
- 栄養
- 自立

↑特殊疾患等

環境・ケア要因
- 体位変換
- 体圧分散寝具
- 頭部挙上
- 坐位保持
- スキンケア
- 栄養補給
- リハビリテーション
- 介護力

←車椅子
↑脊髄損傷

真田弘美，大浦武彦，中條俊夫他：褥瘡発生要因の抽出とその評価，日本褥瘡学会誌．5(1)，136-149，2003．を一部改変

褥瘡の社会的要因および精神的要因

- 褥瘡の発生や悪化，治りにくさには，外力の直接的要因のほかに，二次要因として，局所・全身的要因，社会的要因，精神的要因も影響する。
- 社会的要因には一人暮らしによる引きこもりや偏食，介護の負担・不足，情報不足，経済的困窮，ネグレクトなどの問題がある。
- 精神的要因には精神活動性低下やうつ状態，向精神薬内服，神経系疾患の進行などがあり，意識状態低下，外力の回避困難，失禁などを招き，褥瘡発生の要因となる。
- 褥瘡の局所，全身的要因のみならず，社会的・精神的要因についてアセスメントし，対策を立てる必要がある。

褥瘡発生・悪化を促進する要因と具体例

圧迫

- 以下に圧迫が生じる要因の例をあげる。
  ①硬い布団や畳の上に寝ている
  ②体圧分散寝具未使用，状態に適していない体圧分散寝具の使用
  ③長時間の同一体位，体位変換の不実施，体位変換の間隔が長い
  ④身体，座位保持能力に適していない車いすの使用，体圧分散クッションの未使用
  ⑤1日中，体圧分散を行わず，いす（座いす，ソファー，こたつなど）や車いすなどに座り続ける

⑥排便コントロール不良により便座に長時間座り続けるなど

ずれ力

- 以下にずれの例をあげる。
  ①力任せの介助による体位変換や上方移動，横移動介助時のずれ
  ②ベッドから車いすなどへの移乗介助時のずれ
  ③ベッドの背上げ機能を活用した挙上での身体のずれ（特に頭側のみを挙上している場合はずれが大きくなる）
  ④いすや車いす上でのすべり姿勢，姿勢の崩れによるずれ
  ⑤身体機能低下などにより，生活動作（排泄，移乗，入浴など）で生じるずれなど

マイクロクライメット

- マイクロクライメットとは，皮膚とマットなどとの支持面間の温度と湿度の状態を指す。発熱，発汗，失禁などで皮膚が湿潤すると皮膚が弱まり，皮膚と支持面間の摩擦量が増大し，褥瘡が発生しやすく，進行する可能性が高くなる。
- 38℃以上続く発熱（尿路感染，誤嚥性肺炎，風邪など）による皮膚温の上昇，高温多湿な室内環境，特に熱中症には注意が必要である。
- 以下にマイクロクライメットに影響を与える例をあげる。
  ①除湿・換気機能のない体圧分散寝具の使用
  ②バスタオルやビニールシーツの敷きっぱなし，電気毛布の使用
  ③排泄量に適していないおむつ，何重にも重ねた尿取りパッドの使用

全身状態

- 以下に褥瘡が発生・悪化する全身状態の例をあげる。
  ①栄養状態：食事摂取量減少，栄養必要量に対し摂取量不足，低栄養，体重減少，脱水など
  ②フレイルの進行，衰弱
  ③感染：尿路感染，誤嚥性肺炎，創部感染など
  ④主疾患，併存疾患の進行：慢性疾患，がん終末期，神経系疾患，下肢病変など

薬剤

- 催眠鎮静薬，抗不安薬，麻薬，解熱鎮痛消炎薬など薬剤の重複投与や過剰投与，誤った服用により，過度な鎮静となり活動性低下し，褥瘡発生に至ることがある。
- パーキンソン病薬など日常生活動作に影響する特定の薬剤の中止や服用困難となった場合にも，活動性の低下，無動となり，褥瘡発生の危険性が高まる。

介護力

- 介護負担や介護不足，経済的な問題や情報不足・知識不足などで必要な医療や介護サービスが受けられず，褥瘡が発生・悪化することがある。

医療・介護者

- 連携不足，かかわるスタッフの褥瘡に関する知識・認識不足などで，褥瘡が発生・悪化することがある。

褥瘡発生要因の推察と対策

- 褥瘡ケアにおいて重要なのは，褥瘡発生の要因を除去し改善することである。要因を除去し改善できていなければ，褥瘡は治癒に向かわず，悪化，再発を繰り返す。
- まず，褥瘡発生の要因を推察し，要因ごとに対策を立てることが重要である。
- 在宅における褥瘡は，24時間の生活スタイル，連続した生活動作，介護力，生活環境などと密接に関係し，日常生活の中で発生する。
- 直接的要因である「圧迫」「ずれ力」を起こすような具体的な生活動作や生活スタイル，生活環境，体位変換方法，介護方法などがないかを，本人，家族，医療スタッフ，介護スタッフ，介護支援専門員（ケアマネジャー）などから多角的な視点で情報収集し，褥瘡発生の要因を推察し，対策を皆で話し合う。
- 褥瘡発生部位と創部の形状から，褥瘡発生の要因となった姿勢をあらかじめ推測しておくと，効率よく情報収集しやすい。

褥瘡発生部位

- まず，褥瘡発生部位から要因となった姿勢を推測し，実際の姿勢を確認する。褥瘡好発部位は第1章1の図5（p5）を参照してほしい。

褥瘡の形状

- 次に，褥瘡の形状から要因を推察する。例として，円形の褥瘡では主に同一体位での圧迫が要因であり，不整形，ポケットのある褥瘡では，圧迫に加え，ずれ力，摩擦，湿潤が要因と推察できる。

24時間，1週間の生活状況など

- 次に24時間，1週間の生活状況，生活動作などを確認する。
- 寝たきりで24時間をベッド上で過ごす人であれば，寝床環境（ベッド，体圧分散寝具の使用の有無・種類），体位と好発部位，体位変換の時間・方法，移動介助時のずれの有無，

- おむつ交換の頻度などを確認する。
- 1週間の生活では，1週間，どこでどのように過ごしているのかを確認する。例えば，ショートステイやデイサービスを利用する人であれば，サービス利用中の過ごし方として，寝床環境，座位時間や体圧分散の間隔，車いすやクッションの種類・使用の有無，入浴介助方法や入浴環境などを確認する。
- 車いすユーザーや日中に活動する人であれば，起床後から就寝までの活動時間の過ごし方，過ごす場所の環境，体圧分散の間隔や方法，排泄・入浴・移動などの生活動作，居室・寝床環境，介護方法などを確認する。
- 他に，車いすユーザーで就学中や就労中の人であれば，授業や勤務中の体圧分散方法や間隔，日中にベッドに臥床する時間や場所が確保できるか，通勤・通学に利用する車の座席の座面や体圧分散頻度，移動方法，排泄管理，職場や学校の褥瘡ケアに対する理解や協力が得られているかなども確認する。

発生要因のアセスメント

- 在宅における褥瘡発生要因は多岐にわたり，対象者によってさまざまである。1回の情報収集ですべての情報を得ることは不可能である。褥瘡発生要因が定まるまでは，繰り返し，対象者本人，家族，多職種で多角的に情報収集，分析，評価を行う必要がある。
- 可能な限り，それぞれの生活場所に出向き，実際の生活場面や生活動作を見て，多職種で検討することが有用である。
- 褥瘡発生要因が特定できれば，それに対する対策，ケア計画を立案し，実施，評価を繰り返す。治癒が進まない，悪化，再発を繰り返す場合は，再度，要因を見直す。
- 褥瘡が治癒しても，褥瘡発生要因が加われば褥瘡が再発する危険性は高まるため，予防ケアを継続する必要がある。また，全身状態の悪化やフレイル，身体機能の低下，生活環境の変化などが引き金となり，褥瘡が再発しやすくなるため，定期的に褥瘡リスク評価を行うことが重要である。
- 褥瘡発生要因について理解し，予防につなげるにあたり，日本褥瘡学会・在宅ケア推進協会が開発した「床ずれ危険度チェック表®」(p39参照)に基づいた『床ずれ予防プログラム』(春恒社，2022年)は大変有用である。

（藤井香織）

参考文献
- 世界創傷治癒学会（WUWHS）コンセンサスドキュメント：褥瘡予防用ドレッシング材の役割，3-19，Wounds International，2016.
- 一般社団法人日本褥瘡学会編：在宅褥瘡予防・治療ガイドブック，第3版，18-100，照林社，2015.
- 厚生省老人保健福祉局監，宮地良樹編：褥瘡の予防・治療ガイドライン，52-58，照林社，1998.

意見　巣ごもり生活のなかで発生した褥瘡（じょくそう）

　褥瘡（じょくそう）は，寝たきりになり，食事も十分摂れなくなった低栄養の人にできます。寝たきりになると，筋肉が減って骨が飛び出してきます。そして，骨と皮膚に挟まれた部分が押されて，血が通わなくなって褥瘡になります。褥瘡の予防は，寝たきりにならないことと，栄養をつけること，また，骨が出てきたら柔らかい体圧分散寝具を使うことが大切です。

　ところが，2020年3月から，この原則を覆すような褥瘡が多発するようになりました。寝たきりではなく，元気に歩けて栄養状態も悪くないにもかかわらず褥瘡をもった人が，1つの診療所の外来に半年間で7例もあらわれたのです。コロナウイルス感染拡大への自粛要請に対し，自宅にとどまり外出を控え家でじっと座って，あるいは横になってテレビを見ていた高齢者でした。あるいは，家でいすに座ってずっとパソコンをしていた人たちでした。このような巣ごもりによる褥瘡は，今回のコロナ禍で多発はしたのですが，実は同様の褥瘡は以前からみられていました。

　これらの褥瘡は，座ったときに下になる坐骨部，尾骨部，あるいは横向きに寝たときに下になる大転子部にあり，痛みを伴っていました。できてまだ日が浅いものは，皮膚をみただけでは何の変化もありませんが，皮膚を大きくつまむと，皮膚の下に硬くて痛い褥瘡がありました。時間の経ったものは重症化し，表面がただれて潰瘍化し，血が出ていました。皮膚の下の硬い部分に感染が起こり，膿が出ていたものも1例ありました。

　いずれの人も，座る姿勢が悪く，また座るときに圧迫を減らせるクッションは使われていませんでした。軽症の褥瘡では，圧迫を減らす体圧分散クッションを用いるだけで治っていきました。しかし，重度の褥瘡では，体圧分散クッションを導入しても治るのに長期間かかり，適切なキズの処置も必要でした。つまり，感染があるときは感染対策の治療，感染が治まれば傷んだ組織をできるだけ早く回復させる治療，そして最後は表皮化させる治療です。

　同じ姿勢で横になったり座ったりする時間が長くなっていたときや，下になっていたところに痛みが出た場合，全身状態が悪ければもちろんですが，元気でも褥瘡かもしれません。痛いところを触ってみて，そこが骨の出っ張ったところなら，あるいは皮膚の下に痛くて硬いものに触れたら，すぐに医師か看護師に相談しましょう。

（塚田邦夫）

参考文献
・「巣ごもり生活のなかで発生した褥瘡に関する予防啓発ポスター」は以下のURLよりダウンロードできます。
　http://www.tokozurecare.com/pdf/sugomori.pdf

3 在宅褥瘡(じょくそう)の特徴

> **ポイント**
> - 住み慣れた環境下での褥瘡(じょくそう)ケアが可能である。
> - 人生の最期を含むすべてのライフステージで,褥瘡の治癒を目指して,多職種でのチーム医療を提供できる。
> - 各々が専門性を発揮することで,病院と変わらぬ質の高い褥瘡ケアを提供できる。
> - 職種間で褥瘡に関する教育について差があるため,個々の努力と知識に応じた教育活動が必要である。
> - 在宅褥瘡では治癒過程を患者・家族,それを取り巻く関連職種が一緒に分かち合えることが大きな喜びであり,やりがいにつながる。

なぜ在宅で褥瘡(じょくそう)ケアを行うのか?

- 超高齢化社会の進展により,褥瘡(じょくそう)のハイリスク患者が増加傾向にある。また,在院日数の短縮や地域包括ケアシステムの推進により,手術を予定している場合や感染症発生時などを除き,「褥瘡」は在宅でみる疾患となった。
- 住み慣れた自宅での褥瘡ケアは,これまでの日常生活の維持ができるため,患者にとっても大きな安心につながっている。
- 特に終末期では,人生最期の時間を「自宅で過ごしたい」,家族からは最期まで「自宅で過ごさせたい」との希望が強い。
- 特別養護老人ホームや有料老人ホームなどの高齢者施設も在宅に含まれる。

褥瘡ケアにおける病院と在宅の違い

病院での褥瘡ケア

- 2002年の「褥瘡対策未実施減算」の施行により，各病院では褥瘡対策チームを設立するなど，劇的な変化を遂げた。現在は，入院基本料の基準となり，質の高い褥瘡予防・ケアが当たり前のケアとして提供されるようになった。
- 病院では「褥瘡の治癒」を目的に，関連職種が一丸となって体圧分散ケア，ずれ・摩擦のケア，栄養管理などを提供する。
- しかし，原疾患の治癒や褥瘡の感染徴候が消失すれば，「在宅に戻す」という傾向にあり，褥瘡が治癒するまで入院が継続できない現状がある。
- 在宅ケア開始にあたり，入院中の褥瘡ケアを継続できない場合がある。病院では，患者の生活環境を十分把握し，在宅で必要とする職種選びを慎重に行うなど，「在宅褥瘡」についての理解が現在の課題である。

在宅での褥瘡ケア

- 在宅で褥瘡が発生した場合は，患者の近くにいて，褥瘡ケアの要となる介護支援専門員（ケアマネジャー）が中心となって，褥瘡治療と再発予防に必要な専門職を選出し，多職種チームが連携し，褥瘡ケアを行えるよう調整する。
- ケアマネジャーは，患者の身体的状況，介護力，生活環境，経済力などを十分に把握し，関連職種の褥瘡ケア経験や褥瘡ケアへの熱意，人間性などを考慮したうえで，在宅医，皮膚・排泄ケア認定看護師（WOCN），訪問看護師，ヘルパー，理学療法士（PT），作業療法士（OT），在宅管理栄養士，訪問薬剤師，福祉用具貸与業者などに介入を依頼する。
- しかし，「在宅褥瘡」においては，在宅医，在宅のWOCN，訪問看護師のほうがケアマネジャーより褥瘡に長けている場合もある。その場合は，中心的にかかわる職種がケアマネジャーと連携しながらケアを進める。
- この褥瘡チームの形成が，褥瘡の早期治癒や再発予防はもちろん，患者のその後の生活を左右するといっても過言ではない。
- 関連職種が連携し，各々が専門的知識・技術を発揮することで，病院以上の質の高い褥瘡ケアを提供することも多い。褥瘡の早期治癒はもちろん，患者，家族の大きな満足感や関連職種のやりがいにもつながっている。

在宅褥瘡ケアの問題点

- 在宅では，患者や家族は褥瘡に関する知識がなく，発生して初めて「褥瘡」を知るケー

- 在宅褥瘡ケアにおいては，多職種連携が必要不可欠であるが，褥瘡ケアの知識・技術に差があり，予防・治療が遅れることが多々ある。チーム間で共通理解のもとにケアを進められるように，教育的介入が必要である。
- ケアマネジャー教育のなかに褥瘡予防が含まれていないために，褥瘡予防，褥瘡発生時の早期対応が遅れることがある。ケアマネジャーは褥瘡予防の第一歩となる「姿勢改善」のケアや福祉用具を取り入れるなど，褥瘡ケアの知識を習得し，日常生活支援の調整を行う必要がある。
- 現在，「床ずれ危険度チェック表®」(p39参照)に基づいた，ケアマネジャー対象の『床ずれ予防プログラム』が作成され，その浸透が急務となっている。
- 地域連携システムが推進されている昨今ではあるが，在宅医によっては褥瘡管理が得意でない場合もある。往診ができる外科医，形成外科医，皮膚科医を把握しておき，必要に応じて依頼することも重要である。
- 在宅では，経済的問題を抱える患者も多い，衛生材料の工夫，外用薬の使用など，患者が無理なくケアに専念できるよう配慮する必要がある。

在宅褥瘡ケアの実際

在宅褥瘡対策チームの紹介

- 筆者は長年WOCクリニックに勤務し，在宅褥瘡管理者として，医師，管理栄養士，事務職員とともに在宅褥瘡対策チームを結成し，年間延べ約800名の褥瘡患者のケアを行ってきた。その経験から，在宅褥瘡ケアの実際について述べる。
- クリニックに相談された褥瘡患者は，予防的ケアの不足により褥瘡が発生した患者が多く，ケアマネジャー経由でかかりつけ医や在宅医から相談され，依頼されるケースが多かった。
- また，クリニックの医師が在宅医でも数少ない外科医，形成外科医であったことから，外科的処置を必要とする褥瘡の依頼が多かった。
- チームは，「褥瘡の治癒」はもちろんであるが，在宅の褥瘡ケアの質の向上を目標にしており，教育的介入を行ってきた。

在宅褥瘡対策チームの活動の実際

- 訪問前に紹介先やケアマネジャーの情報をチーム内で共有した。
- 初回訪問時は，患者の状態，介護力，介護サービスの利用状況，生活環境や経済面，患者・家族の褥瘡ケアへの思いなどを把握し，チーム内で十分に検討したうえで，WOCN

が在宅褥瘡診療計画を作成した。
- 初回訪問時は，ケアマネジャー，訪問看護師にも必ず同席してもらい，計画に沿った介入を依頼した。

1) 具体的なケア内容

○局所治療
- チームで創のアセスメントを行い，創の状態に応じて，医師によるデブリードマンやポケット切開，局所陰圧閉鎖療法（NPWT：negative pressure wound therapy），創傷被覆材や外用薬の使用，混合軟膏の使用など，在宅においても最新の治療を実施した。
- 院外の薬剤師に介入を依頼し，外用薬の提案や使用方法について助言をもらった。また，訪問に同行して，創および外用薬の評価を行い，必要に応じて変更を行った。さらに，患者・家族に軟膏の適切な量，塗布方法を指導してもらった。

○外力軽減のケア
- 患者の状況や介護力をもとにエアマットレスへの変更や24時間体位変換付きエアマットレスなどを適宜選択し，頭側挙上，背抜き・圧抜きの指導を行った。
- 車いす使用時には，90度ルール（褥瘡予防，体圧分散のため，座位時に股関節，膝関節，足関節をできるだけ90度に保つようにすること）の指導，車いすのクッションの選定，ティルト機能付き車いすの選定を行った。
- ケアマネジャーに依頼し，福祉用具専門相談員に同席してもらい，患者に最適な福祉用具を選択した。
- 体圧分散の程度が可視化できるSRソフトビジョン™を使用し，体圧管理の指導を行った。患者・家族，PT，OT，福祉用具専門相談員等と一緒に可視化画像を見ることで，効果的な体圧分散ケアが可能になった。
- 摩擦とずれのケアは，頭側挙上の方法，体位変換時，車いす移乗時の注意について指導した。
- 患者の状態に応じたポジショニングを行った。

○排泄ケア
- 患者はサイズが合わないおむつの使用や不透湿性の尿取りパッドを何枚も重ねて使用していることが多く，IAD（失禁関連皮膚炎）を併発している場合も多かった（IADについては第6章7（p274）を参照）。
- 適切な排泄用品の選択，使用方法について指導した。
- 必要に応じ，企業の排泄コーディネーターに介入を依頼して，患者・家族，訪問看護師，施設職員，ヘルパーなどに指導し，また，関連職種で知識・技術の共有を行い，適切な排泄管理を行った。

○スキンケア
- 高齢者ではドライスキンが多く，改善のために洗浄，保湿，保護について，患者・家族，訪問看護師，訪問入浴担当者，介護職などに指導した。

○栄養管理

- 管理栄養士は，患者の食事内容から栄養摂取量を概算して栄養量の過不足を推測した。また，患者の経済力や買い物環境，食に対する考え方を確認しながら，栄養量を調整する食事を具体的に提案するとともに，栄養管理のポイントを家族に伝えた[1]。

○多職種連携と教育的介入
- 在宅褥瘡管理者のWOCNは，在宅褥瘡対策チーム，ケアマネジャー，訪問看護師と連携しながら，前述のケア内容を患者・家族，関連職種に指導した。指導にあたっては，ケアマネジャーには必要な職種の介入や同行を依頼し，エビデンスに基づいた指導を行った。
- 常に訪問看護師と連携を取り，ケアを伝授する一方，訪問看護師が患者・家族，関連職種に指導ができるよう促した。

2）評価
- 医師は週1回，管理栄養士は月1回，患者宅を訪問した。WOCNは創の状態，介護者（家族・介護職）や訪問看護師の看護力などによって訪問回数を設定した。各訪問時の評価は常に情報共有し，週1回のカンファレンスで在宅褥瘡管理計画の調整と見直しを必要に応じて行った。

3）活動の成果
- これらの熱意ある細やかなケアは，患者・家族，関連職種に伝わり，褥瘡の専門チームとして成長した。また，各々が連携することで褥瘡の早期治癒につながった。

在宅褥瘡ケアの醍醐味

- 在宅褥瘡は，患者・家族が住み慣れた環境下で治療ができることが最大の特徴である。
- 在宅でも，「褥瘡の治癒」という目標に向かって，それぞれの専門家が連携し専門性を発揮すれば，病院と変わらない質の高いケアが提供できる。
- 治癒していく過程を患者・家族，それを取り巻く関連職種が一緒に分かち合えることが大きな喜びであり，やりがいにつながり，在宅褥瘡ケアの醍醐味といえる。
- お互いの信頼，愛情，情熱，そして，学ぶ力を大切に在宅褥瘡の発展に努めていくことが重要である。

（熊谷英子）

引用文献
1) 塩野崎淳子，熊谷英子，吉田美香子他：1医療機関において「在宅患者訪問褥瘡管理指導料」を算定された患者の実態と，褥瘡・栄養状態の変化，日本褥瘡学会誌，25(4)，434-441，2023．

参考文献
・熊谷英子：在宅褥瘡ケアにおける皮膚・排泄ケア認定看護師の活動の実際，WOC Nursing，4(2)，25-32，2016．

第2章

じょくそうの見方

1. 在宅での褥瘡（じょくそう）治療の流れ

2. 診断とアセスメント

3. 褥瘡（じょくそう）発生危険度の
アセスメントツールの使い方

4. DESIGN-R®2020
～褥瘡（じょくそう）状態判定スケールの紹介～

1 在宅での褥瘡（じょくそう）治療の流れ

ポイント

- 多職種連携について理解する。
- 創だけではなく，患者の全体をみる必要がある。
- 診療報酬請求を理解する。
- 必要なペーパーワークをこなす。

訪問診療開始の前に

- ここでは，褥瘡（じょくそう）治療は得意だが，在宅医療に不慣れな医師を想定する。患者を訪問し，褥瘡を評価し，ケアの方針を決め，他職種と協働する際の流れを示す。
- 在宅患者においては，訪問看護師，あるいはヘルパーが褥瘡を発見し，在宅主治医に報告することが多い。
- 在宅主治医が自分で対応できない場合，診療情報を褥瘡担当医に提供し，訪問診療を依頼する（病名，状態，現在服薬中の薬剤など）。
- 褥瘡担当医は依頼された患者の家族と本人に連絡を取り，情報収集を行う（病気の理解，介護状況（要介護度），同居家族の有無，生活状況など）。最終的には訪問診療の同意をもらう必要がある。
- 患者を担当している訪問看護師に連絡し，褥瘡の写真，現在の処置の状況，全身状態，食事摂取状況，家族の疲弊度などを聞き取る。
- また，患者を担当している介護支援専門員（ケアマネジャー）に連絡し，介護度や現在のケアプラン（介護保険下のサービス利用状況）を聞く。デイサービス利用日は基本的には昼間は不在のため，訪問する計画を立てる際の参考にする。また，家族の状況などについても情報を収集する。
- 訪問診療を行う際には計画を立てる。その際，どのような処置（デブリードマンなど）が必要になるかをあらかじめ考えておく。必要になる可能性がある処置具（ハサミやメス，ペアン鉗子など）や消毒器具，創傷被覆材や創に固着しにくいガーゼ（メロリン®

やモイスキンパッド®など)を考え，訪問時に持参するようにする。

ケアマネジャーや訪問看護師から訪問診療依頼があったとき

- 在宅現場では，訪問看護師やヘルパーが褥瘡を発見するため，直接褥瘡治療医に訪問依頼がなされることがある。この場合はまず，在宅主治医，またはかかりつけ医，病院主治医などと連絡を取り，訪問の許可を得る。同時に診療情報提供を依頼する。
- 訪問看護師やケアマネジャーからの情報収集を上記と同様に行う。直近の褥瘡の写真が入手できると，どのような処置を行い，どのような薬剤を使用するか，予測することができる。
- スマートフォンなどでメールを送ってもらうのも効果的である。地域でグループウエアなどのICTの利用があれば，それを利用して情報を共有する(個人情報保護に留意する。あるいはそれが可能なツールを使用する。また，本人，家族に状況共有の同意が必要である)。

初回往診時

- 患者を初めて診察する場合は，「訪問診療」ではなく，「初診」＋「往診」として算定する。
- 創の観察のみならず，患者の全身状態，生活環境，介護者の状況を観察する。
- 創処置を行い，今後のケアの方針を立て，必要な指示を行う。
- 訪問看護師には，特別訪問看護指示書(真皮を越える褥瘡の場合は月に2回発行可能)を発行し，処置内容，週何回処置が必要か(24時間対応の訪問看護ステーションであれば，毎日処置を行うことも問題なく可能)，指示を行う。
- ケアマネジャーに対しては，ヘルパー派遣のスケジュールを確認する。また，異常発見時の連絡先や，身体介護時の注意などについても確認する(体動時や移乗時，体位交換時のスライディングシートの使用などの指示，ベッドで頭側挙上をする際の注意点，適切なマットレスの導入(深い褥瘡なら高機能エアマットレスを使用)などを話し合う)。
- 褥瘡に必要な薬品や創傷被覆材の入手方法についても，薬剤師と話し合う。

患者の全身状態

- 栄養の状態，脱水の有無，原疾患の状況等を確認する。

1) 栄養の状態

- やせているか太っているか，肌つや，最近の体重の推移，体重測定が困難である場合は，患者の腹囲や上腕周囲長，下腿周囲長の変化によって栄養状態を推測する(表1)。血液検査による栄養状態の評価も必要である。

> **表1　大西の式（腹囲等で体重を推測する式）**
>
> 男性の体重推定式＝0.660×腹囲(cm)＋0.702×下腿周囲長(cm)＋0.096×年齢(歳)－26.917
> 女性の体重推定式＝0.315×腹囲(cm)＋0.684×上腕周囲長(cm)＋0.183×身長(cm)－28.788
>
> 大西玲子他：寝たきり要介護高齢者における体重推定式の作成，日本老年医学会雑誌，49 (6)，746-751, 2012.

- また，2台の体重計を使用し，2人の介助者がシーツなどで患者を持ち上げて，患者の体重を測定する方法があり，さらに車いす用体重計も販売されている．身長，体重から栄養状態を推察する．
- デイサービスなどを利用している場合は，毎月の体重測定を依頼し結果を教えてもらう．

2) 脱水の有無

- 食事水分の摂取状況，皮膚の張り，尿量，尿の濃縮度，口腔内や舌の乾燥などから判断する．
- 脱水がある場合は，点滴を行うが，訪問看護師に毎週点滴指示を行うこともできる．
- この場合，特別訪問看護指示書（真皮を越える褥瘡患者の場合は月に2回発行が可能）に加えて，さらに訪問看護点滴指示書（週に1回作成が必要）を作成し，訪問看護師に行ってもらうことも可能である．

3) 原疾患の状況

- 在宅主治医に情報提供を依頼することが必要であるが，おおむね安定していることが多い．
- 慢性心不全の患者には急性増悪が少なくないため，体調不良時には注意を払う．
- 安定していても，誤嚥性肺炎等の急な状態変化を起こす可能性は常に想定しておくべきである．

4) 経管栄養の有無

- 在宅医療を受ける患者は自力で栄養摂取が困難で，経管栄養あるいは高カロリー輸液を行っている患者もいる．その場合は，採血で微量元素（亜鉛や銅，セレンなど）もチェックし，栄養剤の見直しを行う．
- 管理栄養士と相談することもある．

5) 嚥下状態

- 経口摂取を行っている患者では，嚥下の状態をチェックする．
- 改訂水飲みテストを行う（表2）．
- 嚥下状態に問題があれば，言語聴覚士，訪問耳鼻科医師，訪問歯科医師，訪問歯科衛生士などと連携を行い，摂食嚥下リハビリテーションを行う．
- 口腔ケアは誤嚥性肺炎予防のために重要なケアとなるため，口腔内のチェックを必ず行う．
- 歯石の有無，口腔内のびらんなどの異常があれば，歯科医師との連携が重要になる．

> **表2　改訂水飲みテスト**
>
> 1. シリンジで冷水3mLを計量する。
> 2. シリンジを持つ手と逆の手で，舌骨と甲状軟骨の上に指をのせる。
> 3. 口腔底に冷水3mLを注ぎ，嚥下するように指示する。
> 4. 嚥下を触診で確認し，むせや呼吸状態の変化を確認する。
> 5. 嚥下終了後に，「エー」などの発声をさせて，湿性嗄声の有無を確認する。
> 6. 湿性嗄声がなければ，口腔内の唾液を2回反復嚥下を行い，30秒以内に行えるかどうかチェックする。
>
> 評価
> 評点1：嚥下なし，むせるまたは呼吸切迫
> 評点2：嚥下あり，呼吸切迫
> 評点3：嚥下あり，呼吸良好，むせるまたは湿性嗄声
> 評点4：嚥下あり，呼吸良好，むせなし
> 評点5：嚥下あり，反復嚥下が30秒以内に2回可能
> 評点3以下は嚥下機能に問題あり。

訪問計画

- 今後の訪問診療予定を初診往診時に立てる。

1）訪問診療計画書

- 帰院後に訪問計画を立て，訪問診療計画書を作成する。その後，本人や家族に同意と署名をもらう必要がある。

2）訪問診療計画の例

- 黒色壊死に対するデブリードマンが必要なケースでは，早くデブリードマンを終了する必要がある。
- 初回でデブリードマンが終了しなければ在宅で管理するため，デブリードマン中に出血を認めた場合は当院ではそこでデブリードマンを中止し，次回訪問時に行うことにしている。患者の状態にもよるが，週3回訪問診療を行い，デブリードマン終了後は週に1回の訪問，創の状態が安定した場合は2週間に1回の訪問で問題ないことが多い。
- その間，創の状態について訪問看護師と情報共有を行い，創の写真，処置の内容を共有する。創の状態が悪化（感染等を起こす状態）すれば，往診を行い，原因を推察する。

褥瘡（じょくそう）の原因推定と改善策の相談

- 訪問時にどのような原因で褥瘡ができたのか，あるいは悪化したのか，治癒が遷延しているのかを推定する。

- その原因を改善するように，訪問看護師やケアマネジャーと相談する。
- 体動，寝返りが困難であった場合は，高機能エアマットレスを導入するが，患者の状態（端座位が可能かどうか）で中心部のみがエアマットレスで周囲がウレタンマットレスになっている商品など，さまざまな製品があるため，福祉用具専門相談員にアドバイスを求める。

初回往診以後

- 本人や家族，訪問看護師やケアマネジャーと相談し，次回の訪問計画を立てるが，2回目以降の診療は「訪問診療」となる。
- 在宅主治医が別に存在し，全身状態を管理している場合は「重度褥瘡処置」（初回の処置から2か月間請求することが可能）を算定する。創傷被覆材，軟膏類は処方箋で薬局に依頼することも可能である。
- 在宅療養指導管理料が，在宅時医学総合管理料あるいは施設入居時医学総合管理料を算定している場合のみ，重度褥瘡処置算定期間が終了しても，創傷被覆材が必要な場合は在宅材料あるいは院外処方として入手する。しかし，非固着性ガーゼやポリウレタンフィルムは衛生材料として医療保険で算定できない。
- 「在宅寝たきり患者処置指導管理料」は在宅における創傷処置を行っている患者について月に1回算定できる。「在宅時医学総合管理料」を算定している場合は算定できない。
- 在宅寝たきり患者処置指導管理料を算定している場合は，創傷処置，爪甲除去，穿刺排膿後薬液注入，皮膚科軟膏処置，留置カテーテル設置，膀胱洗浄，後部尿道洗浄，導尿，鼻腔栄養，ストーマ処置，喀痰吸引，干渉低周波去痰器による喀痰排出，介達牽引，矯正固定，変形機械矯正術，消炎鎮痛処置，腰部または胸部固定帯固定，低出力レーザー照射，肛門処置は算定できない。
- 重度褥瘡処置は2か月間合わせて請求することが可能である。
- 褥瘡のため，在宅主治医が褥瘡治療医に変更になった場合では，「在宅時医学総合管理料」あるいは「施設入居時医学総合管理料」を請求できる。「在宅療養支援診療所」の届け出を行っている場合は，より高い点数を請求できる。一方，在宅療養支援診療所は24時間，365日患者や家族から連絡が取れることが算定要件となる。

訪問看護等との連携

- 最大のポイントは訪問看護師との連携である。実際に処置を行うのは訪問看護師であり，洗浄，軟膏の使用，非固着性ガーゼの使用などを患者宅で一緒に行い，処置内容を共有する必要がある。

- 医師は，創の状態を観察し，感染の有無，デブリードマンの追加などを判断し，処置方法が変われば，電話，FAX，メール，ICTなどできちんと伝える必要がある。
- 生活状況についての視点も重要である。例えば右大転子部の褥瘡治癒が遷延する場合に，テレビの位置が患者の右側にあり，常に右下側臥位でテレビを見ていたため，褥瘡が難治であった例もある。テレビの位置を仰臥位でも見られる位置に修正したところ，大転子部の褥瘡は速やかに治癒した。
- デイサービス（患者を半日預かり食事や入浴サービスを提供する），ショートステイ（患者を数日預かり介護を行う）利用時は，当該施設看護師との協働が必要である。
- デイサービス，ショートステイで入浴を行うことが多く，その後に褥瘡処置を行う必要がある。
- 処置について情報提供を行い，必要な物品をデイサービス，ショートステイに持たせる必要がある。

管理栄養士との連携

- 栄養は褥瘡管理において重要な治療手段であるため，管理栄養士との連携は重要となる。
- 訪問看護師とも協働すれば，「在宅患者訪問褥瘡管理指導料」を算定することが可能となる（p29参照）。
- 管理栄養士は都道府県栄養ケアステーションに依頼，契約することで訪問する管理栄養士を紹介してくれる。

在宅医療におけるペーパーワーク

- 在宅療養計画書，承諾書とは，在宅医療の計画を記載したものである。
- 本人，または家族のサインが必要である。
- 訪問看護指示書とは，訪問看護に対する指示書であり，末期がんや神経難病のように医療保険で訪問看護師が介入する場合は1か月ごとに指示を行い，介護保険下で訪問看護ステーションに指示する場合は6か月まで指示できる。
- 褥瘡が発生し，訪問看護を初めて依頼する場合，期間6か月以内の訪問看護指示書に加えて，特別訪問看護指示書が必要となる。褥瘡の場合は月に2回発行することができる（褥瘡以外は月に1回，2週間のみ）。
- その他，在宅主治医からの情報提供依頼，摂食嚥下を行う歯科医師や耳鼻科医への情報提供のための診療情報提供書，訪問薬剤管理指導のための診療情報提供書がある。
- ケアマネジャーに対する情報提供書は特に形式に指定はない。FAXあるいは電話などで連絡をする。

- 栄養ケアステーションとの契約書として管理栄養士への指示書がある。

介護者の負担

- 褥瘡処置を家族が行うこともある。そのためできるだけ単純な処置方法を考える必要がある。その意味では，在宅では3週間を超えて使用可能な創傷被覆材（Agイオンを含有したもの）は有用なケア用品である。

介護保険未申請の場合

- 居宅介護支援事業者（ケアマネジャーが在籍）または地域包括支援センターに申請するように依頼する。
- 介護認定結果が出るまでは1か月以上かかることが多いため，その間のケア構築について訪問看護師などと相談する。

最後に

- 在宅医療で重要なことは，チーム医療であることをしっかり認識して行うことである。
- 医師一人だけでは毎日の処置を行うことは簡単ではない。ヘルパーが行う1日数回のおむつ交換などの身体介護を医師が行うことは困難である（医療行為であるために，ヘルパーは創処置を行うことはできない）。
- 身体介護は病院と違って，患者宅に同時に全員が集まる機会は少ない。ケアカンファレンスにはできるだけ参加できるように手配するとよい。
- 連絡を常に取り合うことも重要である。褥瘡ケアにおいては，創部写真は重要な情報であり，スマートフォンなどで以前より簡便に情報共有が可能となっている。
- ICTを利用して多職種共有を行うことは今後より重要となると考えられる。
- しかし一方で，それぞれの職種がそれぞれの電子記録に患者の状態を記入した後，連携の情報を別のパソコンに打ち込むことは二度手間となり，普及を阻んできた。今後，一元的に情報が共有できるシステムを，業者や行政が協力しながら構築すべきである。

（鈴木央）

解説　在宅患者訪問褥瘡管理指導料

　2024年の診療報酬改定において，在宅患者訪問褥瘡管理指導料の算定要件と施設基準が変更されました．以下に詳細を説明します．

● **在宅患者訪問褥瘡管理指導料の算定要件**

　在宅での褥瘡（じょくそう）管理にかかる専門的知識・技術を有する所定の研修を終えた在宅褥瘡管理者を含む多職種（医師，看護師，管理栄養士）からなる在宅褥瘡対策チームが，褥瘡予防や管理が難しく重点的な褥瘡管理が必要な患者さんに対し，褥瘡の改善等を目的として，共同して指導管理を行うことを評価したものです．地方厚生局にあらかじめ届け出が必要です．在宅褥瘡管理者になるためには，「皮膚・排泄ケア認定看護師」「日本褥瘡学会認定師，および在宅褥瘡予防・管理師」も認められています．

　褥瘡の改善等を目的とした指導管理のための初回訪問から起算して，当該患者1人について6月以内に限り，カンファレンスを実施した場合に3回を限度に算定します．1回のカンファレンスの診療報酬は750点です．

● **重点的な褥瘡管理が必要な患者さんは以下の条件を満たす方々です．**

　重度の末梢循環不全の方
　麻薬等の鎮痛・鎮静剤の持続的な使用が必要な方
　強度の下痢が続く状態である方
　極度の皮膚脆弱である方
　皮膚に密着させる医療関連機器の長期かつ持続的な使用が必要である方
　なお，初回訪問から1年以内は，改めて初回とみなして算定することはできません．

● **在宅褥瘡対策チームの指導管理について**

　在宅褥瘡対策チームは，褥瘡の改善，重症化予防，発生予防のために以下の計画的な指導管理を行う必要があります．

1. 初回訪問時に，在宅褥瘡管理者を含む在宅褥瘡対策チームの構成員が患家に一堂に会し，褥瘡の重症度やリスク因子についてのアセスメントを行い，在宅褥瘡診療計画を立案します．1人以上が患家に赴いていれば，他の参加者はビデオ通話が可能な機器を用いて参加することができます．
2. 初回カンファレンス実施後，月1回以上，計画に基づき，適切な指導管理を行い，その結果について情報共有します．
3. 初回訪問後3月以内に，褥瘡の改善状況，在宅褥瘡診療計画に基づく指導管理の評価および必要に応じて見直しのためのカンファレンスを行います．
4. 2回目のカンファレンスにおいて評価等の結果，さらに継続して指導管理が必要な場合に限り，初回カンファレンスの後4月以上6月以内の期間に3回目のカンファレンスにおいて評価等を実施します．

（鈴木央）

2 診断とアセスメント

ポイント

- 在宅での褥瘡（じょくそう）ケアは，マニュアルに沿った進め方だけではうまくいかず，事例ごとに本人・家族の生活や意向に沿うようにアレンジする。
- 在宅褥瘡のリスクや発生要因は，暮らしの現場に触れることで初めて明らかになる。要因として，寝具や車いす，住居構造や移動手段，栄養状態や意識・精神状態，経済状況，家族介護者の構成や医療に対する意志などがかかわる。
- 褥瘡の深さを推定し，さらに壊死組織や感染の有無・程度を判断し対処の緊急度を考える。

「なぜできたのか」を突き止める

在宅での褥瘡（じょくそう）診断の考え方

- 褥瘡（じょくそう），または褥瘡を疑う変化を発見したら，まず行うことは「なぜできたのか」を突き止めることである。
- 直接の要因は当然「圧迫・ずれ」などの外力であるが，その外力が暮らしのなかのどの場面で，どのように，どのくらいの時間，加わったのかを探っていく。

1）探っていく際の例

- 暮らしのなかでベッドとテレビの位置関係で本人が一方向の横向きを好む状況がある。
- 日中は居間のソファに座っているが，よく聞くと座っている時間が極端に長く，座り直しもしていないようだ。
- デイサービスで利用している車いすで，身体をうまく支えられず横に傾き，肘置きで側胸部が圧迫されていた。

在宅での褥瘡ケアは個別対応が大切

- 医療機関ではマニュアルに沿って褥瘡の対策が進められるが，一定の条件が整った入院

生活での対策が在宅でも通用するとは限らない。
- 暮らしの背景は人それぞれであり，その人の暮らし（居住環境・介護環境など）を見て，先入観をもたずに対策を考える。

1) 暮らしをみるポイントの例
- 褥瘡発生の要因は暮らしのなかでどこにあるのかをみる。
- それをどうすれば取り除けるのか，または軽くできるのかを考える。
- 褥瘡の処置は，誰が・どこで・どのタイミングで行えるのかを考える。
- 家族や介護者の構成はどうか，治療に対する意志はどうかをみる。

「生命と生活を支える6つの視点」とは

- 在宅では，まずその場で「暮らす」という日常の生活がある。
- 暮らしをみる際に「生命と生活を支える6つの視点」[1]，すなわち，食事・排泄・睡眠・移動・清潔・喜びを意識する（図1）。

図1　生命と生活を支える6つの視点

在宅では，まずその場で「暮らす」という日常の生活がある
生命を支えるための医療は，その暮らしが成り立っていてこそ継続できる

安定した生活の継続に必須

食事
・摂食は自立か要介助か
・咀嚼と嚥下の評価，誤嚥，食形態，所要時間，摂食・摂水量…

排泄
・排尿や排便は自立か要介助か
・尿意・便意の有無，トイレ移動，おむつ内排泄，失禁状態…

睡眠
・安定して十分な睡眠が確保できているか
・入眠困難，途中覚醒，昼夜逆転，興奮・せん妄状態…

生活の質に深くかかわる要素

移動
・移動，寝返り，端座位，移乗，立位保持，歩行
・どの程度可能か，どの程度介助が必要か…

清潔
・尊厳ある生活の維持には不可欠
・身体の変調に気づく端緒
・入浴，スキンケア，理髪，口腔ケア，フットケア…

喜び
・社会への関心とかかわりはどの程度か
・趣味，外出・散策，会話，行事への参加…

川越正平編著：在宅医療バイブル，第2版，24-30，日本医事新報社，2018. を参考に作成

アセスメントとケア計画は皆で共有する

- アセスメントをもとにして，本人・介護者とともに話し合いながらケア計画を立案する。
- 暮らしは時間とともに変化する。その変化を見てケア計画も柔軟に変えていく。
- アセスメントとケア計画を共有する際，自分の専門領域では当たり前の用語や考え方が皆に理解してもらえるとは限らない。わかりやすい言葉遣いと丁寧な説明が欠かせない。
- ケア計画においては，長期的な目標，短期間での目標，緊急を要する褥瘡の変化，など

をわかりやすく整理し全員で共有する。

1）在宅ケアの要はケアマネジャー

- 本人の暮らしを支えるのは，常に寄り添っている家族または介護者，そして訪問看護師／施設看護師であり，担当医師が日常にかかわる時間と濃度は低い。
- すなわち，本人の暮らしの変化にいち早く気づくのは家族・介護者・訪問看護師である。
- 家族・介護者・訪問看護師らの情報を取りまとめる中心的な役割を果たすのは，介護支援専門員（ケアマネジャー）が望ましい。
- ケアマネジャーには，本人・家族の暮らしの現場と周辺環境を熟知し，褥瘡ケアの知識をもち，何よりも褥瘡対策への熱意をもつことが期待される。

具体的なアセスメント（図2）

暮らしのアセスメント

- 在宅で発生した褥瘡は，その暮らしのなかに必ず要因がある。
- 褥瘡の発生場所はベッドだけとは限らない。日中使用するいすや車いすでの姿勢や使用時間の長さ，また室内移動の方法（身体を引きずりながら移動するなど）などもリスクになる。
- 自宅や施設だけでなく，デイサービス，デイケアなどの利用で定期的な移動がある場合，移動中や移動先での過ごし方にもリスクが隠れている場合がある。

図2　発症要因の具体例

応力…圧迫／ずれ
- タオルや着衣などの重なり
- 体動時の皮膚の重なり
- 腕同士，足同士の重なり
- 特定の向きを好む（しかできない）状態
- 体位変換（頭側挙上など）でのきつい角度
- 圧抜き・膝上げなどの不足
- エアマットレスの不適切使用（電源が入っていない，設定体重の間違い，空気圧が高くパンパン，空気圧が足らず底づき，など）
- 車いすでの体幹の傾きによるひじ掛けやフレーム等との圧迫
- これらポジショニングの不良などに気づかず長時間経過

栄養障害
- 食事摂取量の不足や内容の偏り
- その結果の摂取カロリー不足や低蛋白状態
- 脱水状態，やせによる骨突出
- 亜鉛など微量元素の不足

持病や皮膚障害など
- 糖尿病によりキズの治りが遅い・感染しやすい
- 心不全や腎不全で身体がむくんでいる
- 脳卒中による意識障害や不随意運動，または運動・知覚麻痺
- 皮膚の状態が悪い，弱い，もろい（皮膚の乾燥，皮膚の湿潤，湿疹など皮膚病変，かきむしって傷んだ皮膚など）

全身のアセスメント

- 褥瘡発生のリスクを探るため，日常生活自立度や要介護度を参考にしながら，実際に動きを確認する。寝返りが打てるかどうか，また座位で上体を腕で浮かせることができるかなどは，褥瘡発生に大きくかかわる。
- 意識状態や認知の程度も確認する。
- 皮膚を見て触り，手足をやさしく動かし，拘縮の具合（手や足をスムーズに曲げ伸ばしできるかどうか）も確認する。強い拘縮も褥瘡のリスクとなる。
- 普段の食事量とその内容（形態・構成など）を確認し，栄養状態を評価する。血清中のタンパクやアルブミンなど血液検査の結果があれば参考にする。

褥瘡のアセスメント

1）基本的考え方

- まずは，褥瘡がなぜできるかを理解し，好発部位や褥瘡を疑うべき皮膚の変化を知っておく。
- その際，漫然と見るのではなく，「見つけにいく」という気持ちで取り組む。

2）褥瘡アセスメントの順番

①好発部位を見る

- 褥瘡好発部位（p5参照）は，仙骨部，腸骨部，大転子部，坐骨部などの殿部や腰部周辺，下腿外側の腓骨部，足の踵，肩や肘，後頭部などである。
- これらの場所は触れると骨が突出していることが多く，その頂点で皮膚の発赤や水疱・びらん，また白色化や黒色化がみられる場合は褥瘡の発生を疑う。
- 姿勢によって皮膚がずれる場合は，この骨突出からずれた場所に褥瘡を生じることもある。
- 尾骨部は仰臥位では骨突出部とはならないが，座位では圧迫とずれ力を受ける。
- 好発部位以外の場所でも，暮らしのなかで圧迫やずれ力がかかると，褥瘡を生じる場合がある。好発部位にとらわれず，疑わしいと思う場所の褥瘡を「見つけにいく」気持ちが大切である。

②好発部位を触る

- 皮膚の変化を認めたら，皮膚とその下の組織を触ってみる。
- 皮膚とその下の組織をつまみ上げてみると，周囲とは違う「しこり」を触れる場合がある。これは褥瘡の始まりを疑わせる。しかも深いところまで障害されている可能性がある。
- 皮膚がきれいでも生活パターンから褥瘡発生を疑う部位は，積極的に触ってみる。皮膚に変化がなくても硬結を触れる場合は褥瘡の始まりと考えるべきである。

3）深さの判定は重要！

- 褥瘡により障害された皮膚や皮下組織の程度，すなわち「褥瘡の深さ」は，治療方針や治療期間に大きくかかわってくる。
- 褥瘡の深さは，現場でよく用いられる褥瘡状態判定スケール「DESIGN-R® 2020」でも，

最初に評価すべき項目とされている。
- 判断に迷う場合も多いが，「だいたいこれくらいのステージかな」といった感じでよい。
- 第2章4「DESIGN-R®2020」の項目（p55～62）や，意見「NPIAP2016分類とイメージ図の考え方について」（p6～7）も参照してほしい。

4）この状態は危険！～壊死と感染～

①壊死組織の危険性
- 壊死とは，皮膚などの組織への血流が途絶え死に至った状態であり，この死に至った組織を「壊死組織」と呼ぶ。
- 壊死組織は身体にとって「異物」であり，細菌にとって格好の繁殖母地となる。
- 褥瘡における壊死の最大のリスクは「感染の危険が増すこと」にある。

②壊死組織の分類と対処（図3・4）
- 壊死組織は，見た目で大きく「黒色」と「白色～灰白色」に分かれる。
- 黒色壊死は死んだ皮膚や皮下組織が乾いた状態で，厚く硬い。一方，白色壊死は死んだ

図3　褥瘡の壊死～黒く厚く硬い壊死～

《特徴と対処》
- 黒く厚く硬い壊死組織
- おそらくその下に深い褥瘡が存在する
- その褥瘡に「フタ」をした形になっている
- 感染の合併がなければ緊急性は高くない
- もしフタの下で感染を合併した場合は膿の出口にフタをしているため，感染は深部で急速に悪化する
- 急いで医療者につなぎ，フタに穴をあけて膿の出口をつくる必要がある

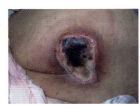

仙骨部の黒色壊死
周囲の感染の四徴は
目立たない

左大転子部の黒色壊死
周囲に感染の四徴を
伴っている

図4　褥瘡の壊死～白く柔らかい壊死～

《特徴と対処》
- 白～灰白色または黄色
- 柔らかい（ゆるゆるした）壊死組織
- 黒く硬い壊死のようにフタとなることは少なく，緊急性は高くない
- しかし感染の温床であるため，少しずつでも除去していく必要がある
- 医療者につないで壊死組織の除去（デブリードマン）を進めていく

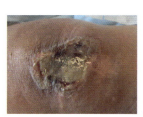

左膝部の壊死
灰白色で柔らかい
周囲に感染の四徴は
目立たない

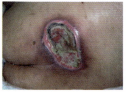

仙骨部の壊死
深部に肉芽形成もみられるがまだ黄色～灰白色の柔らかい壊死が残る

組織に水分が含まれる状態で比較的柔らかい。
- 注意すべきは、「厚く硬い黒色壊死」の周囲に下記の「感染の四徴」を認める場合で、これは感染を合併しているため、至急医療者につなぐ必要がある。
- この状態は、深部で感染が起きて膿がたまっているのに、厚く硬い壊死組織がフタになって排出されず、感染が深部で広がり悪化する。直ちに黒色壊死を切開し開放する必要がある。

③感染・化膿とは
- 皮膚や皮下組織に感染を生じたとき、その部分には組織の腫れ、発赤、熱感、痛みなどが出現する（感染の四徴）。
- 褥瘡が感染した場合、この四徴は褥瘡周囲の正常皮膚組織にまで及ぶことがある。範囲が広いほど重症である。

④判断と対処（図5・6）
- 壊死組織が多く、特に褥瘡にフタをするような形で厚く硬い黒色壊死組織がある場合は要注意であり、周囲に感染の四徴がないかを注意深く観察する。
- 感染が疑われた場合は、速やかに医師や看護師に連絡し対処を急ぐ。発熱や活動性低下など全身状態の変化にも注意する。

図5　褥瘡の感染〜感染の四徴〜

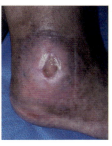

《感染の四徴》
発赤／腫脹／熱感／疼痛
- この四徴がそろえば感染はほぼ間違いない
- 急いで医療者につなぎ、デブリードマンや創洗浄、抗生薬内服などの対処を開始する
- 全身状態の悪化（発熱、倦怠感、意識低下、血圧低下など）があれば、入院治療も検討する
- たとえ四徴がすべてそろわなくても、いくつか認めて感染を疑う場合は医療者に相談するのがよい

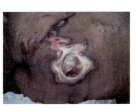

右足外果部の褥瘡
周囲に感染の四徴が目立つ

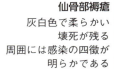

仙骨部褥瘡
灰白色で柔らかい壊死が残る
周囲には感染の四徴が明らかである

図6 褥瘡の壊死・感染からみた緊急度

緊急度	低い → 高い		
全身状態	まずまず良好 落ち着いている	微熱・創の痛み・倦怠感・食欲減退	発熱・意識低下・血圧低下・頻呼吸
壊死組織 感染・化膿	きれいなキズ まったく臭くない 周囲の皮膚はきれい 腫れ・赤み・熱感・痛みなどなし	部分的に壊死がある あまり臭くない 周囲の皮膚は少し赤いが 腫れ・熱感・痛みなし	分厚い黒色壊死 白色でもキズが深い 強烈に臭い 周囲の皮膚に腫れ・赤み・熱感・痛みがある
対策	慌てる必要はない 定期的に医師・看護師の診察を受ける	明らかな感染はなさそうだが，注意深く観察する 医師・看護師にも報告する	緊急性が高い 急いで医師・看護師の診察を受ける 入院も検討

アセスメントとゴール設定

- 褥瘡の評価とともに，全身状態，基礎疾患の状況，生活環境などをみる。
- 本人や家族の意向が重要であり，褥瘡治療に詳しい医師や看護師の存在が必要である。
- ゴールは，大きく分けて2つある（図7）。

図7 アセスメントとゴール設定

アセスメントをもとに褥瘡治療のゴールを設定

☆褥瘡の治癒を目指す　　☆安定した褥瘡の維持を目指す

・どちらのゴールも間違いではない
・本人・家族の意向，全身状態や褥瘡の状態，暮らしの環境などを勘案し検討する
・方針はかかわるもの全員で共有する

①治し切る
- 褥瘡の治癒を目指す。ある意味理想のゴールであるが，それ相応の負担とリスクを伴う（負担：創傷治療のための姿勢の制限やリハビリテーションの制限，厳重な栄養管理，手術を含めた入院治療，経済的負担など。リスク：負担によるADLの低下や認知症の進行，手術後の創部感染や縫合不全による褥瘡重症度の悪化などの可能性）。
- 本人や家族の「褥瘡を治したい」という思いの強さを知り，上記の負担やリスクが理解でき，許容できるかをよく話し合う。
- 褥瘡治癒の可能性について医学的見地からの客観的な評価も行う。
- 入院治療については病院スタッフと十分相談し，手術などの治療計画と見込み期間を検討する。並行して，リハビリテーションなど生活動作を保つための対策も立てる。

②**安定した創を維持する**
- 安定した創の維持は，今の暮らしを変えずに褥瘡と付き合っていく道である。
- 安定した創のイメージは，「毎日の念入りな洗浄や処置を行わなくても悪化しにくい創」で，具体的には「壊死組織や感染を認めない，良性肉芽に覆われた状態」を指す。
- 現状の暮らしを保ちながら，褥瘡対策（ずれ予防や圧分散，創の壊死組織除去や感染予防など）を計画する。
- 創処置の内容や回数をできるだけシンプルにして，創処置の負担を減らす。また，本人や家族でも行いやすい処置内容を意識する。
- 本人の望む暮らしを続けられるよう援助する。良性肉芽で覆われた安定した褥瘡では痛みの訴えは少ない。
- 安定した創になるまで一定期間を要すること，安定し切らない可能性もあること，創の悪化（拡大，壊死の新生，感染の併発など）のリスクのあることなどを本人をはじめ全員が理解しなければならない。

（中川宏治）

引用文献
1) 川越正平編著：在宅医療バイブル，第2版，26，日本医事新報社，2018.

3 褥瘡（じょくそう）発生危険度のアセスメントツールの使い方

ポイント

- 褥瘡（じょくそう）は，早期発見ではなく，予防対策の第一であるリスクアセスメントが重要である。
- 在宅で最前線にいるケアマネジャーに向けたリスクアセスメントスケールとして，「床ずれ危険度チェック表®」が発表された。床ずれ危険度チェック表®をケアプランに活用するために，『床ずれ予防プログラム』がある。
- OHスケールは，日本人高齢者を対象とした研究による科学的根拠に基づいており，誰でも数分間で適切なマットレスが選べる利点がある。
- 褥瘡危険因子評価（票）は，厚生労働省から示されているリスクアセスメントのツールで，「基本的動作能力（ベッド上・いす上）」「病的骨突出」「関節拘縮」「栄養状態低下」「皮膚湿潤（多汗，尿失禁，便失禁）」「皮膚の脆弱性（浮腫）」「皮膚の脆弱性（スキン-テアの保有，既往）」の7項目から構成されている。
- ブレーデンスケールは，医療施設だけでなく，介護施設や在宅でも役立つリスクアセスメントツールで，広く活用されており，「知覚の認知」「湿潤」「活動性」「可動性」「栄養状態」「摩擦とずれ」の6項目から構成されている。

床ずれ危険度チェック表® 〜特徴と使い方の概説〜

リスクアセスメントの重要性

- 超高齢社会の真っ只中にあるわが国において，高齢者の褥瘡（じょくそう）は社会的問題である。
- 褥瘡の原因は単なる圧迫ではなく，外力が皮膚・軟部組織へ複雑に加わって阻血性障害をきたすのが一つの原因であり，深部組織に生じると重度の潰瘍を呈する。
- 褥瘡の発生機序を理解し，褥瘡発生危険因子を適切にアセスメントしたうえで，褥瘡はいかに予防するかが大切な思考過程となる。

- 物事を考えるとき，次の3段階が議論や考察を有意義なものにする。
  ①What：何が原因か？　②Why：それがなぜ起きるか？　③How：どうすればよいか？
- 褥瘡発生の原因がわかることが重要であるが，患者要因，環境・ケア要因，さらに高齢者の場合は社会的要因なども加わって，三次元的な複雑さがある。
- 身近なところに目を向ければ，生活の中にある衣食住そのものがかかわっているといっても過言ではない。

床ずれ危険度チェック表®（表1）

- 「床ずれ危険度チェック表®」は，介護支援専門員（ケアマネジャー）を対象としたリスクアセスメントスケールとして開発された[1]。報告された論文は，日本褥瘡学会大浦賞を受賞した。

表1　床ずれ危険度チェック表®

	項　目	チェック
1	自分で寝返りがうてない	
2	痩せて，骨張っている	
3	足や腕の関節を伸ばすことができない	
4	食事量（回数）が減った	
5	体が汗で湿っていることがある	
6	おむつを常時使用している	
7	足が浮腫んでいる	
8	ギャッチアップ機能を利用して体を起こしている	
	合　計	個

8項目について「はい」か「いいえ」で判断し，「はい」であればチェックを入れる。

1）チェック表の作成

- 以下のことを考慮してチェック表が作成され，平易な文言でケアマネジャーはもとより，療養者の家族が用いることも可能である。
  ①本邦の在宅褥瘡発生の要因を反映させること
  ②危険因子を新たに抽出するための調査ではなく，既知の危険因子を活用すること
  ③項目ごとに重み付け（点数付け）はせず，「はい」か「いいえ」で回答できること
  ④医学的な専門用語は使わない
  ⑤項目数が多くならないように注意する

2）在宅における適用

- 日本褥瘡学会・日本在宅ケア推進協会（在宅協）とアルケア社の共同研究により，在宅における信頼性[2]と妥当性[3]が証明され，床ずれ危険度チェック表®で4項目以上がリスクありのカットオフ値となった。

床ずれ予防プログラム（図1）

- 褥瘡発生リスクについてアセスメントを実施し，何らかの問題が見出されたとしたら，なぜその問題点が起きたか，では次にどうすればよいかを考える習慣をもつことがとても重要である。
- そのうえで，何らかの解決策を得て，褥瘡を予防するための行動を起こさなくてはならない。その道筋をつけてくれるのが，「床ずれ予防プログラム」である。

図1　床ずれ予防プログラム

1）Chapter1：床ずれ危険度チェック表®の活用

- 褥瘡とは何か，予防のためにはリスクアセスメントが重要であること，そのために床ずれ危険度チェック表®がいかに役立つのかが記載されている。

2）Chapter2：床ずれリスク要因の理解

- リスクアセスメントスケールにあげられている項目が，なぜ褥瘡発生のリスクなのか概説されている。
- 床ずれ危険度チェック表®の8項目について，最新の知見を含め，図や写真を多用して誰でも理解できるように書かれている。
- それぞれの項目について，何が問題で（What），なぜ褥瘡になるのか（Why），そしてどのように解決するのか（How）を説明してある。
- 以下に各項目について，記載内容を略記する[4]。

①自分で寝返りがうてない

問題点：①筋肉が減るとともに骨が出て高い圧力がかかる，②食欲が低下し低栄養になる

- 自力体位変換不可の状態である。
- 寝返りがうてないならば，高機能の体圧分散寝具を導入したり，可能であればティルト式車いすで座位時間をつくるようにする。
- 体位変換については介護者のマンパワーによるが，小枕の出し入れなどで小さな体位変換（スモールチェンジ）を行うことも有用である。
- 理学療法士にポジショニング，シーティングの指導を受けたり，福祉用具専門相談員などにマットレスについて相談することも有意義である。
- 低栄養状態であれば，本書第5章などの他項目も参考にする。

②痩せて，骨張っている（図2）

問題点：①食事摂取量の低下，②骨張った身体の部位に寝床やいすが当たり褥瘡になる，③加齢による消化・循環・代謝機能の低下や疾患による異化亢進（身体のエネルギー産出

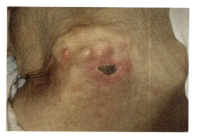

図2　病的骨突出

高度のるい痩があり，仙骨の骨突出部への圧迫とずれにより，すでに褥瘡が発生している。

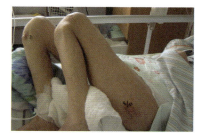

図3　関節拘縮

足や腕の関節を伸ばすことができない場合には，スキンケア，浮腫，足の褥瘡予防など，さまざまな対策が必要である。

のための体脂肪・筋などの分解）がある
- 病的骨突出のある状態である。
- 食事摂取量の低下があるなら，さまざまな形で栄養サポートを行わなければならない。
- 摂食嚥下の問題，口腔の問題，食形態の問題などを，各職種と相談し検討する。

③足や腕の関節を伸ばすことができない（図3）

問題点：①関節を動かすことができず同じ姿勢をとり続ける，②安楽な姿勢がとれていない
- 関節拘縮のある状態である。
- 外力は［自重÷ベッド面（車いすの座面）への接地面積］という圧力で表されるので，拘縮して身体の接地面が減れば，結果として外力は高まる。

④食事量（回数）が減った

問題点：①孤食や経済的貧困など社会的要因，②安楽な姿勢がとれていない，③食事の食べ方や食形態の問題，④口腔内の問題，⑤認知の問題，⑥薬の副作用と服薬困難
- さまざまな要因で食事の量や回数が減ると，低栄養状態に陥る。
- 低栄養が続くことにより，自立度が下がって寝返りがうてなくなったり，やせて骨張ったり，関節拘縮をきたしたり，多くのリスクの根源となり得る。

⑤体が汗で湿っていることがある

問題点：①汗をかいている，②身体の下にシーツやタオル，フラットおむつなどをたくさん敷いている
- 過湿潤の状態である。
- 皮膚は適度な湿潤環境にあるべきであって，水分が多くて過湿潤（皮膚の"ふやけ"状態）になると，皮膚のバリア機能が低下して褥瘡が発生しやすく，感染のリスクも高まる。
- 逆に水分が少なく乾燥傾向になるのも好ましくない。

⑥おむつを常時使用している

問題点：①おむつ・尿取りパッドによる圧迫がある，②排泄物の付着によるスキントラブル発生の危険性がある
- 失禁状態にあると，尿や下痢便で過湿潤に陥る可能性，腸液による化学的な刺激が褥瘡

発生の要因となり得る。
- 褥瘡に至らなくても，IAD（incontinence associated dermatitis：失禁関連皮膚炎）を起こす可能性があったり，おむつそのものが関与してMDRPU（medical device related pressure ulcer：医療関連機器褥瘡）を発生させるおそれがあるので注意を要する。

⑦足が浮腫んでいる（図4）
問題点：①心臓，腎臓，肝臓の機能が低下している，②低栄養状態（低アルブミン血症）にある，③下肢に圧迫，摩擦・ずれが加わっている，④下肢の筋力が低下していたり，長時間の座位姿勢をとっていたりする

- 浮腫はさまざまな要因があるので，主治医の判断を共有しておきたい。圧すると圧痕が残り（図5），さらに高度な浮腫となると表皮が菲薄になってセロファン様を呈して外力に極めて弱くなり，微小な外傷を生じて滲出をきたしたりする。

図4　浮腫

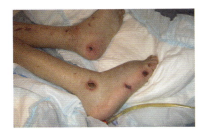

「浮腫んでいる」足では，踵，外果，足趾，第1中足骨遠位端など，多くの部位に褥瘡ができる。DVT（深部静脈血栓症）予防ストッキングを着用することで，十分な観察ができないようでは本末転倒である。

図5　浮腫

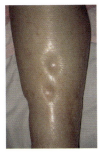

下腿に圧痕を残している。全身的な要因があるかもしれないが，低栄養（低アルブミン血症）や廃用も要因として多い。

⑧ギャッチアップ機能を利用して体を起こしている
問題点：①自力で起き上がる能力があるにもかかわらず，ギャッチアップしている，②ギャッチアップすると足側にどんどんずれて姿勢が悪くなる，③ギャッチアップでずり落ちた姿勢を直そうと，引きずりや持ち上げ介護を行っている

- 外力には圧迫のほかに，ずれや摩擦によるものがある。
- ギャッチアップ機能を用いたときは特に注意を要する。
- 姿勢を直すための介護で不適切な外力を加えてしまう可能性もある。

3）Chapter3：「チェックリスト」の活用

- 床ずれ危険度チェック表®の8項目にあわせて，問題点・解決策・連携と，当てはまる事項にチェックを付けていくことで，解決法まで理解できるように，チェックリストが構築されている。
- 例えば，「自分で寝返りがうてない」にチェックが入った場合，さらに何が問題で，どう解決し，誰と連携するか，これがわかることによって，ケアプランに活かしやすくなるだろう。

- ケアマネジャーが有する資格としては，看護師や介護福祉士など，さまざまな職種があって，知識とスキルに差があるが，特に福祉系の者でも理解しやすく使いやすいことが重要と考えている。
- 床ずれ危険度チェック表®を付けるとき，服を脱がせたり身体に触れたりしなくても，アセスメントできることはメリットである。

今後—社会実装に向けて

- 現在，床ずれ危険度チェック表®を活かすための床ずれ予防プログラムが上梓されているが，このプログラムを活用することでケアプランが変わり，褥瘡発生が予防できるかについては証明されていない。
- 在宅協では，ケアマネジャーの知識向上に結びつくよう，「床ずれ危険度チェック表®」の各項目の解説動画を作成し，eラーニングとして活用を進めている。
- また，いかに社会実装するかについて，日本褥瘡学会の在宅褥瘡予防に関するアドホック作業部会（須釜淳子委員長）と協働して取り組みを進めている。

（岡田克之）

OHスケール

OHスケールとは

- OHスケールは，1998〜2000年に日本人高齢者の褥瘡リスク要因を検出することを目的とした研究をもとにして完成した。
- 解析の過程で，体圧分散寝具の使用の有無が，飛び抜けて高く褥瘡の発生と関連していることがわかった。そして，どの身体項目が褥瘡発生に関連するかをさらに解析して，OHスケールが導き出された（表2）。

表2 OHスケール

患者氏名				点数
① 自力体位変換能力	できる 0点	どちらでもない 1.5点	できない 3点	点
② 病的骨突出（判定器のOKメジャー使用時）	なし（凹み）0点	どちらでもない 軽度・中等度（ベンチ）1.5点	高度（シーソー）3点	点
③ 浮腫（むくみ）	なし 0点		あり 3点	点
④ 関節拘縮	なし 0点		あり 1点	点
①＋②＋③＋④の合計でリスクランクを判定する 0点：リスクなし，1〜3点：軽度，4〜6点：中等度，7〜10点：高度 このランクに介護度を勘案してマットレスの選択を行う（表3）。			合計	点

判定法

- OHスケールは，①自力体位変換能力・②病的骨突出・③浮腫は3点満点，④関節拘縮は1点満点で判定する。①と②は3段階で，③と④は2段階で判定する。
- この4つの危険要因の合計が高いほど褥瘡発生リスクも高いと証明されているが，わかりやすいように4つのランクに分ける。つまり，0点ならリスクなし，1〜3点は軽度リスク，4〜6点なら中等度，7〜10点は高度となる。このランクに介護度を勘案してベッドマットレスを選択する。

採点方法

1) 自力体位変換能力

- 意識的か無意識かを問わずに，患者自身の力で身体に加わった圧力とずれ力に対して有効に体位を変えることができるかで判定する。健常人と比べてもまったく問題ない場合を0点，自力ではまったく動けない場合を3点として，その間，つまりどちらでもない場合を1.5点と採点する。
- すべてのリスク判定で共通することであるが，「迷ったら高い点数のほうを選ぶ」ことも基本となる。

2) 病的骨突出（図6）

- 基本的に側臥位で，下肢を伸ばして少しうつ伏せ気味の体位で計測する。判定する位置は仙骨の中央，骨が一番後方に飛び出した部分で，脊柱に直行したライン上で仙骨部がどの程度飛び出しているかを計測する。

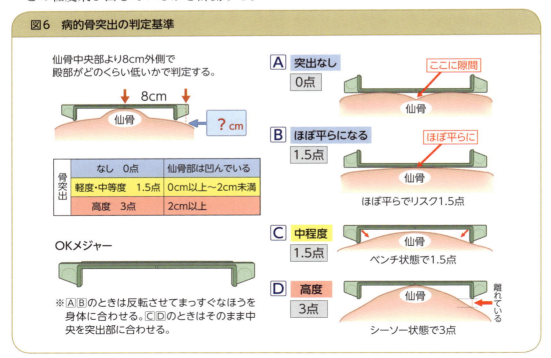

図6 病的骨突出の判定基準

- 図6-Ⓐは正常で骨突出がない状態である。この場合は左右の殿部が高くなっており，仙骨部は凹んでいる。判定部位は，尾骨の先端から指4本分頭側へ移動した位置になる。ここが凹んでいる場合を0点，仙骨を守るクッションがなくなった状態になると1.5点（図6-Ⓑ），仙骨部が明らかに飛び出していて，骨突出部から左右の8cm離れた部分で2cm以上の高低差があるときが3点となる。
- 判定には専用判定器（OKメジャー：図6左下）を使うと便利である。判定器を仙骨部中央部にあてて左右の一方の脚が浮くと3点，両方の脚がついていると1.5点となる（図6-Ⓒ・Ⓓ）。

3）浮腫

- 浮腫（むくみ）とは，皮下組織内に組織間液が異常にたまった状態である。判定するためには，背中，下腿の前脛骨部，足の甲を指で軽く5秒程度圧迫を加えてからその部位を観察する。押した痕が凹んだ状態で観察できる場合を，浮腫という。
- 1か所でも浮腫を認めれば浮腫ありと判定する。
- 栄養状態がよくないときや，心不全，肝不全，腎不全，悪性腫瘍などによるリンパ管の流れが障害された場合などに起こる。

4）関節拘縮

- 関節拘縮とは，屈曲拘縮，伸展拘縮，変形など，何らかの原因で関節の動きが悪くなっている状態を指す。
- 身体の関節のどこか1か所でも問題があれば，1点と判定する。
- 以上の1～4の点数を合計し，10点満点で0点ならリスクなし，1～3点は軽度リスク，4～6点なら中等度，7～10点は高度と判定する。在宅チーム内でOHスケールのリスクを共有する場合は，合計点数で表現するのではなく，このリスクランクで会話するようにする。OHスケール自体を知らない人でも，褥瘡リスク高度の人と聞けば，リスクに応じた対策を行うことができるからである。

マットレスの選択基準

1）病院や施設などマンパワー（看護・介護力）がある場合（表3）

- 軽度リスクの場合は，静止型（ウレタン，ゲル，ゴム，またはハイブリッドの素材）で，厚みが8～9cmのマットレスを選ぶ。中等度リスクでは，厚みが10cm以上の静止型マットレスを使い，高度リスクでは，圧力センサーを用いてコンピューターによる自動制御管理が行われ，常に低圧を維持できる機能をもったマットレスを選ぶ。
- 単なる体重設定で内圧を一定に保持する機能しかないエアマットレスは，中等度リスクにしか適応できない。なお，本人に自力体位変換能力がある場合（自力体位変換能力が1.5点の場合）は，決してこのエアマットレスを使ってはならない。
- せっかく自ら動こうと思って手や足に力を入れても，手や足が沈むだけであるため，有効な体位変換を行う意欲がそがれ，早く寝たきりになってしまうからである。

2）在宅など介護力がない場合の注意点

- 介護力がない問題は，マットレス側の機能をより高めることで対処する（表4）。
- 介護力の判定方法であるが，表5のように，介護知識があるか，介護技術があるか，介護意欲があるかを，かけ算をして考える。つまり，ある場合を1点，ない場合を0点として，すべてある場合のみ介護力があるとすべきである。
- 介護力がない場合は，OHスケールリスク判定に沿った介護力がある場合（表3）より，1ランク上のマットレスを選ぶと理解するとよい（表4）。
- 軽度リスクの場合は厚みが10cm以上の静止型マットレスを使い，中等度リスクでは，動く能力ある場合は，殿部のみがコンピューター制御エアマットレスになっているハイブリッドエアマットレス，または，ベッドの縁がウレタンなどの硬い素材が使われているエアマットレスにポジショニングクッションの組み合わせもよいだろう。
- 中等度リスクでも自力で動くことができない場合は，高度リスクとともに，コンピューターにより自動制御管理されたマットレスを適応とする。
- 特に関節拘縮がある場合は，ポジショニングクッションを同時に使いながら，ずれ力防止ケアを必ず行う。

表3 病院・施設でのマットレス配分表（介護力がある場合）

OHスケールリスクランク		適応マットレス基準
軽度リスク保有者　1～3点		静止型，厚さ8～9cm，ずれ防止ケアを必ず行う
中等度リスク保有者　4～6点	A	自力で動ける：静止型，厚さ10cm以上
	B	自力で動けない場合のみ：体重設定タイプ・上敷きタイプ，コンピューター自動制御がないものでもよい[*1]
高度リスク保有者　7～10点		コンピューター制御自動圧調整型エアマットレス*

*コンピューター自動制御がなく体重など一定の圧で体重を保持するタイプ
　多くは上敷き型が多い，高度リスクに対応できないので注意が必要

表4 在宅で介護力がない場合のマットレス配分表

OHスケールリスクランク		適応マットレス基準
軽度リスク保有者　1～3点		静止型，厚さ10cm以上，ずれ防止ケアを必ず行う
中等度リスク保有者　4～6点	A	自力で動ける：コンピューター制御自動圧調整型エアマットレスでベッド左右に静止型素材部分があるタイプ
	B	自力で動けない：コンピューター制御自動圧調整型エアマットレス
高度リスク保有者　7～10点		コンピューター制御自動圧調整型エアマットレス

表5 在宅介護力判定表

判定項目			点数	
①介護知識がある	ある　1点	なし　0点	A	点
②介護技術がある	ある　1点	なし　0点	B	点
③介護意欲がある	ある　1点	なし　0点	C	点
①×②×③のかけ算が1のときに介護力あり，0点のときに介護力なしと判定する		介護力判定／あり・なし		

> **参考** 自動体位変換機能付きコンピューター制御自動圧調整型エアマットレスの注意点
>
> 　褥瘡の原因は圧迫力だけでなくずれ力も大きな要因であり，特に骨突出が高度だったり，関節拘縮があったりする場合には，自動体位変換機能がかえってずれ力を付加してしまう危険性がある。
> 　自動体位変換機能を使用する場合には，仰臥位での身体の位置や体形がベッドに合っているかを現場で常に注意する必要がある。自動体位変換機能は身体がベッドの中央にあって，折れ曲がり位置が股関節や膝関節に一致して寝ていることが前提となっているからである。

（堀田由浩）

褥瘡危険因子評価票

- 褥瘡を保有している多くは高齢者である。日本の寝たきり高齢者や虚弱高齢者を対象として開発されたリスクアセスメントツールには，OHスケールやK式スケールがあるが，ほかに厚生労働省から示されている「褥瘡対策に関する診療計画書」別紙3にある危険因子の評価（票）（表6）がある。
- 日常生活自立度が低い療養者を対象に，褥瘡危険因子の有無を判定する。

表6　褥瘡危険因子評価票（褥瘡対策に関する診療計画書［厚生労働省］）

危険因子の評価	基本的動作能力 1）ベッド上　自力体位変換 2）いす上　座位姿勢の保持，除圧（車いすでの座位を含む）	できる　できない できる　できない	
	病的骨突出	なし　あり	「あり」もしくは「できない」が1つ以上の場合，看護計画を立案し実施する
	関節拘縮	なし　あり	
	栄養状態低下	なし　あり	
	皮膚湿潤（多汗，尿失禁，便失禁）	なし　あり	
	皮膚の脆弱性（浮腫）	なし　あり	
	皮膚の脆弱性（スキン-テアの保有，既往）	なし　あり	

採点方法

- まず，「障害高齢者の日常生活自立度」の判定基準（表7）を用いて，療養者の日常生活自立度を判定する。
- 日常生活自立度（寝たきり度）が「B」または「C」の自立度が低い療養者に対して，危険因子評価票（表6）を用いて7項目の危険因子を評価する。

表7　障害高齢者の日常生活自立度

生活自立	ランクJ	何らかの障害等を有するが，日常生活はほぼ自立しており独力で外出する 1. 交通機関等を利用して外出する 2. 隣近所へなら外出する
準寝たきり	ランクA	屋内での生活はおおむね自立しているが，介助なしには外出しない 1. 介助により外出し，日中はほとんどベッドから離れて生活する 2. 外出の頻度が少なく，日中も寝たり起きたりの生活をしている
寝たきり	ランクB	屋内での生活は何らかの介助を要し，日中もベッド上での生活が主体であるが，座位を保つ 1. 車いすに移乗し，食事，排泄はベッドから離れて行う 2. 介助により車いすに移乗する
	ランクC	1日中ベッド上で過ごし，排泄，食事，着替えにおいて介助を要する 1. 自力で寝返りを打つ 2. 自力では寝返りも打てない

※判定に当たっては，補装具や自助具等の器具を使用した状態であっても差し支えない。

評価結果の解釈

- 「できない」または「あり」が1つでも該当する場合は"褥瘡リスクあり"と判定し，褥瘡予防ケアを行う。
- 点数化されていないため，褥瘡発生リスクの程度を示すことはできないが，リスクの有無について，病院，介護施設，在宅で共有すべき重要な情報となる。
- この評価票は医療機関での使用を想定して作成されたため，「介護力」などの環境要因は判定できない。
- 在宅では，介護者の疲労や知識の有無が褥瘡を引き起こす危険因子となることがあるため，介護力も含めて包括的にリスクを考えることが重要である。

採点の時期や間隔

- 前述のように，この評価票は医療機関での使用を想定して作成されたため，原則的には入院時，状態変化時に評価している。
- その後は週に1回程度，あるいは定期的に評価することを基本とする。

各項目の評価ポイント

1）基本的動作能力

①ベッド上－自力体位変換

- 自力体位変換とは，自力で身体の向きを変えることを指す。
- 実際に体位変換を自力でできるかを評価する。
- 好む体位や痛みのために同一体位を長時間続けるときは，自力体位変換できないと判断する。

②いす上－座位姿勢の保持，除圧

- 姿勢が崩れたりせずに座ることができることを"座位姿勢の保持"といい，自分で座り心地をよくするために姿勢を変えることができること，すなわち，座位姿勢で体圧分散できることを"座位時の除圧"という。
- 車いすも含め，いすに座ることがある場合に評価する。

2）病的骨突出
- 仙骨部の場合，殿部の高さと同じか，または突出している状態を"病的骨突出"をいう。

3）関節拘縮
- 関節拘縮とは，関節周囲に存在する軟部組織（腱や靭帯，筋肉や皮下組織など）が器質的に変化したことに由来して関節の動きが制限され，関節が伸びない状態や曲がった状態を指す。

4）栄養状態の低下
- 定期的に血液検査を受けている場合には，血清アルブミン値を参考し，3.5g/dL以下の場合は栄養状態が低下していると判定する。その他，著しい体重減少によるやせや食事の内容や摂取量を目安にして評価する。

5）皮膚湿潤（多汗，尿失禁，便失禁）
- 多量の汗により皮膚が湿っている状態や尿失禁により殿部の皮膚が尿で濡れている状態，そして便失禁により便が殿部の皮膚に付着している時間がある状態のいずれかが該当する場合に，"皮膚湿潤あり"と判断する。

6）皮膚の脆弱性（浮腫）
- 褥瘡がある場合には褥瘡以外の部位において，むくみがみられる状態をいう。足の脛や足の甲，背中などを指で押すとその指痕が残るか否かで判断する。

7）皮膚の脆弱性（スキン-テアの保有，既往）
- 皮膚が弱く，寝衣の交換やベッド柵への打撲などによるわずかな摩擦・ずれでも容易に皮膚が裂けて生じる裂傷をスキン-テアという（第6章4参照）。
- このスキン-テアがあるか，または過去にスキン-テアになったことがあるかを判定する。
- 以前にスキン-テアがあったかどうかを知るためには，スキン-テアが治癒した際にみられる白い線状，または星状の皮膚に残る傷痕の有無で判断することができる。

日常生活自立度の判定にあたっての留意事項

1）ランクJ
- 何らかの身体的障害等を有するが，日常生活はほぼ自立し，一人で外出する者が該当する。
- "障害等"とは，疾病や傷害およびそれらの後遺症あるいは老衰により生じた身体機能の低下をいう。

① J－1
- バス，電車などの公共交通機関を利用して積極的に，またかなり遠くまで外出する場合

が該当する。

② J－2
- 隣近所への買い物や老人会等への参加など，町内の距離程度の範囲までなら外出する場合が該当する。

2) ランクA
- 「準寝たきり」に分類され，「寝たきり予備軍」グループである。
- 屋内での日常生活活動のうち食事，排泄，着替えに関してはおおむね自分で行う。
- 近所に外出するときは介護者の援助を必要とする場合が該当する。
- "ベッドから離れている"とは，"離床"のことであり，布団を使用の場合も含まれる。

① A－1
- 寝たり起きたりはしているが，食事，排泄，着替えのときや，その他の日中時間帯もベッドから離れている時間が長く，介護者がいればその介助のもと，比較的多く外出する場合が該当する。

② A－2
- 日中時間帯，寝たり起きたりの状態にあり，ベッドから離れている時間のほうが長いが，介護者がいてもまれにしか外出しない場合が該当する。

3) ランクB
- 「寝たきり」に分類される。
- 座位を保つことを自力で行うか，介助を必要とするかどうかで区分する。
- 日常生活活動のうち，食事，排泄，着替えのいずれかにおいて，部分的に介護者の援助を必要とし，1日の大半をベッドの上で過ごす場合が該当する。
- "車いす"という表現は一般のいすやポータブルトイレも含む。

① B－1
- 介助なしに車いすに移乗し，食事も排泄もベッドから離れて行う場合が該当する。

② B－2
- 介助のもと，車いすに移乗し，食事または排泄に関しても，介護者の援助を必要とする。

4) ランクC
- ランクBと同様，「寝たきり」に分類されるが，ランクBより障害の程度が重い。
- 日常生活活動の食事，排泄，着替えのいずれも介護者の援助を全面的に必要とし，1日中ベッドの上で過ごす。

① C－1
- ベッドの上で常時臥床しているが，自力で寝返りして体位を変える場合が該当する。

② C－2
- 自力で寝返りすることもなく，ベッド上で常時臥床している場合が該当する。

(西林直子)

ブレーデンスケール

- ブレーデンスケール（表8）は，褥瘡発生に関するさまざまな観察項目をあげ，褥瘡発生との因果関係を研究して開発したリスクアセスメントツールである。

表8　ブレーデンスケール

分類	1点*	2点	3点	4点
知覚の認知（圧迫による不快感に対して適切に反応できる能力）	全く知覚なし：痛みに対する反応（うめく，避ける，つかむ等）なし。この反応は，意識レベルの低下や鎮静による。あるいは，体のおおよそ全体にわたり痛覚の障害がある。	重度の障害あり：痛みにのみ反応する。不快感を伝えるときには，うめくことや身の置き場なく動くことしかできない。あるいは，知覚障害があり，体の1/2以上にわたり痛みや不快感の感じ方が完全ではない。	軽度の障害あり：呼びかけに反応する。しかし，不快感や体位変換のニードを伝えることが，いつもできるとは限らない。あるいは，いくぶん知覚障害があり，四肢の1，2本において痛みや不快感の感じ方が完全ではない部位がある。	障害なし：呼びかけに反応する。知覚欠損なく，痛みや不快感を訴えることができる。
湿潤（皮膚が湿潤にさらされる程度）	常に湿っている：皮膚は尿や汗などのために，ほとんどいつも湿っている。患者を移動したり，体位変換したりするごとに湿気が認められる。	大抵湿っている：皮膚はいつもではないが，しばしば湿っている。各勤務時間中に少なくとも1回は寝衣寝具を交換しなければならない。	時々湿っている：皮膚は時々湿っている。定期的な交換以外に，1日1回程度，寝衣寝具を追加して交換する必要がある。	めったに湿っていない：皮膚は通常乾燥している。定期的に寝衣寝具を交換すればよい。
活動性（行動の範囲）	臥床：寝たきりの状態である。	座位可能：ほとんど，または全く歩けない。自力で体重を支えられなかったり，いすや車いすに座る時は，介助が必要であったりする。	時々歩行可能：介助の有無にかかわらず，日中時々歩くが，非常に短い距離に限られる。各勤務時間中にほとんどの時間を床上で過ごす。	歩行可能：起きている間は少なくとも1日2回は部屋の外を歩く。そして少なくとも2時間に1回は室内を歩く。
可動性（体位を変えたり整えたりできる能力）	全く体動なし：介助なしでは，体幹または四肢を少しも動かせない。	非常に限られる：時々体幹または四肢を少し動かす。しかし，しばしば自力で動かしたり，または有効な（圧迫を除去するような）体動はしない。	やや限られる：少しの動きではあるが，しばしば自力で体幹または四肢を動かす。	自由に体動する：介助なしで頻回にかつ大きく適切な（体位を変えるような）体動をする。
栄養状態（普段の食事摂取状況）	不良：決して全量摂取しない。めったに出された食事の1/3以上を食べない。蛋白質・乳製品は1日2皿（カップ）分以下の摂取である。水分摂取が不足している。消化態栄養剤（半消化態，経腸栄養剤）の補充はない。あるいは，絶食であったり，透明な流動食（お茶，ジュース等）なら摂取したりする。または，末梢点滴を5日間以上続けている。	やや不良：めったに全量摂取しない。普段は出された食事の約1/2しか食べない。蛋白質・乳製品は1日3皿（カップ）分の摂取である。時々消化態栄養剤（半消化態，経腸栄養剤）を摂取することもある。あるいは，流動食や経管栄養を受けているが，その量は1日必要摂取量以下である。	良好：たいていは1日3回以上食事をし，1食につき半分以上は食べる。蛋白質・乳製品は1日4皿（カップ）分摂取する。時々食事を拒否することもあるが，勧めれば通常補食する。あるいは，栄養的におおよそ整った経管栄養や高カロリー輸液を受けている。	非常に良好：毎食およそ食べる。通常は蛋白質・乳製品を1日4皿（カップ）分以上摂取する。時々間食（おやつ）を食べる。補食する必要はない。
摩擦とずれ	問題あり：移動するのに中等度から最大限の介助を要する。シーツで擦らず体を動かすことが不可能である。床上やいすの上でずり落ちることが頻繁にあり，最大限の介助で何度も元の位置に戻す必要がある。痙縮，拘縮，振戦によりほぼ常に摩擦が起きている。	潜在的に問題あり：弱々しく動く。または最小限の介助が必要である。移動時皮膚は，ある程度シーツやいす，抑制帯，補助具等に擦れている可能性がある。たいがいの時間は，いすや床上で比較的良い体位を保つことができる。	問題なし：自力でいすや床上を動き，移動中十分に体を支える筋力を備えている。いつでも，いすや床上で良い体位を保つことができる。	—

*6つのカテゴリー（知覚の認知，湿潤，活動性，可動性，栄養状態，摩擦とずれ，各1～3または4点）に分けて患者の評価を行う。合計点数が低いほど褥瘡リスクが高いことを示す：
- 15～16点＝低リスク（mild risk）
- 12～14点＝中リスク（moderate risk）
- 12点未満＝高リスク（serious risk）

©Braden and Bergstrom, 1988
訳：真田弘美/大岡みち子

- 「知覚の認知」「活動性」「可動性」は持続的な圧迫に関する項目を，「湿潤」「栄養状態」「摩擦とずれ」は外力に対する皮膚や，皮膚の下の脂肪や筋肉，血管などの組織の耐久性に関する項目を観察して褥瘡の発生リスクを見る（図7）。

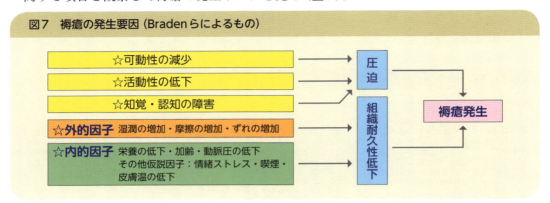

図7 褥瘡の発生要因（Bradenらによるもの）

採点方法

- 各項目を1点〔最も悪い〕から4点〔最も良い〕（「摩擦とずれ」のみ1～3点）で採点する。
- 最低6点から最高23点の範囲である。

採点結果の解釈

- 点数が低いほど褥瘡発生の危険が高いと判断する。
- 比較的ケアする力が小さな介護施設や在宅は17点以下，ケアする力の大きな病院では14点以下になると褥瘡が発生しやすいといわれている。

採点の時期や間隔

- 介護施設や在宅の場合は，可動性，活動性が低下し，いずれかが2点以下になったときから採点を始めるとよいとされている。
- 病院の場合は，療養者が入院してから24～48時間以内に行うことが推奨されている。
- 療養者の病状や容態が不安定な時期は48時間ごと，病状が比較的安定している時期では1週間ごとに行うことが推奨されている。
- 特に高齢者の場合は，入院後1か月間は1週間ごと，その後状態の変化がない場合は3か月ごとに1回の採点を目安とするのがよい。

各項目の評価ポイント

1）知覚の認知

- 痛みや不快を感じる能力を評価する。
- 例えば，患部の痛みや圧迫を感じるかどうかという視点である。
- 具体的には，麻痺がある人や常に痛み止めを服用していて痛みの感覚を抑えている人は痛みを感じにくく，十分な意思疎通が図れない人で痛みを伝えることができない場合も，

知覚の認知が低いと判定する。

2）湿潤
- 皮膚が水分で湿っている状況や程度を評価する。
- 過度の水分によって皮膚が湿ると蒸れて、ふやけ、外力に対する抵抗力が低くなり、傷つきやすくなるため褥瘡リスクを高めることになる。
- 具体的には多量の汗、尿失禁や便失禁があると"湿潤環境が高い状態"といえる。

3）活動性
- 行動の範囲、身体的活動の程度を評価する。
- 移動能力、例えば歩行や座位保持能力を指す。
- 身体の重心を移動させることによって、圧迫が続く時間や血流の回復を判定する。
- 元来の活動能力の有無ではなく、現状の動くことができる範囲を判断する。

4）可動性
- 身体の位置や体勢を変えたり整えたりできる能力を評価する。
- 体の向きを変えたり、座り直しをしたりすることがどの程度、自力でできるかを確認し、除圧につながる動きかどうかを判定する。

5）栄養状態
- 栄養状態はほかの項目と異なり、現在の状況ではなく、1週間の栄養摂取状態を評価する。
- 「経口摂取」と「経管（経腸）栄養または静脈栄養」の2つの構成に分かれている。
- 栄養摂取の経路が複数ある場合には、主となる経路の得点を採用する。

6）摩擦とずれ
- ベッド上の移動で身体が寝衣やシーツ、おむつなどと擦れることを摩擦といい、擦れた結果、筋肉と骨が外力によって引き伸ばされることをずれという。
- ベッド上における体位変換や身体を移動するときにどれだけ皮膚に摩擦やずれが加わっているかを確認する。

採点結果から実施する褥瘡（予防）対策

- 各項目で点数の低い部分に対して重点的に介入することで、褥瘡（予防）対策を効果的に行うことができる。

1）「知覚の認知」「活動性」「可動性」の項目で点数が低い場合
- 体圧を分散するマットレスやクッションを使用して、圧迫が加わる力を小さくする。
- 寝たきり状態や自力で定期的な圧分散が困難な場合では、エアマットレスの導入を検討し、空気の循環で1点に集中する体圧の時間を短くすることが効果的である。
- 活動範囲の拡大を図り、適切な体勢・ポジショニングを行うために、関節の可動域訓練や筋力増強のリハビリテーションを取り入れることを検討する（第4章参照）。

2）「湿潤」の項目点が低い場合
- 尿や便の失禁が湿潤の原因となっている場合では、2つの側面から対策を検討する。1

つは，皮膚に撥水性保護剤（軟膏やクリームなど）を塗る，あるいはポリウレタンフィルムと呼ばれる防水目的などで広く用いられる透明の医療用保護テープを貼ることで皮膚を守り，ふやけないようにすることである。
- もう1つは，おむつの交換頻度を多くしたり，吸収量の多いおむつに変更したりして皮膚に水分が接する時間を短くすることである。
- 便失禁で著しい下痢となっている場合には，下痢になっている原因の追究が必要であるため，医療者に相談することが大切である。
- 発汗量が多く湿潤している場合では，皮膚の清潔を保つとともに湿気がこもらないように，通気性のよい寝衣やシーツを使用することが効果的である。

3）「栄養状態」で点数が低い場合
- 必要栄養量が摂取できていない場合は，なぜ摂取できないのか，どのようにすると摂取できるのかといった視点で対策を考える必要がある。
- 管理栄養士や歯科衛生士に相談することがとても有用である（第5章参照）。

4）「摩擦とずれ」の点数が低い場合
- ベッド上での移動方法や体位変換の方法，姿勢のとり方について，摩擦とずれで生じる力をできる限りを小さくする工夫が必要である。
- 高機能なマットレスやスライディンググローブやスライディングシートといった介護用品を上手に活用できるよう，看護師や理学療法士に相談することが効果的である（第4章，第6章参照）。

（西林直子）

引用文献
1) 森田貞子，光田益士，中村千香子他：ケアマネジャーを対象とした褥瘡リスクアセスメントスケールの開発，日本褥瘡学会誌，21(1)，34-40，2019．
2) Kohta M, Ohura T, Tsukada K, et al.：Inter-rater reliability of a pressure injury risk assessment scale for home care: a multicenter cross-sectional study. J Multidiscip Healthc, 13, 2031-2041, 2020.
3) Kohta M, Ohura T, Okada K, et al.：Convergent validity of three pressure injury risk assessment scales: Comparing the PPRA-Home (Pressure Injury Primary Risk Assessment Scale for Home Care) to two traditional scales. J Multidiscip Healthc, 14, 207-217, 2021.
4) 日本褥瘡学会・在宅ケア推進協会編：ケアプランが変わる！在宅介護が変わる！床ずれ予防プログラム―床ずれ危険度チェック表®を活かす―，春恒社，2022．

参考文献
- 日本褥瘡学会編：褥瘡対策の指針，照林社，2002．
- 一般社団法人日本褥瘡学会編：褥瘡ガイドブック，第3版，照林社，2023．
- 障害高齢者の日常生活自立度（寝たきり度），2023，厚生労働省ホームページ（https://www.mhlw.go.jp/file/06-Seisakujouhou-12300000-Roukenkyoku/0000077382.pdf）
- 真田弘美，金川克子，稲垣美智子他：日本語版 Braden Scale の信頼性と妥当性の検討．金沢大学医療技術短期大学部紀要，15，101-105，1991．

4 DESIGN-R®2020
～褥瘡（じょくそう）状態判定スケールの紹介～

 **ポイント**

- 2020年に改定された「DESIGN-R®2020」では、「深部損傷褥瘡（DTI）などを早くに評価できると、治療・ケアの選択が異なってくるので、重要性を明らかにする必要がある」「臨界的定着疑いは、治癒の遅延にかかわるため評価に加えてほしい」など、臨床現場からの声に対応した意味合いも含まれている。
- 褥瘡（じょくそう）を「少しでも早く治したい」「よい状態にしたい」と願う臨床家の日々のケア実践に対して、エビデンスに基づく判断とケアのためのスケールとして、DESIGN-R®2020を活用していただきたい。

DESIGN-R®の改定経緯

- 2002年、日本褥瘡学会学術教育委員会は、褥瘡（じょくそう）状態判定スケールとして、DESIGNを発表した。深さ（Depth）、滲出液（Exudate）、大きさ（Size）、炎症／感染（Inflammation/Infection）、肉芽組織（Granulation）、壊死組織（Necrotic tissue）の頭文字をとって命名された。
- いずれの項目も、褥瘡の状態を判定するうえで重要な内容である。
- このスケールは、厚生労働省の褥瘡対策未実施減算策と相まって広く使用されるようになり、現在では海外においても高い評価を得ている。
- 最初につくられたDESIGNスケールには、それぞれの項目に関する重みづけが十分に検討されていなかった。そこで、2008年にこれらの課題が検討され、DESIGN-R®と改定された。
- RはRatingで評点と訳すが、褥瘡の重症度を絶対的に評価し、治癒過程についても定量的に評価できるようになった。
- その後、2013年に診療報酬の入院基本料に褥瘡の状態評価DESIGN-R®が用いられることになり、急性期であっても評価できるよう、サイズ測定に関する説明文が脚注に追加された。

- そして，2020年に改定されたスケール（表1）では，「深部損傷褥瘡（deep tissue injury: DTI）疑い」と「臨界的定着疑い（critical colonization）」が加わった。

表1 DESIGN-R®2020 褥瘡経過評価用

今回の改定で変更された箇所を青字で示した

カルテ番号（　　　　）
患者氏名（　　　　）　月日　/　/　/　/　/　/

		Depth[*1] 深さ 創内の一番深い部分で評価し，改善に伴い創底が浅くなった場合，これと相応の深さとして評価する			
d	0	皮膚損傷・発赤なし	D	3	皮下組織までの損傷
				4	皮下組織を超える損傷
	1	持続する発赤		5	関節腔，体腔に至る損傷
				DTI	深部損傷褥瘡（DTI）疑い[*2]
	2	真皮までの損傷		U	壊死組織で覆われ深さの判定が不能

		Exudate 滲出液			
e	0	なし	E	6	多量：1日2回以上のドレッシング交換を要する
	1	少量：毎日のドレッシング交換を要しない			
	3	中等量：1日1回のドレッシング交換を要する			

		Size 大きさ 皮膚損傷範囲を測定：〔長径（cm）×短径[*3]（cm）〕[*4]			
s	0	皮膚損傷なし	S	15	100以上
	3	4未満			
	6	4以上　16未満			
	8	16以上　36未満			
	9	36以上　64未満			
	12	64以上　100未満			

		Inflammation/Infection 炎症／感染			
i	0	局所の炎症徴候なし	I	3C[*5]	臨界的定着疑い（創面にぬめりがあり，滲出液が多い。肉芽があれば，浮腫性で脆弱など）
	1	局所の炎症徴候あり（創周囲の発赤・腫脹・熱感・疼痛）		3[*5]	局所の明らかな感染徴候あり（炎症徴候，膿，悪臭など）
				9	全身的影響あり（発熱など）

		Granulation 肉芽組織			
g	0	創が治癒した場合，創の浅い場合，深部損傷褥瘡（DTI）疑いの場合	G	4	良性肉芽が創面の10％以上50％未満を占める
	1	良性肉芽が創面の90％以上を占める		5	良性肉芽が創面の10％未満を占める
	3	良性肉芽が創面の50％以上90％未満を占める		6	良性肉芽が全く形成されていない

		Necrotic tissue 壊死組織 混在している場合は全体的に多い病態をもって評価する			
n	0	壊死組織なし	N	3	柔らかい壊死組織あり
				6	硬く厚い密着した壊死組織あり

		Pocket ポケット 毎回同じ体位で，ポケット全周（潰瘍面も含め）〔長径（cm）×短径[*3]（cm）〕から潰瘍の大きさを差し引いたもの			
p	0	ポケットなし	P	6	4未満
				9	4以上16未満
				12	16以上36未満
				24	36以上

部位〔仙骨部，坐骨部，大転子部，踵骨部，その他（　　　　）〕　合計[*1]

*1 深さ（Depth：d/D）の点数は合計には加えない
*2 深部損傷褥瘡（DTI）疑いは，視診，触診，補助データ（発生経緯，血液検査，画像診断等）から判断する
*3 "短径"とは，"長径と直交する最大径"である
*4 持続する発赤の場合も皮膚損傷に準じて評価する
*5 「3C」あるいは「3」のいずれかを記載する。いずれの場合も点数は3点とする

©日本褥瘡学会
http://www.jspu.org/jpn/member/pdf/design-r2020.pdf

- この2項目については，わかりやすい判定方法やエビデンスも少なく，改定について躊躇されるところもあったが，ガイドライン[1)]で取り上げられていることとの乖離や臨床現場で出会う事例が多くなったことがあり，改定に踏み切られた。
- DESIGN-R®2020の改定のポイントは，①「深さ」と「炎症／感染」の項目を一部追加したこと，②入院基本料の褥瘡対策などにも関係するため，スケールの枠組みや点数は変更しないこと，③ガイドライン，用語集，実態調査との整合性を図ることであった。

「深さ」の変更点と採点上の留意点

- 「深さ」の改定は，表2に示すとおりである。
- 深部損傷褥瘡（DTI）とは，初期の段階では表皮から判断すると一見軽症の褥瘡にみえるが，時間の経過とともに深い褥瘡へと変化するものを指す。
- DESIGN-R®2020では，「深部損傷褥瘡（DTI）疑いは，視診・触診・補助データ（発生経緯，血液検査，画像診断等）から判断する」としている。
- 「在宅で転倒しているところを発見した」というようなエピソードがあれば，褥瘡の状態と重ねあわせ「DTIかもしれない」と考えられる。そのため，発生経緯などにも注意喚起されている。
- また，「深部損傷褥瘡（DTI）疑い」と命名した理由が重要で，DESIGN-R®2020では，「疑い」とすることで，Stage1の褥瘡に限らず今後変化するかもしれない病態までをも含むことを可能にした。びらんや水疱を有する褥瘡でも，深部損傷に変化する可能性があるからである。

表2 「深さ」の改定について

■DESIGN-R®における「d/D」の項目

Depth		深さ 創内の一番深い部分で評価し，改善に伴い創底が浅くなった場合，これと相応の深さとして評価する			
d	0	皮膚損傷・発赤なし	D	3	皮下組織までの損傷
	1	持続する発赤		4	皮下組織を超える損傷
	2	真皮までの損傷		5	関節腔，体腔に至る損傷
				U	深さ判定が不能の場合

↓

■DESIGN-R®2020における「d/D」の項目

Depth[*1]		深さ 創内の一番深い部分で評価し，改善に伴い創底が浅くなった場合，これと相応の深さとして評価する			
d	0	皮膚損傷・発赤なし	D	3	皮下組織までの損傷
	1	持続する発赤		4	皮下組織を超える損傷
	2	真皮までの損傷		5	関節腔，体腔に至る損傷
				DTI	深部損傷褥瘡（DTI）疑い[*2]
				U	壊死組織で覆われ深さの判定が不能

*1 深さ（Depth：d/D）の点数は合計には加えない
*2 深部損傷褥瘡（DTI）疑いは，視診，触診，補助データ（発生経緯，血液検査，画像診断等）から判断する

- 図1に示す症例1は，日本褥瘡学会ホームページにある練習問題から引用している。従来は，創部全体が紫斑で「d1」と判断されるが，「床に接触する状態で倒れていた」という発症経緯からDTIが疑われる。
- 「DDTI」と判断した場合は，肉芽組織は基本的に「g0」と判定する。

図1 「深部損傷褥瘡（DTI）疑い」の症例1

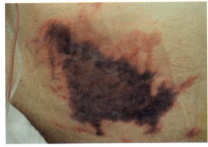

従来では，「d1」評価
しかし，発症経緯から「DTI」が疑われる

患者情報
部位は右殿部，るい痩はない。意識消失し24時間程度患部を床に接触する状態で倒れていた。滲出液なし。創サイズは，15×15cm，創部を触ると硬い

評価のポイント
・発症経緯
・触診による創状態
・サイズの測り方に注意
・肉芽と壊死組織の評価

（従来）　d1-e0S15i1g0n0p0：16点

（改定）　DDTI-e0S15i1g0n0p0：16点

症例引用：日本褥瘡学会ホームページ（https://www.jspu.org/medical/design-r/docs/design-r2020_traning.pdf），改定DESIGN-R® 2020練習問題　練習1

表3 「深部損傷褥瘡（DTI）疑い」の場合の肉芽組織の扱い

Inflammation/Infection　炎症/感染					
i	0	局所の炎症徴候なし	I	3C*5	臨界的定着疑い（創面にぬめりがあり，滲出液が多い。肉芽があれば，浮腫性で脆弱など）
	1	局所の炎症徴候あり（創周囲の発赤・腫脹・熱感・疼痛）		3*5	局所の明らかな感染徴候あり（炎症徴候，膿，悪臭など）
				9	全身的影響あり（発熱など）
Granulation　肉芽組織					
g	0	創が治癒した場合，創の浅い場合，深部損傷褥瘡（DTI）疑いの場合	G	4	良性肉芽が創面の10％以上50％未満を占める
	1	良性肉芽が創面の90％以上を占める		5	良性肉芽が創面の10％未満を占める
	3	良性肉芽が創面の50％以上90％未満を占める		6	良性肉芽が全く形成されていない
Necrotic tissue　壊死組織　混在している場合は全体的に多い病態をもって評価する					
n	0	壊死組織なし	N	3	柔らかい壊死組織あり
				6	硬く厚い密着した壊死組織あり
Pocketv　ポケット　毎回同じ体位で，ポケット全周（潰瘍面も含め）[長径（cm）×短径*3（cm）]から潰瘍の大きさを差し引いたもの					
p	0	ポケットなし	P	6	4未満
				9	4以上16未満
				12	16以上36未満
				24	36以上

部位［仙骨部，坐骨部，大転子部，踵骨部，その他（　　　）］　合計*1

*1　深さ（Depth：d/D）の点数は合計には加えない
*2　深部損傷褥瘡（DTI）疑いは，視診，触診，補助データ（発生経緯，血液検査，画像診断等）から判断する
*3　"短径"とは，"長径と直交する最大径"である
*4　持続する発赤の場合も皮膚損傷に準じて評価する
*5　「3C」あるいは「3」のいずれかを記載する。いずれの場合も点数は3点とする

© 日本褥瘡学会
http://www.jspu.org/jpn/member/pdf/design-r2020.pdf

- 「g0」の定義も「創が治癒した場合，創が浅い場合，深部損傷褥瘡（DTI）疑いの場合」に変更になっている（表3）。

「炎症／感染」の変更点と採点上の留意点

- 「炎症／感染」では，表4に示すように変更された。
- 「炎症／感染」では，「臨界的定着疑い」が追加された。

表4 「炎症／感染」の改定について

- 創部の有菌状態を汚染（contamination），定着（colonization），感染（infection）というように連続的にとらえた。
- 臨界的定着（クリティカルコロナイゼーション）は「定着」と「感染」の間に位置し，両者のバランスにより定着よりも細菌数が多くなり感染へと移行しかけた状態を指す[2]（図2）。
- 臨界的定着は早期に発見し，感染に準ずる治療を開始することが重要である。

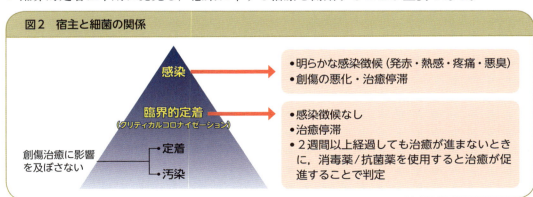

図2 宿主と細菌の関係

- 臨界的定着状態をつくり出す原因として，バイオフィルムの存在が指摘されている。
- バイオフィルムとは，細菌が産生する細胞外高分子物質で細菌が守られた状態のことを指し，宿主免疫，抗菌薬，消毒薬は効果を発揮できない。
- 臨界的定着状態の褥瘡は，肉眼的には明らかでないものの炎症は存在し，バイオフィルムを伴う細菌による感染が生じている。
- DESIGN-R®2020では，「I3C：臨界的定着疑い（創面にぬめりがあり，滲出液が多い。肉芽があれば，浮腫性で脆弱など）」という臨床所見を示した。
- この評価は「炎症／感染」の「I」の項目を「3C」とすることで意識されるので，予測・予防的な観点を踏まえて，対策を考慮しながら治療・ケアに向き合うことができる。
- 図3には，症例を示す。大転子部の褥瘡で，肉芽が浮腫性で，滲出液にはぬめりがある。DESIGN-R®2020の各項目に従って評価してみると，褥瘡の状態から，「臨界的定着疑い」と判定され，D4-E6s8I3CG4n0p0：21点となる（表5）。
- 従来であれば，「肉芽の状態はよいようにみえるが，創の縮小が起こらない」と感じながらも，同じ治療・ケアを行っていたかもしれないが，「臨界的定着疑い」と予測すると，使用薬剤やデブリードマンについて医師と相談でき，創傷の治癒遅延への対策になる。

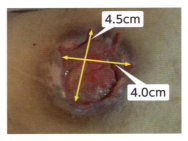

図3 「臨界的定着疑い」の症例

- 肉芽が浮腫性であり，ぬめりがある
- 肉芽色から，血流はよいようにみえる
- 大転子部

症例提供　綜合病院山口赤十字病院　WOCN　柳井幸恵氏より

DESIGN-R®2020採点に関する確認

- 改めて，DESIGN-R®2020各項目の採点に関する注意点を述べる。

深さ (Depth)
- 創内の一番深い部分で評価する。
- 創底が壊死組織で覆われており，深さの判定が不能な場合は，「DU」と判定する。
- 褥瘡が発生していない場合，治癒した場合には「d0」とする。
- DTIかDUか，迷うことが多い。褥瘡発生に至るエピソードや視診・触診・補助データから判定する。

滲出液 (Exudate)
- ドレッシング材やガーゼに付着する滲出液の量で判定する。
- 判定は，ガーゼ貼付をした場合と考え判定する。
- 1日1回の交換頻度であっても，ドレッシング材（ガーゼと想定し）から滲出液があふれ

表5 「臨界的定着疑い」の場合の採点例

■ DESIGN-R®2020 褥瘡経過評価用

今回の改定で変更された箇所を青字で示した

カルテ番号（　　　　　　　）
患者氏名（　　　　　　　）
月日

Depth*1 深さ 創内の一番深い部分で評価し，改善に伴い創底が浅くなった場合，これと相応の深さとして評価する					
d	0	皮膚損傷・発赤なし	D	3	皮下組織までの損傷
				4	**皮下組織を超える損傷**
	1	持続する発赤		5	関節腔，体腔に至る損傷
				DTI	深部損傷褥瘡（DTI）疑い*2
	2	真皮までの損傷		U	壊死組織で覆われ深さの判定が不能

→ 深さが皮下組織を超えている

Exudate 滲出液					
e	0	なし	E	6	**多量：1日2回以上のドレッシング交換を要する**
	1	少量：毎日のドレッシング交換を要しない			
	3	中等量：1日1回のドレッシング交換を要する			

→ 滲出液あり

Size 大きさ 皮膚損傷範囲を測定：[長径（cm）×短径*3（cm）]*4					
s	0	皮膚損傷なし	S	15	100以上
	3	4未満			
	6	4以上 16未満			
	8	**16以上 36未満**			
	9	36以上 64未満			
	12	64以上 100未満			

→ 4.5cm×4cm＝18cm

Inflammation/Infection 炎症/感染					
i	0	局所の炎症徴候なし	I	**3C*5**	**臨界的定着疑い（創面にぬめりがあり，滲出液が多い。肉芽があれば，浮腫性で脆弱など）**
	1	局所の炎症徴候あり（創周囲の発赤・腫脹・熱感・疼痛）		3*5	局所の明らかな感染徴候あり（炎症徴候，膿，悪臭など）
				9	全身的影響あり（発熱など）

→ 肉芽が浮腫性。創面のぬめりとテカリ感がある

Granulation 肉芽組織					
g	0	創が治癒した場合，創の浅い場合，深部損傷褥瘡（DTI）疑いの場合	G	**4**	**良性肉芽が創面の10%以上50%未満を占める**
	1	良性肉芽が創面の90%以上を占める		5	良性肉芽が創面の10%未満を占める
	3	良性肉芽が創面の50%以上90%未満を占める		6	良性肉芽が全く形成されていない

→ 中央部に良性肉芽が認められる

Necrotic tissue 壊死組織　混在している場合は全体的に多い病態をもって評価する					
n	**0**	**壊死組織なし**	N	3	柔らかい壊死組織あり
				6	硬く厚い密着した壊死組織あり

→ 壊死組織なし

Pocket ポケット　毎回同じ体位で，ポケット全周（潰瘍面も含め）[長径（cm）×短径*3（cm）]から潰瘍の大きさを差し引いたもの					
p	**0**	**ポケットなし**	P	6	4未満
				9	4以上16未満
				12	16以上36未満
				24	36以上

部位［仙骨部，坐骨部，大転子部，踵骨部，その他（　　　）

*1 深さ（Depth：d/D）の点数は合計には加えない
*2 深部損傷褥瘡（DTI）疑いは，視診，触診，補助データ（発生経緯，血液検査，画像診断等）から判断する
*3 "短径"とは，"長径と直交する最大径"である
*4 持続する発赤の場合も皮膚損傷に準じて評価する
*5 「3C」あるいは「3」のいずれかを記載する。いずれの場合も点数は3点とする

DESIGN-R®2020 採点
D4-E6s8I3CG4n0p0：21点

©日本褥瘡学会
http://www.jspu.org/jpn/member/pdf/design-r2020.pdf

る場合は「E6」と判定する。
- 1日2回の交換であっても，ごく少量の滲出液の場合は「e1」と判定する。

大きさ (Size)
- 同じ体位で測定する。
- 持続する発赤の範囲も含め，皮膚損傷範囲を測定する。
- 頭側から尾側などを意識せず，創傷の全体をみて最大の長径を決め，それに直交する最も長い短径を掛け合わせる。
- 水疱を有する褥瘡は，水疱部も含める。
- 上皮化している部分や周囲皮膚で浸軟している部分は測定範囲に含まない。

炎症／感染 (Inflammation/Infection)
- 創周囲に発赤・腫脹・熱感・疼痛（古典的感染徴候）の有無を評価する。
- 創面のぬめりや滲出液の増加等を評価する。
- 肉芽が浮腫性で脆弱か評価する。
- 膿の有無，臭い等も評価する。
- 肉芽色の不良，創サイズの縮小が悪い等の二次的サインを評価する。

肉芽組織 (Granulation)
- 肉芽組織は，良性か不良かに大別されるので見分ける。
- 肉芽の色や浮腫の有無が見分けに重要となる。

壊死組織 (Necrotic tissue)
- 色と硬さで判定する。
- 感染の有無も判定する。

ポケット (Pocket)
- 測定は同じ体位で行う。
- ポケット部に綿棒等，肉芽を損傷しないものを挿入し，ポケットの開口範囲を確認する。
- ポケット全周から潰瘍面を差し引く。

（田中マキ子）

引用文献
1) 日本褥瘡学会教育委員会ガイドライン改訂委員会：褥瘡予防・管理ガイドライン（第4版），日本褥瘡学会誌, 17(4), 487-557, 2015.
2) 日本褥瘡学会ホームページ，用語集(https://www.jspu.org/medical/glossary/)

第3章

じょくそうの治し方

1 外用薬療法

2 創傷被覆材の特徴と使い方

3 デブリードマンの実際

4 褥瘡(じょくそう)のポケットの治療

5 在宅における局所陰圧閉鎖療法(NPWT)

6 褥瘡(じょくそう)の手術療法
　〜デブリードマン以外の方法について〜

7 在宅褥瘡(じょくそう)ケアにおける薬剤師の役割

1 外用薬療法

> **ポイント**
> - 外用薬は薬効を発揮する主成分（主薬）と基剤から構成されている。
> - 褥瘡（じょくそう）の創面の状態をよく把握し，それに適した外用薬を選択する。その際には主薬の働きだけでなく，基剤の性質もあわせて考える。
> - 主成分の薬効としては，壊死組織除去，滲出液調整，抗菌作用，肉芽形成，上皮化促進などがある。
> - 在宅では誰が処置を行うかまでを考えて，スムーズに進められるよう手配する必要がある。

主薬と基剤

- 外用薬は，薬効成分をもつ薬剤（主成分，主薬）が油などの基剤の中に配合されている「塗り薬」である。
- 外用薬の基剤には，疎水性基剤，親水性基剤，水溶性基剤，ゲル剤，テープ剤，液剤，スプレー，泡状などがある。

褥瘡（じょくそう）でよく用いられる外用薬の基剤

- 褥瘡（じょくそう）でよく用いられる外用薬の基剤は，疎水性基剤と親水性基剤である（図1）。

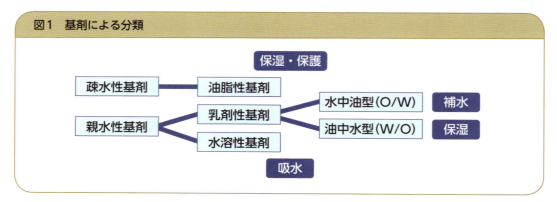

図1　基剤による分類

1）疎水性基剤

- 疎水性基剤は油で構成される油脂性基剤であり，水とはなじまず，保湿や保護の作用を有する。

2）親水性基剤

- 親水性基剤は乳剤性基剤と水溶性基剤に分類される（表1）。

表1　主成分と基剤による褥瘡治療外用薬の分類

主成分による分類	基剤による分類	主な商品名（®：省略）
壊死組織除去	乳剤性	ゲーベン
	水溶性	カデックス，ブロメライン
	その他	ヨードホルムガーゼ
抗菌作用・滲出液調整	乳剤性	ゲーベン
	水溶性	カデックス，ユーパスタ
肉芽形成 and/or 上皮化促進	油脂性	プロスタンディン
	乳剤性	オルセノン
	水溶性	アクトシン
	その他	フィブラスト

①乳剤性基剤

- 乳剤性基剤は，水と油を混合したもので，水を主成分としてその中に油が存在している形の水中油型（oil in water, O/W）と，油の中に水が存在する油中水型（water in oil, W/O）に分類される。
- 乳剤性基剤には界面活性剤が使用されている。
- 水中油型は補水効果があり，少しべたつく。滲出液が多い創には向かない。
- 油中水型は保湿効果を有し，乾燥性の創に適している。

②水溶性基剤

- 水溶性基剤は吸水性をもつため，創面が乾燥しすぎないように注意する。

基剤の特性も考慮した外用薬の選択

- 主成分がもつ薬効成分だけでなく，基剤の特性も考慮して外用薬を選ぶ必要がある（表2）。

表2　創面の状態と基剤による使い分け

乾燥した創面の場合	水分過剰な創面の場合
・油脂性基剤で創面を保護する 　プロスタンディン®軟膏など ・補水性のある乳剤性基剤で水分を補給 　ゲーベン®クリーム，オルセノン®軟膏など	・吸水性の高いマクロゴール基剤の薬剤 　アクトシン®軟膏など ・感染を考慮してヨード製剤 　ユーパスタ®軟膏，カデックス®軟膏など

- 乾燥した創面であれば，油脂性基剤で保護したり，乳剤性基剤で補水したりする。
- 滲出液が多い創面に対しては吸水性のある水溶性基剤を用いる。

DESIGN-R®2020分類と褥瘡（じょくそう）治療外用薬の選択

浅い褥瘡（d1, 2）

- d1, 2の浅い褥瘡に対しては創傷被覆材がよい適応となる。
- 外用薬を選択する場合，油脂性基剤のワセリン，アズノール®軟膏などを使用する。
- 創面保護の目的で亜鉛華単軟膏を厚めに塗るのもよい。
- d2で真皮までの深さがある場合，アクトシン®軟膏等（後述）を使用することもできる。
- ゲンタシン®軟膏，フシジンレオ®軟膏などの抗生物質含有軟膏は，感染がない場合は使用しない。

深い褥瘡（D3以上）

1）Wound bed preparationとMoist wound healing

- 深い褥瘡のような慢性創傷の治癒過程は，Wound bed preparation（WBP：創面環境調整）とMoist wound healing（MWH：湿潤環境下療法）の2つのステップに分けられる。
- Wound bed preparationは，TIMEコンセプト（T：壊死組織除去，I：感染制御，M：湿潤状態調整，E：創縁段差やポケット排除）に基づいて良好な肉芽組織の形成を目指し，Moist wound healingにより上皮化が完了する。
- 近年，R（Repair/Regeneration），S（Social-and patient-related factors）を加えてTIMERSといわれている。
- ここではTIMEコンセプトとDESIGN-R®2020分類を関連づけながら解説する。

2）壊死組織除去（N→n）に用いられる外用薬

①ゲーベン®クリーム

- 主薬はスルファジアジン銀で，殺菌作用をもつ。
- 基剤は水中油型の乳剤性で，創面に水分を与えて軟化させる作用がある。
- 硬い壊死組織では，あらかじめ15番のメス刃などで表面にキズをつけてゲーベン®クリームを貼付すると1～2週間で軟化し，外科的デブリードマンが行いやすくなる（図2）。
- 広範囲に外用した場合に銀中毒や腎障害を起こす可能性がある。

②ブロメライン®軟膏

- パイナップル由来のたんぱく分解酵素で，軟らかい壊死組織の除去に適している。「化学的デブリードマン」を行うための薬剤である。
- 周囲の正常な皮膚を障害してしまう可能性があるため，油脂性基剤の軟膏を用いて周囲を保護してから必要な部位に貼付するとよい（図3，パイナップルアレルギーの有無と

図2 エスカーに切れ目を入れてゲーベンクリームで軟化させた例

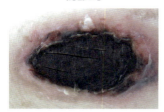
初診時

2週後

硬い壊死組織（エスカー）が固着している場合，メスの刃などで切れ目を入れてゲーベンクリームを貼付しておくとエスカーが軟化してデブリードマンしやすくなる。

図3 ブロメライン軟膏により褥瘡周囲の皮膚が障害された例

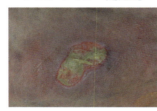
ブロメライン®開始時

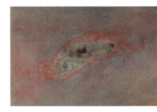
9日後

ブロメライン軟膏外用時の周囲の保護が不十分であったため，潰瘍周囲の皮膚にびらんを生じた例。

は関係ない）。
- 金属元素と反応して酵素活性が低下するため，例えば銀を含むゲーベン®クリームなどとの混合・併用はできない。
- 基剤のマクロゴール（ポリエチレングリコール）は吸水性をもっているので，滲出液が多い創にも適している。

③ヨードホルムガーゼ
- ガーゼにヨードホルムが散布してある。ヨードホルムは壊死組織や痂皮の主な構成成分であるⅠ型コラーゲンを分解する作用がある。
- 創の大きさや深さにあわせて切ったりたたんだりして使用するため，ポケットの処置に便利であるが，詰め込みすぎると圧迫の原因となるため注意する。
- ヨードホルムの1日の極量は2gであり，30cm四方のヨードホルムガーゼを使用した場合，約6枚となる。
- ヨードホルムは保険収載されているが，ヨードホルムガーゼは保険収載されていないため自費扱いとなる。

3）感染制御（I→i）に用いられる外用薬
①ゲーベン®クリーム（前記）

②ユーパスタ®軟膏
- ポビドンヨードと精製白糖が有効成分として記載されている。マクロゴールなどが基剤に含まれる。
- 精製白糖は肉芽形成，表皮再生，血管新生作用を有する。
- 浸透圧の差を利用して創面から積極的に吸水する作用（能動的吸水）があり，逆に乾燥しすぎないよう注意する。

③カデックス®軟膏
- ヨウ素が主成分で，マクロゴールとカデキソマーが添加されている。
- カデキソマーが水分を吸収するとヨウ素が放出されて殺菌作用を発揮する。
- カデキソマーは吸水性と水分保持力が高いポリマーで，滲出液を吸収する。これは受動的吸水といわれ，肉芽を乾燥させすぎない効果がある。
- カデキソマーはスラフや細菌，起炎物質を吸着して創面を清浄化する。
- 洗浄が不十分でカデキソマー（細かいビーズ状）が残ると感染が悪化する場合があるので，十分に洗浄する。
- 創面に約3mmの厚さに塗布する（直径4cmあたり3gを目安）よう指定されている。

④ヨードコート®軟膏
- ヨウ素が主成分で，マクロゴールや水溶性高分子が基剤となっている。
- 滲出液を吸収するとヨウ素が放出される。
- 水溶性高分子は受動的吸水と能動的吸水の両方の作用をもつ。
- 伸びがよく，滲出液を吸収するとゲル化する。

4）肉芽形成（G→g）に用いられる外用薬

①オルセノン®軟膏
- トレチノイントコフェリルを主成分とし，血管新生を伴う肉芽形成を促進する。乳剤性基剤で補水性があるため浮腫性の不良肉芽を形成するリスクがあり，注意を要する。
- 2025年1月現在，供給が停止している。

②プロスタンディン®軟膏
- アルプロスタジルアルファデクス（プロスタグランジンE1）が主成分で，血流を改善し，肉芽形成を促進するほか，表皮角化細胞増殖作用ももっている。
- 褥瘡治療外用薬の中では珍しく油脂性基剤をもつため，乾燥した創面に適している。
- 主薬の作用による影響を考え，重篤な心不全，出血している患者などには禁忌とされ，1日10g以内の制限がある。

③フィブラスト®スプレー
- 塩基性線維芽細胞増殖因子であるトラフェルミンを主成分とする。
- 細胞増殖作用により，血管新生や肉芽形成を促進する。
- 投与部位に悪性腫瘍がある場合は禁忌となるので，注意を要する。
- 潰瘍の最大径が6cm以内の場合，創面から5cm離して5噴霧する。6cm以上の場合は同一部位に5噴霧されるように繰り返し噴霧する。

- 開口部が狭くピンホール状になった褥瘡の内部に投与したいときには，ベスキチンを短冊状に切ったものにフィブラスト®スプレーを噴霧して挿入する方法がある．
- 溶解液で溶かして冷蔵保存するが，2週間で失活する．
- 基剤は水であり，単剤では滲出液の調整はできないので，併用する薬剤やドレッシングで対応する．
- 世界アンチ・ドーピング機構による2024年版の禁止表国際基準に禁止薬剤として掲載されており，ドーピング規定を遵守する立場にあるアスリートには使用できない．

5）上皮化促進（S→s）に用いられる外用薬

①アクトシン®軟膏
- 主成分のブクラデシンナトリウムは血管と肉芽形成促進，表皮形成促進作用をもつ．
- 基剤がマクロゴールであるため，創面を乾燥傾向に導く．
- 冷蔵が必要である．
- ブクラデシンナトリウムは心不全の治療薬であり，大量・長期に外用した場合に血圧低下，不整脈，高血糖などを引き起こす可能性がある．

②フィブラスト®スプレー（前記）

6）ポケット改善（P→p）に用いられる外用薬
- 第3章4を参照されたい．

実際の薬剤選択と治療経過（図4）

- 図4 ⓐ：黒色壊死組織（エスカー）を外科的にデブリードマンするとともに，ブロメライン®軟膏を使用し，その後オルセノン®軟膏で肉芽形成を図った．
- 図4 ⓑ：フィブラスト®スプレーに変更して肉芽をさらに盛り上げたが，肉芽が過剰に

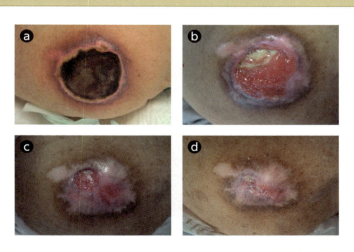

図4　実際の薬剤選択と治療経過

なってしまったためステロイド外用薬を短期間使用して肉芽を引き締めた。
- 図4❸：肉芽が落ち着いたため，上皮化を促進させる目的でアクトシン®軟膏を用いて，図4❹のように上皮化が完了した。

褥瘡治療を主目的としないが，褥瘡にも使用されることのある外用薬

- 外用薬には褥瘡治療を主目的とするもの以外に，主薬の効果などによりさまざまな種類のものがある（表3）。
- これらの外用薬も，褥瘡治療・ケアに使用される場合がある。

表3　主薬の効果などによる外用薬の分類

- 抗炎症
  副腎皮質ステロイド，非ステロイド系消炎鎮痛薬
- かゆみ止め
  抗ヒスタミン薬，クロタミトン
- 感染症治療
  抗生剤，抗真菌，抗ウイルス
- 角化症治療
  ビタミンD，サリチル酸
- 保湿
  ヘパリン類似，尿素
- いわゆる古典的外用薬
  ワセリン，酸化亜鉛

1）いわゆる古典的外用薬

- いわゆる古典的外用薬（白色ワセリン，酸化亜鉛を含有する亜鉛華軟膏・亜鉛華単軟膏）はさまざまな目的で使用される。
- 白色ワセリンは安全で安価であり，保湿，保護などの目的で用いられる。
- 酸化亜鉛は局所収斂・保護作用，防腐作用をもち，滲出液の過剰な分泌や細菌の繁殖を抑制する。
- 酸化亜鉛を含有する亜鉛華軟膏と亜鉛華単軟膏は基剤が異なり，亜鉛華軟膏のほうが滲出液をよく吸収する。

2）保湿

- 保湿は褥瘡予防あるいは褥瘡治癒後の皮膚保護に重要である（p253参照）。

3）抗生物質を含む外用薬

- 抗生物質を含む外用薬が褥瘡治療に用いられる例があるが，耐性菌を出現させてしまう可能性もあり，推奨しない。

外用治療を在宅で行う際の注意点

- 内服薬は，1回に飲む量や1日の回数が決められており，それに従って適切なもの（水

- など）で飲めばよいが，外用薬は量，回数，塗布方法，部位などを適切にする必要がある。
- 外用治療を行う際には，「安楽で適切な体位をとる→被覆してあるものをはがす→洗浄する→創部ならびに周囲を観察・記録する→外用薬を使用する→被覆する」という一連の作業が必要となる。
- 毎回の処置を医療関係者が行えればよいが，家族など必ずしも医学的知識をもっているとはいえない人も処置を行うことが多いので，処置の手順についてはあらかじめデモンストレーションを行い，やり方を統一しておく必要がある。
- 毎日の処置が必要な場合，曜日により誰が処置を行うか（医師，訪問看護師，デイサービスや訪問入浴の看護師，家族などの介護者など）を決めておく。
- 一般的な外用薬の使用量は，finger tip unitという単位が用いられており，「口径5mm程度のチューブから成人の人差し指の末節の長さだけ押し出した薬剤（約0.5g）を成人の手のひら2枚分の面積に塗ること」とされている。ローション剤では1円玉大の量がこれにあたる。しかし，褥瘡治療の場合は深さも考慮する必要があり，finger tip unitの概念を当てはめることができない。
- 褥瘡治療のための外用薬は，カデックス®軟膏やフィブラスト®スプレーのように，外用量が明確に指定されている薬剤もあるが，それ以外は「適量」と記載されている場合が多く，1回に塗る量を規定しにくい。
- 深い褥瘡では立体構造があり，体位によってその構造は変形するので，創面に外用薬が密着するように，表面に塗る「塗布」というよりは「充填」する意識で外用薬を使用する。
- 立体構造が変形することにより充填した外用薬が押し出されることがあるので，あらかじめ外側をテープなどで固定して変形を防ぐような対処方法が行われることもある。
- 外用治療は重要ではあるが，褥瘡ケアの基本である外力除去や栄養状態・全身状態の改善を忘れてはいけない。

（袋秀平）

参考文献
- 袋秀平：在宅で褥瘡を診る！非観血的治療と局所治療の選択方法，日本医事新報社（web書籍），2021．
- 袋秀平：褥瘡治療に用いる外用薬・創傷被覆材の選び方と使い方，臨床老年看護，29(5)，2-8，2022．
- Atkin L, Tettelbach W: TIMERS: expanding wound care beyond the focus of the wound, Br J Nurs, 28(20), S34-S37, 2019
- Sibbald RG, Elliott JA, Persaud-Jaimangal R, et al.: Wound Bed Preparation 2021, Adv Skin Wound Care, 34(4), 183-195, 2021

| 意見 | **塗り薬を甘くみないで！** |

　外用薬（塗り薬）は褥瘡（じょくそう）のケア・治療によく使われ，日常生活でも身近なものであり，飲み薬と比べると気軽に使われる，もしかすると「甘くみられている」ところがあるかもしれませんが，安全に十分な効果を得るためには正しい使い方が必要です。

　外用薬を混合して処方されている例をよく見かけますが，いくつかの点に注意しなくてはいけません。

　①外用薬はそのままで使うのが最も安定で有効である。
　②基本的に異なる基剤の外用薬を混合すべきでない。
　③混合したからといって，効力や副作用が弱まるとは限らない。
　④混合した場合は皮膚への吸収が変化する。

　外用薬は，単独で最も安定で有効であるように設計されています。基剤の中に主成分が最適な形で分散・配合されていて，そもそも混合することは考えられていません。また，疎水性軟膏と親水性軟膏など，異なる基剤の外用薬を混合することは基本的には禁止です。混合しても，肉眼的には何の問題もないように見えるかもしれませんが，顕微鏡で見ると，最適な分散も，乳化も破壊されています。それにより皮膚への透過性が変化し，効果にも影響します。私たち皮膚科医は「この薬はこれくらい効くはず」という経験からくる期待値をもっているのですが，混合してしまうとそれが変化する可能性があるのです。そのほかにも基剤が分離したり，防腐剤が希釈されて細菌が繁殖したりするなどの問題も起きてきます。

　また，先発品と基剤や添加物が異なるジェネリックの外用薬では，皮膚への吸収が低下する例が多いこともあり，「同じ成分，同じ効きめ」ではありません。先発品と完全に同一の「オーソライズド・ジェネリック」の普及が待たれます。

　そうはいっても，患者さんに治療のためのステロイド外用薬や抗真菌薬を塗って差し上げるときに，乾燥肌の人が多いこともあり，例えば保湿ローションなどを一緒に塗りたくなることもあると思います。それは悪いことではありませんが，混合による変化だけでなく，刺激やアレルギーによるかぶれにも注意が必要です。さまざまな外用薬やスキンケア製品に基剤として使用されているラノリンや，保存料であるパラベンなどでアレルギーを起こすことがあります。これらは同じ銘柄（主成分）の外用薬でも，軟膏・クリーム・ローションといった剤型によって含まれている場合と含まれていない場合もありますので，よかれと思って塗っていたところが改善しなかったり悪化したりする場合は，かぶれを疑う必要があります。

　よくいわれることですが，「薬は，用法・用量を守って正しく使いましょう」。

（袋秀平）

意見　ガーゼを使ってよいとき，悪いとき。使わないときどうするか。(1)

　ガーゼは，褥瘡（じょくそう）の管理や処置に欠かせないアイテムですが，使い方を誤ると逆効果になることもあります。正しい使い方や使わないときの対処法を知っておくことは重要です。

　まず，ガーゼを使う場合のポイントです。ガーゼは清潔な状態で使用し，創部を保護するために適切な大きさにカットします。ガーゼが褥瘡に密着しすぎないように気をつけ，通気性を確保します。また，ガーゼが創面にくっついてしまうことを防ぐために，適切な洗浄を行った後に使います。軟膏を塗布したあとに上からそっと被せるようにしましょう。

　ガーゼはどのようなときに使うのかというと，交換を頻繁に行える場合に有用といえます。軟膏をこまめに切り替えたり，滲出液が多くガーゼの交換を頻繁にする必要があったり，感染が疑われる場合にもガーゼが選択されます。

　一方で，ガーゼを使わない場合もあります。さきほどの裏返しになりますが，ガーゼを頻繁に交換するのが大変な場合や，適度な湿潤を維持したい場合，感染している可能性が低い場合にはドレッシング材を使用します。

　ガーゼを使わない場合には，よりいっそう清潔な状態を保つことが重要です。褥瘡部位を清潔にし，適切な保護を行います。また，創部の状態や症状の変化に注意し，適切な処置を行うことが大切です。ドレッシング材を漫然と貼るのではなく，創部の色調変化や熱感がある場合などは，専門家に相談しましょう。

　ガーゼの使い方や使わないときの対処法を理解しておくことで，キズの管理や処置を適切に行うことができます。正しい知識をもち，適切なケアを行うことで，早い回復や合併症の予防を行いましょう。

〔大浦誠〕

意見　ガーゼを使ってよいとき，悪いとき。使わないときどうするか。(2)

　褥瘡（じょくそう）を被覆する際，皆さんは常にガーゼを使うでしょうか。清潔なガーゼは有用ですがいつも使ってよいとは限りません。特にずれや強い圧迫のある部位では，使用を控えましょう。体重のかかる部位ではガーゼの厚みがさらなる圧迫を起こします。

　特に，常にずれがあるような部位，すなわちマットに接してよく動かす部位，車いすなどへの移乗の際にずれを生じてしまう部位ではガーゼという素材が滑りにくいため，反対にずれによる抵抗を大きくし皮膚を損傷することもあります。このようなときはガーゼを使用するより滑りやすい素材のものを使用しましょう。創傷被覆材のデュオアクティブ®，ハイドロサイト®，メピレックス®ボーダー等や，フィルム材がお勧めです。

　簡単に手に入るものでは生理用のパッド，尿取りパッド等があります。場合によっては単純に褥瘡用の軟膏を塗布し，そのままおむつで覆ってしまうこともあります。褥瘡にはいつでもガーゼではなく，そのときの状況で素材を選択しましょう。

（種田明生）

2 創傷被覆材の特徴と使い方

ポイント

- 創傷被覆材は肉芽形成と表皮化を促進する目的で開発された。
- キズのでき始めのときや壊死組織があり滲出液の多い時期は，毎日交換する。
- 創傷被覆材は，感染創，壊死組織の多いキズ，動脈閉塞のため虚血のある部位には使用しない。使っていて治癒傾向が乏しい場合は中止する。
- 湿潤環境をつくるだけではなく，創面保護作用に優れたもの，ずれの影響を減らすもの，滲出液を多く吸収するもの，バイオフィルムに強いものなど，さまざまな特徴をもつものが出てきている。
- 保険適応の高価なもののほかに，保険適応のない安価な衛生材料なども市販されている。

創傷被覆材とは（表1）

- 褥瘡（じょくそう）が治っていくときは，表面が赤い肉芽で被われた後に表皮化する。肉芽ができて表皮化するときには，適度な湿潤状態になっていると早く治癒する。
- 創面に適度な湿潤状態をつくり，治癒を促進する目的でつくられたのが創傷被覆材であり，別名，近代的ドレッシング材と呼ばれる。
- 創傷被覆材の最初の製品はフィルム材で，1972年にオプサイト®として登場した。1982年にはハイドロコロイド材であるDuoDERM®（日本名 デュオアクティブ®）が商品化された。
- フィルム材とハイドロコロイド材が開発されたのは，これらの製品を使うことで創傷治癒が飛躍的に促進されたからである。開発過程で，閉鎖湿潤環境を中心とした創傷治癒理論が確立されていった。
- 創傷被覆材についてその使用法を解説するにあたり，創傷治癒理論確立の基準となったハイドロコロイド材の特徴についてまず解説し，その後出てきた創傷被覆材の特徴について順次解説する。
- なお，保険請求上の分類は「皮膚欠損用創傷被覆材」である。

表1 創傷被覆材一覧（代表的なもの）

保険	分類	製品名(商標は省略)	会社名	特徴
保険適応	ハイドロコロイド材	デュオアクティブ	コンバテックジャパン(株)	弱酸性の粘着面は親水性コロイドと疎水性ポリマーが混ざり創面を密閉し，湿潤状態を維持する。外面は水蒸気を透過するフィルムで被われている
		コムフィール	コロプラスト(株)	
		テガダームハイドロコロイド	ソルベンタム(同)	
		レプリケア	スミス・アンド・ネフュー(株)	
	ハイドロジェル	イントラサイトジェルシステム	スミス・アンド・ネフュー(株)	架橋した水溶性高分子が多量の水分を保持し，ゼリー状になっている
		グラニュゲル	コンバテックジャパン(株)	
	フォーム材	ハイドロサイトジェントル銀	スミス・アンド・ネフュー(株)	スポンジ状のフォーム材の粘着面はシリコン接着，外面はツルツルしていて創面保護作用がある
		メピレックスボーダー	メンリッケヘルスケア(株)	
		バイアテンシリコーン+	コロプラスト(株)	
	アルギネート	カルトスタット	コンバテックジャパン(株)	昆布由来のアルギン酸塩からなり，非固着性・弱酸性である
		アルゴダーム	スミス・アンド・ネフュー(株)	
	キチン	ベスキチン	ニプロ(株)	甲殻類の外骨格から抽出されたムコ多糖類の創傷被覆材
	ハイドロファイバー	アクアセル	コンバテックジャパン(株)	高吸収性の繊維が不織布シート状となったドレッシング材
	バイオフィルム対応	アクアセルAGアドバンテージ	コンバテックジャパン(株)	アクアセルに銀イオンと界面活性剤を加え，抗菌性を高めた
		ソーバクト	センチュリーメディカル(株)	疎水性作用のある成分が細菌と固着し，創交換時に細菌が除去される
		プロントザン	ビー・ブラウンエースクラプ(株)	抗菌成分と界面活性剤で細菌を減少させる
保険非適応	フィルム材	オプサイト	スミス・アンド・ネフュー(株)	粘着面をもつ水蒸気を透過するフィルム
		テガダーム	ソルベンタム(同)	
		オプサイトジェントルロール	スミス・アンド・ネフュー(株)	粘着面はシリコン接着になっている，水蒸気を透過するフィルム
	ハイドロコロイド材	キズパワーパッド	Kenvue	ハイドロコロイドの衛生材料
		ビジダーム	コンバテックジャパン(株)	
		ハイコロール	ニチバン(株)	
		カラヤヘッシブ	アルケア(株)	
		バリケアパウダー	コンバテックジャパン(株)	ストーマケア用のハイドロコロイドパウダーで創傷用ではない
	フォーム材	ふぉーむらいと	コンバテックジャパン(株)	フォーム材の衛生材料
		アレビンライフ	スミス・アンド・ネフュー(株)	
		オプティフォームジェントル	(株)ニトムズ	
	非固着性衛生材料	メロリン	スミス・アンド・ネフュー(株)	吸収体の創面側は非固着性で，外面は水分を通さない
		モイスキンパッド	白十字(株)	
		穴あきポリパッド	スズラン(株)	
		プラスモイスト	(株)瑞光メディカル	
	シリコン接着吸収材	エスアイエイド	アルケア(株)	シリコンゲルメッシュで創面側に密着する

ハイドロコロイド材と閉鎖湿潤環境

- 1980年代まで，キズは乾燥させ開放する（空気にさらす）ことが基本であった。ところが1980年代に，これまでと正反対の閉鎖湿潤環境が創治癒を著しく改善することが証明されていった。
- 乾燥ガーゼなどをあてて創面を空気にさらすと，創面の組織と滲出液は乾燥固化して痂皮（かさぶた）になる。
  痂皮は創周囲に異物反応である発赤とかゆみ，時に痛みを生じる。
  痂皮は水分や細菌が自由に通過するため，褥瘡のように汚染される部位にできたキズに痂皮があると，ほとんどの場合，痂皮の下で創感染が起こる。
- ハイドロコロイド材の厚みのある粘着面は水に溶けてゼリー状になる成分（親水性コロイド）と溶けずに乾燥面に固着する成分（疎水性ポリマー）が混ざっていて，湿ったところにも乾燥したところにも接着し，創面の密閉を維持する。ハイドロコロイド材を貼付した創面はゼリー状の湿潤環境になるとともに，皮膚は乾燥を保つ。
- ハイドロコロイド材の外面は水蒸気を通すフィルムで被われていて，吸収した水分を透過蒸散することで，粘着面が水分過剰になるのを予防する。
- ハイドロコロイド材で創面を密閉すると，創面が湿潤状態となり，細胞増殖が盛んになる。創面を密閉することで，外部からの汚染を避けることができる。

図1 ハイドロコロイド材の使い方

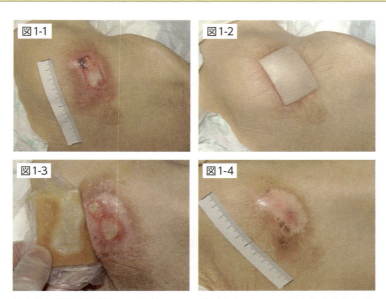

左大転子部褥瘡に対し，ハイドロコロイド材を1〜2日に1回交換することで，6日後には図1-3のように改善し，3週間後には図1-4のように表皮化完了した。治療当初は毎日ドレッシング交換することが大切である。

- ハイドロコロイド材は弱酸性であるため静菌効果があるとともに，肉芽形成と表皮化促進作用がある．さらに，キズがきれいに治ることも知られている．
- 創面は空気から遮断されることで疼痛が減り，毛細血管新生を刺激され創治癒が促進する．
- 初期には，毎日ハイドロコロイド材を交換し洗浄することで，創面には肉芽が速やかにつくられ，その上に表皮化が進む．異物である痂皮ができにくく，かゆみや痛みもみられない．
- 図1にハイドロコロイド材を使用することで，速やかに治癒した症例を提示する．

創傷被覆材を使ってはいけないキズ

- ハイドロコロイド材に代表される創傷被覆材は，創面に滲出液をためて創治癒に利用している．
- このような治し方に不適切なキズがある．まず，すでに感染している場合，細菌増殖に適した状態になり感染が進行するため，使用してはならない．
- 壊死組織が多いキズでは，壊死組織が細菌の培地となって感染が起こる可能性が高くなるため，まず壊死組織の除去を優先し，壊死組織が少なくなってから使い始めるようにする．
- 壊死組織のある褥瘡では毎日創面を洗浄し，創傷被覆材もそのたび交換することで感染を防ぐ．
- 動脈閉塞性の下肢潰瘍では，血流で運ばれる白血球などが不足するため，単に湿潤状態にすると細菌が増殖し，重症感染をもたらす．このような創では，感染を抑える処置法が必要で，創傷被覆材は使用しない．
- 創傷被覆材の使用を開始しても，創治癒が進まないときは，バイオフィルムなどの感染の存在，低栄養，圧迫やずれなど，治癒を障害する原因を考えて対策するとともに，いったん創傷被覆材の使用を中止する．
- クリティカルコロナイゼーション（臨界的定着）を疑う創傷に創傷被覆材を使う場合は，バイオフィルム対応のものを用いる．

創傷被覆材としてのフィルム材の特徴

- フィルム材には微小な穴があいており，空気や水蒸気は通すが，水や細菌は通さない膜構造になっている．粘着剤で皮膚に固着し皮膚からの水蒸気を通すため，フィルム貼付部の皮膚は通常ふやけない．
- 創傷からの滲出液が少量だと，創面の湿潤環境を維持し，創周囲の皮膚は乾燥環境を維

持する。浅いキズでは人工的な水疱の役割をし，外部からの汚染をブロックするとともにフィルムの下で創傷治癒は促進する。
- このような状況がつくられれば，疼痛の軽減も期待できる。
- 製品には滅菌されたものと，未滅菌でロール状のものとがある。
- 粘着剤はアクリル系など通常のものと，皮膚にやさしいシリコン系のものがある。シリコン系粘着剤使用の製品は，アクリル系などのおおよそ倍の価格である。
- 滲出液が多いと滲出液は創面を越え，皮膚はふやけるとともに密閉を保てず創汚染の危険が生じる。

フィルム材の使い方

- 滲出液の多い部位には，あらかじめフィルム材に18G注射針で穴を開けたものを貼付すると，過剰な滲出液は穴から漏れ出るため，創面の湿潤状態を保ちながら皮膚の乾燥も維持する（穴あきフィルム法）。使用例を図2に示す。

図2　穴あきフィルム法

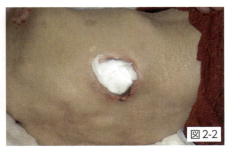

図2-1　図2-2

ゲーベン®クリームを塗布後，18G注射針で穴をあけたフィルム材を貼付。少ない軟膏量で創面を湿潤に，周囲皮膚を乾燥に保てる。症例は感染予防と壊死組織軟化目的だが，他の軟膏等にも応用できる。

- 鼠径部や腹部，乳房下の深いしわのために皮膚がふやける場合，同部を石鹸清拭の後，フィルム材を貼付することで皮膚の乾燥を保てる。貼付例を図3に示す。

図3　浸軟しやすい部位にフィルム材を貼ると皮膚の乾燥を保てる

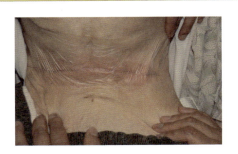

フォーム材

- スポンジ状の吸収体が本体で，創傷面はシリコン粘着になっていて，外面はツルツルして水蒸気を通すフィルム面になっている。
- 創面のシリコン接着と外面の滑りやすい素材により，ずれや摩擦からの皮膚や創部の障害を回避してくれる。
- 吸収体は水分の保持ができないため，滲出液吸収の許容量は多くはない。滲出液が少ないと乾燥しやすく，多いと漏れてくる。乾燥が懸念される場合は油性軟膏を併用する。
- スポンジ状の吸収体はクッション効果があり，多少の体圧分散効果も期待できる。
- ずれや摩擦が起こりやすい踵部に用いた例を図4に紹介する。

図4　フォーム材の使い方

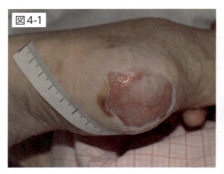
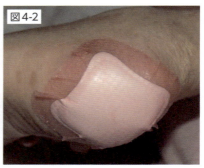

ずれが原因で発症した踵の褥瘡に対し，シリコン接着で創面にやさしく，外面がツルツルしていて摩擦抵抗の少ないハイドロサイト®ジェントル銀を使用した。週2回程度，入浴時に交換する。

アルギネート

- 昆布から得られるアルギン酸塩を用いたドレッシング材で，非固着性・弱酸性・止血作用がある。
- 弱酸性のため，制菌作用・肉芽形成促進作用を期待できる。
- 滲出液を吸収してゼリー状となって，創面に湿潤環境をもたらす。また，滲出液に含まれるナトリウムと引き換えにカルシウム（Ca）を放出することから弱い止血作用がみられる。
- 図5のように創面に用いた上から，穴をあけたフィルムで被覆する（穴あきフィルム法）。あるいは，非固着性衛生材料（メロリン®やモイスキンパッド®など）でカバーする。いずれも交換は毎日行う。

図5　アルギネートの使い方

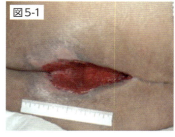
図5-1

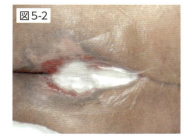
図5-2

創面にアルギネートを用い，穴あきフィルムでカバーし毎日交換した（穴あきフィルム法）。

キチン

- 甲殻類の外骨格から抽出されたムコ多糖類の創傷被覆材で，創面に固着せず湿潤環境を維持し創治癒を促進する。
- 短繊維の綿状のものをシート状に加工してある。
- 薬剤の保持力・放出力に優れ，肉芽形成・表皮化を促すフィブラスト®スプレー使用時の二次ドレッシング材として勧められている。

ハイドロファイバー

- ハイドロファイバーと呼ぶ高吸収性の繊維が不織布シート状となったドレッシング材である。
- 繊維は滲出液を吸って膨化するが，そのとき細菌や汚染物質を膨化した繊維が取り込む。いったん取り込んだ滲出液は繊維をゼリー状にしつつ繊維内にとどまる。
- 銀イオンを付加したアクアセル®Agは抗菌効果が高い。
- アクアセル®Agの抗菌効果をさらに強くした製品が，アクアセル®Agアドバンテージである。

創傷衛生（wound hygiene）コンセプト製品

- 一見肉芽に被われた創傷でも，治癒が進まない場合には，クリティカルコロナイゼーション（臨界的定着）が関与している。臨界的定着では，糖とたんぱく質からなる高分子物質で細菌が被われた微生物複合体であるバイオフィルムが形成されている。

- バイオフィルム対策として，創面を界面活性剤（石鹸）などで十分洗い，壊死組織やヌルヌルした物質などを取り除き創面を新鮮化して，バイオフィルム用のドレッシング材で被う考え方（創傷衛生コンセプト）が示された。
- バイオフィルムは消毒剤や抗生剤では壊すことができず，カデックス®軟膏や銀製剤が有効であることが知られていたが，バイオフィルム対策用の創傷被覆材として，アクアセル®Agアドバンテージ，ソーバクト®，プロントザン®が商品として登場した。

アクアセル®Agアドバンテージ

- アクアセル®Agの銀イオンに加え，界面活性剤（BTC塩化ベンゼトニウム）と界面活性剤の活性作用を促進するキレート剤（EDTAエチレンジアミン四酢酸）を加えて抗菌性能を高めた。

ソーバクト®

- ドレッシング材表面の疎水性作用のあるDACC（ジアルキルカルバモイルクロリド）が，疎水性作用のある微生物と疎水性相互作用で強く結合し，ドレッシング交換時に一緒に除去される。

プロントザン®

- 抗菌成分（PHMB ポリヘキサニド）と界面活性剤（ベタイン）が細菌を減少させ，創面環境を調整する。
- アクアセル®Agアドバンテージ，ソーバクト®，プロントザン®の使用例を提示する（図6・7）。

図6　アクアセル®Agアドバンテージの使い方

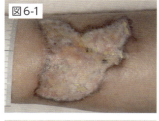

図6-1

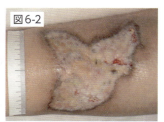

図6-2

図6-3

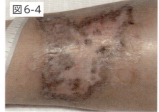

図6-4

難治になっていた自己免疫性血管炎による下腿潰瘍のバイオフィルムを鋭匙で掻爬しつつ，アクアセル®Agアドバンテージを用い，毎日交換することで，22日後には図6-4のように表皮化した。

図7 ソーバクト®とプロントザン®の使い方

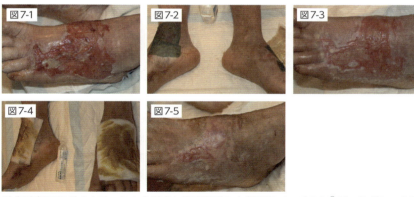

熱傷後創面にバイオフィルムを形成し治癒遅延した創面にソーバクト®ジェルドレッシングを使用し、上からユーパスタ®軟膏とアズノール®軟膏を1：1でMIXした軟膏（MIX軟膏）を使用し、毎日交換してもらった。4日後には図7-3のようにバイオフィルムが減ってきた。追加のドレッシング材が間に合わなかったため、図7-4のように不織布ガーゼにプロントザン®ソリューションをしみこませて創面に用い、その上からMIX軟膏を塗布し、毎日交換してもらった。全経過16日で図7-5のように治癒に近い状態になった。

保険適応でない創傷被覆材

- フィルム材、ハイドロコロイド材、フォーム材では、衛生材料として比較的安価に市販されているものがある。
- 創傷用ではないが、ストーマ用ハイドロコロイドパウダーは安価で使いやすい。同様のものはストーマ装具各社から出ているが、いずれも適応外使用であり、使用にあたっては十分な説明を行う（図8）。

図8 ハイドロコロイド材であるハイドロコロイドパウダーの使い方

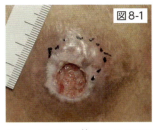
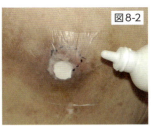
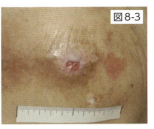

ストーマケアに使うハイドロコロイドパウダーは、ストーマ周囲の皮膚潰瘍にも使用される。ポケットのある褥瘡にバリケア®パウダーを使用し、穴あきフィルム法を行った。毎日交換してもらい、1か月後には図8-3のように治癒に近い状態になった。

- 吸収力が弱く、創面に固着する傾向のあるガーゼに変わり、創面に固着せず吸収力に優れ、かつ水分を通さない外面からなる非固着性衛生材料が充実してきた。

（塚田邦夫）

解説　創傷被覆材と保険制度

　皮膚欠損用創傷被覆材は，医師が直接患者の創傷に使用した場合，処置料とともに保険算定できます。平面のものでは大きさ（c㎡）で，平面状でないものは重さ（g）などで請求します（**表1**）。

表1　償還価格（よく使うものを提示）　　　（2024年6月1日現在）

機能区分	償還価格
真皮に至る創傷用	1c㎡あたり　6円
皮下組織に至る創傷用・標準型	1c㎡あたり　10円
皮下組織に至る創傷用・異形型	1gあたり　35円

　真皮に至る創傷には，真皮に至る創傷用の製品のみ，皮下組織に至る創傷には，皮下組織に至る創傷用の製品のみ，算定できます。

　請求できる期間は2週間を標準とし，3週間が限度です。複数の創傷被覆材を同一部位に使用した場合は，主たるものしか算定できません。

　算定できるのは，外来，入院（一般病棟，手術室），老健，特養です。しかし，DPC病棟，療養病棟，地域包括ケア病棟，回復期リハビリテーション病棟では保険算定できません（p76の表1参照）。

　在宅で算定できるのは，「在宅寝たきり患者処置指導管理料」など24種類の在宅療養指導管理料のいずれかを算定していて，かつ在宅にいて通院困難であり，皮下組織に至る褥瘡（じょくそう）（DESIGN-R分類D）患者に使用した場合だけです。

　基本的には3週間を限度としていますが，それ以上の期間を算定する場合には，詳細な理由の記載が必要です。事実上，使用期間の制限はありません。

　在宅での算定要件を満たす場合，医師が患者に対し，医療機関から必要な量の創傷被覆材を直接供給できます。この場合，レセプトの在宅欄に記載し，請求します。

　また，在宅で算定できる条件を満たす場合，院外処方箋に記載することで，保険薬局からの供給分も保険算定できます。

（塚田邦夫）

意見　在宅におけるラップ療法の考え方

ラップ療法の歴史

　ラップ療法とは，食品用ラップを褥瘡（じょくそう）などの創傷に用いるドレッシング法です。

　食品用ラップは1960年代に有用性が報告されたが，海外では感染の危険性からポリウレタンフィルムドレッシング材（フィルム材）に置き換わりました。西欧で捨てられたラップ療法ですが，日本では2001年頃より在宅を中心に急速に普及しました。

ラップ療法が日本で普及した理由

　日本では，フィルム材やデュオアクティブ®などのハイドロコロイドドレッシング材（HD材）は，創傷被覆材という医療材料の範疇で最大3週間の使用制限があり，しかも医師が使うときしか保険請求できませんでした。このように，フィルム材とHD材は使用の縛りと高価格設定のため，在宅で医師はほとんど使いませんでした。

　このようななか，同じ湿潤環境をつくるラップ療法は，時代を逆戻りするようにして広がりました。

ラップ療法はインターネットとともに広まった

　1990年代でも主流を占めていたガーゼと軟膏を用いる乾燥ガーゼ療法と比べ，ラップ療法は痛くなく，早くきれいに治ることを，ラップ療法推進者たちは講演会およびインターネットを通じて公表しました。

　インターネットが急速に発展するなか，忙しくて時間の取れない医師たちは，このような新しいラップ療法についての情報を講演会やブログから入手し，実際の症例に用いました。

　すると，医師たちはガーゼでは得られなかったすばらしい効果を体験し，「ガーゼ一辺倒」から「ラップ一辺倒」へと大変換が起こりました。

ラップ療法の危険性

　ラップ療法の先駆者たちは，湿潤環境の有用性と危険性を理解していましたが，追随者の多くは時間に追われて仕事をしていた現場の医師であり，創傷治癒理論をあまり学ぶことなくラップ療法一辺倒になっていました。このような方たちは，ラップ療法以外の処置法を否定する傾向がありました。一方で，創傷治癒について勉強していた皮膚・排泄ケア認定看護師の人たちは，ラップ一辺倒は危険と考えました。

ラップ療法は危険か？

　「ラップ療法は医療用材料を用いる方法と比べ危険か？」と問われれば，ラップ療法のみが危険であるとはいえないでしょう。しかし，このようななか，食品用ラップ業者は「ラップは創傷には使わないように」という声明を出しました。そしてラップ療法を行う場合，「患者の同意を得ておくことが，医療者を守るために必須」となりました。

ラップ療法はどのような褥瘡に用いてはいけないのか？

　食品用ラップは水蒸気を通さないため，皮膚を浸軟させる危険があります。したが

って，ステージ1や2の早期褥瘡には用いないほうがよいでしょう。このような例には，フィルム材やHD材のほうが適しています。

ポケット内に感染した壊死があったり，筋膜の壊死がありその下に感染が疑われる褥瘡も，ラップ療法は禁忌です。もちろんフィルム材やHD材も禁忌です。

ラップ療法を行うには，創感染の診断や危険な壊死組織の判定など，基本的な創の診断が行えなければなりません。

ラップ療法から派生した新しい流れ

ラップ療法による皮膚の浸軟対策として，ラップに穴をあけて用いたり，「台所用穴あきポリ袋」に吸収パッドを入れて用いるなど，多くのオプションが出てきました。

一方で，創に使う清潔なものとして，「モイスキンパッド®」に代表される製品等が医療用材料として多数商品化されました。これらは滅菌ガーゼを3〜5枚使うよりむしろ安く，医療用材料であるため安心して使えました。また，大浦らが提唱した「穴あきフィルム法」(p79参照)により，滲出液の多い褥瘡においてもフィルム材が使えるようになりました。

2010年には，"いわゆる「ラップ療法」に関する日本褥瘡学会理事長見解"が提示されました。この見解では，非医療用材料を用いた，いわゆる「ラップ療法」は，創傷被覆材の継続使用が困難な在宅などでの使用を考慮してもよいとされました。

使用の条件としては，「褥瘡治療の知識と経験のある医師の責任下で行う」「患者家族に十分な説明をして同意を得たうえで実施すべきである」ことが示され，『褥瘡予防・管理ガイドライン』(日本褥瘡学会編)にも掲載されました。

そして，2012年の診療報酬改定により，在宅でも創傷被覆材が使いやすくなるとともに，保険収載価格も下がってきました(p84参照)。

ラップ療法の今後

安価な医療用材料が販売されるようになってきたことと，在宅で創傷被覆材が使いやすくなってきたことから，ラップ療法を選ぶ機会は減っていますが，褥瘡治療経験のある医師にとりドレッシング法の一つとして有用と考えれば，同意を取って医師の責任の下で実施することになります。

(塚田邦夫)

3 デブリードマンの実際

ポイント

- 在宅では褥瘡(じょくそう)を得意とする医師が活躍する場面は少なく，在宅医に多くが委ねられている。
- 褥瘡の局所療法において，デブリードマンは重要であり，危険性の少ないものは在宅医に積極的にかかわってもらいたい。
- 在宅での処置法は，少しずつ，丁寧に，痛くなく継続するメンテナンスデブリードマンが向いている。
- 壊死組織があって危険性を感じた場合は，病院の褥瘡を得意とする医師に委ねるとともに，退院後の処置を受け持つことで早期退院が可能になる。そのためにも在宅医は褥瘡を得意とする医師と良好な連携をもち，退院後の処置法についても指導を受けるとよいだろう。何よりも，普段からの関係づくりが大切である。

デブリードマンとは

- デブリードマンとは，壊死組織や異物を取り除く治療法のことである。
- デブリードマンは医療行為であり，医師が行う治療法である。例外として創傷の特定行為研修を修了した看護師が医師からの手順書としての包括的指示のもとに行うことができる。
- 褥瘡(じょくそう)のなかには，黒色や黄色の壊死した組織やフィブリンと呼ばれる滲出物の塊，不良肉芽と呼ばれる組織が残存していることがある。そのままにしておくと感染のリスクが高まったり，褥瘡の治癒を妨げたりするため，これらを適切に除去する必要がある。
- 本項ではデブリードマンの重要性，在宅においてどのようなときに行うか，一般の在宅医が実施できるような方法や注意点について解説し，褥瘡の治りをよくするために知っておいてもらいたいことを紹介する。

デブリードマンの目的と重要性

デブリードマンの目的

- デブリードマンの主な目的を以下に示す。

1）感染予防
- 褥瘡に壊死組織や異物が残存すると，細菌の繁殖が促進され，感染症のリスクが高まる。
- デブリードマンにより，清潔な創部環境を確保することで感染を予防できる。

2）治癒促進
- 壊死組織や異物が褥瘡に残存すると，新しい組織の成長や修復が妨げられる。
- デブリードマンにより，正常な組織の再生を促進し，傷口の治癒を促すことができる。

3）痛みや不快感の軽減
- 壊死組織や異物の大きさや部位によっては，患者に痛みや不快感を引き起こすこともある。
- デブリードマンにより，壊死組織や異物による圧迫を解除することで不快感を軽減できる。

デブリードマンの重要性

- デブリードマンは，褥瘡の適切な治療と管理において重要な役割を果たす。
- 創部に対して適切なタイミングで行うことで，感染や合併症のリスクを最小限に抑え，患者の不快感を軽減することができるため，すべての在宅医が観察や処置ができるようになることが望ましい。

デブリードマンの方法

医療機関におけるデブリードマンの方法

- 医療施設でのデブリードマンは，褥瘡の専門的な知識と技術をもった医療従事者によって行われる。一般的な手順は以下の通りである。

1）情報収集
- 内服薬に出血を促す薬剤がないか，もともとどのような疾患なのか，栄養状態などの確認を行う。

2）感染防御
- 血液や汚物が手に触れないように手袋を装着する。

3）創部の洗浄と観察

- 創部に付着している異物を洗い流すために洗浄を行う。また，周囲の皮膚も，後の感染予防のためにも洗浄しておくことが重要である。特に創部周囲の皮膚は，石鹸・洗浄剤等で洗浄することが望ましい。
- 感染が疑われるような膿や発赤，熱感などがないか観察する。

4）壊死組織の除去

- 専用の器具を使用して，壊死組織や異物を慎重に除去する。
- 具体的には，大規模に壊死組織を除去する場合は電気メス，出血しないように少しずつ除去する場合はメスや剪刀，ハサミや鋭匙，水圧式ナイフを用いたシャープデブリードマンを行うこともある（図1）。

5）洗浄

- デブリードマン後は，創面をよく洗浄して清潔に保つ。

6）ガーゼやドレッシング材での保護

- デブリードマン後に，適切なガーゼやドレッシング材を施すことで，創面を保護し，治癒を促進する。

図1　医療機関において行われる，鋭匙やハサミによるデブリードマン

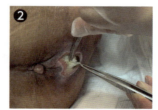

在宅で行うデブリードマンの方法

- 在宅でも，デブリードマンは褥瘡を得意とする医師が行うことが好ましいが，現実的には難しく，創傷処置を専門としない在宅訪問をする医師によって行われることが多い。具体的な手段を紹介する。

1）情報収集

- 出血しやすい薬剤は処方されていないか，デブリードマンをしてもよい褥瘡なのか確認する。

2）手洗い

- 洗面所で十分に手を洗い，清潔な状態を保つ。
- 血液や汚物が手に付着しないように手袋を装着する。

3）褥瘡（じょくそう）の観察

- 褥瘡の状態を注意深く観察し，出血や感染がないかを観察する。
- 出血している場合は圧迫止血を行い，発赤や熱感や膿など感染しているようなら，病院などにいる褥瘡を得意とする医師に連絡し，診断・治療を委ねる。

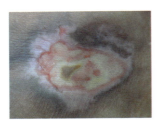

図2 白色・黄色の組織

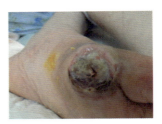

図3 黒色の組織

- 黄色や黒色で柔らかな組織であったり，白色の付着物がついている創面であればデブリードマンのよい適応である（図2・3）。

4）デブリードマン

- デブリードマンに慣れていないようなら，まずは安全な方法で，壊死組織や異物を除去する。具体的には，洗浄しながら指で擦ったり，白い組織を指でつまんで除去する方法や，ガーゼや口腔ケア用のブラシで擦るやり方がある。
- 力を入れすぎないように注意し，出血したら圧迫止血を行い，それ以上無理をしない（図4・5）。

5）洗浄

- デブリードマン後は，創面を水やぬるま湯でよく洗浄し，ガーゼでやさしく拭き取り，清潔を保つ。

6）ガーゼやドレッシング材の使用

- 褥瘡の状態に合わせて軟膏類を選択し，ガーゼや創傷被覆材などでカバーする。判断に迷うときは，より重症な状態を想定して安全第一で処置方法を選択する。

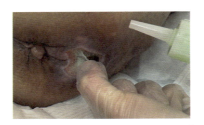

図4 指でのデブリードマン

図5 ガーゼやブラシによるデブリードマン

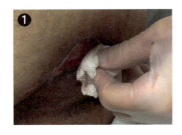

❶

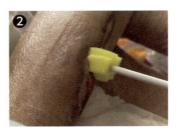

❷

メンテナンスデブリードマンについて

- デブリードマンのタイミングは，壊死組織を認めた場合，感染が疑われた場合，不快感が認められている場合に行われる。
- どのくらいの頻度ですればよいのかについては，メンテナンスデブリードマンという考え方がある。
- 1週間以内の間隔で繰り返しデブリードマンを行い，創部を常に治癒しやすいよい状態に維持することで，治りにくい創部でも治癒できる可能性を高めたり，悪化を防いだりする方法である。
- 創部を観察することで，不良肉芽や感染などが悪化しているようであれば，デブリードマンが必要かどうか褥瘡を得意とする医師に相談するとよい。
- 褥瘡治療に慣れていない在宅医でも，ガーゼやブラシなどでデブリードマンをすることで，創部の清潔を保ち，治癒を促すことにつながる。

デブリードマンをする際の注意

- 褥瘡治療に慣れていない在宅医がデブリードマンを行う際には，以下1)～6)のような注意事項がある。
- これらの注意事項を遵守することで，デブリードマンを安全かつ効果的に行うことができる。

1) 痛みへの対応

- デブリードマンは患者に痛みを引き起こす可能性があるため愛護的に行い，痛みを感じた場合には中止する。
- 痛みの原因には，無理な姿勢や介護者が押さえる力であったり，声かけがないことへの不安からくるものもあるため，実施前に声をかけることが重要である。

2) 感染リスクの管理

- 感染リスクを最小限に抑えるために，手袋やエプロンの着用やゴーグルやマスクなどの装着が望ましい。
- 適切な洗浄や清潔な器具を使用し，手洗いなどの衛生管理も重要である。

3) 適切な姿勢や体位の確保

- 患者の楽な姿勢を確保することが重要である。
- 処置の時間が長くなると，同じ姿勢を保つのも苦痛である。
- デブリードマンを実施している術者がやりにくい姿勢だと，双方に疲労感を感じたり別の皮膚への損傷につながることになる。
- 術者が長時間実施できて，かつキープしやすく楽な姿勢を，枕やクッション，毛布など

を挟むことで維持できるようにする。

4）快適な環境
- デブリードマンを行う場所は，快適な環境を確保することが重要である。
- 適切な温度や湿度，照明などを調整し，患者も術者もリラックスできるようにセットする。

5）記録を残す
- 訪問看護師をはじめ，在宅医療・介護にかかわる多職種で情報を共有するために，実施前と実施後の褥瘡をデジタルカメラ（デジカメ）などで撮影して情報提供するとよい。褥瘡の評価として，赤みや腫れ，膿の有無もわかり，実際のデブリードマンの成果も可視化できる。

6）他の医療者との対話を行う
- 写真を共有するだけでなく，実際に行ったデブリードマンの記録を文書化しておくことで，どのような褥瘡であればデブリードマンをしたらよいのかを理解できる。
- 勝手に我流のデブリードマンをするとチームワークを損なう可能性があるため，あくまで出血しない範囲でどこまですればよいのか，出血したらどうするかなどのシミュレーションをしておいたほうがよい。
- 褥瘡を得意とする医師から処置法を指導してもらう機会をもつようにすれば，自信をもって安全に処置ができるようになる。そのために病院などを訪問して指導を受けるとよい。

デブリードマン後のケア

- デブリードマンを行った後に必要なことを以下に示す。これらの方法を組み合わせることが重要である。

1）創面の観察
- デブリードマン後に出血がないか，壊死組織などが十分に除去されているかを確認する。
- 翌日には，感染しているような発赤や熱感がないか，あるいは創面が止血されているかなどを観察することが重要である。
- 家族や訪問看護師などにデジカメで記録を取ってもらえば，訪問しなくても状況を把握でき，適切な指示を行うこともできる。

2）ガーゼやドレッシング材の交換
- デジカメでの撮影画像，あるいは直接の創観察によって創部を確認し，処置の継続・変更を訪問看護師などに指示する。
- ガーゼや軟膏，ドレッシング材の選択はケースバイケースであり，同じ処置を繰り返せばよいというものではない。創面の観察がとても重要である。

3）衛生状態の確認

- 褥瘡を清潔に保つことも重要である。
- こまめに洗浄することはデブリードマン効果があり，創部の確認にもなるので有用である。

4）栄養状態を考える（詳細は第5章を参照）
- 褥瘡の治癒には適切な栄養摂取が重要である。
- たんぱく質や亜鉛など，傷の治癒に必要な栄養素を摂取するよう，食事内容の相談を行うことも重要である。

5）適切な体位
- 適切な体位変換を行い，褥瘡に荷重がかからないように気をつける。
- ほかの部位に褥瘡が発症しないように，こまめに体位変換を心がける。

おわりに

- 在宅を訪問する医療・看護スタッフは，患者に安心感をもたらすとともに，少しの変化にも気づけるという強みがある。介護者や家族も生活に寄り添っているからこそできる観察や，患者を安心させられる声かけが何よりも重要である。
- 褥瘡処置は決して難しいものではなく，無理せず少しずつデブリードマンをすることも大切で，一気に壊死組織などを除去する必要はない。何よりも安全を優先に考える。
- 在宅での生活を重視すれば，褥瘡の処置のすべてを褥瘡を得意とする医師に任せたり，すぐ入院を考えるのではなく，軽微なものは在宅医が処理し，危険を感じた場合は躊躇なく病院の褥瘡を得意とする医師と連携していく。このような医療従事者らとよい連携ができれば，早い時期に退院し，退院時の注意点を教えてもらうことで，在宅での処置を安全にできるようになるだろう。
- 介護者や家族も医療者にすべてお任せでもなく，自分たちで何でもしようとするのでもない，適度な連携ができるようになれば幸いである。

（大浦誠）

4 褥瘡(じょくそう)の ポケット治療

ポイント

- ポケットとは，褥瘡(じょくそう)の創口(皮膚潰瘍開口部)の周りに広がる皮下の創腔で，天蓋部皮膚に覆われている。皮膚面の障害範囲よりも，深部軟部組織の障害範囲が広いために形成される。
- 水平方向に生じる組織のゆがみである「ずれ」が，創を変形させて，ポケットの進展・悪化・慢性化・難治性に関与している。
- ポケットの深さ，ポケット内の壊死組織・感染の程度，褥瘡部位，介護力などを評価して，保存療法かポケット切開を選択する。
- ずれ対策として，身体移動時にはスライディングシートを用いたり，スライディンググローブによる圧抜きなどが重要である。またバンデージによる創固定や局所陰圧閉鎖療法が有用な場合もある。

ポケットの形成

- 骨突出部に加わる圧迫は，皮膚面よりも深部の骨に近い部位でより強くなる。加えて，深部の皮下組織や筋肉は，皮膚と比較して血流障害に対して脆弱である。
- 褥瘡(じょくそう)が進行すれば，皮膚欠損部より広く周囲に皮下組織の壊死が広がる。その壊死組織が融解・排出すれば，創の周囲にポケットができる。
- そして身体移動，体位変換やベッドの背上げなどで褥瘡部に加わる皮膚の摩擦とずれは，創を変形させて深部の血流障害を増強する。慢性圧迫と相まってポケットの発生・進展・悪化・慢性化にかかわっている(図1)。

図1 ポケットの形成

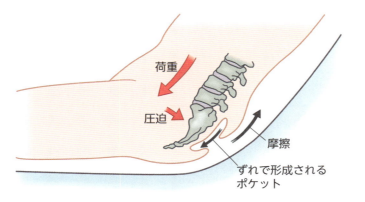

仰臥位で圧迫が加わる仙骨部には，ベッドの背上げ時にずれ力が加わると，創口より大きい皮下組織の壊死が発生し，ポケットが形成される。

ポケットの評価

1）DESIGN-R® 2020で測定されるポケットの深さの測定と分類

- ポケット全周（潰瘍面も含め），長径（cm）×短径（cm）から潰瘍の大きさを引いたものを0〜24点までに分類する。
  ① P0：ポケットなし
  ② P6：4未満，P9：4以上16未満，
  　P12：16以上36未満，P24：36以上

2）深さの測定法

- Pライト（褥瘡のポケット計測器）や綿棒で愛護的に行う（図2）。

図2 ポケットの深さの測定

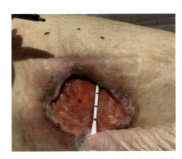

綿棒に目盛りをつけて，創内を愛護的に測定している。

なぜ，ポケットは改善しにくいのか？

- ポケットを形成した褥瘡は，ずれ力による物理的障害が繰り返されるため，創傷治癒過程が進みにくく難治性である。
- 体位変換により褥瘡の天蓋部皮膚の移動や創の変形が起こり，創内面が擦れあうために

- 肉芽の増殖や癒合が起こりにくい。
- 創の変形があると，創内に外用剤が滞留しにくいため，薬剤の効果が減弱することも創治癒の遷延にかかわっている。

ポケットの治療

- ポケット形成のメカニズムを理解し，在宅の現場で，ずれを生じている状況を特定して，対策を講じることが大切である。
- また局所治療に加えて，除圧対策を徹底し，栄養改善に努めることも重要である。

保存的治療：洗浄，軟膏・ドレッシング材

- 浅いポケットでは体圧分散と局所治療によって肉芽組織が増殖してポケットは消失する。
- ポケットの深さが浅く（2～3cm未満），保存的に感染制御可能と判断した場合は，カデックス®軟膏などを用いる。これらの軟膏を創内に塗布（ポケット内深くまで充填しない）し，全体をフィルムで被覆し，1日1～2回の頻度で交換する。
- ポケット内部に壊死組織がみられる場合，細菌感染を伴っていると考えられる。感染に注意しながら，ブロメラン®軟膏やゲーベン®クリームなどで自己融解による除去を図る。ポケット内部の壊死組織がなくなれば，天蓋部皮膚と創底が癒合してポケットの閉鎖が期待される。
- ポケットを有する褥瘡には，滲出液が多い場合は，親水性ファイバー（アクアセル®，アクアセル®Ag），アルギン酸塩（カルトスタット®）などのドレッシング材を用いてもよい。ドレッシング材を使用する際に注意したいのは，ポケット内に深く，圧迫するようにドレッシング材を挿入しないことである。

ポケット切開

- 深いポケットでは内部の壊死組織が残存し，細菌感染が持続する。ポケット内部の壊死組織や感染巣は肉芽形成の阻害因子である。感染制御目的でポケット切開を考慮する。
- ポケットが深くなれば，内腔が十分に洗えず，また軟膏の塗布も困難である。褥瘡内を清浄化するためにも外科的にポケットを切開することを検討する。
- ポケットの深さは3～5cm以上が，ポケット切開の目安である。

ポケット切開の実際

- 訪問診療で，電気メスを在宅に持参してポケット切開する医師が近くにいれば依頼することもできるが，一般には外来治療，あるいは病院に短期入院して行われる。
- まずポケットの範囲をマジックで皮膚にマーキングして，おおよその切開する方向を決める。E入り1％キシロカイン®で局所麻酔を行う。ポケットの切開には電気メスを使う

ことを原則とする（図3）。

- 天蓋部皮膚に電気メスで切開を加え，図3の症例ではポケット内の壊死・感染が高度であったので天蓋部皮膚を切除した。さらに深部に膿瘍腔を認めたため，大殿筋にも切開を加えた。
- 創縁は皮膚の巻き込みがあり，また創縁ではバイオフィルムが活性化しているため，残すと治癒遷延の原因になるので切除する。
- 切開後に大きい天蓋部皮膚が残れば，創内の清浄化の妨げになるので，創周囲の天蓋部皮膚の一部は電気メスで切除して小さくする。
- 創部からの出血は十分に凝固止血する。内部の壊死組織はできるだけ切除する。
- 創内を生理的食塩水で洗浄し，感染の程度に応じて，ヨードホルムガーゼ，カデックス®軟膏，ユーパスタ®を用いる。感染徴候がなくなれば，アルギン酸塩ドレッシング材（カルトスタット®）を創内に貼付する（図4）。

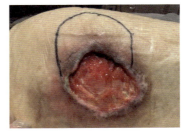

図3　ポケット切開前のマーキング

綿棒を使って測定し，ポケットの広がりをマジックでマーキングする。左殿部の大転子部後方にできた褥瘡で，外側にポケットが形成されている。

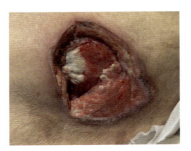

図4　ポケット切開後1週間

ヨードホルムガーゼをゆるく充填して，創内の浄化をはかった。

- 著しい骨突出や拘縮があり，在宅などで介護する環境が不十分な場合では，ずれ対策が継続的に実行できないことが予想される。このような場合は切開しても再燃しやすいポケットと判断し，ポケット切開を避け，ポケットの感染予防を目標にみていく。

創固定

- ポケットの天蓋部皮膚が容易に移動しやすいと，創変形が繰り返されて治癒が遷延する。
- 介護技術が不十分でずれ対策が有効でないとき，バンデージにより，創の変形を減らし，創の安定化を図ることが有用な場合がある。ポケットが拡大している方向やポケットの最も深い部分に向かってバンデージにより牽引する。
- 局所陰圧閉鎖療法は，慢性期のポケットで肉芽に覆われながらも治癒が遷延している場合や，ポケット切開後の局所治療に用いる。創固定としても有用である。

皮膚のずれ対策

- 看護・介護におけるベッド上での移動，体位変換で「ずれ」が生じ得る。また背上げのときや車いすに座っていると，姿勢保持が困難な高齢者は，身体が「ずれ」落ちてくる。
- 皮膚には摩擦抵抗があるので，背上げや体位変換を行うとき，皮膚と寝具や下着などの接触部位に摩擦力が生じて皮膚はそこにとどまろうとする。一方，深部の皮下組織や筋肉は重力方向に移動するために，下方向に力が加わる。
- 大転子部は，股関節の強い屈曲などでずれの量が大きいため，ポケットを形成しやすい。またおむつによるずれがポケット発生にかかわることがある。おむつのサイズ選定やテープの止め方などを適切に行うことが大切である。なお，おむつは重ねて使わない。
- ベッド上で身体移動をするときは，スライディングシートを積極的に用いる。
- 身体の移動や背上げ・背下げの後には，スライディンググローブを用いて身体をマットレスから離すなどして（圧抜き），残留しているずれ力を排除する（圧抜きの方法については第4章等を参照のこと）。

〔鈴木 衛〕

5 在宅における局所陰圧閉鎖療法（NPWT）

ポイント

- 局所陰圧閉鎖療法（NPWT）は，創傷に対して陰圧を負荷することによって，創傷治癒を促進させる物理療法であり，治療期間の短縮が期待できるほか，既存の外用薬治療に比べて処置の頻度や回数を減らせる利点がある。
- 在宅でNPWTを行うにあたっては，開始するタイミングの判断と，合併症を理解したうえで休止する判断が重要である。
- 開始にあたっては，合併症を念頭に置き，患者，家族に治療法をわかりやすく説明したうえで同意を得る。また，開始後においては，ヘルパー，訪問看護師，ソーシャルワーカーなどで，異常時の対応策などを事前に共有しておくことが重要である。
- 今後，在宅で褥瘡（じょくそう）を加療していくにあたって，在宅NPWTへの期待は大きく，＜実施者要件＞の緩和や遠隔での医療連携などが試みられているものの，治療法として一般化するためには現状では，治療にかかわれる人材が少ないことや診療報酬上の課題が残されている。

局所陰圧閉鎖療法（NPWT）とは

- 本邦における局所陰圧閉鎖療法（NPWT：negative pressure wound therapy）は，2010年4月から保険収載（局所陰圧閉鎖処置）された治療法であり，2020年6月には在宅でも保険適用可能となった。
- NPWTは，創傷に対して陰圧を負荷することによって，創傷治癒を促進させる物理療法であり，具体的には図1に示すような効果がある。こうした効果によって，治療期間の短縮が期待できるほか，既存の外用薬治療に比べて処置の頻度や回数を減らせる利点がある。

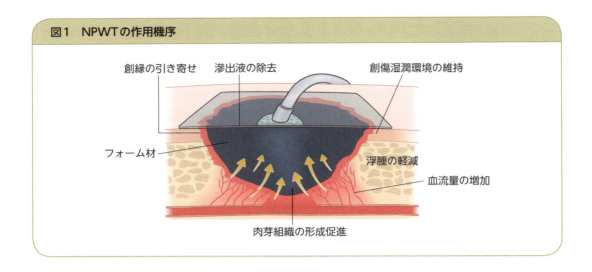

図1　NPWTの作用機序

NPWTを行うには

- NPWTを行うには，関連学会等の定める適正使用に係る指針に定められている＜実施者要件＞および＜実施に関する留意事項＞を遵守する必要がある（表1）。2023年10月に，＜実施者要件＞として新たに，「日本在宅医療連合学会の認定教育制度を修了したもの」が加えられた。
- これは，2年以上の実務経験を有する看護師を対象とした認定教育制度である。開始にあたっては，十分な経験のある医師（形成外科専門医等）の指導のもと施行する必要があるほか，開始後も当該医師と十分な連携を図ることが必要である。
- ＜適応＞＜禁忌＞についても，表1のとおりである。
- 壊死組織や不良組織が十分取り除かれ，良性の肉芽が形成され始めたタイミング（増殖期）でNPWTを開始する（図2～4）。
- 通常，良性の肉芽が形成される段階では，滲出液の量も少なくなっているものだが，後述する通り，在宅で使用できるNPWTには滲出液をためるキャニスターが小さい，もしくはもたないものもあるので，滲出液が在宅NPWT機器で対応し得る量であることも判断材料となる。
- 創部の細菌負荷は，感染には至らなくとも，臨界的定着（クリティカルコロナイゼーション）の段階で，治癒が遷延するとされている。これは，細菌がつくり出すバイオフィルムが宿主の免疫システム，抗菌剤，および環境ストレスに対する耐性をもつからであり，よって，NPWTを開始する前に，十分な創部のデブリードマンと，抗菌性薬剤等による創傷管理が必要となる[1]（図3）。
- 炎症期においても肉芽自体は形成されるので，不良肉芽と良性肉芽を見分ける目を養うことが肝要である（図4）。不良肉芽はバイオフィルム存在下で生成されることが多く，創表面に限局した細菌負荷の増大を示す指標にNERDSというものがあり（表2），該当

表1 関連学会等の定める適正使用に係る指針

■在宅医療における「局所陰圧閉鎖療法」の適正使用に係る適正使用指針（日本形成外科学会）
＜実施者要件＞
　医師又は訪問看護ステーション等の看護師等（創傷管理関連の特定行為研修を修了した者，もしくは日本看護協会が定める皮膚・排泄ケアに関する認定看護師教育課程を修了した者，もしくは日本在宅医療連合学会の認定教育制度を修了した者に限る）
日本在宅医療連合学会の認定教育制度を修了したもの
＜実施に関する留意事項＞
　訪問看護ステーション等の看護師等（創傷管理関連の特定行為研修を修了した者，もしくは日本看護協会が定める皮膚・排泄ケアに関する認定看護師教育課程を修了した者，もしくは日本在宅医療連合学会の認定教育制度を修了した者に限る）が当該材料を使用して処置を実施する場合には，創傷治療および陰圧閉鎖療法の十分な経験のある医師（形成外科専門医等）の指示の下で実施し，当該医師と十分な連携を図ること
＜適応＞
　外傷性裂開創（1次閉鎖が不可能なもの）
　外科手術後離開創・開放創
　四肢切断端開放創
　デブリードマン後皮膚欠損創
＜禁忌＞
　悪性腫瘍がある創傷
　臓器と交通している瘻孔，及び未検査の瘻孔がある創傷
　陰圧を付加することによって瘻孔が難治化する可能性のある創傷（髄液瘻や消化管瘻，肺瘻など）
　痂皮を伴う壊死組織を除去していない創傷

図2　除去すべき壊死組織：NPWT対象外

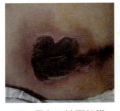

硬い黒色の壊死組織
（Escher：エスカー）

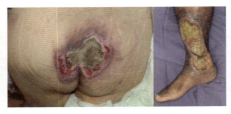

やわらかい白色の壊死組織
（Slough：スラフ）

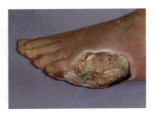

混在した壊死組織がまだ残存しているうえに，虚血も疑われる。虚血がある場合は，血行再建が優先される

図3 創傷治癒過程のステージングと細菌負荷との関係

| 細菌は創傷の表面から組織内に侵入し，感染徴候を生じている状態 | 創部の表面に定着していた細菌がさらに増殖し，成熟したバイオフィルムが存在，創傷治癒を遅延させている状態 | 細菌が創部の表面で増殖しているが，まだ創傷には害を与えていない保菌状態 | 細菌が創部に存在 |

感染 → 臨界的定着 → 細菌の定着 → 汚染

不良肉芽 → 良性肉芽

壊死組織の除去 → 炎症の鎮静化 → 肉芽組織の誘導 → 創の縮小 → 上皮化

NPWTを使用するタイミング

出血・凝固期 → 炎症期 → 増殖期 → 成熟期

図4 不良肉芽と良性肉芽

良性肉芽（NPWT対象）

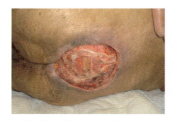 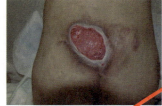 

一部，腱や骨の露出があるものの，壊死組織は十分除去され，創部からの滲出液も少なく，臭気もないため，良性肉芽が形成され始めている状況と考えられる。創部と肛門が近いため，NPWTの開始にあたっては，ドレープの貼りしろがあり，創部の密閉が保てるかの検討は必要となる。

創縁に上皮化の徴候がみられれば，良性肉芽として積極的な判断材料となり，さらにNPWT開始への安全性は高まる。

不良肉芽（NPWT対象外）

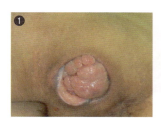 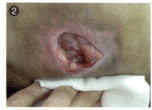 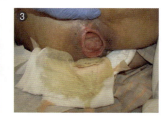

典型的なものは，白っぽく，グミのような質感で，滲出液が多い。❷のように質感は似ているが，赤みが強く，出血しやすいものもある。創部の感染制御が優先される状況である。❶のように成熟した不良肉芽は滲出液排出の妨げにもなるため，外科的な切除も検討すべきである。不良肉芽自体，出血しやすい組織なので，切除にあたって，在宅では出血に配慮した対応が求められる。近くの病院などへの切除依頼も考慮すべきである。❸は滲出液が多く，キャニスターを有さないNPWT機器では，オーバーフローになり得るほか，創部環境的にも清浄化が不十分と考え，細菌負荷の軽減を図る。

表2　細菌負荷を示す指標（NERDS）

N	Nonhealing wound	治癒しない創
E	Exudative wound	滲出液の多い創
R	Red and bleeding wound	創底が赤く，出血しやすい創
D	Debris in wound	創内に壊死組織などが存在する
S	Smell from the wound	創から悪臭がする

Sibbald RG, et al.: Increased bacterial burden and infection: the story of NERDS and STONES. Adv Skin Wound Care,19 (8), 447-461, 2006

する項目が多ければ，臨界的定着（クリティカルコロナイゼーション）を疑うべきである。開始のタイミングに不安がある際は，1回目のドレッシングの交換時期を早めに設定しておくことも必要である。

- ある程度の深さのポケットがある創傷の場合，フォームを充填して陰圧をかけることとなるが，創の開口部が狭く，ポケットが広範な場合（図5），陰圧が創底部まで行き届きにくいうえ，ポケット内の清浄化を保ちにくいことがあるので，その場合は，NPWT開始前にポケット切開を考慮する。切開後は，止血が十分に確認されてから，NPWTを開始する。
- ポケットに対して大きめの創口のある褥瘡（じょくそう）では，NPWTのフォームを充填する際あまり奥に詰めすぎないようにし，交換のたびに徐々に小さめのフォームにしていくことで，ポケット天蓋と下床との癒合を促す。
- ある程度良性肉芽の形成が確認できた段階で，bFGF（塩基性線維芽細胞増殖因子）製剤（トラフェルミン：フィブラスト®スプレー）をNPWTに併用することで，さらなる創の縮小や肉芽形成が期待できる[2]。
- 開始時期の見極めは，病院でNPWTを開始する際のそれよりも慎重に行う必要がある

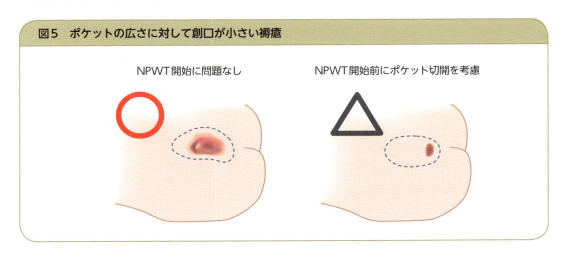

図5　ポケットの広さに対して創口が小さい褥瘡

が，開始時期以上にトラブル時の対応や休止指示の見極めが重要である．次項で具体例を示す．

NPWTの合併症

1）出血
- 止血不十分な創部への装着で，出血を助長することがある．抗凝固薬・抗血小板薬を内服されている患者では特に注意する．

2）疼痛
- フォームやドレープの交換時，疼痛に配慮した手技を心がける．
- 疼痛が強い場合には，フィルムをはがす際に剥離剤を使用し，水平にゆっくり引っ張ってはがす（図6）．
- フォームや被覆材などは，洗浄しながらはがすなどの配慮をする．

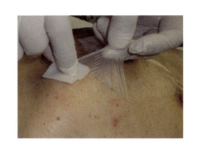

図6　剥離剤（リムーバー）の使用

3）感染増悪
- 創部が密閉され，閉鎖環境となるうえに，フォームで創部が外表から確認できないため，NPWT装着時に創部の感染制御が不十分だと感染増悪を起こす可能性がある．
- 交換時に臭気が強い場合，滲出液の粘性が強い場合，生成される肉芽が不良の場合などは，感染増悪を疑い，NPWTを一時休止する（図7）．
- また，発熱があった際も，その原因がはっきりするまではNPWTを休止する．
- 仙骨部や尾骨部など殿部周辺へのNPWTでは，ドレープの貼付不良から，創内へ汚染物質を陰圧により引き込むリスクもあるので，尿失禁や便性などの情報を参考に，開始後特に注意深く観察する．

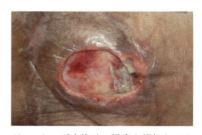

図7　ドレッシング交換時の感染増悪

ドレッシング交換時に膿瘍を想起させる粘性の滲出液や，臭気があれば，感染増悪を疑い，NPWTの一時休止と，外用薬等での創傷管理を考慮する．

4）周辺皮膚のトラブル（周囲皮膚の浸軟，皮膚炎，医療関連機器褥瘡（medical device related pressure ulcer：MDRPU））
- ドレープの密着性の不良や，滲出液のオーバーフロー（過多）は周囲皮膚のかぶれや浸軟の原因となるので注意を要する．

- ドレープが適正に貼付されても貼付範囲では，毛嚢炎などが起きやすい環境になる。NPWTの機器やチューブなどが下敷きとなることでの褥瘡（MDRPU）発生リスクがある。
- 創部周辺の皮膚の状態が悪化すると，さらにドレッシングの密着が不十分となり，悪循環に陥ることもあるので，そのような場合はいったん休止して，周囲皮膚の状態を整えてから再開する（図8）。

図8　NPWTに伴う周辺皮膚のトラブル

NPWT合併症

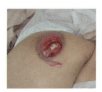
チューブが下敷きになったことで，皮膚を圧迫し褥瘡を形成

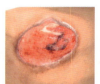
硬い吸引パッドが創部直上につけられた状態で圧迫を受け，褥瘡内褥瘡（decubitus in decubitus；D in D）を形成

ドレープ（フィルム）貼付によって起きた皮膚炎

創部からの滲出液によって起きた皮膚炎

フォームの大きさや被覆材の貼付が適切でないことによる周囲皮膚の浸軟

- 上記1）～4）の合併症が疑われる状況があれば，必要に応じて，速やかに当該医師に連絡し判断を仰ぐ。
- 開始にあたっては，合併症を念頭に置き，患者，家族に治療法をわかりやすく説明したうえで同意を得る。また，開始後においては，ヘルパー，訪問看護師，ソーシャルワーカーなどで，異常時の対応策などを事前に共有しておくことが重要である。具体的には，上記合併症が疑われる際は治療を中断，NPWT開始前の外用薬加療に切り替えるなど申し合わせておく。

在宅で使用可能なNPWT機器とその特徴

- 現在，在宅で使用できるNPWT機器は，図9に示す3機種のみである。
- 各機材の概略，比較は表3の通りであるが，機材のマイナーチェンジなどで一部変更が加わる可能性もあるので，使用にあたってはその都度ホームページなどで確認されたい。
- 機材の選択にあたっては，各々の特性の理解が求められるが，UNO，PICOについては，ドレッシングのサイズをバリエーションのなかから選択するタイプで，Snapのように自由にドレッシング材を加工することは想定されていない。その一方で，UNO，PICOについては，ドレッシング材のシリコンゲル接着層が肌に優しいので，比較的脆弱な皮膚にも使いやすいと思われる。

図9 在宅で使用可能なNPWT機器

センチュリーメディカル(株)
UNO単回使用創傷治療システム

ソルベンタム(同)
3M™Snap™陰圧閉鎖療法システム

スミス・アンドネフュー(株)
PICO創傷治療システム

表3 在宅NPWT機器の比較

	キャニスター	吸水量	陰圧値	陰圧モード切替え	動力源	エラーアラーム	交換頻度 ドレッシング	交換頻度 カートリッジ
UNO	70cc	++	80／125 mmHg	連続／間欠	バッテリー	あり	1回／3日以内	週1回以上推奨(キャニスター)
Snap	60／150cc	+++	75／125 mmHg	連続	バネ	なし	2回以上／週	週1回以上
PICO	—	+	80mmHg	連続	バッテリー	あり	1回／3～4日(最長7日)	7日間

Cuomo R, et al. :Ultraportable Devices for Negative Pressure Wound Therapy: First Comparative Analysis : J Invest Surg, 34 (3), 335-343, 2021　Fig 1 を一部改変

- ドレッシング交換時の皮膚障害が心配な症例には，非アルコール性の被膜剤などを周囲皮膚へ塗布してから，貼付することも予防手段として有効である。逆に，3次元的な複雑な創部で，皮膚への強い密着性が優先されるような創部については，比較的自由にドレッシング材の加工ができるSnapが向いている。その他,詳細については紙面の都合上，成書を参考にしてほしい。
- Snapはバッテリーを使用しないので，アラームなどは鳴らない一方で，静音性に優れている。UNO，PICOはバッテリー駆動であるのでアラーム機能等便利ではあるが，機器の駆動音がある等の特徴がある。その他，機器の使用方法や使用開始後のアラート，エラー等については，各企業からわかりやすい説明添付資料が用意されているので，それを参照されたい。

NPWTの保険上の取り扱い

- 保険適用の期間は原則3週間，必要と認められる場合は最長4週間と定められている。開始後の休止期間は含まれないものの，限られた使用期間で効果的なNPWTを行うためにも，前述したような開始時期の見極め（図3）が重要となる。
- 週に1〜2回のドレッシング交換が一般的だが，処置料および初回加算については，医師が携わらないと算定できない（表4）。＜実施者要件＞を満たせば交換処置は行えるものの，処置料の算定はできず，特定保険医療材料費の償還にとどまる。

表4　2回/週のNPWT交換サイクルの例における診療報酬

	1日	2日	3日	4日	5日	6日	7日	2週	3週
交換日	○			○				○○	○○
①初回加算	✓								
②局所陰圧閉鎖処置料	✓								✓

○：医師が訪問

（処置料）
J003-2 局所陰圧閉鎖処置（入院外）（1日につき）
1. 100平方センチメートル未満 240点（初回加算：1,690点）
2. 100平方センチメートル以上 200平方センチメートル未満 270点（初回加算：2,650点）
3. 200平方センチメートル以上 330点（初回加算3,300点）

在宅NPWT今後への展望

- 高齢社会を迎え，病院のベッドの不足も相まって，褥瘡をできる限り在宅で治そうとする気運は高まっている。こうした環境下で，在宅NPWTの需要も今まで以上に高まるものと考えられる。表1に示した通り＜実施者要件＞拡大の取り組みにより，まずは，在宅の現場にNPWTを実施，交換処置ができる人材の拡充を期待する。
- ＜実施者要件＞を満たす人材だけではなく，そこには十分に経験のある医師（形成外科専門医等）と密に連携が取れる環境が必要となるが，そうした人材も在宅の現場に不足している。在宅訪問診療に携われる形成外科医が少ないうえに，非常勤勤務では，密に連携が取れる環境とはいえず，これが在宅NPWTにおいてもう一つの大きな足かせとなっている。
- この連携を補完するためのツールとしては，遠隔医療が有効と考えられるが，実用性に加えて，妥当性の担保が今後検証すべき課題となっている。現在，遠隔での医師のかか

わりは，前述した算定に該当するものではないが，実際にこうした取り組みが臨床で行われ，有効であった事例もあり，今後の算定要件緩和への足掛かりとなることを期待したい。
- 現在，医師以外の＜実施者要件＞を満たす者にも，交換処置の資格は与えられているものの，医師以外は処置料の算定には至っておらず，医療行為としてのある一定の責任のもと，処置を行っている以上は，何らかの診療報酬として算定に該当しなければ，相当の資格を得て処置をすることの利点も乏しく，自助努力のみで在宅NPWTを一般的な治療手段として根づかせていくことは難しい。こちらについても，何らかの修正が加えられることが望ましいと考える。

（栗原健）

引用文献
1) Leaper DJ, Schultz G, Carville K, et al. : Extending the TIME concept : what have we learned in the past 10 years? , Int wound J, 9 (Suppl 2), 2012.
2) 黒川正人，佐藤誠，中山真紀，八杉悠：線維芽細胞増殖因子を併用した陰圧閉鎖療法，形成外科，53 (3), 285-290, 2010.

参考文献
- 舘正弘編：陰圧閉鎖療法による治療とケアの基本, WOC nursing, 7 (9), 2019.
- 榊原俊介編：NPWT（陰圧閉鎖療法）を再考する, PEPERS, 167 (11), 2020.
- 松本健吾：在宅医療におけるNPWT, 形成外科, 66 (8), 891-897, 2023.

> **解説** 病棟，外来，在宅，介護施設等における，処置料・創傷被覆材・薬剤の保険請求の可否について

　褥瘡（じょくそう）を治療するときの，「ドレッシング材（創傷被覆材と非固着性ガーゼ）」と「NPWT（局所陰圧閉鎖処置用材料）」の保険算定について，ポイントを整理したいと思います。

◆ドレッシング材
①一般的な使用の場合
＜創傷被覆材＞
- 傷の種類は問いません。傷の深さで算定できる製品が決まります。
- 「真皮に至る創傷用」「皮下組織に至る創傷用」「筋・骨に至る創傷用」の３種類です。
- 算定金額は，1c㎡換算またはグラム換算で請求します。
- 算定期間は，標準で２週間，最長で３週間です。
- 医師または看護師が使用した場合に算定します。

＜非固着性シリコンガーゼ＞
- 傷の種類，深さは問いません。
- 「広範囲熱傷用」「平坦部位用」「凹凸部位用」の３種類です。
- 算定期間に制限はありません。
- 医師または看護師が使用した場合に算定します。

②在宅「褥瘡」患者の場合
＜創傷被覆材・非固着性シリコンガーゼ＞
- いずれかの在宅療養指導管理料を算定，かつ皮下組織に至る褥瘡（筋肉，骨等に至る褥瘡を含む）（DESIGN-R分類D3，D4，D5）を有する患者に算定できます。
- 「皮下組織に至る創傷用」「筋・骨に至る創傷用」と「非固着性シリコンガーゼ」が適用です。
- 算定期間は，原則として３週間，必要な場合は使用期間の延長も可能で期限はありません。
- 医師または看護師が使用した場合に算定します。
- 患者自身が使用する分も算定できます。
- 保険薬局（調剤薬局）からの支給も可能です。

◆NPWT（局所陰圧閉鎖処置用材料）
①外来の場合
- 「単回使用型NPWT」のみ算定できます（「据え置き型NPWT」は使用も算定もできません）。
- 医師，看護師が使用・交換した場合に処置料とあわせて特定保険医療材料として材料費を算定します。
- 算定期間は最長で４週間です（感染等で中断した場合は，中断期間は差し引きます）。

②在宅の場合

- 「単回使用型NPWT」のみ算定できます（「据え置き型NPWT」は使用も算定もできません）。
- 医師が使用，交換した場合には，処置料とあわせて特定保険医療材料を材料費として算定します。
- 医師がいない場合でも，看護師が医師の指示のもと交換した場合には，特定保険医療材料として材料費を算定できます。ただし，看護師は「皮膚・排泄ケア認定看護師」「創傷管理分野の特定行為研修修了者」「在宅医療連合学会主催の所定の研修修了者」に限られます。

◆病棟，外来，在宅，介護施設等での算定

- 表1を参照してください。
- 「在宅時医学総合管理料」「施設入居時等医学総合管理料」を算定している場合は，包括になる場合があるので注意してください。

（高水勝）

表1 病棟，外来，在宅，介護施設ごとの算定可否の概要（○：可，×：不可）

	処置料			特定保険医療材料			医薬品
	創傷処置	重度褥瘡処置	局所陰圧閉鎖処置	創傷被覆材	非固着性シリコンガーゼ	局所陰圧閉鎖処置用材料	
出来高病棟	○	○	○	○	○	○	○
DPC病棟	×	×	○	×	×	×	×
地域包括ケア病棟	×	×	○ DPCの算定の残日数の場合	×	×	×	×
回復期リハビリテーション病棟	×	×	×	×	×	×	×
療養病棟	×	○	○	○ 重度褥瘡処置の場合	○ 重度褥瘡処置の場合	○	×（除外薬あり）
外来	○	○	○ 単回使用型に限る	○	○	○ 単回使用型に限る	○
在宅①	○	○	○ 単回使用型に限る	○	○	○ 単回使用型に限る（看護師の条件あり）	○
在宅② 在宅療養指導管理料かつD3以上の褥瘡	—	○	○ 単回使用型に限る	○ 患者自身が使用する分も可	○ 患者自身が使用する分も可	○ 単回使用型に限る（看護師の条件あり）	○
老健	○ 6000cm²以上の場合（褥瘡を除く）	○	○	○ 重度褥瘡処置の場合	○ 重度褥瘡処置の場合	○	×（除外薬あり）
特養	○	○	○ 単回使用型に限る	○	○	○ 単回使用型に限る	○
その他の介護施設等	それぞれの介護施設の類型で運用が違うので確認が必要						

6 褥瘡（じょくそう）の手術療法
～デブリードマン以外の方法について～

> **ポイント**
> - 褥瘡（じょくそう）の手術には，緊急性があるガス壊疽などを伴う褥瘡に対するデブリードマン手術と，骨露出やポケットがある慢性期の褥瘡に対する再建術の2つがある。
> - 褥瘡を有茎皮弁または局所皮弁にて再建する方法は，褥瘡による皮膚欠損部を近傍の健常組織で置き換えることができるので，早期に治癒に導くことができる。褥瘡の再建術には，保存治療にはない多くのメリットがある。

褥瘡（じょくそう）再建術の特徴

再建術の長所

1）早期治癒が得られる
- 仙骨部の直径10cmを超える骨露出があるような褥瘡（じょくそう）では，在宅で適切に治療を行っても1年近くかかることがある。感染が制御された時期に，入院して再建手術を行えば，2か月程度で治癒させることが可能である。

2）褥瘡が再発しにくい
- 保存的に褥瘡を瘢痕治癒させ，その部分に褥瘡が再発すると治癒に時間を要する。
- 瘢痕治癒の過程では，上皮化だけでなく創収縮によって治癒し，巾着のような形態になることがある。3次元的に複雑な形状であることが多く，ずれや圧によって再発しやすい。
- このような形態の瘢痕のなかの褥瘡は，平坦な瘢痕の褥瘡よりも治癒が得られにくい。すべての褥瘡がこのように治癒するわけではないが，これは保存的治療の欠点といえる。

再建術の短所

1）術後感染，創離開の可能性がある
- 再建術の短所は，術後感染して創離開を起こす可能性があることである。

- 破綻した部分は保存治療をすることになるが，面積は比較的小さいことが多いので，局所陰圧閉鎖療法（NPWT：negative pressure wound therapy）を行うなど工夫をすれば修復は可能である。
- たとえ創離開しても，保存的に治療するより早く治癒に至る。したがって，長所が短所を上回る。

2）術後管理を厳格に行う必要がある
- 短期間ではあるが，患者本人の精神的ストレスが大きい。

3）急性期の病院で入院期間が比較的長い
- 褥瘡の再建術は，急性期の他の疾患の形成外科領域の手術と比較して治癒まで，あるいは創部に圧をかけてもよい時期までの期間が長い。

病院で治療する前に在宅で行うこと
- 感染が制御された状態，できれば壊死組織が除去されて肉芽形成が80％くらいで，在宅から病院へ転院すると，急性期病院でもすぐにNPWTによる創面環境調整（WBP：wound bed preparation）が可能になり，在院日数も短縮できる。
- 周術期の創離開のリスクとして低栄養がある。低栄養は入院してから手術までの数週間で是正することは難しい。在宅で経腸栄養剤などを使って積極的に栄養改善をしてから入院治療するほうが成績はよい。

褥瘡再建術の適応

外科治療（再建術）の適応
- 再建術の適応は以下の4つと考えられる。
  ①麻酔（局所・全身）が可能な全身状態であること
  ②感染がコントロールされ壊死組織が除去された状態であること
  ③術後管理が適切に行える環境（体圧分散用具・看護ケア能力）であること
  ④栄養状態が比較的よいこと

褥瘡再建術の考え方

- 褥瘡に対する外科治療は，通常の外科手術と同様に考えるべきではない。
- 褥瘡再建術の選択は，体圧分散用具，手術後ポジショニング教育がなされた看護スタッフの有無，術後安静の可否（不穏や認知症の有無），術後可能な体位，全身状態などの周術期褥瘡管理が行えるかどうかで決定すべきである。

- 褥瘡手術を成功させるコツは，手術手技の工夫のみで治そうと考えるのではなく，術前・術後管理に栄養や悪化予防など褥瘡ケアの考え方を徹底的に実施することである．
- 手術は褥瘡トータルケアのひとつにすぎないと考えるべきである．このトータルケアに手術後在宅でのケアも含まれる．

褥瘡再建術の方法

感染がある場合の再建術

- 感染がある褥瘡の場合は，デブリードマン手術と再建手術を分けて二期的に行う．外科的に壊死組織を除去しポケット内部も感染がない状態にしてから，NPWTあるいはNPWTi-dでWBPを行う．
- NPWTを効果的に行うには次のような方法が重要である．
  ▶ 褥瘡では外力によって内部にひだのような肉芽を形成する．また，仙骨褥瘡の場合に仙骨・尾骨の裏側，後腹膜側にポケットを有することがある．
  ▶ 一期的に再建術を行った場合，このようなポケットへ対応ができないので，死腔となり滲出液や血液が貯留し感染の原因となり得る．
  ▶ そこで，NPWTの陰圧が適切に創部に負荷するように複雑な形状をシンプルにする．ひだ状の肉芽は電気メスで切除し面状の形態にする．尾骨や仙骨の裏にポケットを形成する場合には尾骨をリウエルや電気メスで切除して，洗浄しやすい，また陰圧が負荷しやすい状態をつくる．その状態でNPWTを施行してポケットを消失させてから再建手術を行うことがポイントである．

二期的に手術する利点

- 二期的に手術する利点は，WBPを行うことと再建術後の褥瘡の看護ケアを前もって確認することの2つがある．
- 壊死組織や感染のある組織を切除したと判断しても，壊死組織，感染のある組織が遺残していることがある．このような場合，一期に再建を行うと，皮弁下に膿瘍を形成したり，皮弁に蜂窩織炎・腫脹をきたし，創離開することがある．
- しかし二期的に再建術を計画した場合には，メンテナンスデブリードマンが確実に行われるので，一期的に再建術を行うよりも合併症のリスクが低くなる．
- 2つ目の利点は，1回目のデブリードマン手術後の褥瘡管理が，再建手術のときの管理の予備練習となり得ることである．
- デブリードマン後のWBPの時期に看護ケアが悪いために褥瘡がさらに悪化するようでは，再建手術後も皮弁の破綻を招く可能性が高い．
- 例えば体位変換は，スライディンググローブを使うことを徹底する．術後の姿勢の体圧

- をSRソフトビジョン™などの2次元体圧計測システムを使って確認する。
- 仙骨褥瘡においてNPWTを施行している場合には，両側の側臥位を許可すると褥瘡の3次元的な形態が変化するので，肉芽組織がずれて消失してしまう。片側側臥位90度，45度，仰臥位で体位交換を行う。下になる側の大転子部には予防的なドレッシング材を貼付する。

連携と術後患者の在宅での受け入れ

- 再建手術では，抜糸は約3，4週間で行うが，抜糸後すぐに再建された部位が荷重に耐えられるわけではない。外力によって皮弁の下に血腫や漿液腫ができやすく，皮弁の縫合部の破綻，感染につながる。まだ創傷が成熟していない術後2か月くらいまでは，除圧とずれ対策を看護ケアの中に厳格に取り入れる。
- 急性期病院ではできるだけ入院期間を短縮したいので，早期に在宅への復帰を考える。しかし，在宅では，厳格な看護ケアは困難である。そこで，通常は長期に入院でき，看護ケアができる病院を経由して在宅へ戻ることも少なくない。
- 在宅へ患者が戻っても，当初は圧やずれを排除したケアをできるだけ施行できる体制が望まれる。
- 当然エアマットレスの導入も必要であり，マンパワーが不足する在宅では，自動体位変換機能付きのマットレスがよいと考えられる。
- 実際には，体位変換グローブを使用した体位変換を家族やヘルパーが行い，患者自身が自分で身体をひねるような無理な体位変換は避けるべきである。
- このような褥瘡予防と管理の知識を家族や訪問看護師と共有することも重要である。いつから座位をとることができるのかも，手術をした医師と共有しておくべき情報である。
- 在宅へ戻ったときの盲点になりやすいのが，トイレである。どのように便の処理をするか。摘便なのか，便座に腰かけての排便なのかを確認しておく。
- 尿失禁も再建後の皮膚の浸軟や皮膚の摩擦係数を高くし，軟部組織の応力も高くなり，組織の破綻につながりやすい。
- これらを，手術した医師と在宅の医療者間であらかじめ情報共有しておく必要がある。

褥瘡再建術の実際

- 仙骨部の褥瘡（図1）と坐骨部の褥瘡（図2）について個々の症例を提示する。術後の留意点は下記の通りである。

1）仙骨部の褥瘡

- 仙骨部の褥瘡は，寝たきりになってできた褥瘡と車いすや頭側挙上によって尾骨から仙

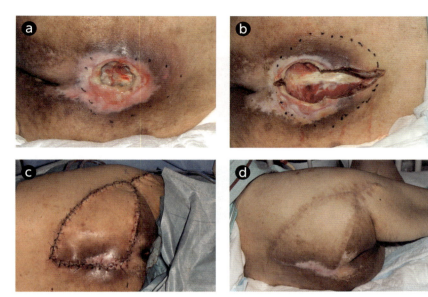

図1　症例1　仙骨部の褥瘡

ⓐ 浸軟した壊死組織を認めた。壊死組織下層が自己融解し始めている。
ⓑ 大きなポケットを認めたため，電気メスを使用して切開し，洗浄やNPWTを行いやすくした。
ⓒ 大殿筋皮弁で再建を行った。
ⓓ 術後6か月の状態　褥瘡の再発は認めない。

骨にかけてずれが原因でできた褥瘡に分類できる。
- 寝たきり（長期臥床）でできた褥瘡では，術後や在宅へ戻ってからの留意点が異なる。
- 長期臥床の場合は，適切なエアマットレスで管理するだけで予防は可能である。
- 頭側挙上で発生した褥瘡では，再建術後軟部組織が瘢痕化するまで時間を要する。
- 術後1か月程度で頭側挙上すると，ずれによって術後創が破綻したり，皮弁の下に漿液が貯留したりする。
- 術後2か月程度は頭側挙上を禁止し，その後も頭側挙上は30度程度までにする。完全座位ではないものの，その中間的な角度である45〜50度程度の頭側挙上は，滑り台のような状態で，最もずれが起こりやすい。45〜50度程度の頭側挙上は行わない。
- 術後2か月を経過した段階で，いきなり端座位，あるいは90度近い頭側挙上にする。

2）坐骨部の褥瘡
- 脊椎損傷が原因であることがほとんどである。後大腿皮弁や大殿筋皮弁などが使用される。
- 術後の再発は仙骨部の褥瘡よりも多い。術後の管理，在宅での管理が患者自身にゆだねられることが多いのが原因である。車いすやトイレでの座位などによって起こる。
- 車いすに乗り始めるのは2か月を超えてからにする。注意点は，ロホクッションなどの車いす用の適切な体圧分散用具を使用することと，車いすからベッドへの移乗時に座面，

手術部位をこすらないように,そっと移動することである。そのためのリハビリテーションを行う必要もある。

図2　症例2　左坐骨部の褥瘡

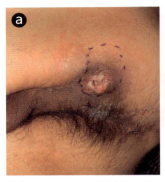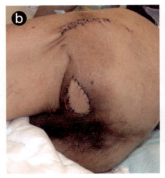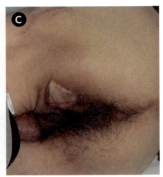

ⓐ車いすによる長時間座位で発生した褥瘡。坐骨を触知しポケットを有する。デブリードマンを施行してNPWTを行った。
ⓑ1か月後に大殿筋島状皮弁を用いて再建術を行った。
ⓒ術後6か月の状態。

（大浦紀彦・木下幹雄）

参考文献
・波利井清紀監：TEXT形成外科,改訂3版,318-323,南山堂,2017.

7 在宅褥瘡（じょくそう）ケアにおける薬剤師の役割

ポイント

- 地域において薬局は，日常的に開かれている「相談窓口」となり，褥瘡（じょくそう）ケアや予防についてファーストアクセスの場所となる。
- 他職種と連携しながら在宅訪問を行い，褥瘡の状況を把握して必要な対策をとる（医師への適正薬剤の提案，処方された薬剤のお届けと管理，薬剤使用について他職種との連携，処方箋または自費購入における医療材料等の提供など）。
- 家族・介護者にも褥瘡治療薬や医療材料・衛生材料についてその使い方やケアの方法を伝える。栄養補助食品についての相談や取り寄せを行う。
- 褥瘡は合併症として発生することが多いため，褥瘡ケア以外の疾病の服薬管理，体調や健康相談，お薬相談も受け付けている。

相談受付

- 薬局は，褥瘡（じょくそう）ケアや予防について困ったときに，地域の相談窓口としてアクセスしやすい。
- 処方箋や保険証などがなくても，気軽に薬局薬剤師に相談することが可能である。
- かかりつけ薬局をもつことで，薬剤師による全身状況を踏まえた使用薬剤の検討が可能である。
- 状況に応じて，訪問医師・訪問看護師・管理栄養士・介護支援専門員（ケアマネジャー）などの専門職と連絡を取り，情報を共有し解決策を話し合う。

薬局薬剤師の在宅訪問について
- 要介護認定を受けている利用者への在宅訪問は，「居宅療養管理指導」（介護保険）で行い，薬剤に関する費用は医療保険での算定となる。

- 「居宅療養管理指導」にかかわる点数は介護保険の限度額には含まれないため，薬剤師が訪問することで他の介護サービスを減らす必要はない。
- 要介護認定を受けていない人への訪問は「訪問薬剤管理指導」(医療保険)で行う。訪問に関する仕事の内容は「居宅療養管理指導」もほぼ同じである。
- 訪問時には褥瘡の状況・栄養状態・内服状況など必要な情報を集めてアセスメントを行い，問題点や目標を確認する。
- 定期的に訪問することで，創の変化や体調を確認し，さらに使用薬剤の効果を評価して，訪問医師とその対応策を検討することができる。
- 創の状況に応じて，適切な外用薬や医療材料等の提案をすることができる。
- 問題点や目標は，訪問医師・訪問看護師・ケアマネジャーなどと情報交換を行い，対策を共有するのが望ましい。
- 薬剤や医療材料等を提供する場合は，薬剤の使用量，1日の使用回数，使用時の注意点や，保管・破棄についてのアドバイスを行う。

薬剤師による在宅訪問の始め方

- 在宅訪問を始めるにあたっては，大きく4つのパターンがある（図1）。
- 必要に応じて要介護認定を受ける（介護保険優先）。
- 訪問内容を主治医およびケアマネジャーへフィードバックすることで情報の共有化を図る。
- 訪問看護師や通所施設，介護事業所などとも情報の共有化を図る。退院カンファレンスや担当者会議に出席して情報交換を行う。

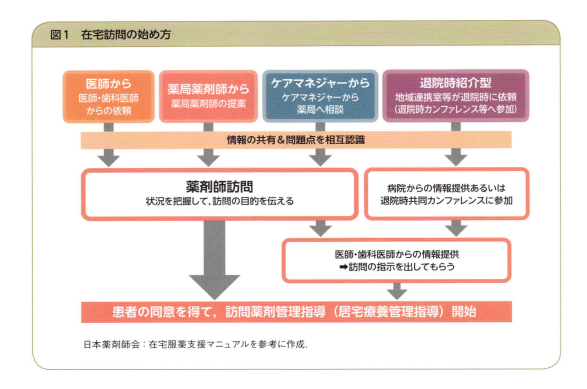

図1　在宅訪問の始め方

日本薬剤師会：在宅服薬支援マニュアルを参考に作成．

薬剤師が在宅訪問で行うこと

1) 服薬のフォローアップ
- 薬が正しく使えるように支援する。
  ①服用状況・使用状況・保管状態などの確認
  ②飲み合わせ・食べ合わせのチェック
  ③生活機能への影響，生活特性の変化などの確認
  ④飲みやすい剤型への変更，生活スタイルにあわせた服用回数への変更，一包化（同時に服用する薬剤を一袋にまとめること）などの医師への提案

2) 体調チェック・バイタル確認
- 薬は期待される効果以外にも多くの作用があり，不利益な作用を見逃していないか，他の疾患としてとらえられていないかなど，薬の視点から体調変化に対してチェックを行う。

3) 多職種連携
- 多職種から得られる情報は，薬剤師のアセスメントに非常に重要であり，その結果をさらにフィードバックすることで，患者のADL（activities of daily living：日常生活動作）とQOL（quality of life：生活の質）の向上にかかわる。

4) 物資の供給
- 処方された薬，在宅療養に必要な手指消毒などの薬剤，その他衛生材料などの物品を情報とともに供給する。

褥瘡（じょくそう）治療以外の薬物治療のフォローが大切

- 褥瘡治療を受けているほとんどの人が，他の疾患で診察を受け，内服薬を処方されて服用している。それらの薬剤の影響でADLやQOLが低下している場合があるため，必ず内服している薬剤の飲み合わせや，同じような薬を重複して飲んでいないかなどについての確認をする（p122の解説参照）。
- 亜鉛の吸収を抑制する薬剤を服用している場合，褥瘡が治りづらい場合もあるので，確認をする。
- 他科に受診する場合は，そこで処方された薬についての情報を訪問医師と共有する。
- 栄養状態も褥瘡の転帰に大きくかかわってくるため，食事量や水分摂取量を確認し，必要に応じて栄養補助食品の提案もしていく。

薬局で提供できる医療材料などについて

薬局で取り扱う褥瘡関連の医療材料

- ガーゼや非固着性ガーゼ，テープ，ポリウレタンフィルムドレッシングなどの衛生材料

は種類も多く，種類を絞って取り扱っていることが多いが，相談により新しく取り扱えるものもある（図2）。
- 創傷被覆材については，一般用・医療用（保険適応外も含めて）ともに薬局で取り扱っており，まずは相談を受けることで，適切な医療材料を選ぶためのアドバイスができる（図3）。
- 創傷被覆材には保険が適応されるもの（院外処方可能なもの）と適応されないもの（自費負担のもの）とがあり，創の状況や医師の訪問体制に応じて院外処方箋の発行が可能かどうか決まってくる。
- 在宅患者で皮下組織に至る褥瘡（筋肉・骨などに至る褥瘡を含む），DESIGN-R®2020分類のD3およびD4を有する場合のみ保険が適応される（院外処方可能）。ただし，処方医が在宅療養指導管理料を算定していることが必要である。
- レストンパッドなど，予防や体圧分散のための衛生材料についての情報提供もできる。

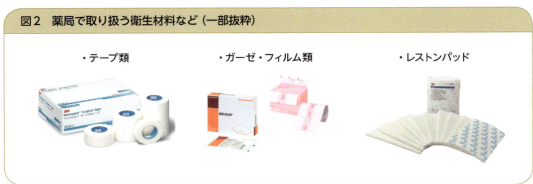

図2　薬局で取り扱う衛生材料など（一部抜粋）

図3　薬局で取り扱う創傷被覆材など（一部抜粋）

薬局で取り扱う褥瘡関連以外の医療材料・機器

- カテーテル類（膀胱留置カテーテルや栄養カテーテル）や注入ポンプ類など，褥瘡関連以外でも薬局で取り扱うことができる医療材料・医療機器は増えている。

栄養剤と栄養補助食品の取り扱いについて

- 処方箋が必要な栄養剤（医療用医薬品）と必要でないもの（栄養補助食品）に大きく分けられる。

1）処方箋によって取り扱うもの

- エンシュア®H，ラコール®NF配合経腸用液・ラコール®NF配合経腸用半固形剤，エネーボ®配合経腸用液，イノラス®配合経腸用液などがある（図4）。
- 含まれる栄養素が少しずつ異なっている。味もそれぞれ工夫されており，患者の好みに合うものを選択できる。

図4 処方箋が必要な栄養剤（一部抜粋）

2）処方箋がなくても購入できるもの（栄養補助食品）

- 栄養補助食品メーカーがいろいろな工夫を凝らしており，食事量が少ないときにおやつ感覚で栄養を補えるものや，必要な栄養素を強化するために選択できるものなどがある。
- 味も豊富で，嚥下能力が低下しても摂取できるものや，少量で負担なく摂れるものなど，多種多様である。
- 胃ろうの患者に対応したものもある。
- 主に介護コーナーにて販売しており，店頭になくても取り寄せることができるため，まずは相談してみる。

(魚住三奈)

参考文献

・日本薬剤師会：在宅服薬支援マニュアル.
・水野正子，大石由香里，菊池千草他：薬局薬剤師と訪問看護師の患者情報共有による連携の有用性の実践検証，社会薬学，41(2)，167-174，2022.

解説　褥瘡（じょくそう）の原因となる薬剤について

「薬剤誘発性褥瘡」って聞いたことありますか？

高齢者はたくさんの薬を服用していることが多く，そのなかには「同じような薬がいくつも含まれている（重複投与）」ことや，代謝機能が落ちてきていることで「服用量が多くなってしまっている（過量投与）」ことがあります。薬の効きすぎ（過鎮静）によって，自発的な動きがなくなり，いわゆる「無動（アキネジア）」の状態で褥瘡（じょくそう）が発生してしまうことをいいます。

原因となる薬剤は，催眠鎮静薬・抗不安薬（39.4％），全身麻酔薬（15.9％），精神神経用薬（15.7％），麻薬（13.0％）が上位を占めています。

逆に，パーキンソン病薬など運動能力や活動状態の上昇にかかわる薬を飲み忘れることなどで，褥瘡が発生してしまうこともあります。

服用している薬について不安なことがあれば，薬局薬剤師に相談してみましょう。

（魚住三奈）

参考文献
・溝神文博：褥瘡発生と薬剤について，日本褥瘡学会誌，25（2），79-83，2023.

第4章

からだの動かし方

1 在宅リハビリテーションの考え方・目指すもの

2 自然な動きを使った移動・移乗方法

3 からだの緊張を取る安楽なポジショニング

4 車いすの選び方とシーティング

5 リフトの考え方と使い方

6 認知症の人への対応はユニバーサルデザインケア

7 在宅でのフレイル，サルコペニア対策
　～リハビリと栄養療法の協働～

1 在宅リハビリテーションの考え方・目指すもの

ポイント

- 在宅リハビリテーションの目指すところは、高齢者や障害者が本来の生活の場において安全かつ安心でき、質の高い生活の継続を支援していくことにある。

- 褥瘡（じょくそう）予防のリハビリテーションの大事なポイントは、チームで環境を変えることにある。福祉用具やチームメンバーの介助方法など、かかわり方を含めた環境を変えることが必要である。

- チームには、単なる情報交換をするのではなく、アセスメントをもとに福祉用具の選択やケアの手法を伝えることのできるプランナーが必須であり、プランナーを地域で育成していくことが重要である。

在宅リハビリテーションの目指すところ

- リハビリテーションという言葉に「機能訓練」というイメージをもつこともまだまだ少なくないのではないかと思うが、広義では「何らかの理由によって能力が低下した人が本来のあるべき状態になるために行われるすべてのこと」を指した言葉である。
- 家庭復帰に向けての生活のなかでのトレーニングや住宅改修などの環境整備、社会資源の活用などもリハビリテーションに含まれ、能力低下やその状態を改善し、高齢者や障害者の社会的統合を達成するためのあらゆる手段を含んでいる。
- 在宅リハビリテーションの目指すところは、高齢者や障害者が本来の生活の場において安全かつ安心でき、質の高い生活の継続を支援していくことにある。つまり、理学療法士（PT）か作業療法士（OT）が決められた時間に実施する機能訓練だけではなく、チームで行うすべての支援を含む。
- 褥瘡（じょくそう）予防のためのリハビリテーションの大事なポイントは、環境を変えることにあり、環境とは、マットレス、ポジショニングクッション、車いすや車いすクッション、おむつ、移乗機器などさまざまな福祉用具はもちろん、ケアにかかわる人（その手法）も含まれる（図1）。図1は、すべての人々の健康状態と関連する生活機能障害

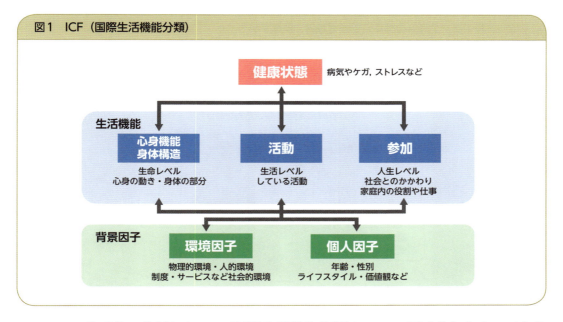

図1 ICF（国際生活機能分類）

について体系的に分類したICF（国際生活機能分類）について図式化したものである（ICFの考え方，活用等については，第4章7も参照のこと）。
- アセスメントに基づく予防的ケアをチームで実践することそのものが，褥瘡予防のリハビリテーションである。

褥瘡（じょくそう）など二次障害を発生させる間違ったケアの確認

- ずれ力を発生させる動作介助や局所圧が高い姿勢で放置することで褥瘡は発生する。リスクの高い人をつくらない＝拘縮をつくらないところからの予防も大事である。
- 不安定な姿勢を強いられることや，不安を与える力任せの介助は，相手に不快な刺激を与え，筋の緊張を高める。この状態が日々繰り返されることで関節拘縮が発生し悪化する。
- 身体の筋緊張亢進は介護を妨げるだけではない。例えば，頸部周辺の過緊張は，食べ物を噛んだり，飲み込んだりすることを困難にする。頸部や胸部の過緊張は，大きく呼吸をすることを困難にする。そして腹部の過緊張は，気持ちよく排泄することも困難にしてしまう。このように，間違った介助方法は療養者が生きていくうえでの大切な能力まで落としていくことになる（図2）。
- まずはどのようなケアが褥瘡をつくってしまうのか，間違ったケアが対象者にどのようなことを引き起こすのかを，ケアにかかわる者全員が知ることが重要である。
- 間違ったケアを排除することが褥瘡予防には必要であり，週に1・2回，PTやOTの訪問時に直接機能訓練を実施しても，その効果は得られない。PTやOTには，何が廃用を悪化させているのか，二次障害を発生させているのかを確認・分析し，チームプランを組み立てるプランナーの役割を期待したい。

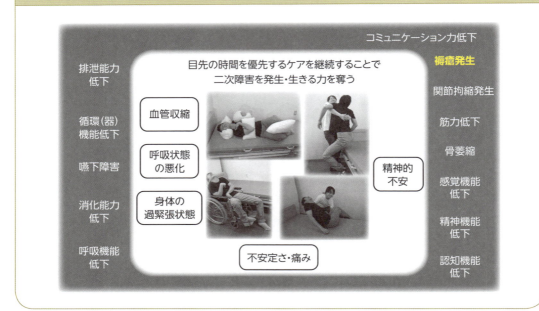

図2 不良姿勢や力任せの動作介助が対象者に及ぼす影響

実践したい褥瘡予防ケア

- 褥瘡は，不良な姿勢管理や引きずったり抱え上げたりする介助で悪化する。
- 褥瘡予防のためには，体圧分散した快適な姿勢を提供すること，対象者にも介護者にも優しい力任せではない動作介助の実践をチームで実施することが必要である。福祉用具ケア，抱え上げや引きずりをしないノーリフティングケアは効果的である（図3）。
- 一つひとつのケア手法の検討も重要であるが，単なる方法論で終わらせず，対象者の

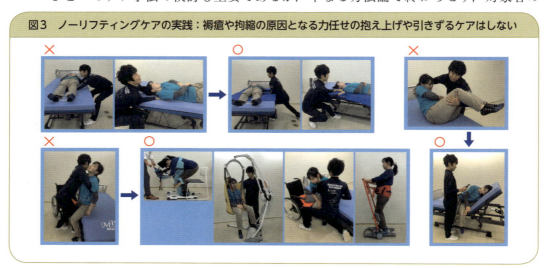

図3 ノーリフティングケアの実践：褥瘡や拘縮の原因となる力任せの抱え上げや引きずるケアはしない

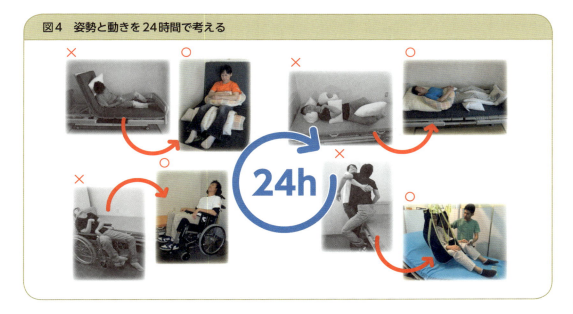

図4 姿勢と動きを24時間で考える

24時間の暮らしのなかでどのようにケアしていくのか，そのライフプランの組み立ても重要である（図4）。

- 在宅リハビリテーションにおいては，「どのような姿勢でどのくらい寝るのか」「体位変換の必要性とその姿勢，食事はどのような姿勢で摂るのか，座位姿勢は安定しているか」「1日に何回，どのくらいの時間座るのか」「家族や介護者は，どのように移動・移乗介助を行っているのか」「姿勢をどのように変えていくべきか」など，質と量を24時間，そして1週間で，暮らしの評価と動きや姿勢の評価とあわせて考えることが大切である。

在宅におけるチームで行う褥瘡予防ケアの実践方法

- 褥瘡予防のケアを実践するためには，アセスメント，プランニングができる人材（プランナー）をチームメンバーに加える必要がある。地域にその存在があることが，その地域ケアの質を左右する。プランニングできる人材は地域のどの事業所にいるのか，誰なのか，地域の情報を収集しておくことは重要である。
- プランナーによるアセスメントに基づく福祉用具の選択とケアの手法を，チーム内に周知・実践しケアの統一を行う。
- ケアは必ず同じ方法で行わなければいけないということではなく，家族やそれぞれの専門職で役割を分担することも必要である。24時間のライフプランを考えることで，例えば家族介護者の負担をどのように減らしてよりよいケアを実践していくかという検討も可能になる。
- ケア手法だけでなく，24時間のライフプランを組み立てるためには，ケア手法を決定するプランナーと介護支援専門員（ケアマネジャー）が連携する必要がある。

- 必要時には，ケア伝達のための時間をケアマネジャーがつくり周知を図る。
- チーム内で情報を共有できる方法を探り，実施や成果を共有する。方法としては，担当者会議，情報共有ノート，ICTツールなどがあるが，地域にあったものを活用する。画像や動画などでわかりやすく伝えることも重要である。
- プランナーは不足しており，地域をあげてプランナーの育成をすることも必要である。

まとめ

- リハビリテーションは，単に直接的な機能訓練を指すものではない。チーム全員で高齢者や障害者が本来の生活の場においてその人らしい質を確保した生活の継続ができるよう支援するものである。そのためには，方針，課題を共有し，課題解決のための一つひとつのケア手法を決定し，チームケアで実践する。
- 在宅ではさまざまな事業所の多様な職種が混在したケアチームが組まれることになるが，ケア方針や手法はチームで統一してかかわることが必要となる。
- 対象者にあった自立支援や二次障害予防のためのケアをチームで実践するためには，プランナーが必要となる。それぞれ専門職は存在するが，ケア手法を組み立てることのできる指導者がまだまだ不足しており，地域で養成していくことも重要である。
- ぜひ地域で働くPTやOTには，自分が向き合う時間のみのかかわりや機能訓練だけでなく，対象者の姿勢や動きのアセスメントをしてケア手法のプランニングをするプランナーの役割を担ってほしい。
- 多事業所，多職種でかかわる在宅チームでは，連携システムが必要である。ノートなども活用されているが，いつ，どこでも，タイムリーに確認できるものとしては，地域ICT連携システムなどの普及と活用を検討したいところである。

（下元佳子）

参考文献
・厚生労働省：ICF（国際生活機能分類）-「生きることの全体像」についての「共通言語」-

2 自然な動きを使った移動・移乗方法

ポイント

- 引きずる・抱え上げるといった力任せの介助は，対象者の褥瘡（じょくそう）発生リスクを高め，要介護度の重度化を引き起こす。また，介助者にとっても負担が大きく，腰痛などの引き金となる。
- 対象者の自然な動きを引き出す介助は，対象者・介助者双方の負担を軽減し，対象者の重度化予防に役立ち，豊かな生活を支援できる。
- 場面に応じて福祉用具を活用することで，対象者・介助者双方にとって安全な介助が可能となる。

人の自然な動き

- 普段私たちは，寝返りをする，起き上がる，立ち上がるといった，大きな重心の移動を伴う動作を多く行っている。これらの大きな動きは，身体の各部位の重さを移動させることを積み重ねて行われている。
- 例えば，立ち上がる際，私たちは座っている姿勢から一気に伸び上がっているわけではない。まずは膝を曲げて両足を自分のほうへ引きつけ，おじぎをするように上体・骨盤を前へ倒し，それまで座っていたときに殿部に多くかかっていた重さを大腿部・足底へと移動させる。この重さの移動によって殿部が軽くなり浮き上がりやすくなったところで，脚を伸ばしながら上体を起こすことで，立ち上がることができるのである（図1）。
- たとえ重度の要介護対象者であっても，自然な動きを支援することで，結果的には対象者・介助者双方にとって負担が少なく安心できる介助となる。

力任せの介助が与える影響

- 力任せに引きずる，もしくは局所の体圧・ずれを高めるような介助を受けるたびに対象者は恐怖を感じ，心身は硬く緊張してしまう。

> **図1　立ち上がり動作**
>
>
>
> 両足を自分のほうへ引きつけ，おじぎをするように上体・骨盤を前へ倒し，殿部に多くかかっていた重さを大腿部・足底へと移動させる（❶）。この重さの移動によって殿部が軽くなり浮き上がりやすくなったところでお尻を浮かし（❷），脚を伸ばしながら上体を起こし立ち上がることができる（❸）。

- こういった介助が引き金となり，対象者には関節拘縮のほかにもあらゆる機能低下・介護度の重度化が生じ，結果としてさらに褥瘡（じょくそう）発生リスクが高まってしまう。
- 力任せの介助は，介助者に腰痛や腱鞘炎などを引き起こし，移動・移乗介助以外のケア能力も低下してしまう。

寝返りの介助

- 私たちは普段寝返りを打つ際，身体の回旋（ねじり）を用いて行っている（図2）。
- おむつ交換や清拭・更衣のたびにこのように身体の回旋を活かした介助方法を行うことで，対象者の体幹部分の柔軟性を保つことができ，その柔軟性は移乗や座位姿勢保持など，寝返り以外のさまざまな場面でも役に立つ。

> **図2　対象者の身体のねじりを促す寝返り介助**
>
>
>
> まず両膝・骨盤を回転させ（❶），そのあとに肩から上体を回転させるようにゆっくり身体の回旋（ねじり）を促しながら行うと（❷），人の自然な動きに近いため，対象者が不快や恐怖を感じずにすむ。

起き上がりの介助

- ベッド上での起き上がりを介助する際に，介助者が対象者の頸部と膝の裏に手を入れて身体をV字にし，「起き上がりこぼし」のように一気に仰向け姿勢から座位姿勢まで抱え上げている場面（図3）をしばしば目にすることがある。
- このように瞬時に抱え上げられると，対象者は恐怖を感じて心身が緊張するだけでなく，仙骨・尾骨部の皮膚に圧やずれが集中して褥瘡が発生しやすくなる。
- 私たちがベッドから起き上がるときには，寝返りをして身体を横向きにし，座位になってから起き上がっている。起き上がりを介助する際も，同様の動きを意識する（図4）。
- 図4の方法であれば，対象者は恐怖感や苦痛を感じることなく起き上がることができ，介助者の負担も少ない。

図3　力任せの起き上がり介助（悪い例）

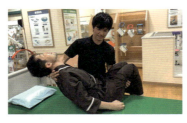

介助者が対象者の頸部と膝の裏に手を入れ，一気に仰向け姿勢から座位姿勢まで抱え上げる。この方法は対象者の殿部に体圧やずれが集中し，褥瘡発生リスクが高まるだけでなく，介助者にとっても負担が大きい。

図4　起き上がり介助（良い例）

寝返り後の横向き姿勢から股関節を曲げて両足をベッド下へおろし（❶），ベッドの背上げ機能を用いて上体を起こしてから（❷），対象者の上体がやや前かがみになるように促しながら介助すると（❸），対象者が後方へ反り返ることなく安心して起き上がることができる（❹）。

- 身体が大きい，また座位姿勢が非常に不安定であるといった対象者の場合は，対象者・介助者双方の安心・安楽の観点からも，第4章5で述べられているリフトの使用が望ましい。

ベッド上の移動介助

- ベッド上で身体全体が下方へずれているとき，上方向へと対象者の身体を移動させる必要がある。このような場合，介助者が対象者の頸部と膝窩部に手を入れてそのまま上方向へと引きずる，あるいは上体を持って上方向へと引きずるような介助を行うと（図5），仙骨部や踵部へと摩擦・ずれが加わり褥瘡発生リスクが高まる。
- 上方向への移動の際は，スライディングシートを用いて移動を介助すれば，皮膚に加わる摩擦・ずれを軽減でき，対象者に不快感や緊張感を与えることがなく，また介助者の負担も少ない（図6）。
- 近年では，感染対策として個々の対象者が使用できるよう使い捨て型のスライディングシートが発売されるようになってきている。

図5　力任せのベッド上移動介助（悪い例）

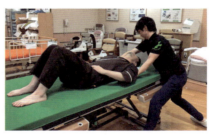

介助者が対象者の頸部と膝窩部に手を入れてそのまま上方向へと引きずる介助（左），上体を持って上方向へと引きずる介助（右）などを行うと，仙骨部や踵部へ摩擦・ずれが加わり褥瘡発生リスクが高まるほか，介助者も腰痛を発生しやすい。

図6　スライディングシートを用いたベッド上方向への移動介助（良い例）

スライディングシートを対象者の頭部から骨盤にかけて敷き込み（❶），介助者はできるだけ重心と目線を下げながら対象者の殿部を上方向へ押すと（❷），対象者を引きずることなく移動させることができ，双方に負担が少ない。

移乗の介助

- 移乗介助の際，介助者が対象者の両膝の間に割り入って「密着」してから立ち上がりを介助している場面をよく見かけるが，この方法では対象者の殿部に重さが残ったままで力任せに上方へ持ち上げざるを得なくなってしまい，双方にとって非常に負担が大きくなる（図7）。
- また，力任せに持ち上げたあとに続く方向転換動作も，対象者にも恐怖や不安・緊張を与えることとなる（図8）。
- 対象者の腋窩部を力任せに抱え上げると，骨粗鬆症のある対象者の場合は上腕骨や肋骨の骨折を生じるおそれがある。
- 介助者からは足元の見通しが不良であるために対象者の足部と車いすがぶつかって皮膚トラブルが生じやすくなる。

図7　力任せの立ち上がり介助（悪い例）

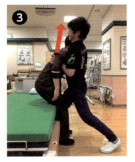

介助者が対象者の両膝の間に割り入って介助すると（❶），前方に立ちふさがった介助者が立ち上がり動作に必要な上体・骨盤の前傾と重さの前方移動を妨げてしまうため（❷），対象者の殿部に重さが残ったままで力任せに上方へ持ち上げざるを得ず（❸），双方にとって負担が大きい。

図8　力任せの移乗介助（悪い例）

力任せに対象者を持ち上げたあとの方向転換動作は，介助者が腰をひねって腰痛を起こしやすく，対象者の心身には恐怖や不安・緊張が加わる。介助者からは足元の見通しが不良であるため，対象者の足まわりに皮膚トラブルが生じやすい。

図9　自然な動きを促しながら行う移乗介助（良い例）

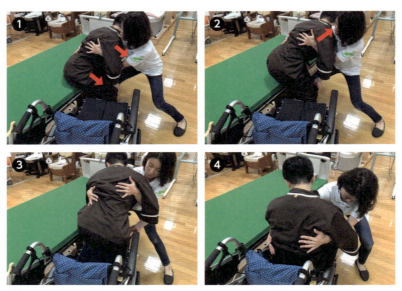

対象者の上体前傾動作を妨げないように介助者が両足幅を前後に広くとり，殿部から大腿部・足底への重さの移動を促すように介助を行うと（❶），介助者が力任せに持ち上げなくとも殿部が上がりやすくなり（❷），方向転換時にも足元へ目線を向けるゆとりが生まれ（❸），対象者の足部に生じる皮膚トラブルも防ぐことができる。

図10　スライディングボードを用いた移乗介助（良い例）

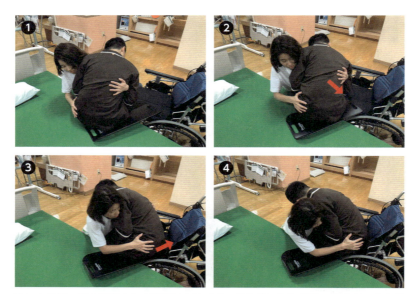

車いすに近い側の殿部から大腿部にかけてボードを差し入れ（❶），対象者の上体前傾を促しながらボード側の股関節に重さをかけるようにし（❷），ボードと反対側の骨盤をボードの方向に沿って押すように介助すると（❸），スムーズに殿部を移動させることができ，双方に負担が少ない。

- 対象者の上体前傾動作を妨げず，殿部から大腿部・足底への重さの移動を促すように介助を行うと，対象者と介助者双方にとって安楽な移乗になる（図9）。
- 自力もしくは軽い介助で座ることができるが立ち上がりが困難である対象者の場合は，スライディングボードを用いる介助も有効である（図10）。

おわりに

- 移動・移乗介助は，丁寧に適切な方法で行うことができれば，それ自体が質の高い褥瘡予防ケアであり，要介護度の重度化を予防するケアとなる。
- 逆に，本項で述べた不適切な移動・移乗介助が日常的に行われていることは，ただちに褥瘡発生リスクになり，重度化を引き起こす要因ともなる。
- 移動・移乗介助は，他のケア場面に比べて要する時間が短いためか，その方法の良し悪しが対象者・介助者にどのような影響を及ぼすのか，介助者側が立ち止まって考える機会が少ない。しかし，目先のわずか数十秒を急ぐあまりに力任せの介助を続けた結果，対象者の皮膚に褥瘡が発生したり身体が硬く拘縮していくと，種々のケアがより困難化して時間がかかるようになり，さらには腰痛を起こす介助者が増えてケアの人手にも影響が及ぶなど，長い目で見て対象者・介助者双方にもたらすデメリットは数多い。
- 移動・移乗介助は，単に対象者を「運ぶ」ためのものではなく，対象者が安心して過ごせるための橋渡しとなる大切なケアである。

（神野俊介）

3 からだの緊張を取る安楽なポジショニング

ポイント

- 健康な人は自然に自分自身をポジショニング（よい姿勢への整え）している。病気や障害を抱える対象者は自分自身をよい姿勢へ整えることができず、周囲の支援者による積極的な対応が必要である。
- 不良姿勢は、褥瘡（じょくそう）や関節拘縮（身体が極端に硬くなる）などのさまざまな二次障害を引き起こす。
- ポジショニングの視点は3つある（①身体面、②支持面、③重力）。身体面（対象者の状態）に合わせ、支持面（マットレスやクッション）の適合を判断し、重力に対し身体の重みを下から支える。

安楽な臥位姿勢、ポジショニングとは？

- ポジショニングとは、自分で姿勢を変えることができない対象者に対し支援者がクッションなどを用いて安楽で機能的な姿勢に整えることである。安楽であるためには、楽に呼吸ができる、身体に不快が生じない、姿勢が安定しているなどがポイントで、身体がある形に固定されているのではなく、動きやすいように姿勢（体位）が安定している状態である。
- 健康な人は横になったとき、リラックスして安楽な姿勢が得られるよう無意識にもぞもぞ動いて、姿勢が安定する位置へ落ち着くように、自らをポジショニングしている。
- 一方、病気や障害があり自分で動けなくなった対象者は、自分自身の姿勢を整えることが困難であり、体位変換ができない場合は同じ姿勢をとり続けることになる。それが不良姿勢であれば、局所に圧やずれが加わり、褥瘡（じょくそう）のリスクが高くなる。また、同じ姿勢のまま動かないでいると、筋肉や関節が硬くなり関節拘縮が起こる。
- このような二次障害を予防するために、病気や障害を抱える対象者に対して、周囲の支援者が積極的にポジショニングする必要がある。

対象者からのフィードバック

- 姿勢が整っている状態では何も感じない。人間にはホメオスタシス（恒常性，外界の環境の変化に対し，生体が安定した状態を保とうとする仕組み）という性質があり，生命に危険を及ぼす環境の変化を感じ取る力が本来備わっている。つまり姿勢に関しても，何の違和感も感じないのがうまくいっているポジショニングであろう。
- 姿勢管理が必要な対象者は，重度の障害で会話や自己表現が難しい場合が多く，表情の観察や身体が緊張する様子を察してアセスメントすることが多い。現場では対象者のつらい状態を支援者が想像力を働かせ感じ取る必要がある。

不良な姿勢・不適切なポジショニングとその悪影響

- 不良な姿勢とは，支えられるべき場所がしっかり支えられていない状態で，全身が緊張し身体を硬くして身構えてしまう。それが続くと，緊張しやすい状態が日常化して，関節拘縮が進み，褥瘡のリスクが高まる（図1-1）。
- 拘縮は褥瘡リスクの1つで，特に円背や下肢の屈曲拘縮は仙骨部や大転子部，踵などの褥瘡が懸念される（図1-2）。

図1-1 拘縮がひどくなっていくプロセス

最初は股関節や膝がやや屈曲して始まる。

下肢の屈曲が進み，体幹も屈曲して背も丸くなる。

拘縮がひどくなると下肢や頭部が浮いてしまい，仰向けが難しくなる。

図1-2　下肢屈曲拘縮進行に伴う体幹のねじれ

ポジショニングの基礎知識

3つの視点

- ポジショニングを考えるとき，3つの視点が基本となる（①身体面，②支持面，③重力）。
- 身体面は，対象者の身体の特徴である。対象者に柔軟性があり拘縮がない場合は，標準マットレスや普通の枕で対応できる場合が多い。
- 支持面は，マットレスやクッションなどの環境である。腰痛の人には硬めのマットレスが適しており，やせた人や褥瘡リスクの高い人には柔らかくて厚みのあるマットレスが適している。
- 忘れがちなのが重力で，身体の重みは垂直方向にかかり，それを真下から支える必要がある。支持面が頭側挙上などで傾く場合は重力による力の方向が変わり，その影響も考慮が必要になる。この視点は，褥瘡だけでなく，すべての姿勢管理で基本となる。

支えるべき身体部位

- 安定した姿勢をつくるためには身体の重い部位の支えがポイントで，特に重要なのは頭部，胸郭（胸椎），腰部（仙骨や殿部），大腿部（特に坐骨の近く）である。また，上肢や下肢の重さは，上腕→前腕→手部や大腿→下腿→足部というように，身体の中心部から末端に向かって部位別に支えるべきである（図2・3）。
- 頭の枕はしっかり安定させる。枕がふわふわだと首の緊張を生み，その緊張は全身に悪い影響を及ぼす。支持面を広く硬めの枕で支えるべきである。
- 胸郭は（人の身体は）船底型で丸みを帯びているため左右に転がらないように肩甲骨の下の方から支えを深めに入れる。ただし，マットレスが柔らかいと胸郭の中心（胸椎）の支えが不十分で沈み込むので，左右の枕は深く入れすぎないように調整する（図4）。
- 腰部は一番しっかり支えるべき部位である。坐骨の近くまで大腿後面が広く支えられ，足のほうにずれないようにする。骨盤は左右からクッションで支え，ねじれないよう左右対称になるようにして安定させる（図5）。

図2　上肢のポジショニング

肩甲骨から上腕を先に支えて，その後に前腕と手を支える。

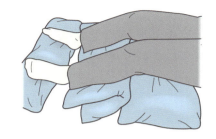

図3　下肢のポジショニング

大腿後面の殿部に近い場所（坐骨）まで深く入れて支え，その後に下腿と足部を支える。

図4　胸郭のポジショニング

体格やクッションのサイズによって，両側から入れる深さを調整。

図5　骨盤のポジショニング

骨盤の左右の高さが対称になるように安定させる。

- 大腿部の支えは，坐骨の近くまで深く入れ，大きめのクッションで広く支える。下肢の関節が曲がって膝下に空間があるからといって，膝下だけにクッションを入れると大腿部の重さは仙骨部へ，下腿部の重さは踵部へと流れ，褥瘡好発部の圧力とずれ力が高くなるだけでなく，不快感から筋緊張が強くなり，また身体もねじれてくる。
- 上肢下肢はパーツごとにクッションで支えられると，胸郭や腰部の身体部位がさらに安定する。手順は体幹に近い部位から末端に向かい，順に支える（例：大腿→下腿→足部，図3）。
- 支持面（マットレス，クッション）に対し，身体部位をしっかりなじませて，支えられている感覚を本人に感じとってもらうように支えるのがポイントである（図6）。

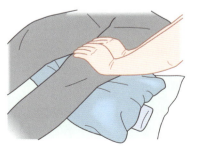

図6　クッションへのなじませ方

身体部位を上から押さえ，ポジショニングクッションになじませる（例：大腿部）。

具体的なポジショニング

- 円背（背中が丸く変形）の人の臥位姿勢では，仰臥位（仰向け）が困難な場合は側臥位（横向き）で安定した姿勢をつくるのが一般的である。
- 枕を高くすることで少しでも仰臥位姿勢が可能な場合は，体位交換の姿勢のバリエーションとして仰臥位をとる時間もあると胸郭が広がり，呼吸などの機能によい影響を及ぼす。日中の介護者が様子をみられる時間帯で仰臥位（図7）や頭側挙上の機会をつくるとよい。

図7　円背の仰臥位

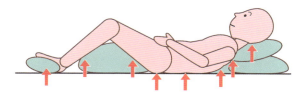

矢印の方向で重力に対し体重を受けている。

- 上肢の拘縮では，手を握り込んでしまうケースが問題となる。基本的には，先に頭部，腰部，胸郭，下肢のポジショニングを整え，全身を安定させたうえで，上腕→前腕→手部を支えると，手を握り込む緊張の緩むチャンスが出やすい（図2）。
- 下肢の拘縮では，屈曲する拘縮が進行すると仰臥位では収まらず，左右どちらかに傾き身体がねじれてしまう（図1-2）。脊柱や下肢の変形が軽度で仰臥位が可能なうちに，骨盤がねじれないよう左右からクッションで安定させたうえで，大腿後面へ大きめのクッションを使用し，坐骨近くまで深く入れて支える。その後に下腿と足部を支える（図3）。
- 側臥位でもクッションの入れ方は，大腿→下腿→足部の手順で共通である。それぞれの部位を別々のクッションで支えるか，大きなクッションでまとめて支えてもよい（図8）。
- 頭側挙上は，事前に股関節とベッドの屈曲部を合わせることが最も重要である。ベッド上の移動支援をするときは，持ち上げずに滑るシートなどでお互いに負担の少ないやり方を心がける。

図8　下肢のポジショニング（側臥位）

大きなクッションで全体を支えるときも，大腿部を先に支えて，その後に下腿と足部を支える。

図9　圧抜き（上半身）

上半身は下から上に向かって滑らせ圧を抜く。
※その後に頭部の圧を抜く。

図10　圧抜き（下肢）

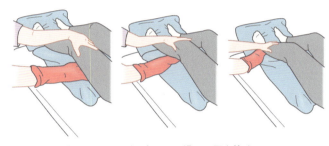

下肢は大腿後面からから踵に向かって滑らせ圧を抜く。
※足のほうにずれないように，膝を支えながら実施する。

- 頭側挙上が完了した後，背部や殿部にずれが残っていると，褥瘡のリスクが高まる。姿勢を変えた後に残っているずれや違和感に対し，圧抜きをして，姿勢を整えると，褥瘡の予防効果が高まり，また姿勢も心地よく快適に整えることができる。
- 圧抜きは一度前方に身体を起こして戻す方法が一般的に紹介されている（圧抜きについては第4章6も参照）。介護現場では専用のスライディンググローブを装着して，ベッドと接触しているすべての部位に手を滑り込ませて圧抜きを行う[1]。
- 特に頭側挙上時の圧抜きは，上半身は腰から上方に抜き，下半身は身体が足側にずれないよう膝を支えながら実施する（図9・10）。
- 上肢の重さは思った以上に負担になるので，上半身の姿勢が安定するようにクッションで上肢を支える。

（播磨孝司）

引用文献
1) 一般社団法人日本褥瘡学会：褥瘡予防・管理ガイドライン，第5版，照林社，2022．

参考文献
・日本褥瘡学会・在宅ケア推進協会編：ケアプランが変わる！　在宅介護が変わる！　床ずれ予防プログラム，36，春恒社，2022．

4 車いすの選び方とシーティング

ポイント

- シーティングでは目的に応じ機種の選定や調整を行うことが重要である。
- 調整には一定のルールがあり，限界もある。限界を超えた福祉用具の使用方法では現場での再現性や二次障害の発生など問題が発生してしまう。
- 圧力とずれ力，これら外力と座る姿勢の関係を知ることが重要である。

シーティングとは？　またその必要性は？

シーティングとは

- シーティングとは座位姿勢で行うポジショニングである。
- シーティングは，座位だけで完結はせず，臥位や立位の影響も強く受けることになる。
- まっすぐ（仰向けで）寝られない人はまっすぐ（正面を向いて）座れず，まっすぐ座れない人はまっすぐ（安定して）立てないということである。
- このような考え方を「ポスチュアリング」という（p148参照）。

シーティングの調整

- 座っている環境が身体に合っていないと疲れやすく，つらい状況になってしまう。
- そのような環境では身体が硬く緊張してしまったり，呼吸や循環機能の低下につながったりする。
- また，座ることそのものへの拒否にもつながり，姿勢のバリエーションが低下することによる二次障害のリスクが高まるなど，さまざまなデメリットが発生することになる。
- 普通のいすに座ることが困難な人でも，環境を整えることで座位を保つことができる。
- ほかにも，介助者が身体を支えながら無理な介助を行わなくてもよくなるため，介助者の負担軽減にもつながるなど，さまざまな効果が期待できる（図1）。
- 座る環境を整えることで身体に発生する不良刺激（「つらい」「痛い」「こわい」等の外部か

ら入力される二次障害につながる刺激の総称）を取り除くことができる。
- 不良刺激が少ない環境で過ごすと，月日の経過とともに不良な筋緊張が抜け，徐々に姿勢が変化してくる（図2）。

図1　身体に合わせた車いす調整の重要性

股関節の可動域制限，重度の円背のため普通のいすに座れないケースでも，環境を整えることで安定した座位を保ち，飲水や食事が安全に行えるようになる。

図2　時間経過によるシーティングの効果

左から車いす変更前，変更直後，5か月間この車いすを継続利用した姿勢。特に上半身の筋緊張が低下していることがわかる。

車いすの調整方法について

- 以下の車いすの調整は，機種・仕様を問わず共通した考え方である。
- この調整を行ったうえで姿勢が崩れるならば，サポートクッションの追加を検討する。
- 調整の結果，食事中の座位保持等の目的が達成できない場合は，車いすの種類を変更する必要がある。
- その場合は車いすに目的や身体を合わせるのではなく，調整が限界の場合には目的と身体に合わせて車いすを変更できることが望ましい。

本人の身体状況の評価

- 車いすの調整を行う前に，本人の身体状況の評価が重要である。

- 股関節が90度まで曲がらない人は普通型車いすの90度の背もたれに座ることはできない。
- また，脊柱が円背傾向の人も一枚布の背もたれでは接触面が少なくなってしまい，傾きや褥瘡（じょくそう）のリスクを高くしてしまう。
- まずは本人がどのような姿勢をとることができ，なおかつどのような姿勢に整えたいかという目標を定めることを最初に行う必要がある。車いすの調整はその後に行う。

車いす（座る環境）の調整のポイント（図3）

1）骨盤を背もたれ（後方）で支える

- ここでのポイントは，クッションの選定と奥行きの調整である。
- 車いすクッションは骨盤の安定，褥瘡予防の観点から必須である。
- クッションにはさまざまな種類があり，厚みや奥行きなど多くの要素が変化するため，クッションを最後に選定すると調整がすべてやり直しになってしまう。
- また，長すぎる奥行きは骨盤と背もたれの間に隙間ができてしまい，骨盤の後傾による仙骨座りや円背の助長を引き起こしてしまう。
- 奥まで座り，骨盤を背もたれもしくはクッションで，支えられる奥行きに調整を行う。

2）足底を支える

- 次に，膝から下の長さ（下腿長）を調整する。
- このポイントは，太もも裏と足底を支えることにある。
- 太もも裏に空間ができていると坐骨の圧力が高くなり，痛みや褥瘡のリスクが高くなってしまう。
- 理想としては，座圧測定機などを用いてしっかり圧が分散していることを確認する。座圧測定機がない場合には膝裏の近くでクッションと太もも裏が接地している，なおかつ圧迫していないことを確認するとよい。
- 次に，足首（足関節）の角度を確認する。

図3　車いす調整の順番

①クッション，奥行きの調整
②下腿長，足底支持の調整
③骨盤支持の調整
④背もたれ，ティルト・リクライニング角度の調整
⑤上肢支持の調整

- 尖足傾向になり足関節がフットプレートに合わない場合には角度調整を行い，足底の接地面を増やす必要がある．
- ただし，角度によっては足底の仙骨座りを起こしてしまう可能性があるため，専門家と相談する．

3）（横から見て）胸部と頭部が地面に対して垂直になっている

- 下半身の調整が完了したら次は上半身を調整する．
- まず，骨盤を後方でしっかり支えられるように調整する．
- 骨盤は非常に大きい骨のため，ここが不安定だと上半身や頭頸部の筋緊張が高くなりやすくなる．
- 骨盤が支えられたら，その位置を基準に胸郭が地面に対して垂直になるように背もたれを調整する．
- このとき，胸郭が前に潰れるようならばティルト・リクライニング機能を用いて重心を後方に逃がしてもよい．
- ただし，骨盤が支えられないまま後方に倒してしまうと腹部の潰れがより強くなり，苦痛な姿勢になるため注意が必要である．
- 最後に頭部，頸部に着目し，前方に倒れていたり，逆に後ろに傾くのを頸部の力で支えていたりしないかを確認する．
- その場合には背もたれの微調整や次の項目の上肢の支持を行い，頭部の緊張が緩む位置を探るとよい．

4）上肢を支える

- 最後に，上肢をアームサポート，もしくは普段過ごす机などで前腕の支持を行う．
- クッションの厚みや骨盤・胸郭の角度ですべて上肢の位置は変動してしまう．そのため，肩の位置が決まってから高さの調整を行う．
- また，作業を行う場合には支持面がテーブルになるケースもあるため，どの場面で最も姿勢を整えたいのかを確認することが重要である．
- 食事などを自力で行う場合にはむしろ前腕の支持面が邪魔になる可能性もあるため，支持の必要性も含め評価・検討が必要である．

車いすの種類について

車いすの種類

- 車いすの種類は大きく分けて，「普通型（モジュール型）」と「ティルト・リクライニング型」である．
- 「ティルト」のみ，「リクライニング」のみの車いすもあるが，筆者は両方の機能を有する「ティルト・リクライニング」型を強く勧める．理由は後述する．

モジュール型車いす

- シーティングに適している車いすには，モジュール機構を有する車いすを推奨する。
- モジュール機構とは，本来は部品ごとに構成できるという意味であるが，現在ではフットサポートやアームサポートを脱着できる，もしくは身体に合わせることができるという意味で用いられることが多い。
- ここでは車いすに身体を合わせて使うのではなく，身体や使用方法，目的に応じて車いすを調整できる機能を有する機種をモジュール型車いすと呼称する。
- 施設備品などモジュール機構のない車いすしかない場合もある。そのようなケースでは，車いすクッションの厚みでフットサポートの高さ調整を補ったり，テーブルの高さを調整したりすることでアームサポートの代わりにすることもできる。
- しかし，厚すぎるクッションは背もたれの高さが足りなくなったり，足底と地面が離れてしまい立ち座りが困難になったりするなどデメリットも生じやすくなるため，注意が必要である。
- また，後づけのクッションなどで座位を整えるケースは再現性にも問題が発生しやすくなることも念頭に置いたうえで，機器の選択をすべきである。

ティルト・リクライニング型車いす

- 安楽な姿勢と活動がしやすい姿勢を1台の車いすで行いたいケースがある。その場合には「ティルト・リクライニング型」車いすを推奨する。
- 安楽な姿勢をとるために後方に倒したり，活動や立ち座りなどを行うために背中を起こしたりして前方に動きやすくすることができる車いすである。
- ティルトのみを倒すと腹圧が高まり，リクライニングのみを倒すと仙骨座りを起こしやすくなってしまう。ティルトとリクライニングの2つの機能を同時に使うことで，座面も後方に傾き，股関節が開き仙骨座りにならずに安楽に座ることができる。

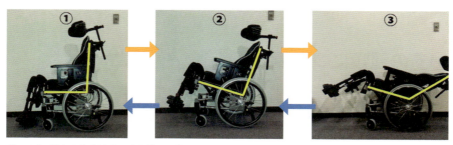

図4 ティルト・リクライニングの操作手順

ティルト：背中の角度はそのまま後ろに傾く。前すべりは起こりにくいが，腹部にかかる圧が高くなる。
リクライニング：座面の角度はそのまま，背中が倒れる。腹部は楽になるが，前すべりを起こしてしまう。
後ろへ倒す順番（オレンジの順番）①→②（ティルトを倒す）→③（リクライニングを倒す）
前へ起こす順番（青の順番）③→②（リクライニングを起こす）→①（ティルトを起こす）

- そのため，操作の統一が難しい，重心を後方へ少し逃がして姿勢を安定させるために使いたいなど特有な理由がない場合は，「ティルト・リクライニング」型の車いすを推奨している。
- 上記のデメリットをカバーするために使い方に注意が必要な点がある（図4）。

シーティングと褥瘡（じょくそう）予防について

褥瘡（じょくそう）予防のためにシーティングを行う理由

- 褥瘡予防のためにシーティングを行う理由は，圧力の分散とずれ力の軽減である。
- また，食事を摂りやすい姿勢を整えることで栄養状態の改善，筋緊張の緩和により適切な排泄環境の提供なども影響し，日常生活の範囲が広がる。

圧力の軽減

- 圧力の軽減は前述の車いす調整の方法を実施することで達成できる（図5）。

図5　シーティング前後の座圧測定の変化

シーティング前

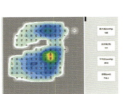

シーティング後

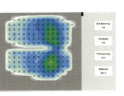

赤い場所が圧が高い
黄色→緑→青→白の順に圧が低くなっていく
灰色の場所は圧がない
広くマップが表示されると圧が分散されている結果となる

着座

- どんなに調整を適切に行ったとしても，着座がしっかり行えなければ褥瘡予防効果は期待できない。
- 骨盤が左右に傾いてしまうと，それだけで圧の分散は適切に行われなくなってしまう（図6）。
- また，前すべりの姿勢になってしまうと座面の圧は下がったとしても，背もたれへ圧は移動し，結果として骨盤の前すべりを引き起こしてしまう。
- シーティングにおいて調整だけが重要なのではなく，介助者がどのように福祉用具を使

図6　着座位置による座圧測定の変化

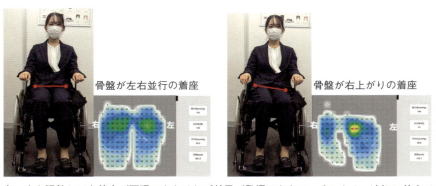

骨盤が左右並行の着座　　　骨盤が右上がりの着座

車いすを調整しても着座が再現できなければ効果が発揮できない。そのため、適切に着座できる移乗方法の検討も非常に重要である。

用することができるかどうかという点も見過ごすことはできない。

「ポスチュアリング」の考え方

- 褥瘡予防はシーティングだけでは達成できない。
- シーティングに取り組もうとした場合，座っている環境だけではなく，寝ている姿勢（ポジショニング）と移乗方法（ノーリフティングケア）の要素も重要になってくる。
- 寝ているときに身体が曲がっていると座ったときにも同じ形で身体の曲がりが発生してしまう。
- そのため，ポジショニングで姿勢を整え，褥瘡の予防と筋緊張の緩和を図る必要がある。
- しかし，移乗のときに無理な抱え上げを行ってしまうと，緩めた筋緊張が再度高くなってしまう。
- また，無理な移乗方法では着座を奥まですることができず，前すべりの姿勢をつくってしまう。
- そのため，褥瘡をはじめとした利用者の重度化予防のためには，車いすの調整（シーティング）だけに着目するのではなく，寝ているときの姿勢（ポジショニング）と適切な移乗方法の選択（トランスファリング・ノーリフティングケア）という「ポスチュアリング」の考え方が重要になってくるのである。

（栗原俊介）

解説　福祉用具のレンタル制度

レンタル制度利用の条件

　福祉用具は現在，レンタルで利用できる機会が増えてきています。しかし，この制度にはさまざまな制限があるため，今回はレンタルの目的とその制限について整理していきたいと思います。

　まず，福祉用具のレンタルは，介護保険の在宅サービスの一種として提供されています。そのため，以下の条件があります。
　①要支援1～要介護5までのいずれかの認定を受けた人
　②在宅で生活をしていること
　③使用したい福祉用具が介護保険の登録を受けていること

　この条件を1つでも満たさない場合は，公的なサービスではなく，各社が提供する自費サービスとしてレンタルにて利用することができます（呼吸器などもこれにあたります）。

　介護保険，医療保険，障害福祉サービスの区分でみると，介護保険でのみレンタル制度を採用しています。そのため，年齢でみると高齢者（および介護保険の第2号被保険者）のみが利用できるということになります。障害領域では，何度かレンタル制度について議論に上がりますが，補装具などがオーダーメイド品で提供されている現状と合わないところがあり，なかなか導入までには至っていません。

レンタルできる福祉用具の種類と問題点

　また，要支援1～2と要介護1は軽度者という区分になります。この区分の人々は，杖・歩行器・手すり・スロープのみの福祉用具をレンタルできるようになっています。しかし，車いすや介護ベッド，体圧分散寝具などは原則貸与対象外になっており，特別な理由がある場合に例外的に利用できる，という制度になっています。例えば車いすであれば，外出が困難であるということを担当者会議で確認したり，介護ベッドの場合は，医師の意見書に基づいて喘息の発作時やパーキンソン病などの日内変動の対応，がんによる急変時の備えの必要性があれば，レンタルできるようになっています。

　しかし，申請に手間がかかるためか，例外規定の介護ベッド利用の件数は少なく，自費レンタルのベッドを安易に選択されている現状が非常に問題になっています。本来は約15,000円／月でレンタル（1割負担1,500円／月・3割負担4,500円／月）する介護ベッドが，自費レンタルだと同じようなセットで1,000円／月で借りられてしまう現状があります。借りる側としてはお得かもしれませんが，この金額ではもちろん事業は成り立ちません。そのため，要介護2以上の認定が出た場合に入れ替えをお願いすると，金額が上がるため拒否されてしまい，その説得に苦慮しているケースなども意外と多く存在しています。

施設における福祉用具の課題

　次に，在宅サービスの一種のため，自宅，もしくはサービス付き高齢者住宅などで利用ができる点です。つまり，特別養護老人ホームやグループホームなどの施設に入所している場合には，レンタル制度を利用することはできません。これは，施設サービスにおいて福祉用具は施設が最低限の物を用意すること，という決まりがあるからです。そのため，どのような福祉用具を採用するかは，施設の運営により差が生じてしまいます。また，自費レンタルにて車いすなどを施設で利用することは，この決ま

りに抵触するとも考えられてしまい，自費レンタルでの利用を断られるケースもあると聞いたことがあります。そのため，施設備品として施設がレンタルで福祉用具を用意して利用者へ提供するケースも少なからず出てきています。福祉用具が利用者と合っていない場合は，褥瘡（じょくそう）などの二次障害の発生リスクが上がるだけではなく，介助者の介助負担も増えてしまいます。

　利用者に合わせた福祉用具を提供できるレンタル制度は，施設サービスでも実施してほしいというはたらきかけも動き出しています。

サービスコードとTAISコード

　レンタル制度があるとはいえ，何でも利用できるわけではありません。テクノエイド協会が発行するTAIS（Technical Aids Information System：福祉用具情報システム）コードという登録コードを有する商品になります。車いすや介護ベッドなど全13種類のサービスコードに分類されています。ポジショニングクッションはこのサービスコードにはありませんので，介護保険のレンタル対象になりません。そのため，クッションに取手をつけて体位変換でも使用できるという説明書を作成して，「体位変換器」としてレンタル対象になっています。

　このように，介護保険施行の初期に設定されてから，このサービスコードの種類は基本的に変わっておらず，必要なものが認められないという問題もありますが，各メーカーがさまざまな工夫をして，1点でも多くレンタル制度で提供できるように努力しているのです。

レンタル料の推移と課題

　そんななか，福祉用具にはレンタル料の上限が設けられており，登録コードをもとに全国の提供価格を集計して設定されるようになっています。もともとは，サイドレール1本1,000円／月などという外れ値の提供をなくすための制度でした。しかし，この制度は毎年平均価格に基づいて上限価格が設定されるため，毎年少しずつ価格が下がっていく制度設計になっています。インフレの時代に，福祉用具だけは毎年値下げをしなさいという制度設計になっています。そのため，新規登録商品は高めに設定して提供しなければ事業継続ができないのですが，そうすると古くて安い製品指定が介護支援専門員（ケアマネジャー）から依頼されるという，新たな課題も生まれています。古い商品の場合，金属疲労などにより製品自体の劣化が発生することもあり，メンテナンスでは修正しきれない点があります。業者も古い製品は改めて仕入れることはまずないため，定期的な新陳代謝が望ましいでしょう。

　また，衛生観点や耐久性の面でレンタルに向かない製品（ポータブルトイレやリフトのスリングシートなど）は特定福祉用具として年間10万円まで購入の補助を受けることができます。この制度は2024（令和6）年4月から運用枠が広がり，歩行器，杖，スロープの3種においてはレンタルか販売，どちらかを選べるようになりました。これらは，比較的導入後長く利用している実態があるため，介護保険給付是正の意味もあります。今後，これら3種は，ケアマネジャーや福祉用具専門相談員から，提供時に選択することができることとそのメリット・デメリットを伝える必要が出てきます。

まとめ

　2025（令和7）年でレンタル制度の成り立ちから25年と長い年月が経過しましたが，基本的に厳しくなる方向に調整されてきた歴史があります。レンタル制度のよいところを継続して提供するために，選定理由を明確にして適切な福祉用具の提供・運用がなされなければならないと考えています。

（栗原俊介）

意見 シート状体圧検知センサーを用いた車いす利用の高齢者の座圧分布チェックリストの開発

　施設に入所している要介護高齢者は，日中，車いすで何時間も座位になって過ごすことが多く，褥瘡（じょくそう）になるリスクが高くなります。一般病院に比べて，介護保険施設では尾骨部，訪問看護ステーションでは坐骨部の褥瘡が多いと報告されています[1]。座位での褥瘡をつくらないために，姿勢保持のできない高齢者や円背のある高齢者などではシーティングが重要であり，車いすなどの機器の選定や調節，姿勢の調整などを行うことで活動範囲が拡大できます。体圧分散用具の効果の評価などに，体圧検知センサーを用いて座圧測定が行われており，褥瘡の予防につながっています[2]。在宅での座圧測定の普及が望まれています。

　筆者らは，要介護高齢者の座圧分布を簡便に評価するためのチェックリストを開発することにしました。住友理工（株）のSRソフトビジョン™を使用して6項目を抽出することができ，「体圧ピーク数」「最大体圧」は4区分，「体圧の左右差」「検知面積」「太ももの形」は3区分，「骨突出部以外の圧迫」は2区分としました（表1）[3]。

表1　座圧分布チェックリスト

1. 体圧ピーク数 圧力が高くかかっている場所の数 その部位	□ 均一でピークが目立たない □ 2か所 □ 3か所 □ 1か所 □ 尾骨 □ 坐骨［左・右］ □ 他［　　　　　　　］	4. 検知面積 検知（20mmHg以上） されたマス目の数	検知面積［　　　］／256マス □ 154マス以上（60％以上） □ 102～153マス（40～59％） □ 101マス以下（39％以下）
2. 最大体圧 最も高い圧力値	最大体圧［　　　］mmHg □ 79以下 □ 80～99 □ 100～139 □ 140以上 圧の総和［　　　］mmHg	5. 太ももの形 両側の太ももの形が表れているか	□ 両脚あり □ 一部あり □ 両脚ともない
3. 体圧左右差 左右半分に分け，最大体圧値の差を画像から求める	左［　　］－右［　　］mmHg ＝差［　　］mmHg（正負は除く） □ 差が19以下 □ 差が20～39 □ 差が40以上	6. 骨突出部以外の圧迫 骨突出部以外の一部に圧力がかかっているか	□ なし □ あり ［部位　　　　　　　　　］

飯坂真司，田中秀子，前田一之助：車椅子利用高齢者に対する体圧検知センサシートを用いた座圧分布チェックリストの開発，日本創傷・オストミー・失禁管理学会誌，25（3），646-653，2021.

　チェックリストを実際に1症例に使用してみました。この症例では，クッションの変更後に，「最大体圧」「体圧の左右差」「検知面積」「太ももの形」に変化がみとめられました（図1）。

図1　座圧測定チェックリスト導入事例

初回		2週後
☐ 均一でピークが目立たない ☐ 2か所 **☐ 3か所[部位：両坐骨，尾骨]** ☐ 1か所	1. 体圧ピーク数	☐ 均一でピークが目立たない ☐ 2か所 **☐ 3か所[部位：両坐骨，尾骨]** ☐ 1か所
☐ 79以下 ☐ 80〜99 ☐ 100〜139 **☐ 140以上**	2. 最大体圧 (mmHg)	**☐ 79以下** ☐ 80〜99 ☐ 100〜139 ☐ 140以上
☐ 差が19以下 ☐ 差が20〜39 **☐ 差が40以上**	3. 体圧左右差 (mmHg)	**☐ 差が19以下** ☐ 差が20〜39 ☐ 差が40以上
☐ 154マス以上 (60％以上) ☐ 102〜153マス (40〜59％) **☐ 101マス以下 (39％以下)**	4. 検知面積	☐ 154マス以上 (60％以上) **☐ 102〜153マス (40〜59％)** ☐ 101マス以下 (39％以下)
☐ 両脚あり ☐ 一部あり **☐ 両脚ともない**	5. 太ももの形	☐ 両脚あり **☐ 一部あり** ☐ 両脚ともない
☐ なし **☐ あり[左外側]**	6. 骨突出部 以外の圧迫	☐ なし **☐ あり[右外側]**
クッション：使用なし 車いす：標準型		クッション：テンピュールMED 車いす：標準型

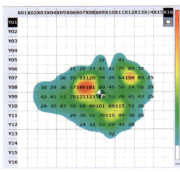
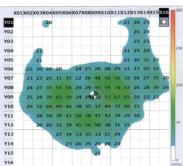

（田中秀子・飯坂真司）

引用文献

1) 日本褥瘡学会実態調査委員会：第4回実態調査委員会報告1，療養場所別自重関連褥瘡と医療関連機器圧迫創傷を併せた「褥瘡」の有病率，有病者の特徴，部位・重症度，日本褥瘡学会誌，20 (4)，423-445，2018.
2) 木之瀬隆，武田太，持吉孝郎他：体圧センサによる体圧分布測定の使用評価，日本褥瘡学会誌，18 (1)，15-22，2016.
3) 飯坂真司，田中秀子，前田一之助：車椅子利用高齢者に対する体圧検知センサシートを用いた座圧分布チェックリストの開発，日本創傷・オストミー・失禁管理学会誌，25 (3)，646-653，2021.

5 リフトの考え方と使い方

ポイント

- 介護リフトを使うことで介助者の腰痛予防だけではなく，安全で安心，統一した介助を行うことができる。
- ケアの方法は，介助者内で統一されないと利用者の混乱や恐怖につながり，自立支援を妨げてしまう。
- 介護リフトと吊り具（スリングシート）の組み合わせを適切に選定することで，継続利用が図れる。
- 本来防ぐことができる二次障害の予防が，在宅生活の継続・施設運営の負担を軽減する。

なぜ介護リフトを使うと利用者の負担が減るのか

人の手による持ち上げ・抱え上げのリスク

- 人の手での持ち上げは，重たそうにしたり，不安定な姿勢になり，利用者の痛みや恐怖を引き起こす。
- 無理な動作により抱え上げや持ち上げ，引きずりが発生すると，利用者に痛みが生じる。
- 痛みが生じる場面では恐怖も感じるため，介助の拒否にもつながる。
- 痛みや恐怖は不良刺激となり，筋緊張を高め褥瘡（じょくそう）発生のリスクを高める。

「介護リフトで移乗されることは怖い」は本当か？

- 介護リフトを普及させるうえでの1つの壁が，「介護リフトで移乗されることは怖い」という，体験した介助者の声である。
- 介護リフトはゆっくり動くとはいえ，基本的には利用者は自分の意志で動くことはできないため，「ゆっくり動くジェットコースター」と同じといえる。そのため，介助者が介護リフトを体験すると，自分の意志で動くことができず怖いという感想をもつ。
- しかし，利用者にとっては「誰かに動かされる」ことは日常的に行われている行為のため，

- 利用者は「ゆっくり動く広い面積で支えてくれるジェットコースター」というような認識である。
- 人の手で触れるほうが安心感がある，ということもいわれるが，これは介護リフトを用いる場合も絶えず身体に触れながら行うことが基本になっており，安心感がもたらされる。
- もちろん，ゆっくり動くとはいえ介護リフトで動くことに恐怖を覚える利用者はいるため，慣れるようにするアプローチは必須である。

早く介助を行うことのリスク

- 利用者の重度化が進むと移乗介助だけではなく，更衣介助やおむつ交換などさまざまな介助が必要となり，時間を要するようになる。
- そのため，一つひとつの介助の時間を短く，回数を減らさなければならないという思考に陥りやすい。
- その結果，利用者に対してぞんざいなケア方法になる。
- このような介助の仕方では筋緊張を高め，褥瘡が発生し，重度化を引き起こす。
- 移乗方法だけではなく，座位環境，臥位環境，立位環境など利用者を取り巻く環境でのかかわり方を見直すことが利用者の重度化予防につながる。

介護リフト定着の決め手は介護リフト本体と吊り具（スリングシート）の組み合わせで決まる

介護リフトと吊り具について

- 介護リフトは本体機種と吊り具とを組み合わせて使用する。以下，それぞれ代表例を説明する。

本体機種の代表的な種類
1）天井走行式リフト（図1）
- 介護リフトの本体ユニットが天井に設置したレールを走行するため，介助者の動線や車いすなどと干渉せず，操作が簡単である。
- 設置方法は天井から吊り下げたり（要工事），支柱を立ててやぐらを組む形（工事不要）が一般的である。
- 移動範囲により縦・横・斜めに動くXYレール式と，横（縦）のみの線レール式に分類される。
- 現在では既設建物への設置が増えてきており，在宅・施設ともに天井設置の工事ではなく，やぐら式での導入事例が増えてきている。
- デメリットは導入コストが高くなりがちな点と，電灯やカーテンなどの天井設備との干渉に注意が必要な点である。

図1　天井走行式リフト	図2　介護ベッド固定式リフト
	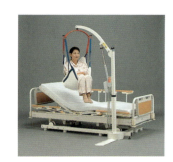

2）介護ベッド固定式リフト（図2）

- 介護ベッド周辺での移乗を目的としており，介護ベッドの重さで固定，もしくは自重で安定する構造になっている。
- 本体機器がベッドの下で構成される構造のため，日本の居住スペースで使用しやすい。
- ベッドから車いす，もしくはポータブルトイレの移乗のみで使用したい，という場合などは非常に効果的である。
- 価格も比較的抑えられており，省スペースで導入できる点が優れた点である。
- また，取り付け方法を変更することで，同様のユニットを浴室へ設置している事例も数多くある。
- この介護ベッド固定式は，日本の居住空間にあわせて製造された機種ということもあり，さまざまなシーンで導入されている介護リフトである。

3）床走行式リフト（図3）

- 車いすのように，介護リフト本体が移動することが可能で，使用場所を選ばず持ち運びが可能である。
- 持ち運びできることで広い範囲で活用ができることと，本体価格も比較的安価なため導入コストが低くなる。
- 操作性に特徴があり，利用者を中心に旋回する構造になっているため回転スペースが本体の全長分，必要である。
- 保管場所からの持ち運びや操作性，使用場所の床スペースの確保など，導入するための確認事項が多岐にわたることは見逃せない。
- 使用者に必要性が伝わっていると非常に優れた機種だが，使い方が簡単ではなく，最初の一台として導入すると使用控えを起こしやすいため注意が必要である。

4）スタンディングリフト（図4）

- 立位姿勢を保持したまま移乗・移動を行えるリフトである。主に前方支持型と後方支持型に分かれている。
- 前方支持型は円背傾向の人でも使える可能性があり，スリングシートが不要な機種が多いため，下衣の着脱が行いやすくトイレ介助などで用いやすい。

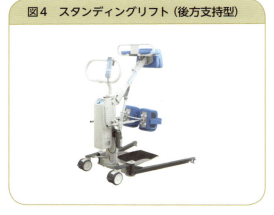

図3　床走行式リフト　　図4　スタンディングリフト（後方支持型）

- 後方支持型は立位姿勢の保持を行えるため，姿勢のバリエーション確保につながる．専用のスリングシートを用いるため，下衣の介助に関しては前方支持型よりも難しい．
- どちらの機種も立位姿勢の保持になるため，足関節の尖足予防の効果が期待できる．
- 対象者は立位が取れない利用者ではなく，立位を取れるが保つことができない利用者である．
- 尖足や膝関節の屈曲拘縮，円背などの人には向いていない．
- 現在はトイレ介助で用いられることが多いが，人力での移乗が困難になってからの導入は難しいため，早期から導入してほしい．

5）その他のリフト
- その他，排泄サポートのリフトや便座に取り付けるトイレリフト，浴室に取り付けるリフトなども存在する．

吊り具（スリングシート）の代表的な種類
1）脚分離型スリングシート（図5）
- 座位の状態でも脱着できることが特徴である．
- 吊り姿勢はスリングシートが骨盤後方を支えることで骨盤が起立し，坐骨からの着座がしやすく，良好な座位姿勢で移乗が行えるようになる．
- 反面，脱着時に骨盤を前傾する必要があるため股関節の可動域に制限があったり，筋緊張が高い人の場合は介助方法に工夫がいる．次に紹介するシート型スリングシートを一時的に用いて筋緊張が低下してから導入するなどが必要である．

2）シート型スリングシート（図6）
- ベッド上など臥位時に脱着を行うため，座位時に抜き取ることができないスリングシートである．
- 骨盤の裏側に支持がないため吊り姿勢は骨盤後傾になりやすく，着座時に注意が必要である．
- シート型スリングシートは抜き取りにくいため，床走行式リフトを複数の対象者に用いる場合には人数分枚数が必要になるため，脚分離に比べてコストが余計にかかる場合が

図5　脚分離型スリングシート

図6　シート型スリングシート

　ある。
- 反面，介助者からすれば移乗のたびに脱着の必要がなくなるため，介助の作業工程数を減らすことができる。
- 筋緊張が高い利用者へ無理して脚分離型スリングシートを導入するのではなく，最初は装着が簡単なシート型スリングシートを用いて移乗時の不良刺激を取り除くことで筋緊張の緩和を図り，股関節の可動域が確保されたら脚分離型へ変更する例もある。

3）トイレ用（ハイジーン）スリングシート（図7）

- 吊り姿勢のまま下衣を上げ下げすることができることが特徴である。
- ズボンのように上げ下げをするため，テープ式のおむつを使用している場合には不適合となる。
- 支持面が少ないため利用者の体型によっては不適合になる場合がある。
- また，下衣の上げ下げには介助者の修練や利用者の衣服の選択など注意することが多い。
- そのため，初めての介護リフト導入としては簡単とはいえないので，他のスリングシートで介護リフトに慣れてからの導入をお勧めする。
- 導入できたときの効果は利用者・介助者ともに非常に大きいため，長期的な目線での導入計画を立てて挑戦してもらいたい。

4）歩行用スリングシート（図8）

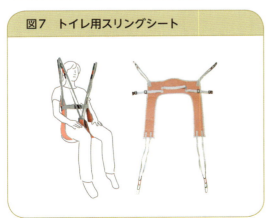

図7　トイレ用スリングシート

図8　歩行用スリングシート

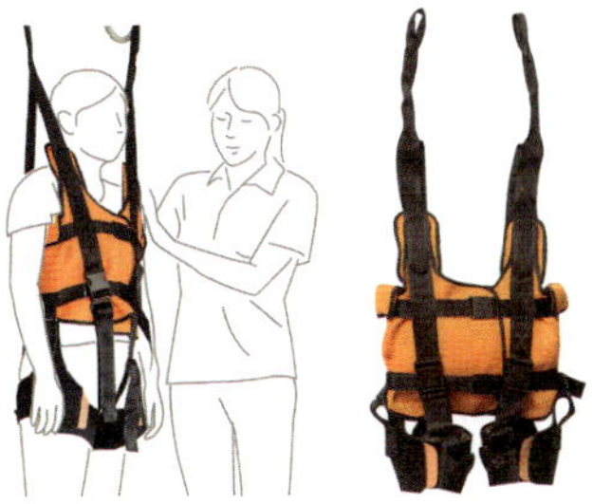

- 吊り姿勢を立位でとることができるスリングシートである。
- 吊り上げ距離を調整することで下肢にかかる荷重を調整することができ，免荷や転倒予防などさまざまなシチュエーションの設定が可能である。
- 転倒せずに歩行訓練，立位の保持が行えることは利用者の恐怖心の軽減，また介助者の無理な保持も不要になるため検討の価値がある。

5）その他のスリングシート

- 子ども用の特殊サイズや胸郭を開いた姿勢で吊り姿勢をつくるための6点式シート型スリングシート，完全オーダーメイドのうつ伏せ姿勢での吊り姿勢をつくるスリングシートなども存在する。

6）シャワーキャリー型（図9）

- 上部が分離していすの形で吊り上がるシャワーキャリーという吊り具も存在する。
- デイサービスなどですでにシャワーキャリーを用いた入浴を行っている場合，介護リフトの導入とシャワーキャリーの変更を行うだけで安全な浴槽への移乗が実現できる。

図9　シャワーキャリー型

介護リフト導入計画の策定

- 本体機種と吊り具（スリングシート）の適切な組み合わせがリフトを有効活用するためには重要である。
- どの機種を使うのか，ではなく，何のために使うのか，という介護リフトを導入する計画策定が最も重要である。

選定のポイント

- スリングシートの選定は以下の要素を考慮した選定が望ましい。

1）使用場面：居室・浴室（脱衣場）・トイレ

- 使用場所は種類の選定に大きくかかわるため，介助手順や目的を確認する。

2）吊り上げる場所：介護ベッドなど頭側を挙上する機能はあるか

- 床などフラットな位置から吊り上げる場合，頭部の支持が必要になるため，ハイバックを選定する。
- ベッドに頭側を挙上する機能があったとしても，頭部支持が不安定な場合は後傾気味に吊り上がるハイバックが適している例がある。

3）着座場所：移乗先の車いす・床・ストレッチャーなどの環境

- 車いす上で取り外す必要があるか，もしくは介助手順的に外さなくてもよいかなど，どのように過ごすかにより種類が分かれてくる。

- 着座姿勢にも影響するため，何を目的に移るのかよく確認する必要がある。

4）介助者の介護力：福祉用具の操作に慣れているか
- 福祉用具の操作に慣れている，もしくは使ってくれるかどうかを確認する。
- 手順を覚えるまでに個人差があることには注意が必要である。
- 介助者が取り扱いを諦めてしまった場合，導入は困難になるため，吊り姿勢のクオリティよりも，介助者が使える機種を選ぶ，ということも場合によってはあり得る。

5）利用者の状態：皮膚の状態・下肢の有無・疾患など
- 身長や体重，下肢の有無などは吊り具の種類やサイズに大きな影響を与える。
- 人工呼吸器をつけている医療的ケア児のケースなどでは，吊り姿勢で頸部が屈曲することは避けなければならない。
- 吊り具の選定は利用者の健康や安全に密接にかかわるため，より注意が必要となる。

吊り具の使い方について

- 吊り具（スリングシート）の装着方法，また注意点はスリングシートの種類によって異なってくる。各メーカーのホームページなどでしっかり確認する必要がある。
- 多少の練習は必要ではあるが，普段から更衣介助やおむつ交換の介助を行っている場合はその技術を転用できる。
- 合わせるポイントとストラップの注意点を把握することが，安全な取り扱いへとつながる。

コストの考え方

施設における導入コスト

- 介護リフト本体と吊り具導入の一時コストは決して安くはない。
- 現在は介護リフト導入への補助金が少ない状況である。
- 介護リフトなどの福祉用具を用いたケア，つまりノーリフティングケアが定着した施設・地域では，腰痛者の減少や新しい人材の確保につながった事例がある。
- 介助者が腰痛になり病院へ通った場合の医療費，ならびに交通費や，施設における人材の採用コスト・教育コストを減らせると考えた場合，設備としての導入価値は高いと考える。

在宅における導入コスト

- 介護リフトは介護保険適用の製品のため，介護認定を受けている場合，月額レンタル料に対して各々の自己負担割合に基づいて比較的安価に導入することができる。
- 吊り具に関しては特定福祉用具購入の対象製品であり，介護リフトと同時導入のタイミ

ングで同数まで介護保険を用いて購入することができる。
- 一方，障害分野においては介護リフト・吊り具ともに日常生活用具の制度にて補助が出るようになっている。
- 日常生活用具の補助金額は市区町村により異なるため，各自治体の障害福祉課に問い合わせる必要がある。
- 導入にコストがかかるイメージがあるが，ケースによっては導入することでむしろコストが低下するケースも実際に存在する（表1）。

表1　介護リフトを導入しコスト が低下したケース

導入前

移乗ごとにヘルパーの介入が必要なケアプランを立てた
↓
朝と夕方にヘルパーが介入
↓
大幅な限度額オーバーになってしまった

このケースでの介護リフトの導入後

介護リフトを導入
↓
しばらく経った後には移乗を家族だけで行えるようになった
↓
ヘルパーの介入件数が減り，結果として介護保険限度額の中に収まるようになった。最終的に自己負担が月額7万円減った

（栗原俊介）

6 認知症の人への対応はユニバーサルデザインケア

ポイント

- ここで提案する認知症の人への対応としてユニバーサルデザインケアは，「心地よさ」をもたらすシンプルなケア＝『圧分散としての圧抜き』である。
- ユニバーサルデザイン"圧抜き"ケアは，認知症の人だけでなく，援助される人・援助する人も救われる，すべての人に有効なまさしく"ユニバーサル"なケアである。
- 圧抜きは人間としての尊厳を守る心地よさをもたらすとともに，褥瘡（じょくそう）になりやすい部位とそこにかかる圧の強さを触知して体圧分散クッションを入れる場所のヒントとなる。

認知症の人の褥瘡（じょくそう）発生原因

- 認知症の人がケアを嫌がり，怒ったり，逃げようとした場面を経験したことのある人は少なくないだろう。
- ケアのときに"格闘"することで，仙骨部や骨突出部がベッド面で擦れて，褥瘡（じょくそう）のリスクが高くなり，発生原因になることもある。

認知症ケアの大原則

- 認知症はその病気の進行に伴い，記憶や理解，学習，判断機能など，人間関係を維持するためのさまざまな社会機能が低下する。認知症になると次第にわからないことや理解できないことが増え，さまざまな生活行為を続けることが難しくなっていく。しかし，認知症の人のそのとき感じた感情は，心に長く残っている。
- そのため，認知症の人のケアでは，「パーソン・センタード・ケア」[1]といわれる，家族をはじめケア提供者など周囲の人たちから「大事にされている」「尊重されている」と自尊感情を損なわない，心地よい感情を抱けるようにかかわることが重要であると，イ

ギリスのキットウッドは唱えている。
- 「快」「不快」の感情は，人の比較的原始的な脳の報酬系システム[2]にあることから，「快」つまり「心地よい」感覚は，認知症があっても本人から受け入れがよい感情の1つなのではないかと考えられる。
- これらのことを踏まえると，ユマニチュード®（表1）やノーリフティングケア（図1）が，認知症を伴う人へのケアとして非常に有効であることが納得できる。

表1　ユマニチュード®の4つの柱を取り入れて：認知症の人へのユニバーサルデザインケアで着眼したい点

4つの柱	ケアの着眼ポイント	留意点
見る	目を合わせて＝視線をつかむ＝自分の存在を認識してもらう	見えていても認識が難しい場合が考えられる。そのため，**時間をかける，繰り返し確認することも大切**
話す	自分の行う行動と様子を言葉にして実況するように声かけする	**落ち着いた声でやさしく話す**
触れる	広い面積で「やわらかく」「ゆっくり」「撫でるように」「包み込むように」 『赤ちゃんを抱っこするお母さんの手のように』	腕をつかむ動作のメッセージは「連行される」などマイナスなイメージとして相手に伝わる。**「下から（そっと包むように）支える」ことが大事になる**
歩く	「立つこと」は子どもの頃に自力で立ち，周囲の人たちに賞賛された記憶とともに，社会とのつながり＝人間の尊厳を維持する認識として刻まれている。同時に，生理的身体機能（骨・筋肉の健常化や血液循環，呼吸器系の維持など）へのメリットがある	介助を受けて起きることが続くと自力で起きる，立ち上がる方法や感覚を忘れる。そのため，**「ベッドに手を付き上体の重心移動」で自力で起きることができるような支援が必要である**

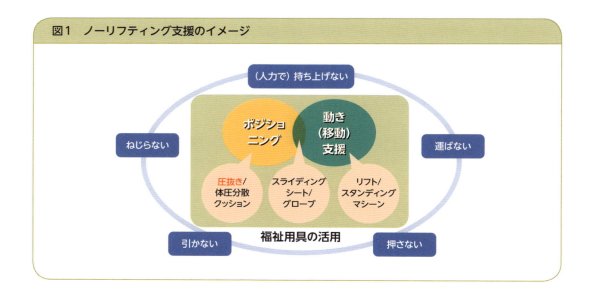

図1　ノーリフティング支援のイメージ

ユニバーサルデザインケア（圧分散としての圧抜き）

- 本項で提案するユニバーサルデザイン（図2）[2]の"圧抜き"ケアは、「心地よさ」をもたらすシンプルなケアである。そのため、認知症の人だけでなく、すべての人に有効である。

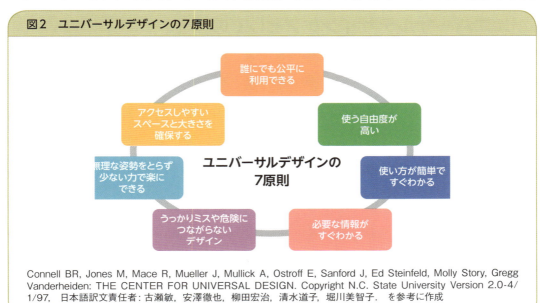

図2　ユニバーサルデザインの7原則

Connell BR, Jones M, Mace R, Mueller J, Mullick A, Ostroff E, Sanford J, Ed Steinfeld, Molly Story, Gregg Vanderheiden: THE CENTER FOR UNIVERSAL DESIGN. Copyright N.C. State University Version 2.0-4/1/97, 日本語訳文責任者：古瀬敏，安澤徹也，柳田宏治，清水道子，堀川美智子．を参考に作成

- そのユニバーサルデザインケアは、『圧分散としての圧抜き』である。このケアは褥瘡予防のためにも、いつでもどこでも簡単にケアの心地よさを提供できる。
- 『心地よい＝快感』をもたらすこの「圧抜き」ケアは、認知症を伴う人も、そうではない人も、誰にでも人としての自分自身を取り戻してもらうケアにもなり得る。まさしく、このケアを実施しようとする人さえ存在していれば、誰にでも適用可能なユニバーサルデザインケアである。

> **実例**
> ☆認知症を伴う人で、ベッド上でどんなケアをされても「痛い，痛い」としか訴えなかった人が、背中、腰部、殿部の重さを圧抜きして撫でるようにさすると、まったく拒否などをすることなく、「気持ちいい」と言い表情を和らげる反応があった。
> ☆がんのターミナル期の患者では、何もしてあげられないと悲嘆する家族に圧抜きを紹介すると、家族が患者さんのそばで圧抜きができて、骨転移の痛みや呼吸の苦しみ、倦怠感などを和らげ安楽をもたらすケアともなった。

- この圧抜きは先述のユマニチュード®やノーリフティングケアの重要な要素である。認知症を伴う人へのケアに圧抜きを加えて実施することで、人間としての尊厳を守るとと

もに，心地よさをもたらすことができる。
- ユマニチュード®やノーリフティングケアのポイントは表1，図2に示した。専門的かつより具体的な方法については，それぞれの専門書やケア研修会に委ねたい。本項では筆者が考える「ユニバーサルデザインケア」を紹介し，普及を図りたい。

ユニバーサルデザインケアとしての『圧抜き』のケア方法と効果

圧抜きの方法

1) 使用物品
- 使用物品は，スライディンググローブ，あるいはビニール袋だけである。グローブがない場合や感染症をもつ人の場合は，食品や雑貨などを入れる一般的なポリビニール袋でもよい。

2) 手順
①ケア実施者が手（〜腕）にグローブなどを付ける＝摩擦を減らし挿入しやすくなるように準備する。
②まずは比較的体圧が低く挿入しやすい腰部から手のひらと腕を挿入した後，殿部から背中，そして肩甲骨部から肩へと移動させる。圧がかかっている身体とベッド面との間で腕を移動（スライド）させることで，圧抜き（体圧が分散）される。
③その後に殿部から下肢，踵にかけても同様に，手〜腕をスライドさせ体圧を分散する。

3) 留意点
- ②，③のとき，どこに高い圧がかかっているのか手のひらで確認する。
- 高い圧がかかっている部分を他の面へ分散移動させるような気持ちで圧抜きを行うと，圧分散されやすく心地もよい。
- グローブや袋を使うと摩擦が減って滑りやすく，背中や殿部へ手を入れやすくなる。
- ケアを受ける側は，摩擦が減ることで皮膚を優しく撫でられるような心地よい感覚が生まれる。
- 腕の力だけで圧抜きをすると，実施者の負担が大きい。腕の移動は実施者の身体の重心移動とともに行うと，より軽い力で効率的に行うことができる。
- 皮膚は軽く外圧をかけるだけでも，血管が圧迫され血液循環が促される構造（図3）のため，圧を分散するケアは皮膚の血液循環を促すとともに，末梢の神経も刺激され，マッサージ効果もある。

参考動画　圧抜きについて

圧抜きの手法　　圧抜き時の身体の移動

図3 皮膚の正常な構造および外圧の影響

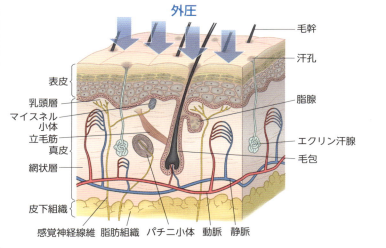

圧抜きによる皮膚への適度な外圧は、毛細血管内の血液を深層の太い血管に戻し循環を促す。同時に末梢神経も刺激する。

エレイン・N・マリーブ，林正健二他訳：人体の構造と機能，第2版，101，医学書院，2005. を参考に作成

圧抜きの効果

- 圧抜きをすると実施する前よりも接触面積が広くなり、体圧が分散されて平均値が低くなる。身体は軽く傾けただけでも体圧が変化するため、圧抜きはタッチングとともに体圧分布を変えるスモールチェンジの効果ももたらす（スモールチェンジについてはp40

図4 頭側挙上30度 圧抜き前後の体圧分布の変化

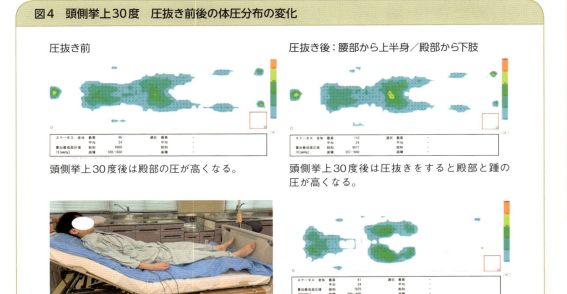

圧抜き前：頭側挙上30度後は殿部の圧が高くなる。

圧抜き後：腰部から上半身／殿部から下肢：頭側挙上30度後は圧抜きをすると殿部と踵の圧が高くなる。

殿部へのブーメラン型体圧分散クッションと下肢へのウェーブ型体圧分散クッションの挿入および圧抜きにより、殿部（特に仙骨・尾骨部）の圧が低減される。

- も参照のこと）。
- ただし，ヘッドアップ30度では圧抜きをした場合，背中や下肢の圧は分散されるものの，上半身の重さが殿部へ滑り込み，殿部の圧が高くなる状態になる（図4上段）。
- 時間の経過とともにその圧はより高くなり，殿部組織のずれも生じるため，褥瘡の発生リスクが高くなった。
- 図4下段は殿部が前にずれないように坐骨部の前方から殿部にかけてブーメラン型の体圧分散クッションを，下腿にはウェーブ型クッションを入れている（図5）。
- 基本的に体圧分散クッションは圧が高い部分の周囲に使用するが，具体的な体圧分散クッションのあて方は第4章3などを参照してほしい。
- 以上のケアは，誰にでも，いつでも簡単に短時間で背中や殿部にかかる圧を分散できるだけでなく，そこにかかっている圧の強さがわかり，体圧分散クッションを使ったほうがよい部分の情報も拾い上げることができる（注意：バスタオルは体圧分散クッション

図5　座位でのずれを予防できるポジショニング

褥瘡の発生リスクが高い人
本人の希望や療養上頭側挙上が必要な人（胸水や腹水貯留など）
→（エアマットレスを使っても）**必ず下肢方向にずれる。**
＝褥瘡発生を避けることが難しい

ブーメラン型枕は坐骨部の前方（殿部から下腿へ）ウェーブ型を下肢へ

図6　下肢屈曲拘縮モデルの体圧分布

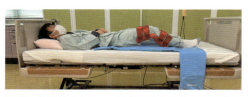
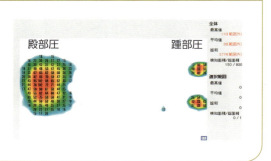

下肢屈曲拘縮があると，殿部と踵部の体圧が非常に高くなる。痛みを避けるため，側臥位や円背や上肢の屈曲拘縮につながる。

- 圧抜きを何度も実施していると次第にわかってくるが，殿部・仙骨部など体圧が高いところと腰部などの体圧が低いところがある。
- 円背やるい痩の激しい人，下肢拘縮がある人などはベッド面から浮き上がっているような状態になっているところが比較的多い。ベッド面に接触していないところが多いと接触している部分の圧力が高くなる（図6）。
- その場合，接触している部分が痛くなり寝ていることがつらいため，身体の中心部に向けて身体を縮め上肢の屈曲拘縮などの筋緊張を強くしたり，後頸部の後屈を強くしたりして拘縮を強めてバランスを保っている。これが拘縮を増強することになっている。
- 体圧分散クッションを入れた後は大きな面で支えられるように，必ず身体とクッションの間の圧抜きを実施する。こうして受け止める面を増やすことでより体圧が分散される。
- 「圧抜き」は体圧が分散されるだけではなく，関節拘縮が強い人でも拘縮や筋緊張が緩んで，次第に楽に上下肢を動かしたりし，介助を受ける人の表情反応を引き出す魅力的なケアでもある。

最後に

- この圧抜きのケアは，認知症を伴う人はもちろん，誰にでも等しく褥瘡の予防効果，心地よさを提供でき，癒しの効果も期待できる。援助される人と援助者が相互に救われるユニバーサルデザインケア（図2）としてふさわしい。
- そして，ケアを実施する人が，ケアを受ける人の「人としての尊厳」を取り戻してもらいたいという思いをもっていれば，圧抜きは相手とのコミュニケーションツールともなって，うれしい反応を引き出し，ケア提供者側も報われる思いになることが多いケアである。

（松田友美）

引用文献
1) 堀内ふき，諏訪さゆり，山本恵子編：2章 認知症・うつ病・せん妄の看護，ナーシング・グラフィカ 老年看護学② 高齢者看護の実践，第5版，208-263，メディカ出版，2021．
2) Connell BR, Jones M, Mace R, Mueller J, Mullick A, Ostroff E, Sanford J, Ed Steinfeld, Molly Story, Gregg Vanderheiden: THE CENTER FOR UNIVERSAL DESIGN. Copyright N.C. State University Version 2.0-4/1/97，日本語訳文責任者：古瀬敏，安澤徹也，柳田宏治，清水道子，堀川美智子．

参考文献
・有賀悦子：スキルアップ がん症状緩和．Section3 オピオイドの基本，南江堂，2018．

意見 ユマニチュード®の考え方

ユマニチュード®とは？

「ユマニチュード®」は，高齢者や認知症の人に有効な，知覚・感情・言語による包括的コミュニケーションに基づいたケアの技法で，快刺激を与える技法です。私たちはしばしば，認知機能の低下がかなり進行しているから，コミュニケーションが取れないなどと思いがちです。しかし，逆に認知機能が低下した人にこそ，普段日常的に行っている常識的なかかわり方が大切です。第4章6とあわせて確認してください。

ユマニチュード®の5つのステップ

ユマニチュード®では，出会いから別れの5段階に分け，それぞれのステップで行うことを具体的に定めています。

第1ステップ：出会いの準備　自分が来たことを知らせ，ケアの予告をするステップ
第2ステップ：ケアの準備　ケアについて合意を得るプロセス
第3ステップ：知覚の連結　常に「見る」「話す」「触れる」のうちの2つを使い，ケアを実際に行う
第4ステップ：感情の固定　気持ちよくケアができたことを患者さんの記憶にしっかりと残し，次回のケアにつなげるステップ
第5ステップ：再会の約束　ポジティブな何かを約束したという感覚を感情記憶にとどめてもらう

事例紹介

私が実際経験した利用者の例を紹介します。

80歳代のAさんは妻と2人暮らしで，認知症を患っていました。皮膚がとても弱く，スキン-テアができやすいため，予防目的で訪問看護依頼がありました。初回訪問から介入の拒否はなく，全身の保湿ローションを一緒に塗布しながら2週間程度穏やかに過ごされていましたが，心不全の治療で3週間入院することとなりました。

● 退院後初回訪問

退院後初回の訪問看護で，いつも通りドアをノックしたところ（第1ステップ），「来ないでください！　触らないでください！」と訪問看護師を拒否する言動がありました。看護サマリーを見直したところ，歩行時にふらつきがあり，とっさに病衣を引っ張ってしまい，スキン-テアが発生したとのことでした。毎日の処置は必要ではありましたが，この時点でのケア介入は逆効果であると考え，時間をおいてまたうかがうことを約束し（第5ステップ），撤退しました。

● 再訪問以降

数時間後，再度自宅を訪問しました。先ほどと同じようにドアをノックし，1分待っていると（第1ステップ），自らドアを開けてくれました。ドアを開けてくれたことに対し，「ありがとうございます。再会できて私たちはとてもうれしいです！」と表現豊かに伝えました。そして会話を10分程度していたところ，徐々に表情が和らいできました。

入院したことをねぎらい、入院生活について質問すると、「さあ、覚えてません。私は入院したのですか？　どこかの牢獄に入れられていました」と話され、表情が暗くなりました。そこで、入院という言葉は出さず、牢獄に置き換えて会話をしました。すると、本人から入院中であろう出来事を想像させる言葉が出てきました。Aさんは、「牢獄にいて転びそうになって、襟をつかまれて皮膚が壊れてしまった、皮膚をちぎられて風呂で洗われて痛くてたまらなかった。自分は家に来てくれている看護師さんと一緒に処置して、キズをつくらないようにしていた。私は皮膚が破けやすいから」と話してくれました。そのタイミングを見計らい、牢獄での出来事を話してくれたことに感謝したところ、「本当に痛かったんですよ。首が特に」と話しながら、包帯とガーゼを取ってくれました（図1）。

とても痛々しいことを共感し、早く治していきましょうということを提案しながら、痛くないケアを毎日本人と一緒に考えながら、治癒に向けてかかわりを続けました（第4ステップ）。直接キズにお湯をあてると痛いので、ガーゼを1枚置いて、少しずつ微温湯をかけ、痛みがないことを確認しながら弱酸性の洗浄剤をかけて洗浄しました。その後、固着しないガーゼに軟膏をあらかじめ塗っておいたものを首にあてました。また、テープを使用せず、Aさんが娘さんからプレゼントされたスカーフで被覆するようにしました。これを続けた結果、処置に対する拒否もなくなり、10日で治癒しました（図2）。

創傷ケアをするときにユマニチュード®の実践は有効

この事例では、入院という環境の変化により（環境要因）、創が発生したことで（身体状況の変化）、ケアを強行せざるを得ない環境となり、疼痛を伴う創処置が加わったことでBPSD（認知症の行動・心理症状）を発症したと考えられます。

認知症患者に限らず、急に身体を触られたり、キズに触れられて痛みを生じたりすると、恐怖や苦痛が助長されます。そのため、褥瘡（じょくそう）などの処置を行う前には、必ず本人との信頼関係と処置を行うことに対する同意を得るようにしています（第2ステップ、図3）。病院でも在宅でも創傷ケアを行う場合は、特に快刺激を与えるユマニチュード®の実践が必要であることを実感した事例でした。

（荒谷亜希子）

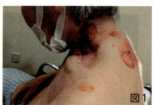

図1

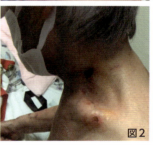

図2

図3

7 在宅でのフレイル，サルコペニア対策
～リハビリと栄養療法の協働～

ポイント

- リハビリテーションと栄養を，生活者の視点で見る。
- ICF（国際生活機能分類）を基盤としたアセスメント，マネジメント，コミュニケーションを身につける。
- 食べること・出すこと・寝ることも大切だが，動きたいと思う心になることが重要である。

買い物とリハビリ

- ケアにかかわる専門職の皆さんは，「歩けなくならないように，リハビリをしましょう」「寝たきりにならないように，リハビリをしましょう」と日常的に言っていないだろうか。「リハビリのために，買い物に行きましょう」も同じである。
- 筆者は，「買い物に行くために，リハビリテーションをしませんか？」と聞いたらどうだろうかと考えた。
- 買い物をするためには，いろいろな要素が必要である。機能的な筋力や持久力，歩行，そして，注文したことを覚えておく認知機能などが必要となるが，何よりも大切なことは，その人にとっての買い物をするということの意味を考えることである。
- ここでは，いくつかの重要な視点がある。
  ① リハビリを目的とした買い物とするのか，買い物を目的としたリハビリテーションとするのか。
  ② 「リハビリ＝機能訓練や社会参加」だけでなく，「リハビリテーション＝『全人間的復権』」であることを改めて認識する。
  ③ その人の生活の意味を考える。
- 重要なのは「リハビリ＝機能訓練」としてとらえて，運動のみが目的になっていないかどうかを振り返ることである。
- 運動することや動くことは，リハビリテーション（全人間的復権）の1つである。機能訓練や歩くこと，身体を動かすことのみがリハビリテーションであるという認識をもって

- いる人もまだ少なくない。
- 上田は「『リハビリテーション』という言葉は，日本でも現在でも『機能回復訓練』とか，せいぜい『社会復帰』という意味で理解されているにすぎないが，実はその本来の意味は『人間の権利・資格・名誉の回復』という，全人格にかかわるものであり，私はこれまでも，リハビリテーションとは障害をもった人が人間らしく生きる権利の回復，すなわち『全人間的復権』であると訴えてきた」[1]と述べている。
- 買い物という行為はリハビリテーション（全人間的復権）を目的としており，身体を動かすためのものではない。身体を動かすことは手段である。
- 買い物は人生を豊かにするものである。それをどのように実現するか，そのときにどう支援するかが重要になる。その人の人生の意味を考えることを常に意識しながら支援することが必要なのである。

食べること，出すこと，寝ること，動くこと，そして，動きたいと思う心となること

- 在宅でのフレイル（加齢により心身の機能が低下し，社会的なつながりも弱くなった状態），サルコペニア（加齢や疾患などに伴い筋肉量が減少し，筋力や身体能力が低下した状態）への対策は，その人が動きたいと思うかどうかに左右され，そのための行動をするか否かによって変わるものである。

食べること

- 生物としての＜食べること＞の目的は，身体を動かし生命を維持するために栄養を摂取することである。
- しかし，人間には心や思考が存在し，＜食べること＞をするためには，好き嫌いや嗜好が影響し，動作，箸やスプーンなどの道具を使うことも求められる。
- また，誰と食べるのか，どこで食べるのかなどの環境も大きく左右する。

出すこと

- ＜出すこと＞とは，排尿や排便のことである。食事を摂ると排泄する。これは当然のことであるが，排泄は日常生活動作のなかでも忌み嫌われるものである。
- 排泄の回数が多くなるから，軟便や下痢になると大変だから，また，おしっこの回数が増えるから，夜中に頻尿になって寝られないからといった理由で，食事や水分の量を減らそうと思う人がいることも考えなければならない。

寝ること，動くこと

- ＜寝ること＞も重要になる。
- 身体を休めることがうまくできていないと，＜動くこと＞ができない。

- これは，昼夜逆転のことを言っているのではない。医療ケアの現場では，昼夜逆転を修正しようとすることも多い。しかしこれは，日本社会のなかで人としての文化的な背景や都合が優先されていることの影響もある。
- 本人にとっては昼夜逆転であっても，昼に寝て夜に活動できていれば，それでその人らしい生活なのである。ここでいう＜寝ること＞とは，生物学的な寝られるか寝られないかの話である。

動きたいと思う心になること

- 本当に人が動くようになるフレイル，サルコペニア対策のためには，この＜食べること・出すこと・動くこと・寝ること＞が大切であるが，さらに重要なのは，＜動きたいと思う心になること＞である。何かの行為をするために動きたいか，動きたくないかである。
- 私たちはなぜ動くのか？　それは動きたいと思うからである。
- 動くことが当たり前と言っているのでもない。心が動いても，身体が動けない人が在宅では多くいる。これは本書の読者にもよく考えていただきたいことである。
- 訪問をしていると，心が動く瞬間に立ち会うことがある。以下の事例を紹介したい。

> **事例　ALSの利用者さん**
>
> 　あるALSの利用者さんは，自分が日々動けなくなるということを考えていた。今までできていたことができなくなる。支援者がいろいろと話しても何を言っても受け入れられない。現実を受け入れられない。介護ベッドを使用しながら何もしない時間を過ごす。
>
> 　ある日，利用者さんが「孫たちや家族と旅行したときに撮影したDVDがあったと思う。それを観たい」と話した。筆者はそれを聞いて，DVDプレイヤーの購入に奔走し家族との思い出を見ることができた。するとその後，利用者さんの状態は落ち着いた。DVDを観るということで，それまでベッド上でうとうとしていた生活から，頭側挙上をして長時間座ることが可能となった。そのあとは，昔の映画を観られるようになったり，サブスクリプションの動画配信サービスを契約して観ることもできるようになった。
>
> 　この人は，対話のなかで何か心を動かされた瞬間があった。そして，現在の環境のなかでできることを整えたことが重要だったのではないかと感じる。
>
> 　支援者のかかわりが心を動かし，生活の価値が上がる。

ICFで考える

ICF（国際生活機能分類）とは

- ここまで，「リハビリテーション」に必要な視点を記載してきたが，それを構造的に示したものが，ICF（国際生活機能分類）である．ICFは，その人のことを考えるためのツールといえる（**第4章1の図1を参照**）．
- 図のなかに「心身機能・身体構造」があるが，これは心と身体を指す．心の病や心が動かないこと，身体の調子が悪かったり機能的な問題があったりすることである．
- ICFは「生活機能モデル」として生活の問題点に着目し，その人のもっているプラス面を伸ばしていくなども含まれるものである．
- 健康状態が「よい状態」とは，その人に障害があろうがなかろうが「よい状態」であるということである．
- 何らかの要因によってフレイル，サルコペニアが起こると，活動，いわゆる日常生活動作がしにくくなり，参加としての外出を行わなくなる．
- そこには，環境因子としての家族や住宅環境の存在があるかもしれない．また，その人の性格がすごく慎重なときには，もしかしたら転倒してしまうかもしれないという気持ちから外出を控えるかもしれない．
- 在宅でのフレイル，サルコペニア対策に重要なことは，孤食，社会的孤立，閉じこもりなど社会的フレイル（家族や友人，社会との交流機会が減ること）をどのように解決していくかを検討することである．
- それには本人のこと，家族のこと，多職種との連携，そして，どのように支援するのかも含めて考える必要がある．

アセスメント，マネジメント，コミュニケーション

アセスメント

- アセスメントでは，ICFを使う．
- アセスメントは評価ともいわれるが，その人が困っていることや治療すべきところを知ることである．
- 「できないところ」をできるようにすること，つまり「短所」を見つけてそれを克服することも大切であるが，「できているところ」に気づき，その「長所」を見つけて伸ばしていくことにも注目する必要がある．
- この「できないところ」「できているところ」の視点を見つけること自体がアセスメントにつながる．
- アセスメントの際には，専門職の視点だけでなく，本人の視点，家族の視点も含む必要がある．

マネジメント

- マネジメントは，その人の「生活」をいかに「よい状態」にしていくかである。
- ICFの「短所・長所」を抽出していく。心身機能では，医療的な専門職の側面が強いかもしれない。また，活動は，介護職，本人，家族のことかもしれない。環境因子ならば福祉用具専門相談員，ソーシャルワーカーかもしれない。個人因子や参加には，本人，家族，近隣住民が関係する。
- サービス担当者会議では次のようなことがあった。

> **事例　料理することを目標にする**
>
> ある女性に進行性の疾患があることがわかった。
> 女性の表情は硬く，絶望的になった本人や家族を目の前にして，地域包括支援センターのケアマネジャーが語った言葉が印象的であった。
> 「ここのみんなで○○さんを支えていきますね」「いろいろな方々の意見を聞きながら，今後もよりよい生活を一緒に考えていければと思います」
> 筆者は「過去はどのような暮らしだったか，現在は何に困って不安があるのか，未来は想定しにくいができることも多くある」ということを話した。
> 話している間に，女性は主婦として料理を毎日してきたこと，定年後は家族と旅行してきたことなどを語った。
> そこで，身体の不調はあるが，「まずは料理を1品つくってふるまう」ということを短期目標とすることに決定した。
> この女性には2020年から支援に入っているが，2024年現在では，正月におせち料理を数品つくれるようになっている。また，次の目標は旅行に行くこととなっている。

コミュニケーション

- 適宜，人はコミュニケーションをとりながらアセスメント，マネジメントを行っている。
- 本人が「よりよく生きる」ために必要なことや支援，そして，受容，対話が必要かを話し合うことである。そして，本人や家族としっかりと向き合い対話することである。
- コミュニケーションで重要なのは，その人のことを「きく（聞く，聴く）」ことである。
- ここまで，アセスメント，マネジメント，コミュニケーションの重要性を述べてきた。最後に，これらを実施した事例を紹介する。

> **事例　いつか，夫とともに珈琲をふるまえたら**
>
> ※この事例を掲載することは，ご本人・ご家族の許可をいただいている。
> 以前，喫茶店を夫と営んでいたAさん（女性）は，介入当初，転倒が多く，栄養状態の改善が必要であった。介入後，在宅生活は安定した。一方で，訪問リハビリ

テーションを実施している目的が見えなくなりつつあった。

　Aさんは数年前に病を発症し，それまでは夫とともに喫茶店を営んでいた。喫茶店を続けて30年間という長い月日のなかで病気を発症し，右手右足が不自由になった。

　訪問を始めて約4年，Aさんはデイサービスに行くことはできるようになった。Aさんの希望は当初，もう一度喫茶店に勤めたいということだったが，日が経つにつれてそれが難しいのではないかと思うようになっていった。

　訪問リハビリテーションでは，できないことだけでなく，できることを一つひとつ確認していく。しかし，Aさんの希望が見えないなか，Aさん自身の「動き出そう」と思う気持ちが出るまで待つことになった。

　そのようななか，夫から喫茶店を閉店するということを聞いた。もう，喫茶店に夫婦で立つことはできないということである。

　Aさんは「この体が不自由なところを見られたくない」と話した。喫茶店には常連さんが多く，その方々に今の姿を見られたくないということであった。

　Aさんは立つことはできる。うまく伝って歩くこともできる。残った左手で道具を操作することもできる。そして，言葉を出すことは不自由だが，しっかりと人が話すことを理解できる。そこで，筆者が所属するNPO法人Life is Beautifulの研修会の場で珈琲をふるまってもらえないかという企画を提案した。

　Aさんは自分にはできないのではないかと思っていた。しかし，夫とともに話してみると，本当はできることもあるのではという思いをもつようになった。

　私はAさんに「来るのは医療や介護にかかわっている人たちですし，僕も行きますよ。ぜひ，皆さんに珈琲をふるまってください。バリアフリーのトイレもあります」と伝えた。

　この会話が，2022年4月頃のことである。Aさんは不安に思うことも多く，な

かなか一歩を踏み出せずにいたが，法人のメンバーにもこのことを話し承認を得て，同年10月16日の日曜日，研修会を迎えた。4年ぶりに夫と働くということにAさんは取り組んでみたのである。

　研修会の数日後に訪問に行った際，Aさん夫婦は大変喜んでいた。また，「あれでよかったの？」と聞かれた。「はい。まだまだ，こういうところで働いてもらいます。そのときはよろしくお願いいたします」と言うと，Aさんは不安そうな顔をしながらも，まんざらでもない様子でもあった。

　このご夫婦には，本当に感謝している。また，研修会の受講生，法人スタッフの皆が，このような形で1人の「生きる」を実現させてくれたことにも感謝している。

　Aさんの夫にこの原稿を読んでもらうと，「本当によかったなぁ」と涙ぐんでいた。これが私たちにとっての「リハビリテーション（全人間的復権）」であり，在宅でのフレイル，サルコペニア予防である。これからも，「なければ，つくる」ということをしながら，リハビリテーション（全人間的復権）をしていきたい。

〈山下和典〉

引用文献
1) 上田敏：リハビリテーション〜新しい生き方を創る医学，講談社，22-23，1996．

参考文献
・山下和典他：はいせつケア・リハ，gene，57-71，2019．
・山下和典：遠隔リハ「いきる」を届けるために―テレビ電話（ビデオ通話）によるリハビリテーション（全人間的復権）を目指して，訪問リハビリテーション，13 (5)，372-377，2023．

第 5 章

食べる!!

1. 褥瘡（じょくそう）予防と治療に栄養改善が必要な理由
2. 高齢者の栄養アセスメント
3. 在宅で行う口腔ケア
4. 摂食・嚥下評価と訓練
5. 在宅で行う栄養療法の考え方
6. 市販食品を利用した栄養改善法
7. 栄養補助食品を用いた栄養改善法
8. 在宅での経腸栄養

1 褥瘡（じょくそう）予防と治療に栄養改善が必要な理由

ポイント

- 摂取するエネルギーとたんぱく質のいずれが不足しても，たんぱく質合成は障害され，褥瘡（じょくそう）の発症と悪化をもたらす。
- 寝たきりの人に口腔ケアや摂食嚥下訓練を行うことで，誤嚥性肺炎の予防だけではなく，脳の活動を刺激する。
- 嚥下能力に合わせて，利用者に優しい栄養療法を，家族の負担を少なくしながら提案する。

褥瘡（じょくそう）発症に栄養が関与している

エネルギー不足の影響

- われわれの身体の細胞は，ほとんどがブドウ糖をエネルギー源として活動している。
- 基礎代謝エネルギーは生存に必要な栄養で，外部からのエネルギー摂取がなくても体内で補充され，グリコーゲンや脂肪，たんぱく質からブドウ糖がつくられ，これがエネルギーとして消費される。
- これは体温維持や，心臓の動き，呼吸するなどの生きていくための最低限必要なエネルギーである。この基礎代謝量は消費エネルギーの70％を占めている。
- 基礎代謝の40％が筋肉で消費されることから，栄養摂取不良状態ではたんぱく質である筋組織を分解してエネルギー源であるブドウ糖への変換が進行する。
- このように，たんぱく質がエネルギーとして消費されることを「異化作用」と呼ぶ。
- 栄養摂取不良状態が続くと，「異化作用」が持続し「異化亢進状態」となり，たんぱく質合成は行われなくなる（図1）。

図1　創傷治癒と栄養

褥瘡（じょくそう）の発症・悪化予防にはエネルギーの投与が必要である

身体を維持するための投与総エネルギー不足
（基礎代謝に必要なエネルギー量の不足）
↓
筋肉を壊し，エネルギーをつくる（異化作用）
（たんぱく質を分解してブドウ糖を新生）
↓
たんぱく質代謝がストップ（異化亢進状態）
＜創傷治癒の遅延・褥瘡の発症と悪化＞

褥瘡（じょくそう）治療にエネルギーとたんぱく質が必要な理由

- 圧迫で傷んだ組織は，組織の再生，つまりたんぱく合成によって修復される。
- 身体の細胞は，すべて窒素を含むたんぱく質でできている。窒素を含まない糖質や脂質はたんぱく質の合成材料にはならない。すべての生き物の細胞は，たんぱく質の最小単位である20種類のアミノ酸を組み合わせてつくられている。
- 食物として取り込まれたたんぱく質は，胃や小腸でアミノ酸まで分解され小腸から吸収される。たんぱく質合成を行うためには，たんぱく質の摂取が必須である。
- 人が生きるためには，エネルギーとたんぱく質の摂取が不可欠である。高齢者では1日最低でも900kcal，たんぱく質35gが必要である。
- これらが足りないと，エネルギーをつくるために筋肉たんぱく質を分解してブドウ糖につくり替えられる。
- 身体の臓器細胞や，身体機能を維持するホルモン・酵素・抗体などは絶えずつくり替えられているが，すべてたんぱく質でできている。外部からたんぱく質摂取が不足すると，筋肉たんぱく質はアミノ酸に分解され，たんぱく質合成材料として利用される。
- 身体の筋肉を壊して，エネルギーあるいはたんぱく質不足を補充している状態を「異化亢進状態」，あるいは「PEM：protein-energy malnutrition（たんぱく質・エネルギー低栄養状態）」や「サルコペニア」などと呼ばれる。
- 異化亢進状態下では，創傷部でのたんぱく質合成は抑制される。このとき，圧迫やずれで傷んだ部位での組織修復は行えず，高機能エアマットレスを用いてスキンケアを行っても，褥瘡（じょくそう）の発症を防ぐことはできない。また発症した褥瘡も悪化する。
- これが，褥瘡予防と治療に栄養改善が必要であり，また，ほとんどすべての褥瘡発症に栄養障害の関与がある理由である（図2）。

図2 褥瘡発症とたんぱく質不足

エネルギー摂取が十分でもたんぱく質摂取が不足すると褥瘡は発症し進行していく

```
エネルギー摂取が十分でも，たんぱく質摂取が不足
            ↓
身体を維持するために必要なたんぱく合成用のアミノ酸不足
（重要臓器の修復やホルモン・酵素・抗体合成にアミノ酸が必要）
（生物のたんぱく質は20種類のアミノ酸が材料）
            ↓
筋肉を分解してアミノ酸（たんぱく合成の材料）をつくる
            ↓
創傷部でのたんぱく合成抑制（異化亢進状態）
＜創傷治癒の遅延・褥瘡の発症と悪化＞
```

褥瘡予防・治療対策としての栄養改善

なぜ摂食嚥下訓練と口腔ケアが必要なのか

- 寝たきりになると活動性が低下し，脳も使われなくなる。また会話もしなくなり食べるために使う筋力が弱くなり，摂食嚥下機能が低下する。摂食嚥下能力が低下すると誤嚥しやすくなる。
- 誤嚥性肺炎の発症には一定数以上の細菌の関与が必要であるが，食事量が減り唾液分泌量が減ったり口腔ケアが不十分だと，口腔内細菌は一気に増加する。
- われわれ健常者であっても，睡眠時などには誤嚥を起こしているが，誤嚥性肺炎に至ることはまれである。健常者が誤嚥性肺炎を発症しない理由には，栄養状態がよく十分な免疫力をもっているからである。
- 寝たきり高齢者では，食事量が少なく低栄養状態にあり，筋肉量も減っているため免疫力が低下した状態になっている。
- 免疫が低下した状態で口腔ケアが不十分であると，唾液中には口腔内細菌が著しく増加し，この唾液の誤嚥によって重篤な誤嚥性肺炎を発症する。
- 摂食嚥下に使われる筋群や神経は，脳の広い範囲を占めている。摂食嚥下訓練によって脳の活動は刺激を受け，認知症の進行抑制，および意識状態の改善効果がみられる（図3）。
- 口腔ケアをすることによって，口腔内細菌が減少し，肺炎を予防し発熱しなくなる。ま

た，神経伝達物質の増加も示されており，脳の活性化が期待できる。
- 誤嚥性肺炎予防には，摂食嚥下訓練と口腔ケア，栄養改善が大切であり，できるところから開始する。

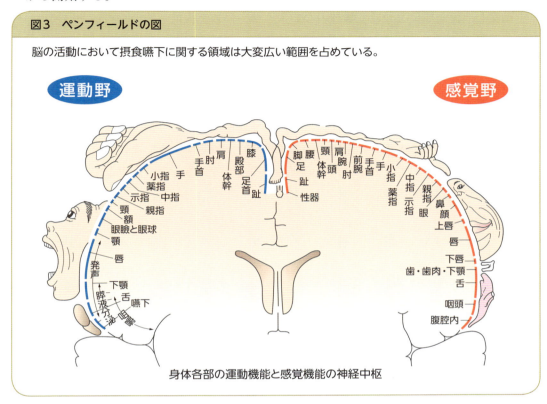

図3　ペンフィールドの図

脳の活動において摂食嚥下に関する領域は大変広い範囲を占めている。

身体各部の運動機能と感覚機能の神経中枢

寝たきりの人の褥瘡対策

- 寝たきりの人に発症する褥瘡では，体圧分散用具を使用しても圧迫を完全に回避することは難しい。
- 寝たきりになると，栄養摂取量と体動の減少による筋肉量の低下から，相対的に骨が突出し，その部位に圧迫とずれが集中しやすい。
- 寝たきりの人では，圧迫，ずれ，低栄養，骨の突出などの褥瘡発症に関する悪条件がそろっており，これらの解消は容易ではない。
- ケアプラン作成においては，体圧分散やずれ・摩擦対策，栄養改善など，バランスよく計画する。

在宅褥瘡対策での食事療法

- 在宅での褥瘡治療でも，局所療法，体圧分散，栄養療法など基本事項をおさえることが必要である。

- 医療者が考える理想的な褥瘡治療を行うと，多くの専門職がかかわり，次々と医療・介護提供者が訪問する事態となる。こうなると家族・介護者は疲弊してしまうため，サービス開始前に，利用者・家族の意向を十分に把握し，家族の経済力・介護力・意欲などを勘案し，優先順位をつけて無理のないようサービスを提供していく。
- 栄養改善には，カロリーとたんぱく質の強化が必要であるが，利用者の何十年という食歴があり，好き嫌いもはっきりしている。摂取できる食事量も少なくなっている。
- 利用者の気持ちに添いながら，家族の介護能力や意欲，また忙しさなどに配慮する。市販の栄養食品や一般の食材なども織り交ぜ，また在宅にある調理道具を活用する。利用者の好みを考慮し，さらに嚥下能力に合わせて食形態を決め，調理法を提案する。
- 調理法の提案が介護者の負担を増やすのではなく，減らすようでなければならない。
- 寝たきりの人において，食事は最大の楽しみの1つである。この食事が栄養と簡単さのみを追求された「物」であってはならない。

（塚田邦夫）

参考文献
- 塚田邦夫編著：やさしくわかる創傷・褥創ケアと栄養管理のポイント，カザン，2008.
- Yoneyama T, Yoshida M, Ohrui T, et.al.：Oral care reduces pneumonia in older patients in nursing homes, J Am Geriatr Soc., 50, 430-433, 2002.

2 高齢者の栄養アセスメント

> **ポイント**
> - 栄養課題を多職種がより早期に意識することができれば，褥瘡（じょくそう）対策により早期に介入することが可能となる。
> - 褥瘡発症の予防，重症化予防には，栄養評価のための栄養スクリーニングを実施し，多職種が栄養改善の具体的な解決策について連携することが重要である。
> - スリーステップ栄養アセスメント（NA123）は，在宅での使用を前提にしている。
> - また，高齢者の栄養状態の評価法としては簡易栄養状態評価表（Mini Nutritional Assessment-Short Form：MNA®-SF）が推奨される。
> - 褥瘡のリスク因子は低栄養が最も大きく，栄養状態の把握とリスクを抽出することが重要である。
> - 褥瘡発症・治癒のリスクファクターの栄養状態は，管理栄養士が推奨栄養量と摂取栄養量を的確に評価し，情報を多職種と共有して栄養管理を行うことが大切である。

スリーステップ栄養アセスメント（NA123）

NA123の概要

- スリーステップ栄養アセスメント（NA123）は在宅チーム医療栄養管理研究会によって，誰でもすぐに使える栄養アセスメント法として，在宅での使用を前提につくられた。
- NA123は第1段階調査（NA1：食事リスク調査），第2段階調査（NA2：脱水発見調査），第3段階調査（NA3：食事摂取状況調査）の3つの調査からなる。このなかで，簡単だが最も大切なのは第1段階調査である。
- 第1段階調査（NA1）は，簡単な質問で栄養危険度を評価する。点数により，栄養状態

が「問題なし」「要観察」「危険」に分かれ，要観察は第2段階調査を行う。
- 第2段階調査（NA2：脱水発見調査）は，飲んだ水分量だけではなく，食事中の水分量も含めた1日総水分摂取量を知ることができる。点数により，水分摂取状況が「問題なし」「要観察」「危険」に分かれ，要観察は第3段階調査を行う。
- 第3段階調査（NA3：食事摂取状況調査）は，管理栄養士が行う通常の栄養評価である。摂取エネルギーやたんぱく質，脂質，糖質，塩分，水分などが計算され，1日摂取エネルギーが900kcal以下の場合は「危険」となる。

第1段階調査（NA1：食事リスク調査）

- 第1段階調査（NA1）は，医師や看護師はもちろん，ヘルパーや患者・家族でも，使い方を教わらなくても直感的に記入可能で，栄養危険度がかなり正確に判定できる。
- 第1段階調査票（表1）は10項目からなる。色の付いた部分にチェックが付いたら1点として合計点を出す。
- 1点までが問題なしで，2～5点は要観察で第2段階調査を行う。
- 6点以上は栄養の危険状態と考えられ，直ちに主治医に連絡する。ほとんどが栄養介入あるいは全身管理が必要と診断される。
- 判定後の栄養対策として，チェックの付いた項目に対して介入を行う。例えば，①，②，③にチェックが付いた場合は「食環境」に問題があると考えられ，デイサービスの利用や地域ボランティア，ヘルパーなどの活用が勧められる。
- ④や⑤にチェックが付いた場合は，健康状態の悪化が考えられ，主治医に伝え診察してもらうよう勧める。

表1 第1段階調査票（NA1：食事リスク調査）

該当する箇所を○で囲み　　部分のチェックを1点として合計する。

①	食事は一人で食べることが多いですか	はい	いいえ	
②	買い物や食事の支度は一人でできますか	はい	いいえ	
③	一日3回きちんと食べていますか	はい	いいえ	
④	この頃，食べる量が少なくなったと感じますか	はい	いいえ	
⑤	この頃，体重が減ってきたと感じますか	はい	いいえ	
⑥	野菜は毎日食べていますか	はい	いいえ	評価基準
⑦	晩酌は毎日しますか	はい	いいえ	0～1点『問題なし』
⑧	薬は何種類飲んでいますか	3種類以上	2種類以下	2～5点『要観察』
⑨	食べたり，飲んだりするときにむせますか	はい	いいえ	6～10点『危険』
⑩	入れ歯や噛み合わせに問題がありますか	はい	いいえ	合計　　　点

在宅チーム医療栄養管理研究会監：在宅高齢者食事ケアガイド，263，第一出版，2006．を一部抜粋

- ⑥や⑦にチェックが付いた場合は，食習慣に問題がある，食事内容に偏りがあると考えられ，管理栄養士からのアドバイスをもらう。
- ⑧にチェックが付いた場合は，薬剤師に薬の服薬状況や副作用の有無などを調べてもらうとよい。
- ⑨や⑩にチェックが付いた場合は，摂食嚥下に問題があり，言語聴覚士，歯科医師，歯科衛生士などの関与が必要な状態と考えられる。

第2段階調査（NA2：脱水発見調査）

- 第2段階調査票（表2）を用いることで，1日に摂取する食事に含まれる水分量と飲み物の水分量の両方を合わせた，1日総水分摂取量を比較的簡単に知ることができる。
- 高齢者では，出ていく水分として尿から1,300mL，汗など不感蒸泄として900mL，便中に100mLが標準的で，1日2,300mL程度と考えられる。
- 入る水分量としては，食事に含まれる水分量1,000mL，飲み物の水分量1,000mL，身体がエネルギーを使うことで出てくる代謝水が300mLと考えられ，合計2,300mLになる。
- 高齢者において最低必要な水分量を考えてみる。身体を維持するのに最低必要な尿量（最低尿量）は400mL，知らずに汗として失われる水分量（不感蒸泄）は900mLで，身体がエネルギーを使うことで出てくる水（代謝水）は300mLである。これらを合わせると，400 + 900 − 300 = 1,000mLである。
- この結果から，食事も含めた1日総水分摂取量（第2段階調査票で算出）が，1,000mL以下が「危険」となる。
- 在宅チーム医療栄養管理研究会の調査では，1日1,500mL以上水分を摂っている人全例で脱水徴候はみられなかった。
- 1日水分摂取量が1,000〜1,500mLを「要観察」，1,500mL以上を「問題なし」とし，1,000mL以下を危険とした。

第2段階調査票（NA2：脱水発見調査）の書き方（表2）

- 第2段階調査票（NA2）を使用する前に以下の説明を読むことで，意外と簡単に食事に含まれる水分量を把握できるとわかる。
- NA2では，1日3食の摂取とおやつを想定しており，3食は「主食」「主なおかず」「その他のおかず」「汁椀他」に分けてある。
- それぞれ全部食べたら○を付ける。一口でも食べるか少しでも残したら△を付ける。
- これらをすべて記入したら，○や△を付けた各絵の右上にある数字を合計して右の欄に記入する。このとき○印は数字をそのまま，△印は数字の半分の値を記入する。
- 「主食」のご飯は，ご飯茶碗をイメージする。パンはどれもさほど水分は変わらない。麺・粥は高齢者が通常食べる量で水分が記載されている。
- 「主なおかず」とは，たんぱく質を主体とし，魚や肉・卵・煮物などがこれにあたる。料理の量の目安としては，目玉焼きが2個載る程度のお皿を想定している。

表2 第2段階調査票（NA2：脱水発見調査）

氏名：			性別：男・女	年齢： 歳	身長： cm	体重 kg
時	食事	種類		食事内水分計	食事外水分	料理・その他（不明箇所は料理名等を記録）
朝	主食	飯 90	パン 20	麺・粥 200		水　　杯 お茶　　杯 コーヒー　　杯 その他　　杯	
朝	主なおかず	揚物 100	煮物・蒸し物 120	生物・焼物 50			
朝	その他のおかず	お浸し・和え物・酢の物 50	煮物・蒸し物 60	揚物・焼物 50			
朝	汁椀他	汁 180	乳酸飲料など 60	漬物 15	mL		
昼	主食	飯 90	パン 20	麺・粥 200		水　　杯 お茶　　杯 コーヒー　　杯 その他　　杯	
昼	主なおかず	揚物 100	煮物・蒸し物 120	生物・焼物 50			
昼	その他のおかず	お浸し・和え物・酢の物 50	煮物・蒸し物 60	揚物・焼物 50			
昼	汁椀他	汁 180	乳酸飲料など 60	漬物 15	mL		
夜	主食	飯 90	パン 20	麺・粥 200		水　　杯 お茶　　杯 コーヒー　　杯 その他　　杯	
夜	主なおかず	揚物 100	煮物・蒸し物 120	生物・焼物 50			
夜	その他のおかず	お浸し・和え物・酢の物 50	煮物・蒸し物 60	揚物・焼物 50			
夜	汁椀他	汁 180	乳酸飲料など 60	漬物 15	mL		
おやつ等	飲み物	牛乳 150	ジュース・お茶 130	乳酸飲料など 60		水　　杯 お茶　　杯 コーヒー　　杯 その他　　杯	
おやつ等	果物	スイカ 130	その他果物 50	ようかん・あんまん 40			
おやつ等	菓子	チョコレート 0	和菓子・ケーキ 20	プリン・ゼリー・ヨーグルト 70	mL		
（1日の合計）					mL ＋	mL ＝	mL

※全部食べたときは○，半分は△，食べないときは×をそれぞれの料理名につける。※食事の種類の中の数字は水分量を示す。

在宅チーム医療栄養管理研究会監：在宅高齢者食事ケアガイド，265，第一出版，2006.を一部改変

- 「おやつ」については，種類が多くて悩むかもしれない。チョコレートやクッキー・ビスケットなどの焼き菓子のように，ギュッと固めてあるものは「チョコレート」を選ぶが，水分量は0になっている。
- ようかんやまんじゅうのように，あんがしっかり入っているものは「ようかん・あんまん」を選ぶ。アイスクリームは「プリン・ゼリー・ヨーグルト」を選ぶ。おおよそこのように選んでいく。
- 第2段階調査（NA2）を用いて計算した水分摂取量と，管理栄養士が厳密に水分摂取量を比較した別の検討では，50mL程度の誤差に収まっており，「危険」「要観察」の判定には影響しなかった。

第3段階調査（NA3：食事摂取状況調査）

- 第3段階調査は，管理栄養士が行う通常の食事摂取調査である。
- 1日エネルギー摂取量が900kcal以下を「危険」，900～1,200kcalを「要観察」，1,200kcal以上を「問題なし」とする。これは一般的な管理栄養士が行う調査であるため，ここでの詳細な解説は省略する。

（塚田邦夫）

簡易栄養状態評価表（MNA®-SF）

早期から栄養不良患者を見落とさない

- 在宅高齢者のなかには，低栄養，または低栄養のリスクのある高齢者が多く存在していることを理解し，褥瘡（じょくそう）の発症リスクが高いことを認識する。
- 早期から介入し，リスクを回避または軽減するためには，栄養管理に適切なタイミングで適切なスクリーニングを実施し，早期に介入していくことが重要である。
- 多職種が信用性の高い栄養スクリーニングツールを用いた栄養評価を実践し，早期から栄養不良患者を見落とさないことが重要である。

MNA®-SFについて

- 簡易栄養状態評価表（Mini Nutritional Assessment-Short Form：MNA®-SF）（表3）は，高齢者に特化した栄養状態を短時間で簡単に評価する栄養スクリーニングのためのツールで，医療・福祉の現場で多く使用されている。
- 食事摂取量の変化，体重変動，移動能力，ストレス，精神心理学的問題，BMIの6項目で評価し，身長・体重が測定できない場合でも下腿周囲長を用いて判定する。この評価は4分以内に実施できるという特徴がある。
- 全6項目から構成され，質問項目を基に詳しくアセスメントする。ポイントに応じて「栄

表3 MNA®-SF [Mini Nutritional Assessment-Short Form]

簡易栄養状態評価表
Mini Nutritional Assessment-Short Form MNA®

Nestlé NutritionInstitute

氏名：

性別：　　　年齢：　　　体重：　　　kg　身長：　　　cm　調査日：

下の□欄に適切な数値を記入し、それらを加算してスクリーニング値を算出する。

スクリーニング

A 過去3ヶ月間で食欲不振、消化器系の問題、そしゃく・嚥下困難などで食事量が減少しましたか？
- 0＝著しい食事量の減少
- 1＝中等度の食事量の減少
- 2＝食事量の減少なし

B 過去3ヶ月間で体重の減少がありましたか？
- 0＝3kg以上の減少
- 1＝わからない
- 2＝1～3kgの減少
- 3＝体重減少なし

C 自力で歩けますか？
- 0＝寝たきりまたは車椅子を常時使用
- 1＝ベッドや車椅子を離れられるが、歩いて外出はできない
- 2＝自由に歩いて外出できる

D 過去3ヶ月間で精神的ストレスや急性疾患を経験しましたか？
- 0＝はい　　2＝いいえ

E 神経・精神的問題の有無
- 0＝強度認知症またはうつ状態
- 1＝中程度の認知症
- 2＝精神的問題なし

F1 BMI　体重(kg)÷[身長(m)]²　□
- 0＝BMIが19未満
- 1＝BMIが19以上、21未満
- 2＝BMIが21以上、23未満
- 3＝BMIが23以上

BMIが測定できない方は、F1の代わりにF2に回答してください。
BMIが測定できる方は、F1のみに回答し、F2には記入しないでください。

F2 ふくらはぎの周囲長(cm)：CC
- 0＝31cm未満
- 3＝31cm以上

スクリーニング値
（最大：14ポイント）

- 12-14ポイント：□ 栄養状態良好
- 8-11ポイント：□ 低栄養のおそれあり（At risk）
- 0-7ポイント：□ 低栄養

Ref.　Vellas B, Villars H, Abellan G, et al. *Overview of the MNA® - Its History and Challenges.* J Nutr Health Aging 2006;10:456-465.
Rubenstein LZ, Harker JO, Salva A, Guigoz Y, Vellas B. *Screening for Undernutrition in Geriatric Practice: Developing the Short-Form Mini Nutritional Assessment (MNA-SF).* J. Geront 2001 ;56A:M366-377.
Guigoz Y. *The Mini-Nutritionnal Assessment (MNA) Review of the Literature - What does it tell us?* J Nutr Health Aging 2006; 10:466-487. Kaiser MJ, Bauer JM, Ramsch C, et al. *Validation of the Mini Nutritional Assessment Short-Form (MNA®-SF): A practical tool for identification of nutritional status.* J Nutr Health Aging 2009; 13:782-788.
® Société des Produits Nestlé, S.A., Vevey, Switzerland, Trademark Owners
© Nestlé, 1994, Revision 2009. N67200 12/99 10M
さらに詳しい情報をお知りになりたい方は、www.mna-elderly.com にアクセスしてください。

養状態良好」「低栄養のおそれあり（At risk）」「低栄養」のいずれに該当するか判定する。最後に，スクリーニング値を計算し，現在の栄養状態が簡易的に判断できる。
- 食事を摂れているか，体重が減っていないか，外に散歩に出かけたりしているか，穏やかに過ごせているかなど，日常生活の様子を問診する。
- 精神的ストレスの有無の項目は，漠然とした主観的なものではあるが，採血の必要なく，簡単に評価できるのがMNA®-SFの特長である。
- 項目FをBMIの評価項目で評価する方法と，BMIが算出できない場合，下腿周囲長の評価項目で評価する方法がある。
- 下腿周囲長はふくらはぎの最も太い部位を測定する。BMIが算出できない場合も栄養状態の評価が可能である。

MNA®-SFの評価

- 6項目の点数を合算して評価する。14点満点で，高いほうが栄養状態良好である。

【症例】
- 患者：Aさん，73歳，女性
- 主訴：仙骨部褥瘡（図1）
- 現病歴：70歳時に多系統萎縮症と診断された。
- 20XX年3月車いす使用開始，同年6月施設入所。
- 既往歴：甲状腺乳頭がん
- 意識：清明。腹部腸蠕動音やや減弱。両側下腿浮腫あり。
- 症状：パーキンソニズム（独歩不可，長時間の座位），便秘症，尿道カテーテル留置，嚥下機能低下。
- 褥瘡の経過：20XX＋1年5月仙骨部に褥瘡が発生し，改善と増悪を繰り返す。20XX＋1年5月末に誤嚥性肺炎を発症し，緩和ケアの方針となる。

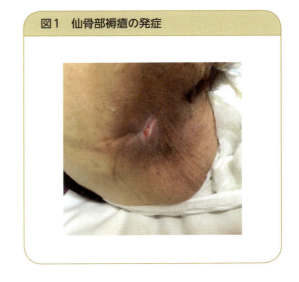

図1　仙骨部褥瘡の発症

○食事摂取状況・摂食嚥下機能について
- 訪問歯科による嚥下機能評価，言語聴覚士による嚥下訓練も並行して行っているが，徐々に病状が進行しているため，食形態を変更している。消化態栄養剤は摂取していない。

○介入している職種
- 医師，看護師，薬剤師（訪問薬剤），歯科医師，言語聴覚士（ST），理学療法士（PT），作業療法士（OT），介護支援専門員（ケアマネジャー），ヘルパー

○栄養状態
- 栄養状態の評価は，ブレーデンスケール（褥瘡のリスクアセスメント・スケール）を活

表4　Aさんの褥瘡のリスクアセスメント（ブレーデンスケールより）

点数範囲6～23点　　　高リスク；病院では14点以下，在宅では17点以下
　　　　　　　　　カットオフ値；国内では14点，国外では16～18点

栄養状態 普段の食事摂取状況	1. 不良	2. やや不良	3. 良好	4. 非常に良好
	決して全量摂取しない。めったに出された食事の1/3以上を食べない。蛋白質・乳製品は1日2皿（カップ）分以下の摂取である。水分摂取が不足している。消化態栄養剤（半消化態，経腸栄養剤）の補充はない。あるいは，絶食であったり，透明な流動食（お茶，ジュース等）なら摂取したりする。または，末梢点滴を5日間以上続けている。	めったに全量摂取しない。普段は出された食事の約1/2しか食べない。蛋白質・乳製品は1日3皿（カップ）分の摂取である。時々消化態栄養剤（半消化態，経腸栄養剤）を摂取することもある。あるいは，流動食や経管栄養を受けているが，その量は1日必要摂取量以下である。	たいていは1日3回以上食事をし，1食につき半分以上は食べる。蛋白質・乳製品を1日4皿（カップ）分摂取する。時々食事を拒否することもあるが，勧めれば通常補食する。あるいは，栄養的におおよそ整った経管栄養や高カロリー輸液を受けている。	毎食おおよそ食べる。通常は蛋白質・乳製品を1日4皿（カップ）分以上摂取する。時々間食（おやつ）を食べる。補食する必要はない。

➡Aさんの状態
・食事回数1日3回以上
・**食事摂取量半分以上**
・たんぱく質・乳製品摂取
　あるいは経管栄養・高カロリー輸液

用して実施した。
- Aさんには管理栄養士以外で医療専門職9職種が介入していた。栄養状態の評価は，施設の食事を1日3回摂取する環境にあり，ブレーデンスケールで3（良好）～2（やや不良）であった（表4）。
- 食事摂取基準2015（70歳以上，身体活動レベル1）によると，必要エネルギー量1,500kcal，たんぱく質50gに対して，ペースト食を7割摂取では，摂取エネルギー量は488kcal，たんぱく質23gであり，主食はペーストのために加水量が多く，エネルギー不足である。
- 食事の形態は，施設入所時は常食であったが，3か月後には摂食嚥下機能に応じて刻み食，褥瘡の発症（20XX年＋1年5月）を認める3か月前には，ミキサー食に変更され，その後ムース食となった（図2）。調理の食形態も柔らかくするするためには，水分量が多くなり，栄養量は明らかに減少する。
- ブレーデンスケールによる栄養状態の評価は，食事回数は1日3回摂取であったため，良好の判定であった。実際は，食事回数に問題はないが，適正な栄養とエネルギー摂取量を確保できてはいない。そのため，栄養状態が低下して発症した褥瘡は，エネルギー源となる糖質や脂質などが不足するとたんぱく質がエネルギー源として使われ，たんぱく合成に利用されず，悪化傾向となる。

○**多職種連携によるMNA®-SFによる栄養状態の評価の必要性**
- 入所時にMNA®-SFによる栄養状態の評価を実施した場合の評価は，スクリーニング項

図2 症例の摂取した食事形態の変化

20XX年7月

①普通食

20XX年9月

②一口大食

20XX年11月

③刻み食

20XX+1年2月

④ミキサー食

20XX+1年4月

⑤ムース食

目A：1，B：1，C：0，D：0，E：1，F1：0，スクリーニング値3点で低栄養の評価となる。

- 褥瘡発生時など，多職種が早期から身体の状態を考慮したうえで栄養状態を意識し，適切なスクリーニングで低栄養状態を評価した。早期に効果的な栄養管理を実施することの重要性が明らかとなった症例である。

（川口美喜子）

管理栄養士が行う栄養アセスメント

栄養アセスメントの意義

- 栄養アセスメントにおいて，食事摂取量調査による的確な栄養摂取量の把握は最も重要な項目である。栄養素の欠乏状態（あるいは過剰状態）の最初の段階は，食事摂取量の調査によって推定される。
- 食と栄養についての専門職である管理栄養士は，食事調査によって対象者の栄養摂取量の過不足を推定できる。病態や臨床診査のアセスメントによって，エネルギー，たんぱく質，脂質，塩分，水分，ビタミン，ミネラルについての栄養摂取不足を食事内容から推定し，食事による栄養素の充実を提案する。

- 高齢者はたんぱく質・エネルギー不足による低栄養状態に陥りやすく，一般に血清アルブミン値が低下すると褥瘡発生リスクが高くなり，栄養状態が創傷治癒を遅延させる。

早期から管理栄養士との協働・連携を行う

- 管理栄養士は，栄養の専門家であり，褥瘡と栄養の関係を理解できる存在である。
- 褥瘡発症予防の段階からの介入が必要であり，適切な栄養評価を行い，管理栄養士が必要に応じて介入することが求められる。
- 低栄養の高齢者では，褥瘡の予治と治癒，再発予防に関連する栄養素が潜在的に欠乏している可能性が高い（表5・6）。
- さらに，食生活の評価と咀嚼嚥下の状態による食事量などから，栄養必要量と食形態を提案し，多職種協働による栄養状態の改善につなげる。
- 食事の形態が柔らかくなれば，水分含有量が多くなり，摂取栄養量は低くなる（図3と図4は，食形態の違いによる栄養量の比較を示す）。
- 食事摂取の量や内容が変化すれば，栄養状態に影響を与える。摂取が不十分な場合は，経腸栄養，経静脈栄養などによる補給も検討される。

嗜好や機能を評価した食事

1) 褥瘡（じょくそう）治癒経過において栄養ケアプランに従ってエネルギーと栄養素を充足する

- 在宅での食事摂取調査は，食生活のパターンを聞き取り，さらに実際に食べている料理の内容・量を確認して，食事摂取量を把握・評価し栄養ケアプランにつなげる。
- 褥瘡症例は心疾患や肝臓病，慢性腎臓病（CKD）などに合併していることが多い。褥瘡

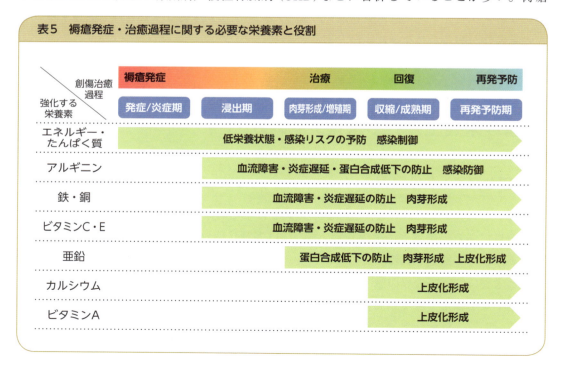

表5　褥瘡発症・治癒過程に関する必要な栄養素と役割

表6 褥瘡に関する必要な栄養素の役割と多く含む食品

栄養素	褥瘡に関する役割	多く含む食品
糖質	全身のエネルギー源、たんぱく質合成	砂糖、糖質、いも類など
たんぱく質	たんぱく質合成、筋肉量の維持	肉類、魚類、卵、乳製品など
脂質	細胞膜の基質、全身のエネルギー源	油脂類、種実類、肉類、魚類など
ビタミンA	コラーゲン合成・再構築、免疫機能	牛乳、チーズ、卵、緑黄色野菜、鶏レバーなど
ビタミンC	コラーゲン合成、鉄の吸収を助ける、創傷への白血球遊走を促進	柑橘類、苺、ブロッコリーなど
ビタミンE	抗酸化作用、細胞膜の安定化、感染症から創傷を保護	雑穀、豆類、卵、緑黄色野菜、ナッツ類など
鉄	コラーゲン合成の補因子、血流確保、貧血予防	レバー、卵、きな粉、煮干しなど
カルシウム	コラーゲン架橋形成	小魚、牛乳、チーズなど
銅	造血作用、コラーゲン架橋	レバー、ココア、クルミ、ナッツなど
亜鉛	細胞の複製・増殖、コラーゲン合成、味覚維持	牡蠣、レバー、うなぎ、納豆、たらこ、煮干しなど
アルギニン	血管拡張、血流改善、免疫増強など	肉類、納豆、カニ、牛乳など
ビタミンD	創傷治癒の促進	さけ、マグロ、さば、牛レバー、きのこなど

石井信二、田中芳明：褥瘡ケアとビタミン・微量元素、臨床栄養、138（6）、937-942、2021.を参考に作成

が発症した場合、褥瘡が治癒するまでは褥瘡の栄養療法を優先すべきである。保存期のCKD患者は、エネルギー量が不足しないこと、たんぱく質量は褥瘡の治癒過程において、腎機能を確認しながら増減する。

2）高齢者の低栄養リスク・低栄養状態の評価

- 高齢者の低栄養の課題は、本人は食べているつもりでも食べられていないことである。
- 噛まずに食べられる柔らかいものを好むようになった、入れ歯を使わず咀嚼不足でも飲

図3 食形態別の栄養素摂取量の比較

常食A：主食120g ⎫
常食B：主食 60g ⎬ 主食量のみ変更 主菜、副菜等は同量

常食A 主食120g　常食B 主食60g

ペースト食

ゼリー食

写真提供：看護小規模多機能型居宅介護施設「坂町ミモザの家（新宿区）」

図4 食形態別の平均栄養素摂取量の比較（27食分）

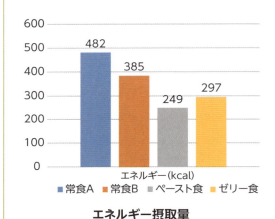
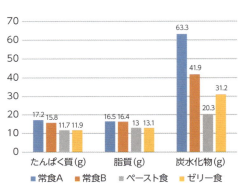

エネルギー摂取量　　たんぱく質・脂質・炭水化物摂取量

看護小規模多機能型居宅介護施設「坂下ミモザの家」施設内データ

み込む，好んでいたものが食べられなくなるなどは口腔機能低下・口内炎や食欲低下による。
- 便秘や頻尿によって，食べたいのに食べない，飲まないが生じると，腸の動きが鈍くなり，さらに便秘や欠食となり悪循環になる。
- 「食べられなくなる」ことが「歩けなくなること」へと負のスパイラルとなり，栄養状態の不良に陥る。

(1) 食欲不振

- 食欲不振の原因としては，①義歯不適合や摂食嚥下機能の低下，②消化機能の低下，③多剤併用や副作用など薬剤の問題，④加齢による味覚・嗅覚の低下，口渇など，⑤孤立や認知機能障害・うつなどがあげられる。

(2) 摂食・嚥下障害に対応した食事

- 摂食・嚥下障害の患者では，食べるための筋力と体力が低下している場合が多く，病態に応じた食事形態は，容量は変わらなくても水分含有量が多いため，エネルギー量，たんぱく質量が摂取できていない。
- 在宅療養高齢者の食事摂取量は，患者や介護者が「食べている」と答えた量が1日に必要な量を充足しているか全体像を把握する必要がある。
- 食事回数が3食あるいはそれ以上であっても，推定必要栄養量を摂取できていないことが多い。
- エネルギー量が充足しているかは，摂取栄養量を計算するよりも体重を目安とする。

(3) 姿勢

- 食事姿勢によっては，食欲が出てこないこともある。深く腰掛けて，背もたれやクッショ

ンを使って，身体を安定させる。足はしっかりと床につくように，いすが高い場合は足元に台を準備する。
- テーブルの高さは腕をのせて肘が90度に曲がる程度にする。いすとテーブルの高さをあわせて姿勢を安定させることが大切である。
- 食事時間が長くならないよう少量でも高カロリー高たんぱく質の食事が摂れるように食品の調整をする。
- 不良姿勢を長時間強いられることで，身体のこわばりや，局所に強い圧がかかることによる褥瘡などの二次障害が発生する。

(4) 褥瘡予防・治癒・再発予防のための栄養管理

①推奨エネルギー量・たんぱく質量の摂取
- 管理栄養士は，食材の重量や容量によるエネルギー量と栄養量を観察で算出できる。
- さらに，あらゆる調理（煮る，揚げる，炒める，漬けるなど）や加工後の栄養量を観察することで算出できる。
- 食べている状況を観察して，摂取した食事内容と量がわかれば，栄養量をほぼ算出することができる。

②特定栄養素の補給
- 管理栄養士は，食志向や食環境を知り，食事内容を聞き取ることで，食事摂取量を把握できる。同時に，身体的特徴や身体異常から栄養障害の病態を評価し，他職種と連携した情報共有によって食事の摂取状況と臨床診査から栄養素が不足する原因を明らかにできる。
- 多職種による情報共有は，栄養摂取方法についての課題が見える化され，患者の栄養状態の維持・改善につなぐために重要である。
- 褥瘡予防の観点では，エネルギー，たんぱく質，ミネラル（亜鉛，鉄，銅，カルシウム），ビタミンA，ビタミンCは，通常は食事の工夫でも充足できる。普通の食品で補いきれない場合には，個々のリスクアセスメントをしっかり行ったうえで，補助食品の利用を考慮する。

（川口美喜子）

3 在宅で行う口腔ケア

ポイント

- 口腔内の健康状態は，全身の健康と密接に関連している。口腔内の炎症や感染が放置されると，心臓病や糖尿病などの全身の疾患のリスクが高まる可能性がある。
- 褥瘡（じょくそう）を有する人には栄養管理が重要であるが，その栄養を摂るところはまずは口からである。「口から栄養を摂ること」が，褥瘡がある人も，褥瘡リスクがある人にとっても重要となる。
- 歯や歯茎の健康状態が悪いと，食事の摂取が難しくなり，栄養不足のリスクが高まる。適切な口腔ケアを行うことで，健康的な食事を摂取し，栄養を十分に吸収することができる。
- 口腔内の問題があると，会話や笑顔が制限され，社会的な関係が損なわれる可能性がある。口腔ケアを適切に行うことで，口の健康を維持し，良好な社会的関係を築くことができる。
- 在宅における歯科医療者の役割は，単にむし歯治療や歯周病治療を行うだけではなく，口腔も全身の一つとして認識し，ケアを行うことである。また在宅ケアのサポートのためにも他職種との連携が必要不可欠である。

なぜ口腔ケアが重要なのか

- 今日では口腔ケアが健康維持や疾患予防の重要な要素として強調されており，口腔内の健康を維持するためには，定期的な口腔ケアと歯科医師，歯科衛生士の訪問が欠かせない。
- 適切な口腔ケアを実施することにより，口腔の機能的な回復と誤嚥性肺炎の予防や全身の栄養状態の改善につながる。
- そのためには，歯科医師，歯科衛生士の早期の介入は重要であり，また口から食べられなくなったとしても，最期まで口の中の清潔を保つことはとても大切なことである。

- しっかりと口から食べることを守るために，口腔も全身の一器官として認識することが重要である。

1）全身の健康への影響

- 口腔内の健康状態が全身の健康に大きな影響を与えることが示されている。
- 例えば，歯周病や口内炎が心臓病や糖尿病，呼吸器疾患などの慢性疾患と関連していることが報告されている。
- 口腔内の細菌や炎症が血液中に入り込んで全身に影響を及ぼすことがあるため，口腔ケアは全身の健康維持にも不可欠である。

2）口腔ケアと認知症疾患の関連性

- 最近の研究では，歯周病とアルツハイマー病などの認知症疾患との関連性が示されている。
- 口腔内の炎症が認知機能に影響を与える可能性があり，口腔ケアが認知機能の維持にも重要であると考えられている。

3）脳血管障害との関連性

- 在宅診療の対象となる人には，脳血管障害後遺症により何らかの身体障害ないし認知症などがあり，摂食嚥下障害がみられることも多い。
- 筋・神経性疾患やレビー小体型の認知症患者も増加傾向にある。

4）予防可能な疾患のリスク軽減

- むし歯や歯周病などの口腔内の疾患は，適切な口腔ケアによって予防することができる。
- 歯みがきや定期的な歯科医師の訪問などの口腔ケアや，健康的な食事の実践によって，口腔内の健康状態を良好に保つことができる。

5）寿命の延長と生活の質の向上

- 口腔ケアが適切に行われると，むし歯や歯周病など口腔内の問題が予防され，寿命が延長する。
- また，口腔内の健康状態が良好であることは，食事摂取や会話，笑顔など日常生活の質を向上させる。

6）呼吸器疾患との関連

- 口腔内からの細菌やウイルスの誤嚥は，肺炎や慢性呼吸器疾患などの呼吸器疾患を引き起こすリスクを高める。口腔内の清潔や口腔ケアの適切な実施は，これらの呼吸器疾患の発症リスクを軽減する。

誤嚥性肺炎

- 誤嚥性肺炎は，口腔内からの細菌やウイルスの誤嚥によって引き起こされる肺炎の一種である。
- 口腔内には数多くの細菌が存在し，口腔内の健康が損なわれるとこれらの細菌が増殖し，

誤嚥によって肺に侵入する可能性が高まる。
- そのため，口腔ケアの適切な実施が誤嚥性肺炎を予防するのに重要である。

1）口腔内の清潔さの維持
- 口腔内を清潔に保つことで，口腔内の細菌の数が減り，誤嚥による肺感染のリスクが軽減される。定時的な歯みがきやデンタルフロスの使用によって，歯垢や食べかすを除去し，口腔内の清潔さを維持することが重要である。

2）口腔感染症の予防
- 口腔内に感染症や炎症が存在すると，口腔内からの細菌の誤嚥リスクが高まる。例えば，歯周病や口内炎などの疾患が口腔内の免疫反応を弱め，細菌の増殖を促進することがある。

3）入れ歯の清掃と適切な装着（図1）
- 入れ歯を使用している場合は，入れ歯の清掃と適切な装着も重要である。入れ歯の清掃が不十分だと，入れ歯表面に細菌が繁殖し，口腔内からの細菌の誤嚥リスクが増加する。
- 清掃不良である入れ歯や，適合していない入れ歯の装着は，口腔内のトラブルを引き起こし，誤嚥性肺炎のリスクを高める可能性がある。

図1　入れ歯の清掃のポイント

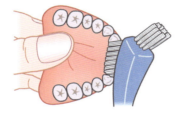

- 入れ歯用歯ブラシを使用する
- 強い圧で擦りすぎると表面がすり減るので注意が必要
- 入れ歯を外して寝るか外さないかはケースバイケースであり，歯科専門職と相談する必要がある

口腔ケアのやり方

- 口腔ケアはすべての人に必要な基本的かつ重要なケアである。口腔内に付着したバイオフィルムを機械的清掃で除去することが必要である。
- バイオフィルムとは，細菌が膜状に付着した状態であり，うがいでは取り切れない。そのため，歯ブラシによる機械的な清掃が必要になる（図2・3）。
- また，誤嚥性肺炎を予防するため，舌や上顎などの粘膜部分の清掃も行い，

図2　使用物品の一例

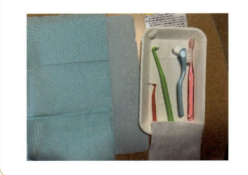

図3 歯みがきのポイント

歯と歯の間
歯ブラシの脇を使い，歯と歯の間に縦にあて，上下に動かす。

わき

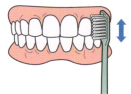

歯と歯茎の境目・奥歯の噛み合わせ
歯ブラシの全面を使い，歯に対して90度にあて，小刻みに動かします。

全面

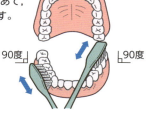
90度　90度

1番奥の歯のうしろ
歯ブラシのつま先を使い，奥の歯の外側内側の両方からもみがきます。

つま先

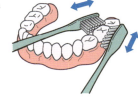

前歯の裏側
歯ブラシを縦に使い，かかと部分で歯を1本ずつかき出すように動かします。

かかと部分

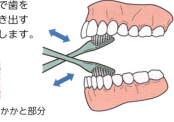

口腔内の細菌を減らす必要がある。
- 入れ歯がある人は入れ歯用の歯ブラシを使う。
- 歯みがきには，歯間ブラシやワンタフトブラシ（毛束がペン状になっている小さな歯ブラシ）などを用いて歯間の汚れを除去する。
- まずは軟らかい歯ブラシで，歯をみがくところから始めてみる。
- また，高齢者は多剤服用などにより唾液が少なくなり，口腔内が乾燥していることも多いため，適切に保湿ジェルなどの保湿剤を使用する必要がある。
- うがいができる場合は「ぶくぶくうがい」をしてもらう。認知症などによりうがいができない場合や，うがいをすることでむせ込んでしまう場合は無理にうがいはさせず，不織布ガーゼなどで口腔内を拭きとるようにする。
- 特に夜寝ている間に，自分の唾液を誤嚥することで，誤嚥性肺炎が起こりやすくなるため，寝る前の口腔ケアは重要である。
- 夜間は口を開けたまま眠ってしまうことも多いため，寝る前には口腔保湿ジェルを用いて，口腔内の保湿保護に努める必要がある。

口腔ケアを実施するために大切なこと（図4）

1）口腔内をよく観察する

- 施設の職員や家族だけでは，口腔内の観察は難しく，歯科医師や歯科衛生士がしっかりとかかわることが大切である。
- 口の中は暗黒の世界である。暗くて見えにくく，また施設職員や家族には口の中がどうなっているのかはわからない状況が多い。

2）入れ歯の有無を確認する

- 部分入れ歯が入っている人は，外して歯の様子を確認する。特に入れ歯の留め金がかかっている歯はむし歯になりやすく，歯の形が崩れてしまっていて留め金がしっかりと引っかかっていないことも多いため注意する。

3）歯の状態を確認する

- 歯の形，色，ぐらつきはないか，穴は開いていないか，歯が欠けてしまっていないかを確認する。

4）歯茎や粘膜の状態を確認する

- 健康な歯茎はピンク色でかたく引き締まっているが，歯周疾患があると赤く腫れぼったく出血しやすくなる。
- また，粘膜も薄いピンク色であるが，赤かったり，白かったり，黒かったりしている場合はカンジダや口腔がんなど何らかの異常があることが考えられるため，歯科医師に相談する。

5）舌の状態を確認する

- 健康な舌は淡紅色で，大きく腫れていないか，赤くなっていないか，白く汚れがたまっていないか，またしっかりと舌が動くかどうかも確認する。
- 乾燥していないかについても確認する。

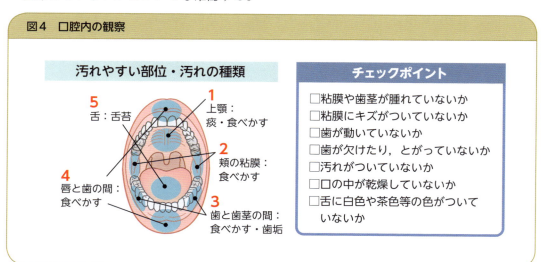

図4 口腔内の観察

- 舌の上に白い膜状のもの(舌苔)がある場合は，舌がうまく動いていない可能性もある(機能低下をきたしている場合がある)。

6) 口臭の有無を確認する

- 歯周病が進行すると口臭も強くなる。
- また，口腔内の唾液が少なく，口腔乾燥がある場合にも口臭が強くなることがある。

7) 服用中の薬剤について確認する

- 服用中の薬剤が口の中に残っていないか，きちんと飲めているか確認する。
- 舌の上に顆粒が残っていたり，錠剤が口腔内で溶けずに入れ歯の下に入り込んでいたりする場合がある。
- そのような場合には，薬がうまく服用できていない可能性もあるため，医療職者(医師，看護師，薬剤師)への情報提供が必要になる。
- 薬剤によっては舌が黒くなることがある。鉄剤やパーキンソン病の薬などは，口腔内に黒く残ることもある。

8) 食べかすなど，汚れの有無を確認する

- 麻痺がある側には，食べかすが特に多く残ることがある。
- 食べかすが多く残っているところは，動きが悪くなっている可能性が高い。
- 口の中のどの部分に食べかすが残るかが，どれだけ口が動いているのかの目安になる。

在宅における口腔ケアの支援方法

- 在宅高齢者の口腔ケアを支援するにあたり，一番重要なのは環境を整えることであると筆者は考えている。例えば以下である。
  ①自分で洗面所で歯みがきを行えるか
  ②洗面所までスムーズに移動できるか
  ③洗面所にはいすがあるか
  ④安定した姿勢で歯みがきを行えるか
  ⑤必要な明るさはあるか
  ⑥使用物品はそろっているか
  ⑦入れ歯を入れるケースはあるか
  ⑧うがいがしっかりとできるか
  ⑨使用している歯ブラシの硬さや大きさはどうか
  ⑩歯みがき粉は必要か
- その環境を整備するためにも歯科医師や歯科衛生士による適切な介入が必要であり，観察をして評価を行う必要がある。
- 口の中は人に見られるのも恥ずかしいし，とても敏感な場所で，普段なら髪の毛1本でも口腔内にあればわかるほどである。

- そのため，痛がらせないことが重要であり，優しく言葉がけを行い，優しくみがく必要がある。
- 市販の歯ブラシは硬くてみがく部分が大きなものが多い。硬くて大きいと認知症の人はそれだけで抵抗し，適切なケアが難しくなる。
- 介助者が口腔ケアで困ることとして，歯みがきを嫌がられる，口を開けてもらえない，口の中が見えないということがある。
- そのため高齢者には軟らかめの歯ブラシが必要であり，歯ブラシの選択は歯科衛生士の重要な仕事である。
- 患者の口腔内環境に適した歯ブラシを選ぶこと，またその適切な歯ブラシを用いて，正しいブラッシングを行うことが，口腔ケアには必要なことである。
- 自分自身でみがけない場合は，「介助者が適切に口腔ケアを実施できる環境にあるかどうか」，また，「ベッドで寝たきりの人やうがいができない人への支援の方法は適切かどうか」を確認する。
- 歯科医療専門職種によりこれらの観察評価を行うためにも，歯科訪問診療の実施は大切である。
- 家族，介護支援専門員（ケアマネジャー）や訪問看護師，ヘルパーなどの多職種の目から歯科へつないでもらうことは大切なことである。

在宅における歯科医師，歯科衛生士の役割について

- 在宅診療における歯科医師，歯科衛生士の役割は，ただ単にむし歯の治療や歯周病治療をするだけでない。
- 褥瘡（じょくそう）を有する人には栄養管理が重要であるが，その栄養を摂るところはまずは口からである。「口から栄養を摂ること」が，褥瘡がある人も，褥瘡リスクがある人にとっても重要となる。
- 口から栄養が摂れると，活動量が上がり，皮膚状態が良くなる。
- 食べるための口の中がきれいでなければ，汚れた皿に食べ物を盛りつけていることと同じである。普段の口の中の状況に目を向けることが必要である。
- 口から食べることは最高の口腔ケアである。
- 歯科医師，歯科衛生士は，食べるための口づくりのために，適切な口腔内評価を行い，また適切に口腔機能を評価したうえで，患者に適した食事環境（食事時の姿勢や食具），食事形態，適切な口腔機能訓練を実施する。何よりも適切な口腔ケアが重要である（図5）。
- 急性期から終末期ケアまで，どの時期においても歯科の支援体制は重要となり，患者や家族にとって大切なケアとなる。
- 別れのときが近づくなかで口腔ケアを実施することにより，家族や支援者は本人と別れを覚悟できる過程を歩むことになる。最期まで口腔ケアを行うことが支援者自身のやり

図5 口の体操やマッサージ

口の体操やマッサージをしましょう！

唾液には口の中をきれいに洗い流すはたらきがある。
日頃からできるだけ口を動かし，またマッサージなどで唾液の分泌を促すのがよい。

口の体操

「あ」「い」「う」と発音するように口を大きく動かす。

頬の体操

頬を膨らませた後にすぼめるという動きを数回繰り返す。

舌の体操

口を開き，舌を出して上下左右に数回動かす。

唾液腺のマッサージ

耳の下や顎の下，頬をさすったりもんだりして動かす。

きったという満足感にもつながる。

- 口から食べられなくなったとしても，最期まで周囲の支援者が行えるのは口腔ケアであり，後に支援者にとってのグリーフケアにもなり得る。
- 歯科医師，歯科衛生士は言語訓練や嚥下訓練を行える職種でもある。困ったことがあったらぜひ，歯科専門職種に相談してほしい。
- 今後，独居の高齢者や老老介護が増えていくなか，住み慣れた地域での安心した暮らしを送るために，患者や家族，介護者の在宅ケアのサポートや，主治医，ケアマネジャー，訪問看護師，ヘルパーなどとの多職種連携（チームアプローチ）に，さらに歯科がかかわっていくことが必要である。

（木下幸子）

4 摂食・嚥下評価と訓練

ポイント

- 摂食嚥下とは，食べ物や飲み物を認知してから，口腔や咽頭，食道を経て胃まで移送する一連の動作をいう。このうち，嚥下とは口の中の物を飲み込み，胃に送ることを意味する。
- 摂食嚥下は多くの器官が協調して行われるが，5つの段階に分けた5期モデルがよく用いられる。
- 摂食嚥下障害がある場合，評価を行うとともに原因に応じて対応することが求められる。

摂食嚥下の5期モデルと病態，対応

- 摂食嚥下とは，食べ物や飲み物を認知してから，口腔や咽頭，食道を経て胃まで移送する一連の動作をいう。
- 摂食嚥下の一連の動作は多くの器官が協調して行われ，先行期・準備期・口腔期・咽頭期・食道期の5つに分けた5期モデルが用いられる（図1a～e）。
- 先行期・準備期・口腔期は随意運動で，咽頭期・食道期は不随意運動である。

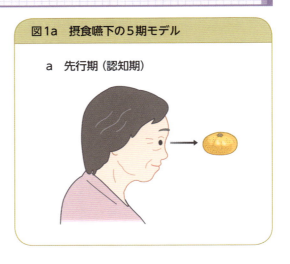

図1a 摂食嚥下の5期モデル

a 先行期（認知期）

図1b〜e 摂食嚥下の5期モデル

b 準備期（咀嚼期）

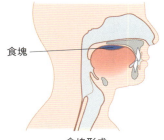

食塊／食塊形成

c 口腔期

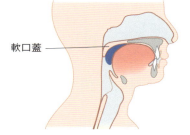

軟口蓋／食塊の移送，軟口蓋の挙上

d 咽頭期

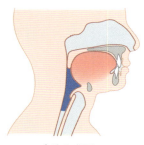

食塊の嚥下

e 食道期

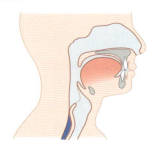

胃への食塊の移送

先行期（認知期）

- 食物を摂取する前の，目で見て匂いを嗅ぎ，食べるかどうか・どのような食べ方をするかを決める段階を先行期と呼ぶ（図1a）。
- 先行期は視覚だけでなく，視床下部にある摂食中枢（空腹を感じさせて食事を促す）や満腹中枢（満腹を感じさせて食欲を抑える）にも左右される。

1）先行期の障害

- 認知機能が低下していると，先行期の障害を生じることがある（図2）。
- アルツハイマー型認知症の場合，偏食（特に甘いもの）や食べ物との認識ができない（失認），スプーンなどの食器をうまく使えない（失行），食事中の集中力の低下などが代表的な症状である。
- レビー小体型認知症の場合，パーキンソニズムによりスプーンなどの食器をうまく使えない，幻視により食べ物の中に虫がいるなどと訴えることがある。
- 前頭側頭型認知症の場合，偏食や早食い，食事中に席を立って中断してしまうなどの症状がみられる。
- 認知症ではなくても，白内障や視力の低下などで食物の視認がしにくいこともある。
- 睡眠障害やパーキンソン病などで覚醒状態が悪いときにも，先行期障害が生じる。

図2 認知症による先行期障害

枝広あや子氏講演会資料を参考に作成

2) 先行期の障害における対応方法

①食べ物の認識がうまくできない
- 模様のついたテーブルクロスや食器は使わない。また、米飯は黒いお椀に盛るなど、コントラストをはっきりさせる。

②食事中の集中力低下
- 食事中は気が散らないようテレビを消す。

③食事ペースが速く、窒息の恐れがある
- 小さめのスプーンを使う。小分けやわんこそば形式にして配膳する。

準備期（咀嚼期）

- 食物を口腔内で唾液と混ぜて咀嚼することにより、嚥下に適した形態（食塊）にする段階を準備期と呼ぶ（図1b）。
- 咀嚼には歯でかむ力（咬合力）だけでなく、舌や口唇・頰粘膜や咀嚼筋の運動、唾液の分泌、舌背での液体の保持など、多くの器官の協調運動が重要になる。

1) 準備期の障害

- 舌や口唇の力が低下すると、食事に加えてパ行、タ行、カ行などの発音にも影響が出る。舌や口唇の運動機能を測る方法に、「パ」「タ」「カ」それぞれを連続で発声して、1秒あたり何回言えたかを評価するオーラルディアドコキネシスがある。
- 歯の欠損が多いと咬合力が低下し、咀嚼が不十分になる。また、歯が多く残っていても、齲蝕（虫歯）や歯周病が進行している場合や、義歯が入っていてもうまく使えない場合、十分に咀嚼ができないこともある。

2）準備期の障害における対応方法

①歯や義歯に不具合がある
- 歯科訪問診療を依頼する。訪問診療を行っている歯科診療所がわからない場合，担当している介護支援専門員（ケアマネジャー）や最寄りの歯科医師会に問い合わせるとよい。

②口唇から飲み物がもれ出る
- 口唇を閉じたまま右頬・左頬を交互に膨らませる運動を行い，口唇閉鎖の力を強くする訓練方法がある。また，前歯と口唇の間に紐をつけたボタンを挿入し，口唇に力を入れてボタンが口腔外に出ないようにする訓練（ボタンプル）もある。

③食べ物がうまく咀嚼できず，時間がかかる
- 食べ物を一口大や柔らかめにするなど，食形態を工夫する。

④その他
- 食事前に口腔体操を行うことや，「パ」や「タ」や「カ」の連続発声を行うことも有効である。

口腔期

- 食塊を口腔から咽頭に移送する段階を口腔期と呼ぶ（図1c）。
- 口腔期では舌の運動により食塊が移送されるほか，軟口蓋が上がることにより鼻腔と咽頭の間が一時的に閉じる。

1）口腔期の障害
- 舌の力が低下していると食べ物が口腔内に残留するほか，鼻咽腔閉鎖が不十分であると食べ物が鼻腔に逆流することがある。
- 原因としては脳梗塞の後遺症，廃用による機能の低下，神経筋疾患によるものがあげられる。

2）口腔期の障害における対応方法
- 舌の力を向上させるための訓練を行う。具体的には，スプーンなどで舌を押し，舌で押し返す舌抵抗訓練や，舌を口蓋に押し当てる訓練方法などがある。

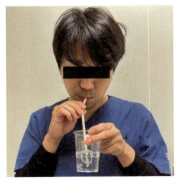

図3　ブローイング訓練
コップの水をできるだけ長く吹き続ける。

図4　吹き戻し（ピロピロ）
図3と同様，できるだけ長く吹き続ける。持続時間を記録すると，トレーニングの励みにもなる。

- 訓練を行う以外にも，PAP（palatal augmentation prosthesis；舌接触補助床）という義歯の口蓋を厚くした装置を装着する方法もある。PAPの装着は口腔内の食べ物の残留を減らすだけでなく，発音の改善も目的としている。
- 鼻咽腔の閉鎖が悪いことに対しては，ブローイング訓練が行われる。コップに水を入れてストローでできるだけ長く吹く方法（図3）がよく行われるが，その他にも「吹き戻し（ピロピロ）」（図4）を用いることもある。

咽頭期

- 咽頭に送り込まれた食塊が嚥下反射によって食道に送り込まれる段階を咽頭期と呼ぶ（図1d）。
- このとき，舌や軟口蓋，咽頭後壁の運動によって咽頭が収縮し，食塊が移送される。

1）咽頭期の障害

- 嚥下時に食塊が気道に入る誤嚥を生じるほか，嚥下後に一部が咽頭に残ってしまうと咽頭残留と呼ばれ，その後の誤嚥につながる。咽頭残留は筋力低下により舌骨の挙上が不十分になることや，咽頭の収縮が弱くなることで生じる。
- 誤嚥したときは通常であればむせが生じるが，むせのない誤嚥のことを不顕性誤嚥と呼ぶ。不顕性誤嚥はパーキンソン病やレビー小体型認知症などでドーパミンの分泌が減少したときに生じやすい。

2）咽頭期の障害における対応方法

①水分へのとろみづけ
- 水分（水やお茶，みそ汁などの液体全般）へとろみをつけることにより咽頭に到達する速度が遅くなるため，誤嚥のリスクが低下する。

②開口訓練
- 最大開口を10秒間続けるトレーニング方法（図5）で，舌骨と下顎骨をつなぐ舌骨上筋が鍛えられることにより，咽頭残留が減ることが期待できる。1日2セッション，各セッ

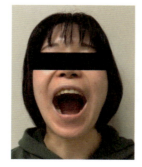

図5　開口訓練

口を10秒間思いっきり開け続ける。

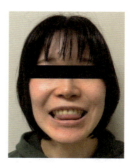

図6　前舌保持嚥下法

舌を上下の歯で軽くかみ，そのまま唾液を飲み込む。

ション10回行うことが提唱されているが，無理のない範囲で行うとよい．顎関節症がある場合はできないので注意する．

③前舌保持嚥下法

- 舌を上下の歯で軽くかみ，そのまま唾液を飲み込む方法（図6）で，咽頭収縮の力が強くなることが期待される．1日3セッション，各セッション6～8回行うことが提唱されているが，こちらも無理のない範囲で行うとよい．

④嚥下時の代償法

- 嚥下時に行う方法として，水分を誤嚥しないように嚥下の瞬間に息をこらえる「息こらえ嚥下」，咽頭残留を減らすためにうなずきながら嚥下を行う「うなずき嚥下」や食べ物と飲み物を交互に摂取する「交互嚥下」などがある．

食道期

- 食道に達した食塊が蠕動運動によって胃に送られる段階を食道期と呼ぶ（図1e）．
- 食塊が咽頭から移送される際，一時的に食道入口部が開大することで食塊が食道に送り込まれる．このタイミングがずれることにより，咽頭に食塊が残留してしまう．

1）食道期の障害

- 食道入口部や食道と胃の接合部には括約筋があり，これらの筋力が低下すると逆流の原因となる．逆流した食塊や胃酸を誤嚥することでも，肺炎のリスクが高まる．
- 糖尿病などにより自律神経が障害されていると，食道の動きも低下し，食塊の逆流や停滞の原因となる．

2）食道期の障害における対応方法

- 食道期の障害がある場合，食後もすぐに仰臥位にならず，30分～2時間は座位を保つことにより，逆流のリスクを軽減できる．

摂食嚥下の評価方法

在宅でできるスクリーニング検査

- 摂食嚥下機能のスクリーニング検査として，代表的なものにRSST（repetitive saliva swallowing test：反復唾液嚥下テスト），MWST（modified water swallowing test：改訂水飲みテスト）がある．いずれも咽頭期の評価に用いられる．
- RSSTは30秒間で唾液を何回嚥下できるかを計測する検査である．

図7 RSST

上記のように，中指を甲状軟骨の上に置いて計測する．中指をしっかりと乗り越えていないときはカウントしない．

表1　MWSTの評価基準

評点1：嚥下なし，むせる and/or 呼吸切迫
評点2：嚥下あり，呼吸切迫（不顕性誤嚥の疑い）
評点3：嚥下あり，呼吸良好，むせる and/or 湿性嗄声
評点4：嚥下あり，呼吸良好，むせない
評点5：4に加え，反復嚥下が30秒以内に2回可能

- RSSTの実施方法として，検査者は人差し指で舌骨を，中指で甲状軟骨を触り，甲状軟骨が中指を十分に乗り越えた回数をカウントする（図7）。
- RSSTでは3回未満で誤嚥が疑われる。
- MWSTは3mLの冷水を口腔底（下顎の歯と舌の間）に注ぎ，嚥下させる。
- MWSTでは3点以下で異常が疑われる（表1）。

診断のための検査法

- 摂食嚥下障害の診断には，VF（videofluoroscopic examination of swallowing：嚥下造影検査）（図8）とVE（videoendoscopic evaluation of swallowing：嚥下内視鏡検査）（図9）があるが，在宅では持ち運び可能なVEが使用される。
- VFでは造影剤入りの検査食を口腔に入れるところから，咽頭・食道を通過して胃に達するところまでを評価できる。VEとは異なり，食道期も評価することができる。ただし，造影検査の設備のある病院でしか実施することができない。
- VEでは咽頭を直接観察することができる。また検査結果を録画して経時的変化を確認でき，他職種や患者・家族と振り返る際に用いることもできる。

図8　嚥下造影検査

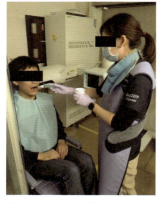

造影検査のため，食事を口に入れてから食道に至るまでの動態が観察できる。

図9　嚥下内視鏡検査

内視鏡は持ち運びができるため，訪問診療にも用いられる。咽頭を直接観察することができる。

歯科訪問診療で行える検査法

- 準備期や口腔期の検査には，主に訪問歯科で導入されている舌圧検査や咬合力検査，咀嚼能力検査を行うこともある。
- 舌圧検査は，舌を口蓋へ押しつける強さを測る検査である。この舌の力は，準備期で咀嚼をし，口腔期で食べ物を咽頭に送り込むのに役立つ。舌圧検査ではその場で舌の力を数値で評価することができる。
- 咬合力検査は，感圧フィルムを用いて上下の歯で咬む力の強さを測る検査である。義歯を使っている場合，義歯を装着した状態で計測する。
- 咀嚼能力検査は，咀嚼によって食塊形成をする能力を測る検査である。この検査により，その場で実際の咀嚼能力を数値で評価することができる。

在宅における摂食嚥下障害の対応

- 摂食嚥下障害の原因は多岐にわたり，画一的ではなく個々に合わせた対応が求められる。
- 本項であげた診断方法やリハビリテーションは重要であるが，既存の方法だけにとらわれずに，どのようにしたら患者の生活が快適になるか・安心して過ごせるようになるかを考えるとよい。
- 摂食嚥下リハビリテーションを行う医療機関は増加傾向にあるほか，近年では嚥下調整食を提供するレストランも浸透しつつある。摂食嚥下関連医療資源マップ（https://www.swallowing.link/）から地域ごとの医療機関・レストランを探すことができるので，参考にされたい。

（柳田陵介・戸原玄）

5 在宅で行う栄養療法の考え方

> **ポイント**
> - 在宅療養者の栄養・食支援は栄養課題だけではなく，療養者を取り巻く生活背景や身体的問題を含めて食生活全体を考える必要がある。
> - 褥瘡(じょくそう)の栄養ケアは，十分なエネルギーとたんぱく質の摂取に加え，ビタミン，ミネラルに不足や偏りがないことも重要である。在宅療養者のなかには，食品の多様性に欠ける人もあり，配慮が必要である。
> - 噛んだり，飲み込んだりする機能が衰えている場合には，あんやソースをからめる，油脂を利用する，つなぎを利用するなどの調理法の工夫で食べやすくする。
> - 市販の介護食が中心の食事は，エネルギーが十分に確保できないこともあるため，長期の利用時は，工夫が必要。

在宅療養者の栄養・食支援の課題と現状

- 在宅療養者の栄養・食支援は，栄養課題だけを考えればよいのではなく，療養者が抱えるさまざまな生活課題を把握したうえで，食生活全体を考える必要がある。
- 食生活全体とは，買い物，献立を考える，食材管理，調理，セッティング，片付けといった食材を準備して片付けるまでのすべての工程のことをいう。
- 在宅療養者の食を取り巻く状況は，社会的問題，身体的問題を含めて以下のようなことが問題であると考えられる。
  ①老老介護や独居者の増加
  ②男性介護者の増加
  ③移動手段や地域性によって買い物が困難である
  ④うつ状態や認知機能の低下
  ⑤活動性の低下
  ⑥口腔機能の低下

- ⑦多くの疾患をもっていることが多い
- ⑧食べやすいもの，好きなもの中心の食生活
- ⑨食べる量が食欲や体調に左右されやすい
- 上記の食を取り巻く状況は，結果として以下のような食の課題となり得る。
  ①調理能力の低下
  ②食材調達が困難となる
  ③食品の多様性が乏しくなり，栄養バランスが悪くなる
  ④食事摂取量の減少
- 在宅療養者への食支援においては，本人の能力とともに，食に対する価値観，嗜好，経済状況などを考慮しながら行う必要がある。
- 療養者だけでなく，介護者への配慮も不可欠である。介護者にとって，食事の介助や食事の準備は排泄や入浴とならび，介護のなかでも大きな負担となっている。
- 要介護度が高くなるにつれて，食事にまつわる介護をストレスと感じる度合いが高まる。
- 要介護度が高くなるにつれて負担感は高くなるが，「食べること」は，介護者が救われること，よかったことにもなり，家族にとっては気持ちのよりどころともなり得る。

褥瘡（じょくそう）の栄養療法にはどのような栄養素が必要か

- エネルギーまたはたんぱく質の不足は，体内でのたんぱく質合成が低下，また分解されやすくなり，創傷治癒を遅延させることから，まずは十分なエネルギーとたんぱく質を摂取することが大切である。
- 創傷治癒の過程ではさまざまな栄養素のはたらきがあるといわれており，炎症期は，十分なエネルギーとたんぱく質が特に必要な時期である。
- 肉芽が増殖する時期では，たんぱく質とともに，亜鉛やビタミンA，銅などが必要となってくる。
- 上皮が形成される時期では，カルシウムや亜鉛，ビタミンCなどが必要となってくる。
- 『褥瘡予防・管理ガイドライン 第5版』では，褥瘡（じょくそう）の治癒に必要な特定の栄養素として，亜鉛，アスコルビン酸，アルギニン酸，L-カルノシン，n-3系脂肪酸，コラーゲン加水分解物，HMB（β-ヒドロキシ-β-メチル酪酸），α-ケトグルタル酸オルニチンなどを，疾患を考慮したうえで補給してもよいとされている。

在宅における十分なエネルギーの摂取

- 十分なエネルギー摂取のためには，主食となるご飯やパン，麺類などの炭水化物をしっかり摂ることが重要である。

- 食思がない場合，主食はご飯にこだわらず，療養者の嗜好に合わせ，パンや麺類，芋を選択することも1つの方法である。
- 長期にわたり粥食の場合，エネルギー不足になることが多いため，注意が必要である。茶碗1膳のカロリーはごはんで250kcal，お粥で112kcalである。
- 長期にわたる粥食の場合は，パン食を取り入れる，栄養補助食品を積極的に使用するなど，エネルギー確保に配慮する。
- 脂質は1g＝9kcalと三大栄養素のなかで最も少量でエネルギー摂取できる栄養素である。
- マヨネーズ，練りごま，生クリーム，植物油などの油脂を調理に利用することで，少量で効果的なエネルギーアップが期待できる（図1）。

図1　少量でエネルギーを摂る工夫

図2 間食を有効に使いましょう

1回の食事量が少ないときは,「間食」で栄養を補いましょう

ご飯などの主食量が減っているときは「糖質」を補うような

おにぎり　サンドイッチ　ふかし芋 スイートポテト

手軽にとれるように,一口大サイズにしておくなど

おかずの量が減っているときは「たんぱく質」を補うような

ヨーグルト　チーズ　ゆで卵　牛乳　豆乳

卵や乳製品を使用したおやつを選ぶことで栄養量アップの助けに…!

   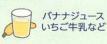
プリン　カステラ　アイスクリーム　牛乳を使った飲み物（バナナジュース いちご牛乳など）

少量でもエネルギーが摂れるようなおやつを…

チョコレート　かりんとう　ドーナツ　パイ菓子

- 油脂は食材をまとめるはたらきもあり,嚥下障害のある人も食べやすくなる。
- 1回の食事量が少ない場合は,間食も有効なエネルギー摂取の機会になる（図2）。
- 十分な炭水化物が確保できない場合は,エネルギー補給用食品を利用することも考慮する。例えば,以下の商品などがある。
  ① 粉飴（ハーバー研究所）：ほとんど味を変えずに,エネルギー補給ができる。好きな飲み物に入れることができる
  ② ミニタス®ゼリー（日清オイリオ）：25g/個で100kcalが摂取できる
  ③ エナチャージ®（ヘルシーフード）：ゼリータイプで,水分とエネルギーが少量で補給でき,鉄分や亜鉛が補給できる商品もある
- 療養者や家族と,嗜好や生活パターンを考慮しながら,毎日続けられることを見つけ,「たまに」ではなく「継続する」ことがエネルギーの確保には重要である。

在宅における十分なたんぱく質の摂取

- たんぱく質は,主菜となる肉類,魚介類,卵,大豆製品,乳製品などに豊富に含まれる。
- 健常高齢者で,男性1日60g程度,女性1日50g程度が必要量とされている。褥瘡を有する者ではそれ以上の量が必要となる。

図3　たんぱく質の摂取目安量

たんぱく質60g目安（男性：1日）

豚もも肉しゃぶしゃぶ用
5枚（80g）

卵　1個

豆腐1/2丁
（150g）

鮭　1切れ（80g）

ご飯　普通茶碗
1膳×3食

図4　たんぱく質を上手に摂りましょう

かけうどん
たんぱく質：9.7g
（エネルギー：約330kcal）

→

月見うどん
たんぱく質：19.1g
（エネルギー：約400kcal）

卵とわかめ が入ることでバランスUP

トースト（6枚切り1枚）
たんぱく質：5.6g
（エネルギー：約160kcal）

→

ハムチーズトースト（6枚切り1枚）
たんぱく質：11.6g
（エネルギー：約240kcal）

ハムとチーズ が入ることでバランスUP
スライストマトや玉ねぎをのせると野菜もとれます

図5　たんぱく質ちょっとプラスの工夫

野菜料理にもたんぱく質が多い食品を入れましょう

 卵
 ツナ缶
 ウインナー・ハム
 豆腐
 油揚げ・厚揚げ

ツナはノンオイルではなく，オイル漬けを選びましょう

汁物へ追加
野菜の具だけでなく，**卵や豆腐，油揚げなど**をプラス

野菜サラダなどへ追加
ツナやハムなどをプラス

炒め物へ追加
野菜の具だけでなく，**卵やツナ，ハム，ウインナー，厚揚げなど**をプラス

煮物などへ追加
野菜の具だけでなく，**卵とじ煮，豆腐や油揚げ，厚揚げなど**をプラス

お肉・お魚料理などのメイン料理をしっかり食べられないときなど，野菜料理にもたんぱく質の多い食品を取り入れて補いましょう

手軽にプラスできる1品例）

電子レンジで温泉卵
【作り方】小さめの小鉢に卵を割り入れ，爪楊枝などで黄身に数か所，穴を開ける。500Wで30～40秒程度加熱して，固まり具合を見る。お好みの固さまで10秒程度ずつ追加で加熱する。

- 1日のたんぱく質の目安量として，ご飯1膳×3食と，おかずで肉80g，魚80g，卵1個，豆腐1/2丁（150g）を摂ることでたんぱく質60g程度となる（図3）。
- 麺類のときには卵や肉を加える，トーストにはハムやチーズをのせることで，手軽にたんぱく質が補給できる（図4）。
- 野菜料理にもたんぱく質が多い食品を入れることを心がける（図5）。
- 咀嚼や嚥下機能が低下すると，利用できる食材が限られ，摂取量が少なくなりがちである。
- 十分なたんぱく質が補給できない場合は，たんぱく質補給用食品を利用することも考慮する。例えば，以下の商品などがある。
  ①たんぱくゼリー・セブン（ホリカフーズ）：10種類の味があり，たんぱく質のほかに，鉄分，カルシウム，亜鉛なども補給ができるすっきりタイプのゼリー
  ②ミニタス®ゼリー（日清オイリオ）：25g/個でたんぱく質が5g摂取できる
  ③ブイ・クレス®CP10（ニュートリー）：コラーゲンペプチドのほか，12種類のビタミンと鉄，亜鉛などのミネラルが補給でき，ドリンクとゼリーがある
- エネルギー同様，毎日継続できることを見つけることが重要である。「温泉卵」「ヨーグルト」「チーズ」「牛乳」などは，毎日継続しやすいたんぱく質源である。腎機能が低下している場合は，たんぱく質の摂取について留意すべき場合があるため医師と相談する。

不足や偏りのないビタミン・ミネラルの摂取（表1）

- 高齢者の場合，使用する食材の種類が限られていたり，料理がワンパターンになることがみられる。そのような場合はビタミン・ミネラルの不足に注意が必要である。
- 1食の内容がバランスのよい食事でも，同じような食事が続いている場合は，ビタミン・ミネラルの不足に注意が必要である。

表1 褥瘡治癒に必要なビタミン・ミネラルの摂取について

栄養素	多く含まれる代表的な食品	料理例	備考
亜鉛	牡蠣・チーズ・豚レバー	牡蠣缶のポテトサラダ	生牡蠣の使用が不安な場合は缶詰が便利でおすすめ
ビタミンC	キウイ・ブロッコリー	ブロッコリーのサラダ ひじき炒め煮	鉄分はビタミンCと一緒に摂ると吸収率が高まる
ビタミンA	レバー・鰻 人参・ほうれん草・南瓜	レバニラ炒め 人参マリネ	脂溶性ビタミンのため油で調理すると吸収率が高まる
銅	種実類・干しエビ・イカ・タコ 糸引き納豆	干しエビ入りチヂミ ほうれん草ピーナツ和え	ナッツ類をすりごま代わりに利用すると取り入れやすい
カルシウム	牛乳・チーズ・ヨーグルト じゃこ・ししゃも・魚缶詰め	鯖缶大根	乳製品は吸収率が高い 魚缶詰は骨ごと食べられおすすめ

- 嗜好に偏りがあったり，食が細い場合，摂食嚥下障害がある場合はさらに要注意である。

> **参考　レシピ集**
>
>
>
> 牡蠣缶の　　　　人参マリネレシピ　あさりピラフレシピ　鯖大根レシピ(動画)
> ポテトサラダレシピ

噛む，飲み込む機能が低下していたらどのような工夫が必要か

飲み込みにくい食品

- 高齢者は加齢によるサルコペニア，脳卒中のほか，神経筋疾患の進行などにより，噛む力が弱くなったり，唾液の分泌量が減ったり，舌や喉頭蓋の動きが悪くなるなど，嚥下機能（食べる・飲み込む機能）が低下しやすい。
- 咀嚼や嚥下機能が低下した状態で，配慮のない食事を続けていると，誤嚥性肺炎を起こしたり，食事摂取量や食品の多様性が低下するため，摂食嚥下機能に応じた工夫が必要となる。
- 飲み込みにくい食品としては，表2のようなものがあげられる。

表2　飲み込みにくい食品

飲み込みにくい食品	代表的な食品
硬い食品	ナッツ，れんこん，たけのこ　など
噛み切りにくい食品	たこ，いか，こんにゃく　など
バラバラでまとまらない食品	ひき肉，野菜のみじん切り，かまぼこ　など
液体と固体が混ざっている食品	雑炊，すいか，味噌汁，高野豆腐　など
粉類	きな粉，こしょう　など
酸味が強い食品	酢の物，柑橘類　など
パサパサしている食品	パン，焼き魚，焼き芋，かたゆで卵　など
のどにはりつく食品	焼きのり，わかめ，レタス　など
粘りが強い食品	おもち　など
さらさらした液体	お水，お茶，コーヒー　など

飲み込みやすくする調理のポイント

- 主食のごはんやパン（図6 ①参照）
- 肉や魚は脂の多いものを選び，加熱のしすぎに注意（図6 ②〜④参照）。
- 野菜は繊維の少ないものを選び，柔らかく調理する（図6 ⑤〜⑦参照）。
- 食材の選択や，調理の工夫で対応できない場合は，食形態を調整する（図6 ⑧参照）

図6 飲み込みやすくする調理のポイント

①適度な水分を含ませる
例：ご飯→お粥
　　パン→フレンチトースト

ごはんは水分を加減し，柔らかさを調整しましょう。パンは牛乳やスープを含ませて。

②ツルンとさせる
例：ゆで卵→温泉卵，卵豆腐
　　果汁→果汁ゼリー

③油脂やつなぎでまとめる
例：和え物→練りごま和え，白和え
　　肉や魚→つみれ

つみれにははんぺんやとろろ芋を加えることで食材がなめらかにまとまる。

④あんやソースをかける
あんやとろろ芋，大根おろしあん，ケチャップ，デミグラスソース，タルタルソースなどを上からかけることで食材をまとめる。

⑤とろみをつける・とろみのついた液体を選ぶ
サラサラした液体にはとろみ剤でとろみをつける。
濃度の濃い野菜ジュース，飲むヨーグルト，葛湯，ポタージュスープなどはそのままでとろみがついており飲みやすい。

⑥切り方の工夫
- 繊維を断つように切る
- すりおろす
　例：きゅうり，トマト
- つま用スライサーで細千切り

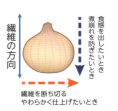

⑦柔らかく調理する
圧力鍋など，食材を圧力で柔らかくする調理器具を使用することで硬い食材も短時間で柔らかくすることができる

⑧食形態を調整する

ペースト状にする　　ミンチ状にする　　裏ごしする

家族などの介護者やヘルパーへの指導

- 家族などの介護者への指導においては，その介護者の年齢や性別，料理に対する経験や能力を考慮し，負担にならないような提案を行うことが大切である。
- ヘルパーへの指導の場合も，ヘルパーの能力や，ほかの作業との時間的な兼ね合いを考慮しながら行う。特に，限られた時間内で洗濯や買い物，掃除など多くのことをこなさなければならない場合も多いため，手の込んだ料理やレシピ通りに行ってもらうことを強いることは避けたい。
- 家族などの介護者やヘルパーへの指導においては，調理実習，調理支援，注意しなければならないことをつど伝える，レシピの提供など，対象者によって効果的な方法は異なるため，支援者は相手の能力とニーズ，対象者の状態を見極めながら選択する。
- 場合によっては，レトルトの介護食や配食サービス，市販の食品の利用を勧めることも必要である。
- 市販の介護食が中心の食事は，エネルギーが十分に確保できないこともあるため，長期の利用時は注意が必要であり，栄養補助食品と併用したり，高栄養の食品を足すなどの工夫が必要である。

（藤村真依）

参考文献
- イーエヌ大塚製薬アンケート調査：食事が変われば介護が変わる〜在宅介護者1,000名を対象に介護の実態を調査〜，2013.
- 日本褥瘡学会：褥瘡予防・管理ガイドライン，第5版，61-65，照林社，2022.
- ヘルシーフード：栄養指導Navi, 使う｜栄養指導ツール (healthy-food-navi.jp)

6 市販食品を利用した栄養改善法

ポイント

- 市販のお惣菜やコンビニで買える食材の簡単アレンジメニューを紹介する。
- 手間のかかる下処理が不要で，少量でも栄養満点なメニューである。
- レンジで温めるだけの手軽なメニューは，高齢者にも安全につくれる。また，限られた時間で調理をするヘルパーの参考にしてもらいたい。

はじめに

- 身近なコンビニやスーパーで手軽に購入できるお惣菜やレトルト食品，冷凍食品を活用した在宅向け簡単レシピを紹介する。また，簡単でおいしく，エネルギーやたんぱく質などもしっかり摂れるメニューを紹介する。
- 市販のお惣菜やコンビニ食材は一見高価だが，切ったりする手間や食べきれず廃棄するムダを考えると意外と高単価とはいえないかもしれない。
- 1袋や1パックは若干高価でも，普段の料理に活用することで1個で2人分の料理がつくれることもある。

♪コンビニの揚げ鶏で簡単ご飯♪
簡単鶏の炊き込みご飯

1人分：346kcal　たんぱく質：11.8g　脂質：5.0g
炭水化物：63.7g　食物繊維：0.5g　塩分：1.4g

【材料　2人分】
- 米　……………………………………1合(150g)
- 揚げ鶏(フライドチキン)　…………1枚(約70g)
- 鶏ガラスープの素　………………小さじ1(3g)
- お好みで
  - 刻みねぎ　……………………………………少々
  - 粗びきコショウ　……………………………少々
  - 七味など　……………………………………少々

【つくり方】
① 米をとぎ普通に水加減する
② 鶏ガラスープの素とコンビニのチキンを入れ炊飯する
③ 炊き上がったらチキンを切るように混ぜ茶碗に盛り、お好みで刻んだねぎや粗びきコショウをトッピングする

【ワンポイントメモ】
コンビニのレジ横には店内で揚げたチキンや唐揚げが売られています。フライドチキンや唐揚げを加えて炊飯すると簡単においしい炊き込みご飯ができます。

＊チキンはフライドチキンのほか、唐揚げでもOKです。
＊鶏ガラスープの素がなければコンソメ(顆粒)、和風だしでもOKです。
＊アクセントに刻んだねぎや粗びきコショウ、七味などを振ってもおいしいです。

♪サラダチキンで簡単♪
チキングラタン風

1人分：255kcal　たんぱく質：22.2g　脂質：17.9g
炭水化物：3.3g　食物繊維：0.2g　塩分：2.0g

【材料　2人分】
- サラダチキン　………………………1枚(125g)
- ケチャップ　…………………………大さじ1(18g)
- マヨネーズ　…………………………大さじ2(24g)
- ピザ用チーズ　………………………60g
- ドライパセリ　………………………少々
- ＊アルミホイル

【つくり方】
① アルミホイルの縁を立てて皿のような形をつくる
② サラダチキンを手で食べやすい大きさに割いてアルミホイルにのせる
③ チキンの上にケチャップ、マヨネーズをかけ軽く混ぜる
④ ピザ用チーズをたっぷりのせ、オーブントースターで7～8分こんがり焼く
⑤ ドライパセリを散らして完成

【ワンポイントメモ】
スーパーやコンビニで定番のサラダチキンです。サラダなどによく使われますが今回は温かいホットメニューにしました。いろいろな味のサラダチキンでつくれます。

＊玉ねぎのスライスやきのこ類を加えてさらにボリュームアップしてもOKです。
＊チーズで高カロリー、高たんぱく質になるので食が細い方には少量で栄養補給ができます。

♪手軽につくれる♪
焼き鯖寿司

1人分：272kcal　たんぱく質：10.8g　脂質：11.6g
炭水化物：32.1g　食物繊維：1.5g　塩分：2.1g

【材料　2人分】
- 米 ………………………………… 1合(150g)
- 焼き鯖 …………………………… 半身1枚(100g)
- すし酢 …………………………… 大さじ2(30g)
- すりごま ………………………… 小さじ1
- 刻み青ねぎ ……………………… 少々

【つくり方】
① 米をとぎ普通の水加減で炊飯する
② 炊き上がったらすぐに焼き鯖をのせて蒸らす
③ すし酢を加えて全体によく混ぜる
④ 皿に盛りつけ，すりごまと刻んだ青ねぎを散らす

【ワンポイントメモ】
スーパーやコンビニで売られている焼きあがった鯖を使った混ぜ寿司です。お好みで鮭などでもつくれます。骨取り処理をしてあるので高齢者やお子さんでも安心して食べられます。

＊焼き鯖はご飯を蒸らすタイミングで加えましょう。
＊骨取りした切り身が安全です。

♪レンジでつくる♪
親子煮

1人分：320kcal　たんぱく質：25.0g　脂質：17.1g
炭水化物：8.2g　食物繊維：2.1g　塩分：2.3g

【材料　1人分】
- 焼き鳥缶 ………………………… 1缶(75g)
- 卵 ………………………………… 2個(100g)
- 長ねぎ …………………………… 1本(80g)
- 水 ………………………………… 大さじ1(15g)
- 白だし …………………………… 小さじ2(10g)
- 紅生姜 …………………………… 少々

【つくり方】
① 長ねぎを洗って斜め薄切りにする
② 耐熱のボウルに長ねぎ，焼き鳥缶，水，白だしを加えて軽く混ぜる
③ ラップをふわりとかけて電子レンジ500Wで2〜3分加熱する
④ 卵を割りほぐし，③に半分量加えて500Wで1分30秒加熱する
⑤ ④を取り出し，軽く混ぜて残りの溶き卵を加えて500Wで1分〜1分30秒加熱する
⑥ 器に盛りつけ紅生姜をのせる

【ワンポイントメモ】
焼き鳥缶を使った電子レンジでつくる簡単親子煮です。熱々ごはんにのせれば親子丼になります。

＊水を加える際，焼き鳥缶をすすぐようにするとタレもしっかり使えます。
＊卵の火加減はお好みで調整しましょう。
＊レンジの時間は参考です。

♪冷凍餃子活用♪
具だくさん，食べる味噌汁

1人分：122kcal　たんぱく質：5.5g　脂質：3.9g
炭水化物：16.7g　食物繊維：2.4g　塩分：1.9g

【材料　2人分】

冷凍餃子	4個(92g, 1個約23g)
大根	100g
人参	40g
長ねぎ	60g
和風だし	小さじ1(3g)
味噌	20g
青ねぎ	少々

【つくり方】
① 大根と人参は食べやすい大きさに切る
② 長ねぎも斜め薄切りにする
③ 鍋に2人分の水を入れ，大根と人参を加えて火にかける
④ 沸騰したら和風だしを加え，大根と人参が柔らかくなるまで煮る
⑤ 味噌と冷凍餃子，長ねぎを加えてひと煮たちさせたら完成
⑥ 器に盛りつけ青ねぎを散らす

【ワンポイントメモ】
市販の冷凍餃子を使ってつくる簡単「食べる味噌汁」です。冷凍餃子は各社から多種出ており，また味もよく手軽に家庭でおいしい餃子が食べられる時代です。通常は焼いて食べるのが一般的ですが，今回はその餃子を味噌汁にしました。つるんとした食感になり，ボリュームがある1品です。

＊残った餃子を活用してもOKです。
＊冷凍のシュウマイでもOKです。
＊豆腐や葉物野菜，きのこ類を加えてさらに具だくさんにしてもよいでしょう。

♪牛丼の具活用♪
レンチン肉豆腐

1人分：277kcal　たんぱく質：18.0g　脂質：19.9g
炭水化物：9.1g　食物繊維：3.5g　塩分：1.1g

【材料　2人分】

絹ごし豆腐	1丁(400g)
牛丼の具(レトルト)	1袋(120g)
長ねぎ	40g

【つくり方】
① キッチンペーパーを2枚重ねにして絹ごし豆腐を包み，軽く重しをして水きりをする
② 大きめの皿で豆腐に牛丼の具をかけて，ラップを軽くかけ，電子レンジ500Wで5分加熱する
③ お好みで刻んだ長ねぎをトッピングする（七味なども合います）

【ワンポイントメモ】
スーパーやコンビニで手軽に購入できるレトルトの牛丼の具を活用して，レンジで温めるだけでつくる簡単肉豆腐です。牛丼の具1パック，豆腐1丁でたっぷり2人分つくれます。トッピングはお好みで長ねぎや紅生姜，キムチ，七味や一味など何でも合います。

＊豆腐は水切りしましょう。
＊豆腐と具で量が多いので，大きめで深めの皿を使いましょう。

（田村佳奈美）

7 栄養補助食品を用いた栄養改善法

> **ポイント**
> - 栄養補助食品を使った栄養改善法は，比較的安価である。
> - 栄養補助食品のフレーバーは種類が豊富で，ビタミンやミネラル，カロリーなどもしっかり入ったおいしいものも多い。
> - 疾患または用途別に，それぞれの目的に応じて使用することが大切である。

多様化する栄養補助食品

- 栄養補助食品はここ十数年の間にかなりの種類と数が販売されてきた。疾患や用途別に手軽に購入可能になってきているが，内容などをしっかり吟味して選択することが必要である。
- 現在，販売されている栄養補助食品を，疾患または用途別に記した。

疾患または用途別解説

腎臓病

- 腎臓病は塩分制限が大切であり，高度腎障害でなければたんぱく質制限は行わない。
- たんぱく質制限を行うとエネルギー不足になりやすく，筋肉量が減り，やせてしまう。これを，蛋白異化亢進と呼び，むしろ窒素代謝物であるBUN（尿素窒素）が上昇し，腎機能悪化につながる。
- 蛋白異化亢進を防ぐため，たんぱく質以外の栄養素である糖質や脂質でエネルギーを補給することも大切である。
- エネルギー補給としては，オメガ3（n-3系）脂肪酸といわれる良質な脂質を含む栄養補助食品がお勧めである。

- エネルギーのみ補給可能な粉飴やごはんソース，MCTオイル，粉飴ムース，ミニタス，エナップ100などがある。家庭においては，マヨネーズやアマニ油，えごま油，バターなどがエネルギーアップのために手軽で活用しやすい（表1）。

表1 家庭にあるもので，少量高カロリーに！

商品	分量	特徴
マヨネーズ	大さじ1杯	約100kcalアップする。さまざまな食材を乳化してなめらかにする作用がある。ぽろぽろの食材（ゆで卵など）をまとめて飲み込みやすくする作用もある。
すりごま（黒と白）	大さじ1杯	約50kcalアップする。ゴマは活性酵素を抑えてくれるゴマリグナンを含む。
バター	10g（小さじ2杯）	約80kcalアップする。ほとんどが脂肪だが，料理の風味を増し，コクを与えてくれる。
ごま油	大さじ1杯	約120kcalもアップする。ごま油に含まれるリノレン酸やリノール酸などの不飽和脂肪酸は抗酸化作用がある。
豚バラ肉	10g（1枚）	約40kcalアップする。豚バラは食材に肉の旨みを与え，ビタミンB1やコラーゲンを含む。
アマニ油 えごま油	大さじ1杯	約120kcalもアップする。n-3系脂肪酸。リノレン酸やリノール酸などの不飽和脂肪酸，EPA・DHAを多く含み，生活習慣病予防や抗酸化作用が期待できる。

糖尿病

- 糖尿病の高齢者の場合，低血糖を予防することが大切であり，QOL（quality of life：生活の質）を重視し，インスリンやSU薬，グリニド薬を服用している場合の目標値がある。
- 褥瘡（じょくそう）のように炎症があると，血糖値は上昇しやすくなるが，食事制限は低栄養を引き起こしてしまうので，十分な食事量と食べる楽しみを損なわないような工夫が必要である。
- たんぱく質や脂質は血糖値を緩やかに上昇させる性質があり，糖質量が少なくたんぱく質の多い焼き鳥や唐揚げなどを塩分量に留意して，おやつ代わりに食べるのもよい。
- スーパーやコンビニで市販されているたんぱく質や食物繊維を多く含む食品もお勧めである。例えば，プロテインバー，枝豆，豆腐などがある。
- また，しっかり噛むことが難しい場合は，脂質を強化した栄養補助食品に糖質ゼロ，カロリーゼロの人工甘味料を加えたおやつもお勧めである（リピメイン®にパルスイート®を加える，アイソカル®ゼリーHCのチーズケーキ味にパルスイート®を加えるなど）。

肝臓病

- 肝臓病が重症化して肝硬変になると，肝臓がエネルギー源を生成することが困難になる。

- 食事からたんぱく質を摂取しても，肝臓で代謝する機能が低下しているため利用できず，アルブミン値が低下して腹水が増えてくる。また身体の骨格筋合成に必要なBCAA（branched chain amino acid：分岐鎖アミノ酸）も不足してくる。
- BCAA製剤（アミノレバンやヘパスなど）やBCAAを多く含んだ栄養補助食品をエネルギーとなる糖質と一緒に夜食として寝る前の摂取を勧める。
- 寝ている間も肝臓は働いており，糖質が唯一肝臓のエネルギー源となる。おにぎりや果物の缶詰など糖質の多い食品をBCAAと一緒に摂るのが望ましい。
- BCAAは，サルコペニア（筋肉量低下）の高齢者にも補給したい栄養素である。BCAAの補給が筋肉量維持に効果があり，運動（リハビリテーション）の前後に摂取することが推奨されている。

褥瘡（じょくそう）

- 一般に，深いキズ，やけど，術後など，キズが治るまでには「炎症期」「増殖期」「成熟期」の過程があり，多くの栄養素が関係している。
- 褥瘡が治っていくまでにも同様の過程をたどり，必要な栄養素がそれぞれの場面ではたらくと考えられ，注目すべき栄養素が，「コラーゲンペプチド」「亜鉛」「ビタミンC」である。これらを強化した栄養補助食品が販売されている（ブイ・クレス®CP-10ゼリーとブイ・クレス®CP-10飲料，フルーツ青汁コラーゲン＆ペプチドなど）。
- 十分なエネルギーも必要であり，中鎖脂肪酸（MCT：medium chain triglyceride）は素早くエネルギーとして活用され，低栄養患者にもお勧めである。

肥満

- 麻痺や難病などが原因で体動困難であり，肥満となり，さらに体動困難で褥瘡が治らないという人がいる。自由に好きなものを食べてしまうという場合は，食事環境を改善しなければならないが，食べる楽しみを損なわないように体重のマネジメントを行うことが大切である。
- 低カロリーで味もよいレトルト食品であるマイサイズ®やマンナンヒカリ®を活用して，カロリー制限可能な献立を提案する。
- ぐーぴたっ®，ソイジョイ®，寒天めん等を活用する。
- これらはとろみ剤を使用してとろみ調整が可能であり，ミキサーにかければペースト状になり，食べやすくなる。

低栄養・呼吸器疾患

- 食事を摂る必要があっても，たくさん食べられない高齢者が多い。
- なるべく多く必要栄養量を確保するための工夫として，栄養補助食品を工夫しながら少量高カロリーの食事内容にする。
- 呼吸器疾患の人は一度に食べると呼吸が苦しくなることがあるので，分食するなどの配

図1　豚バラ肉入りマヨネーズと油で炒めたやきそば

通常のやきそばより，**約250kcal**アップ！
豚バラ肉は，豚肉の中でグラム当たり一番カロリーがある。
バラ肉の脂身は柔らかくて食べやすい。
調味料を多めに使用（炒め油やバター等大さじ1杯程度）➡プラス約80kcal
豚バラ肉の使用（20gくらい）➡プラス約70kcal
マヨネーズ大さじ1杯使用➡プラス約100kcal

表2　栄養補助食品「味変」の工夫

希望・要望	工夫内容
甘いので飽きた	・めんつゆ少量加える。お湯で溶いたみそを少量加える。 ・コンソメを加えて温めてスープ仕立てにする。 ・牛乳のかわりに料理に使用する（シチューやグラタンなど）。
おいしくないから飲みたくない後味が悪いなど	・牛乳のかわりにホットケーキをつくる際に使用する，蒸して蒸しパンにするなど，おやつの調理に使用する。 ・やや太めのストローで少しずつ飲んでもらう。ストロー飲みだと口腔内にたまらないので後味を感じることなく飲み込むことができる。 ・好きでよく飲む飲料と混ぜる（全体量が増えないように注意）。

※栄養補助食品の中には，加熱を勧めていないものもあるので注意が必要。

慮も必要である。
- 調理の工夫としては，少量高カロリーにする調理例を提示する（図1）。
- 医薬品の栄養補助食品は継続できないことも散見される。栄養補助食品が飲みづらくなった場合の工夫として「味変」がある。乳酸飲料や炭酸飲料をペットボトルのキャップ2杯分ほど加えると味が変わり飲みやすくなる。また，家庭にある身近なもので味変することができる。甘いものが苦手という人には，めんつゆやみそなどを混ぜてもよい（表2）。

便秘・下痢

- 便秘は腹部膨満感から食欲低下の原因になる。
- 硬い便の排出時に切れ痔となり痛みを起こす。おならも多くなり臭くなる。
- 逆に下痢は，身体の消化吸収が不十分となり，体重減少につながる。おむつ内排便になると，アルカリ性の便は皮膚を傷め，褥瘡のリスクも増加させる。
- サンファイバー®AI，発酵するナチュラルイヌリンなどは腸内の善玉菌を増やし，腸内環境を調整し，便の量を増やしてくれる効果がある。食事だけでは補えないものもあり，体動困難で日常動作が低下した寝たきりの人には活用してもらいたい。

摂食嚥下障害

- 摂食・嚥下動作の障害の状況に合わせて，栄養補助食品を選択する。例えば，アイソカル®ゼリーHC，ネオハイトロミール®ネクスト，ミキサーゲル®など。
- 少量で高カロリーになるように，例えばMCTパウダーなど粉タイプのものを食品に混ぜて調理するとよい。
- その人が望む料理をミキサーにかけてとろみ剤で硬さを調整し，たんぱく質の入ったPFCパウダーやプロテインパウダーなどを加えてエネルギーとたんぱく質を強化することもお勧めである。
- ミキサーにかける際に水分を必要とするが，水分のかわりに牛乳やソース，マヨネーズを加えると，味が薄くならずにエネルギーを補充できる。
- 食後口腔内を観察し，残留がある場合，ゼリーやとろみのジュースなどで口腔内の残渣を飲み込むように促す。
- とろみあんをつくって刻んだ食材にかけて食べると，食材を口腔内でまとめて飲み込みやすくなる。
- とろみあんは，口腔内で噛んだものを，唾液でまとめた状態と同様になるので，噛んで飲み込む動作を援助することになる。
- とろみあんは料理に合わせてアレンジし，エネルギーとたんぱく質を強化した粉を混ぜて栄養価をアップする方法もある。とろみあんはおいしい唾液を調理すると考えてほしい。

（真井睦子）

参考文献
- 日本糖尿病学会：糖尿病診療ガイドライン2024，南江堂，2024．
- ニュートリー：床ずれ（褥瘡）になったらどうすればいい？（https://www.nutri.co.jp/nutrition/pressureulcer/therapy/）
- 機能性表示食品「日清MCTオイルHC」（https://www.nisshin-oillio.com/mct/health/）

8 在宅での経腸栄養

ポイント

- 褥瘡（じょくそう）対策だけではなく，在宅を「社会復帰」の場ととらえるなら，栄養改善は必須であり，栄養改善の手段として経腸栄養をうまく適用すべきである。
- 胃ろうは消化管を使うことと，喉に異物がないという点で，「口から食べる」ことと極めて相性がよい。
- 胃ろうバッシングの煽りを受けて，本来胃ろう適応の患者を中心静脈栄養（消化管を使わない）や経鼻胃管栄養法（喉に異物がある）に誘導するのは，医学的にも倫理的にも誤りである。
- 胃ろうを始めることで，患者の免疫能が上がり，元気になっていくことを目の当たりにする成功体験を経験してもらいたい。
- 胃ろうによる栄養管理は，使用されているPEGカテーテルの内部ストッパーがバルーン型かバンパー型か，シャフトがチューブ型かボタン型か認識することから始まる。

栄養管理の基本知識

- 栄養管理の方法は，「静脈栄養」と「経腸栄養」の2つに大別される。消化管機能があり，かつ消化管が安全に使える場合は，経腸栄養が第一選択になる。
- 「腸が働いているなら，腸を使う」が原則である。
- 静脈栄養は，第一選択である経腸栄養が不可能か，経腸栄養を一時中止したほうが治療上有用な場合，例えば，腸閉塞や高度な下痢症などで選択する。
- 経腸栄養は，身体に必要な栄養素を経腸的に投与する方法で，栄養剤を口から補給する「経口法」と，チューブを用いて投与する「経管栄養法」がある。
- 経管栄養には，鼻からカテーテルを胃あるいは小腸に挿入する経鼻法と，腹部や頸部につくった穴（ろう孔）にカテーテルを通して栄養剤を注入するろう管法がある。
- ろう管法には，食道ろう，胃ろう，空腸ろうがある。

- 通常，短期間の栄養管理には経鼻法が，4週間（最大6週間）以上にわたると予想される場合はろう管法を選択する。

経腸栄養の利点

- 経腸栄養は，利点として以下があげられる。
  ①身体の消化・吸収を利用する生理的な栄養投与法である。
  ②高エネルギー投与が可能で，施行・維持管理が比較的容易である。
  ③代謝上の合併症が少ない。
  ④腸管の機能を保ち，バクテリアルトランスロケーション（長期間腸管を使わないと，粘膜が萎縮し細菌や毒素が血流に入り込む現象）の発生を抑制する。
  ⑤長期管理が容易である。
  ⑥経済的である。

経静脈栄養に比し胃ろう・空腸ろうが明らかに有用な場合

- 胃ろう・空腸ろうが有用なのは，重症患者の急性期と，在宅慢性期の栄養管理である。
- 比較的重症な手術症例の急性期管理において，術後早期に経腸栄養を開始することで，感染性合併症や創傷治癒の遅れを予防できる。
- 術後早期の経腸栄養のためには，手術中に空腸ろうをつくっておく。
- 逆に，在宅など慢性期の栄養管理にも胃ろうが有用である。
- 胃ろうは長期間の栄養補助，管理に向いており，経口摂取不能または不足する例で腸管を使って，栄養維持が比較的容易に安全にできる。

正しい在宅医療のために

- 在宅で口から食べられなくなったら看取りを目標とする考え方に対し，経腸栄養の選択肢について提示する。
- 在宅を「社会復帰」の場としてとらえるなら，褥瘡（じょくそう）に対してのみならず，栄養改善は在宅生活には必須であり，栄養改善の手段として経腸栄養を上手に使っていくことも重要である。
- もちろん，口から食べることはどんな状態の患者にあっても追求すべきである。しかし，看取りの段階であっても栄養改善が必要なときもあり，個別に考えていくことが大切である。
- 口から食べることを追求することと，消化管を使う経腸栄養は実は相性がよい。経腸栄

養は消化管を使うことから，口から食べることと経腸栄養の併用はよく行うことである。経腸栄養で低栄養状態が改善され，経口摂取量が増えて経腸栄養が不要になる例も多い。
- 中心静脈栄養はあくまでも消化管が使えない患者のみが適応であり，単に胃ろうが嫌だからとか，診療報酬が高いから（療養病棟入院基本料を医療区分3に上げることができる）とかの理由で選択されてはならない。

胃ろうバッシングの弊害と反省を乗り越えて

- 経腸栄養の選択をするにあたり胃ろうを実施すると，経鼻胃管栄養と比較し，苦痛が減りQOLが高くなる。栄養状態も改善することで，家族や大切な人との意思疎通可能な時間が長くなり，有意義な時間をもてる可能性がある。
- しかし，有意義に使われた胃ろうも，時間が経過し，いわゆる寝たきりになり，意思疎通が図れない状態になると，家族や本人が望まない延命になってしまう可能性もある。
- このようなジレンマのあることを，本人と家族に十分に説明し理解してもらい，本人と家族が選択できるようにサポートすることが大切である。
- 2010年頃に激しさを増した「胃ろうバッシング」は，いずれ訪れる終末期のみに焦点を当て，胃ろうの欠点のみが強調されたため，栄養療法のあり方を間違った方向へと向かわせた。例えば，胃ろうではなく経鼻胃管栄養という，経腸栄養の基本に反する選択がされる場面が多くみられるようになった。
- 経鼻胃管は絶えず鼻腔や咽頭への刺激があり，患者にとって大変苦痛な状態である。
- 経鼻胃管が入っていると鼻腔や口腔内の汚染が進み，経鼻胃管のカテーテルに沿って唾液が気管に流入し，誤嚥性肺炎の原因にもなる。
- 経鼻胃管はあくまでも短期間の使用にとどめるべきで，嚥下の邪魔になるばかりか誤嚥を誘発し得る。患者の苦痛を想像することができるなら，早急にろう管法を提案すべきである。
- このような胃ろうを否定的に考える風潮により，胃ろう造設術を教えられる医師が少なくなっていることも問題である。

在宅医療の成功体験

- 病院で胃ろうを造設して栄養を開始した頃は，最も栄養状態の悪い時期であったとしても，退院して在宅で胃ろう栄養を続けていれば，1週間，2週間と時を経るにつれ，栄養の効果は如実に現れてくる。
- 胃ろうはある意味強制栄養なので，栄養の効果が見えやすい。例えば，褥瘡がよくなるとか，免疫力が高まり，誤嚥性肺炎が起きにくくなったなどが実感できる。

- 在宅医にとっても，その時期が一番うれしく，入院時よりも元気になっていく過程を，患者家族とともに共有できる大きな成功体験といえる[1]。
- 胃ろう栄養の場合は，必要栄養量は胃ろうから確保されているので，経口摂取はまずお楽しみ程度から試してみることができる。在宅の場合は，家族の自己責任とされリスクが伴うが，案外うまくいっている例もある。
- このように胃ろう栄養と口から食べることとは相性がよい。

経皮内視鏡的胃ろう造設術の留意点

- 長期の持続的留置に適応されるろう管法のうち，特別の理由（胃切除術後や高度の胃食道逆流）がなければ，通常は胃ろうが用いられる。
- 胃ろうの普及は，経皮内視鏡的胃ろう造設術（percutaneous endoscopic gastrostomy：PEG）の手技の確立によってもたらされた。
- PEGの在宅管理には以下の3点が重要である。
  ① PEGカテーテルの構造を知り，カテーテルトラブルを未然に防ぐこと。
  ② ろう孔部感染をなくし，ろう孔を長期間使っていく。
  ③ 下痢や嘔吐のない適正な栄養管理を行う[2]。

PEGカテーテルを知る

バルーン型かバンパー型か

- PEGカテーテルには，内部ストッパーとしてバルーン型とバンパー型がある。
- バルーン型は膀胱留置カテーテルに似ているが，1か月に1回の交換が必要であり，バルーン破裂など事故抜去の可能性が高く，24時間対応できる体制が必要である。
- バルーン以外の形状の内部ストッパーをもつものをバンパー型と称し，一定の硬さがあり，事故抜去が少なく半年以上の連続使用が可能である。
- バンパー型の抜けにくさは，交換が難しいことを意味し，定期的な交換をどこで誰が，どうやって（内視鏡を併用するか否か）をあらかじめ決めておく必要がある[2]。

ボタン型は接続チューブが必要

- バルーン型とバンパー型それぞれに，外部ストッパーから末梢側が取り外し式になったものがあり，ボタン型と称する。
- ボタン型は，専用の接続チューブを付けて栄養投与が可能になり，ボタン単体では用をなさない。

- 専用の接続チューブにはボーラス（手押し）投与用と持続投与用，さらに製品によって減圧用があり，使い分けなければならない。
- 接続チューブは同じメーカーで，かつ規格も合わせる必要がある。

ボタン型を使いこなす

- バルーン型のボタン型ではバルーン水の注入量が大事だが，注入量がボタン本体に記載していない製品が多い。
- ボタン型はシャフト長（内部ストッパーと外部ストッパーの間の距離）を変えることができないため，ろう孔長に対して短いものを挿入してしまうと挿入部粘膜は圧迫壊死に陥る。
- 理想的には2cmの余裕（遊び）があり，患者が座った状態でも食い込まないものがよい。迷ったら長めのボタンを選ぶことがコツである。

コネクタ問題

- 患者家族が毎日のケアで最も頻回に触わる部分は，栄養管との接続部分（コネクタ）である。
- コネクタは新規格に全面移行するはずだったが，ミキサー食を使用することの多い小児在宅患者の要請を受け，内径の太い旧規格も併存することとなった[3]。
- 旧規格コネクタを希望する在宅患者には，引き続き旧規格を支給することが求められる。在宅医療の現場では，内径が細くねじ込みロック式の新規格よりも，内径が太く胃内の減圧に使いやすい旧規格のほうがよいという意見もある。

ろう孔管理

- ろう孔管理とは，次の3つを指す。まず，①PEGカテーテルによるろう孔への圧迫虚血の回避，②事故抜去時のろう孔確保，そして③カテーテル交換時のろう孔損傷の回避，である[4]。

PEGカテーテルによるろう孔への圧迫虚血の回避

- ろう孔部感染・壊死性筋膜炎・ろう孔拡大による栄養剤の漏れ・不良肉芽など，胃ろう部のトラブルに共通する原因として「PEGカテーテルによるろう孔への圧迫虚血」があげられる。
- ろう孔とPEGカテーテルの正しい関係は，ろう孔の中でPEGカテーテル本体が軽く回り，2cmくらいは可動する状態である（図1）。
- ストッパーによってきつく締めつけられたチューブ型や，シャフト長が短く外部ストッパーが皮膚に食い込むようなボタン型の場合，内部ストッパーも胃粘膜に食い込んだ状態なので，胃内粘膜は圧迫虚血ひいては圧迫壊死に陥る。

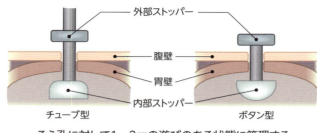

図1　PEGカテーテルの基本構造とろう孔との関係（チューブ型とボタン型）

ろう孔に対して1〜2cmの遊びのある状態に管理する

※図はいずれもバンパー型

- チューブ型であれば，外部ストッパーを末梢側に移動してゆるめ，PEGカテーテル全体を押し込み気味にして，内部ストッパーの胃粘膜への圧着を解除する。
- ボタン型であれば，シャフト長の長いものに入れ替えればよいのだが，すぐに交換できないときは，ボタン全体を皮膚に押し付けるようにして，内部ストッパーの胃粘膜への圧着を軽くする。

事故抜去時のろう孔確保

- PEGカテーテルが抜けると，ろう孔は数時間で閉鎖するので，ただちに「ろう孔確保」をする。
- 新品のバルーン型カテーテルを1つ準備しておくとよいのだが，手元になければ，抜けたPEGカテーテルを「加工」（バンパー型なら内部ストッパーを切って，バルーン型ならバルーンをむしりとって棒状に）して，ろう孔に差し込んでおく。近くに吸痰用のチューブがあれば，これをろう孔に差し込んでおいてもよい。
- ただし，ろう孔を確保したはずのチューブが胃の中に確実に入っている保証はないので，そこから栄養剤を注入してよいかは医師の判断に委ねられる[3]。

カテーテル交換時のろう孔損傷の回避

- PEGカテーテル交換時の腹腔内誤挿入による痛ましい医療事故が新聞報道されている。
- 造設時からの胃壁と腹壁の癒着が不十分であった場合や造設からの期間が短すぎる場合，挿入角度が適正でない場合など，いろいろな悪条件が重なったときに誤挿入は起こり得る。
- 腹腔内に誤挿入しても，栄養剤を注入する前に気がつけば死亡事故には至らない。そのためにも，胃に間違いなく挿入されたことを必ず確認しておく。

下痢・嘔吐（胃食道逆流）の予防

- 下痢の原因はさまざまで，細菌感染だけではなく，乳糖不耐症や高浸透圧の栄養剤，脂

肪含有量，投与速度，冷やした栄養剤，薬剤などがある。
- 下痢は，感染性腸炎が除外できれば，食物繊維の投与を試みる。
- 絶食期間のあった場合は小腸粘膜萎縮による吸収障害があるため，安易な再開ではひどい下痢が必発するため，胃ろう栄養再開にあたっては医師の指導のもとに行う。
- 栄養剤の薄めすぎは水分量が多くなり，逆効果のことがある。
- 水分が不足する場合は，胃ろう開始30分前に白湯やOS-1などを注入しておくこともある。
- 嘔吐（胃食道逆流）は，誤嚥性肺炎の原因となるので，特に留意する。
- 胃食道逆流への対策のうち，栄養剤の固形化・半固形化は試してみる価値がある。
- 栄養剤注入時の姿勢が崩れていると腹圧が高くなり，胃食道逆流が起こりやすくなる。

適正な栄養管理と口腔ケア

- 患者の年齢，身長，体重，全身状態を配慮し，適正な1日栄養投与量を算出する。
- 最初に設定した投与エネルギーを漫然と続けるのではなく，定期的な栄養評価を行い，投与量に修正を加えていく。
- 栄養および全身状態の好転に伴い，経口摂取が可能になる症例もあるので，摂食嚥下評価を適宜実施する。
- 誤嚥性肺炎予防目的だけではなく，「食べられる口」を用意しておく意味でも，口腔ケアは重要である。

経管栄養法に使用する栄養剤・食品

- 経管栄養法で使える栄養剤には，天然食品を原料とした「天然濃厚流動食」（ミキサー食・濃厚流動食品）と天然食品を人工的に処理・合成した「人工濃厚流動食」に分けられる。
- 乳や卵をそのまま使用したものが，天然濃厚流動食で，例えば乳たんぱく質をカゼインに分解し，これを原料として加工した場合などが人工濃厚流動食である。
- 人工濃厚流動食は，窒素源がたんぱく質で消化が必要な半消化態栄養剤と，窒素源がアミノ酸とペプチドで消化が必要なく吸収される消化態栄養剤があり，さらに窒素源がアミノ酸だけの成分栄養剤に分けられる。
- 半消化態栄養剤には，保険適応になる医薬品と食品扱いのものがあるが，成分上の明確な違いはない。
- 成分栄養剤は医薬品であるが，脂肪含有量が少なく，単独での長期間使用は避ける。
- 胃ろうから注入する場合，ミキサー食は家族と同じものを食べる精神的な喜びがあり，非医薬品の濃厚流動食は種類が多く，口からもおいしく摂れる特徴がある。医薬品濃厚流動食は保険が使えるので負担は少ないが，経口摂取を併用する場合は味が単調で継続

- が難しい。
- 胃ろうからの投与法には，重力を使って自然に落下させる自然落下法と，ポンプや器具で加圧して注入する方法がある。

胃ろう周囲皮膚のケア

- 入浴やシャワー浴では，胃ろうカテーテルが露出した状態で，身体を洗うのと同じ石鹸を使い，シャワーで洗い流す。入浴後は普通にタオルで拭くだけでよく，消毒などは行わない。
- 入浴しない場合は，湿らせたガーゼなどで汚れを拭き取り，必要なら石鹸も併用する。石鹸はきれいに拭き取るか洗浄して流しておく。通常消毒は不要である。
- 胃ろうからの滲出液があり周囲皮膚がふやける場合は，ティッシュでつくった細いこよりを巻き，適宜交換すればよいが，決して胃ろうの外部ストッパーが持ち上がるほどにはしない。
- 胃ろう部にガーゼを挟む必要はないが，PEGカテーテルがチューブ型の場合，外部ストッパーの上にスポンジや厚いガーゼなどを用いてカテーテルが倒れないようにしたほうがよい。
- 胃ろう周囲の皮膚のただれが進行したり，血が出たり，あるいは痛みなどを伴う場合は，胃ろう管理を依頼している医師に至急みてもらう。

患者と家族への助言

- 胃ろうに対しいまだにマイナスのイメージが持続しているなか，経腸栄養をしていることに引け目を感じたり，胃ろうをしたことを後悔することがないよう，「栄養とリハビリテーションの力で体力が回復する日が必ずやってくる」と過去の事例なども交えて医療者が患者・家族を励ますことも必要である。

（小川滋彦）

引用文献

1) 小川滋彦：地域の主治医としての病院への要望. MB Med Reha, 160, 17-21, 2013.
2) 小川滋彦：PEGの長期管理をどう行うか—実地医家. 消化器の臨床, 9 (6), 649-653, 2006.
3) 令和4年5月20日付厚生労働省医政局地域医療計画課医療安全推進・医務指導室, 医薬・生活衛生局医薬品審査管理課, 医療機器審査管理課, 医薬安全対策課通知「経腸栄養分野の小口径コネクタ製品の切替えに係る方針の一部見直しについて」(医政安発0520第1号, 薬生薬審発0520第7号, 薬生機審発0520第1号, 薬生安発0520第1号)
4) 小川滋彦：瘻孔の管理. NST完全ガイド 改訂版（東口髙志編）, 144-146, 照林社, 2009.

第6章

高齢者の皮膚を守る方法
~看護・介護のしごと~

1 褥瘡（じょくそう）の予防を考えたケアプラン作成

2 訪問看護師の活動

3 在宅スキンケアの実際

4 スキン-テア

5 体圧分散管理 ~寝具の選び方~

6 おむつの選び方・使い方

7 失禁関連皮膚炎（IAD）とは

8 終末期の褥瘡（じょくそう）ケア

1 褥瘡(じょくそう)の予防を考えたケアプラン作成

> **ポイント**
> - 介護支援専門員(ケアマネジャー)は,介護サービスが必要な利用者や家族の心身の状態に一番適したサービスを選択し支援する重要な役割をもつ。
> - 褥瘡(じょくそう)は予防が重要。在宅現場で褥瘡ができてからはケアマネジャーも十分対応しているが,予防への対応はあまりできていない。
> - 「床ずれ危険度チェック表®」を使うことで,褥瘡ハイリスクの人を確信をもって知ることができ,医療との予防的連携を早く始めることができる。

褥瘡(じょくそう)予防を行ううえでのケアマネジャーの役割

ケアマネジャーの基本的な役割

- 介護認定を受け,介護保険を利用する場合に,担当の介護支援専門員(ケアマネジャー)が決まる。
- ケアマネジャーは,介護保険を利用する人の生活上の課題を明らかにするために,本人の心身の状態をチェックし,本人が生活上困っていることなどのアセスメントを行い,必要なところに医療・介護サービスなどを提供して,利用者の自立した生活を支える役割がある。
- 在宅で介護が必要になった利用者は,自分の力だけではこれまでの生活が続けられないために,家族や周囲の人に助力を頼むことになる。
- しかし,これまで介護の経験がない家族は,どのように介護をしたらよいのかわからず悩む。
- ケアマネジャーは多くの医療・介護サービスの情報をもっているので,利用者の状況に一番適したサービスを選択し,生活ができるようサポートする。
- 一方で,ケアマネジャーのアセスメント能力が十分でなく,把握漏れが生じると,必要なサービスが導入できない可能性があり,利用者や家族の生活が成立しなくなってしまうこともある。
- ケアマネジャーは介護保険利用者や家族の支援を進めるうえで重要な役割を担っている。

褥瘡（じょくそう）を予防するために

- 現在，介護現場では，褥瘡（じょくそう）ができてからは十分に対応しているが，残念なことに，つくらないための予防にはあまり注意を払っていない傾向にある。これからは褥瘡予防に重点を置く必要がある。
- 国は，ケアマネジャーが作成するケアプラン（居宅サービス計画書）作成時のアセスメントに用いる「課題分析標準項目」として23項目を定めているが，その中に「褥瘡・皮膚の問題」が含まれており，褥瘡の有無を確認することが必須とされている。
- そのためケアマネジャーは，主治医や訪問看護師など医療関係者ともチームを組み，利用者の疾患や心身の状態を共有していく。また，生活をサポートする医療・介護サービスは介護保険で提供できるものがほとんどであるが，重度の場合には一時的に医療保険に切り替えることもあるので，そのような視点も忘れずにいることが必要である。
- 家族の介護力が十分でない場合は，訪問看護や訪問介護，訪問入浴などを導入する。
- しかし，在宅の現場では，寝たきりになっておむつを使用している利用者の皮膚の状態を直接ケアマネジャーが観察できる機会は少なく，家族や訪問介護のヘルパーから聞き取りをすることになる。褥瘡ができてしまっている場合には，すぐに主治医と連携を取り，処置の方法や悪化させないように対応しなければならない。

褥瘡は治療すれば治すことができ，予防することもできる

- 褥瘡は，長時間の圧迫（垂直方向の力）やずれ（横方向の力）が原因でできるキズであるが，圧迫力にずれ力が働くと，皮膚表面だけではなく，皮膚の奥により大きな力が働くため，皮膚表面の観察では軽度に見えていても，奥の骨に近い部分が損傷していることもある。
- また，ベッド上の移動や車いすへの移乗で，繰り返し同じ場所が擦れることでキズができることもある。
- 褥瘡は，寝たきりの高齢者や下半身麻痺などで車いす生活をしている人などに多くみられる。褥瘡は一度できてしまうと，治すためには長期間のケアが必要になり，また介護に大きな負担を与えたり，再発を繰り返したりする。なかには，褥瘡に感染を起こして，命が危なくなる人もいる。褥瘡を早い段階で発見することが重要となる。
- 褥瘡はしっかり治療すれば治せるキズで，正しい知識でケアしていれば予防することもできるのである。

「床ずれ危険度チェック表®」の活用

- 在宅医療・介護を受けている人の褥瘡予防を実現するためには，褥瘡発生の危険性がどの程度あるのか，予測することが求められる。介護現場の限られたマンパワーのなかで，褥瘡発生の危険度を正しく予測するのが，褥瘡リスクアセスメントスケールである。
- 「床ずれ危険度チェック表®」は，ケアマネジャーが活用することを前提に本邦で開発された褥瘡予防のリスクアセスメントスケールである（p39参照）。

- 病院で広く活用されている他のリスクアセスメントスケール（ブレーデンスケールやOHスケール）とも相関性があることがわかっており，日本褥瘡学会・在宅ケア推進協会として活用を推奨している。「床ずれ危険度チェック表®」の特徴を理解し，「科学的介護」に基づいたケアプランの作成，調整，ならびにモニタリングに役立ててほしい。

「床ずれ危険度チェック表®」の役割
―褥瘡発生原因を明らかにし，対策検討に活用できる

褥瘡がある場合の活用

- 褥瘡がすでにある場合は，その完治を目標にあげ，医療的処置を中心にケアプランを作成する。家族だけでは十分な処置ができない場合や，独居で介護者不在の場合には，訪問看護を中心として訪問リハビリテーションや訪問入浴など訪問系サービスを入れていく。必要なら，訪問栄養指導も提案する。
- このとき，ケアチームを形成していくのと同時に，「床ずれ危険度チェック表®」を用いて，褥瘡ができた原因をアセスメントし，その原因への対応策を多職種で検討する。

褥瘡予防としての活用

- 褥瘡がない場合に何も対応が必要ないかというと，ケアマネジャーは経験上，褥瘡のリスクが発生しそうな状況に気がついている場合もある。しかし，確信がもてないとなかなか医療につなげることが難しい。そのようなときに「床ずれ危険度チェック表®」を活用するとよい。
- 「床ずれ危険度チェック表®」にある8項目は，褥瘡の発生に大きく影響する要因が選ばれている。チェックして4点以上になり，ハイリスクであることがわかったら，主治医や医療系の専門職に相談を始める必要がある。
- 何となく褥瘡のおそれがあるということではなく，はっきりと根拠をもって相談ができるということで，医療との連携を早く始められる。
- ハイリスク（4点以上）になったときに「床ずれ危険度チェック表®」を用いると，何が褥瘡の発生に影響しているのか理由が述べられ，対策とケアが示されている。ケアマネジャーは基本的知識としてこれらの項目を学び，担当する利用者が該当する場合には，ケアプランに対策をケア内容に沿って入れていくようにする。ハイリスクの段階で改善を図ることで，褥瘡の発生を予防することができる。
- 多くの専門職の協働のうえで成り立った褥瘡対策とケアは，早い段階からチームケアとして機能し始める。
- シームレスに協働できる褥瘡予防チームが地域のなかで活動すると，在宅療養の重度者にもそのシステムを活用することが期待できる。このような点を考慮してかかわると，ケアマネジャーとしてさらに安心でき，頼られる存在となるだろう。

（助川未枝保）

2 訪問看護師の活動

>
> - 病院の看護師は，通院または入院している患者に看護を行い，患者の病気からの回復に尽力している。
> - 訪問看護師は，自宅あるいは療養施設に出向いて家族環境や生活スタイルに合わせて看護を行っている。
> - 褥瘡(じょくそう)関連の仕事をする訪問看護師は，褥瘡をできる限り予防するためのチームの中心的役割を担っている。
> - 褥瘡ケアについて相談できる医師，看護師がいるかどうかを確認し，何かあったら相談できる環境を整えておく。
> - 今後，過疎化が進む地域はもちろん，受診が困難な利用者においては，IT機器を最大限に活用することが重要である。

病院の看護師と訪問看護師

- 病院の看護師と訪問看護師はケアを提供する場所などでまったく違うようにみえるが，「看護を提供する」ことは共通である。
- 在宅の現場でも看護師という専門職として質の高い看護を提供できるよう病院の看護師と訪問看護師が手を取り合い，本人が望む医療・看護を提供していくことが必要である。

病院の看護師の仕事

- 病院の看護師は，通院または入院している患者に看護を行う。主に病気の治療期にかかわることが多い。
- 入院している患者は，病院内の安全性に優れた環境で，院内のルールに沿って生活する。
- 病院内には専門的知識をもった看護師（認定看護師，専門看護師，NP（診療看護師），

特定看護師など）が多く在籍しており，質の高い看護を提供することで患者の疾病（病気）からの回復に尽力している。
- 病院から訪問看護を依頼する場合には，地域医療連携室などの専門の相談窓口に相談する。
- ソーシャルワーカーや退院支援看護師が中心となり退院前カンファレンスやケア会議を開催し，介護力や褥瘡（じょくそう）予防等に必要な情報を共有する。
- 病院で褥瘡回診を行う場合は，医師，皮膚・排泄ケア認定看護師（WOCN），看護師をはじめ，リハビリテーションスタッフ，薬剤師，管理栄養士など，多職種がチームとなって褥瘡発生予防や褥瘡治癒に向けて情報を共有しながら治療やケアについて決定する。

訪問看護師の仕事

- 一方，訪問看護師は利用者が暮らす自宅あるいは療養施設に出向いて看護を行う。
- 利用者はペットと暮らしていたり，認知症を患いながら独居生活を送っていたり，一見ゴミなどが散らかった環境で生活している場合もあるが，自宅は利用者のプライベート空間である。そのため，医療・介護職は主導権を握るのではなく，ゲストであることを常に意識しながら利用者の家族環境や生活スタイルにあわせて看護を行っていくことが重要である。写真の掲載は利用者から了解を得ている。
- キズの処置など，医療処置が必要な場合は，「処置の方法はこうしてください」と一方的に話すことはせず，自宅や施設でも実践可能な方法を利用者・家族と一緒に考え，提案することが信頼関係を構築する大きな一歩となる。
- 点滴スタンドや清潔ケア物品，キズの処置は自宅や施設にあるものを工夫して使用し，限られた資源を活用し，安全・安楽の原則を守り，実践する（図1）。
- 一人ひとりの環境や状況に合った安全・安楽なケア方法について，利用者・家族と相談しながら目標を決めていき，利用者・家族の身近な支援者・理解者として，全人的支援を行う（図2）。

図1　限られた資源を活用して行っているキズの処置

図2　精神疾患をもつ利用者の環境整備

訪問看護師の褥瘡（じょくそう）関連の仕事内容

褥瘡（じょくそう）がない状態のとき

- 褥瘡をできる限り予防するため，介入早期から予防環境を整えることが重要となる。そのためには，初回訪問看護での褥瘡リスクアセスメントが鍵となる。
- 訪問看護師は利用者・家族の最も身近な存在であるため，利用者の状態の変化を専門的視点で観察し，早期対応が可能である。
- 寝たきり状態の利用者への初回訪問看護介入では，できる限り褥瘡発生のリスクアセスメントを行い，予防環境を整えていくことが必要である。
- 筆者が勤める病院の在宅医療科では，「床ずれ危険度チェック表®」を活用している（p39参照）。これを活用することで利用者の家族や介護支援専門員（ケアマネジャー）をはじめ多職種と問題点が共有でき，共通の目標が立てやすくなる。
- 清潔ケアを行ったあと，可能な限り皮膚状態の確認を行い，褥瘡好発部位に発赤がないか観察する。また，皮膚バリア機能維持のため保湿ケアを必ず行う。これにより褥瘡発生の危険度がぐっと下がる。

褥瘡が発生し，訪問看護依頼があった場合

- 褥瘡を発見した，あるいは褥瘡があると報告を受けた場合には，できるだけ早めにかかりつけ医の受診を調整する。
- かかりつけ医の受診・往診が行われる際には，利用者・家族のみでは褥瘡の内容が伝わらないことがほとんどであるため，事前に医師に情報提供すると同時に，訪問看護師ができるだけ立ち会うように調整をする。
- 訪問看護は医療保険と介護保険が利用できるが，深部に至る褥瘡の場合，医療保険で介入することが多い。
- 保険区分の選定については，介護保険の場合，デイサービス等の利用で単位数が限られているため，必ずケアマネジャーと相談する。
- 介護保険ではケアマネジャーがプランを作成するが，医療職でないケアマネジャーも多い。この場合，訪問看護師とケアマネジャーが情報共有し連携することが大切である。
- 褥瘡ケアの共通理解を深めるため，訪問看護師は早期に利用者・家族・ケアマネジャー等とカンファレンスをする機会を設ける。
- 褥瘡ケアにおいては，訪問看護師が積極的にケアマネジャーと連携しながらケアを進めることが必要である（図3）。
- 褥瘡の経過について，訪問看護報告書に写真を添えて経過を報告するとともに，訪問看護計画書についても褥瘡ケアの内容について記載し，かかりつけ医やケアマネジャーなどとしっかり共有することが必要である。

- 褥瘡ケアの介入を目的として訪問看護依頼があった場合でも，初回に必ず「床ずれ危険度チェック表®」を用いて評価をすることが大切である。かかわっている職種で目標を再設定してケア方法を見直すことができる。
- 褥瘡の状態は，DESIGN-R®2020で評価する。局所状態が数値化でき，褥瘡が治るまでの期間の予測やケア方法を考えることができる。

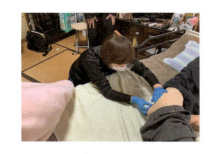
図3 家族と褥瘡ケアを共有している場面

- 創傷や褥瘡を専門としているかかりつけ医はまだまだ少ない現状があるため，訪問看護師が在宅褥瘡ケアの中心的役割を担う必要がある。
- 連携の要となる訪問看護師は，自分の役割を念頭に置いて自己研鑽に努め，利用者に質の高い褥瘡ケアを提供する必要がある。例えば近年，ポータブルエコーの導入が進められているが，訪問看護師もポータブルエコーへの知識等を深めることで，利用者の排泄ケアに活かすことができる（図4）。
- 病院と同様に複雑なケアを提供するのではなく，訪問看護では持続可能なケア方法を提案し，治癒に向けて看護を提供していく必要がある。
- 身近に連携できる皮膚・排泄ケア認定看護師がいるか確認し，同行訪問の診療報酬を利用するなど，相談しやすい環境を整えておくとよい（図5）。

図4 ポータブルエコーの診かたについての研修

図5 別の訪問看護ステーションのWOCNと行う同行訪問

訪問看護師に期待される役割

- 住み慣れた場所で過ごせるケアを提供するために，医療的立場からアドバイス可能な訪問看護師の役割は大きい。

- 住み慣れた場所で好きな人に囲まれて最期を迎えたいなど，利用者および家族が望む在宅医療を提供するために，信頼関係の構築と十分な話し合いが大切である（図6）。
- 今後，過疎化が進む地域はもちろん，受診が困難な利用者において，IT機器を最大限に活用していく必要がある。例えば，身体状態や褥瘡の写真等をオンラインで情報提供することで，治療やケアの方法の決定や修正を行うことができる（図7）。

図6　在宅で最期まで暮らすことを希望した利用者と家族

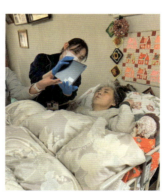

図7　オンライン診療を行っている場面

（荒谷亜希子）

3 在宅スキンケアの実際

ポイント

- 高齢者の皮膚の特徴を理解する。
- 高齢者に起こりやすい皮膚トラブルを理解する。
- スキンケアは皮膚の生理機能を良好に維持する，あるいは改善するために行うケアであるが，対象者の皮膚の特徴を理解し，洗浄や保湿・保護のケアを行うことが大切である。
- スキンケアに必要な使用物品を適切に選択し，使用する。
- ケア時は全身の皮膚をよく観察する。

皮膚の解剖生理

- 皮膚は表面から，表皮，真皮，皮下組織で構成され，身体を保護することが最も重要な役割である。皮膚には毛，毛包，汗腺，立毛筋，皮脂腺などの付属器がある（p165参照）。

表皮

- 表皮は厚さ約0.2mmであり，その最大の機能は外界からのさまざまな侵襲を防ぐバリア機能である（図1）。正常な表皮表面のpHは弱酸性に保たれ，細菌，真菌などの増殖を抑制する。
- 一般的に健康な皮膚は28日周期で新陳代謝を繰り返し，加齢とともに周期は延長する。

真皮

- 真皮は体重の15～20％に相当する。真皮の厚さは通常約1.8mmである。外部からの侵襲に耐えられるクッション機能のほか，しわ，たるみ，はりなどに関係する。

図1 表皮の構造と機能

【皮脂膜】角質細胞間脂質＋皮脂＋汗
バリア機能（pH4～6）

天然保湿因子　セラミド

角質細胞間脂質

角質層
顆粒層
有棘層
基底層

加齢により減少→水分保持能力の低下

＊健康な皮膚のターンオーバーは28日前後
　→加齢により延長する
・最大の皮膚の機能→人体を外界から
　保護すること

高齢者の皮膚の特徴（図2）

- 高齢者の皮膚の特徴として，細胞分裂能が低下することによる回転周期（ターンオーバー）の延長があげられる。回転周期は部位によって異なるが，20歳代では28日前後で，60歳代になると100日以上といわれている。
- ターンオーバーの延長により沈着したメラニン顆粒が長期間沈着し，色素斑が残りやすい。また，バリア機能回復やキズの治りが遅くなる。
- 表皮は薄くなり真皮乳頭は平坦化し，バリア機能が低下する。真皮乳頭の平坦化から機械的刺激によって，表皮の最下層にある基底層が剥がれやすくなる（スキン-テア）（第6章4参照）。また，外的刺激により水疱ができやすくなる。

図2 高齢者の皮膚の特徴

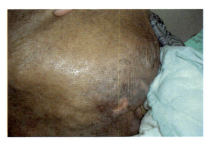
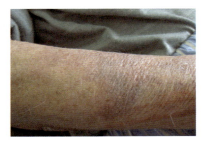

高齢者の皮膚の特徴である乾燥，色素斑，皮膚の菲薄化がみられる。

乾燥・そう痒（かゆみ）

- 高齢者に生ずるかゆみで最も多いのは，老人性乾皮症（皮脂欠乏症）である。
- 乾燥した皮膚はバリア機能が低下し，外界からの微生物やアレルゲンなどの刺激物質が侵入しやすくなる。
- そう痒は，皮脂の分泌が少ない下背部，腰部，大腿から下腿全面，上肢に生じやすい。
- かゆみは皮膚の乾燥が誘因となる。十分なスキンケアを行うことでかゆみを予防または軽減させることが大事である。
- かゆみは夜間不眠や不穏などを誘発し，かゆみのため擦過したキズをきっかけに感染症や褥瘡（じょくそう）を発症する危険性があるために，予防と早期対応が必要である。

浸軟（ふやけ）（図3）

- 角質水分が過剰な状態になることで皮膚の浸軟（ふやけ）が起こる。
- 皮膚がふやけた状態が続くと，角質における過剰な水分によってバリア機能が大きく障害される。
- 褥瘡などがあり，ガーゼを使用している場合，滲出液が多いと周囲の皮膚がふやけるこ

図3 浸軟によるスキントラブル

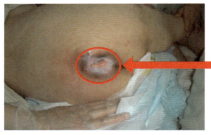

浸軟（ふやけ）

尾骨部に褥瘡あり。周囲皮膚にふやけ（浸軟）がみられる。褥瘡処置に使用しているドレッシング等が原因であることが多い。周囲皮膚が浸軟していると褥瘡の治りが遅れてしまうため，ドレッシングの検討が必要である。

外からの水分を吸収して細胞内の水分量が増え，角質細胞間の結合が緩んでいる状態。
→
外界からの圧力に対する皮膚の組織耐久性が低下，表皮剥離を起こしやすい。
また，外界からの異物や微生物が侵入しやすい。
→

あらゆるスキントラブルの原因になる

とがあるので，ドレッシングの選択にも注意し，吸収量があり逆戻りしない吸収パッドなどで創部を保護する。

表皮角質層の肥厚

- 肥厚とは踵など表皮角質層の厚さが増した状態である。
- 足底角化症などは生活習慣や老化に伴うものもある。
- 乾燥が症状を悪化させることを説明し，保湿ケアを行う。

浮腫（むくみ）（図4）

- 浮腫のある皮膚は薄くなっていて損傷を受けやすく，血流障害のため足先などへの酸素や栄養の不足・皮膚温の低下が生じ，感染しやすくなる。
- 陰部などの皮膚の密着や摩擦を予防するためには，滑りのよいオイルなどを使用する。
- キズがある場合，テープ等は直接皮膚に貼らず，大きめのパッドでキズと周囲の皮膚を保護し，テープはパッド側に貼付する。

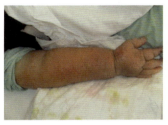

図4　浮腫

手首にしわができるほどのむくみ。皮膚が薄く脆弱なため損傷を受けやすい。このような場合は，むやみにフィルム剤などを貼付せず，ギャザーのないパッドやゆとりのあるフリース素材の肌着などで保護するとよい

出血傾向・皮下出血（図5～8）

- 皮膚への固定はなるべく粘着力の弱いものを使用する（例：マイクロポア™Sやさしくはがせるシリコンテープ）。テープを除去するときには剥離剤を用いる。
- 長袖，長ズボンや靴下，アーム・フットカバーを用いて皮膚の露出をなるべく避ける。
- 圧迫を避けるために衣類の首元，袖口，足元などがゆったりしたものを着用する。
- ベッド柵などは柔らかい布などでカバーする。
- 爪のケアを行い，かきむしりを予防する。

図5 皮下出血の一例

皮膚が薄く乾燥しており，少しの刺激，例えば腕を強くつかむ・または擦った・ぶつけたなどでも安易に裂傷する（第6章4 スキン-テア参照）。

図6 皮下出血の予防

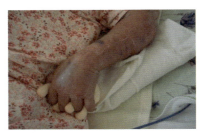

むくみのある上肢を挙上している。
指の間にはスポンジをはさみ，指と指の間の圧迫での損傷を予防している。

図7 在宅での皮膚損傷予防の一例

ベッド柵にカバーをかけ，皮膚の損傷を予防している。拘縮した下肢は全体を保護できる大きさのクッションで挙上している。両足は厚手の靴下で保護している。

図8 剥離剤

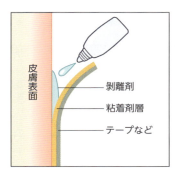

【皮膚用リムーバー】
（非アルコール性）液体（ボトルタイプ），スプレータイプ，ワイプタイプがある。サージカルテープ等の粘着製品の粘着力を弱めて，剥がすときの刺激と皮膚の損傷を低減する。

【使用方法】
皮膚と粘着剤（糊）の隙間に滴下（またはスプレー）し，テープなどを浮かせて剥がす。

乾燥・かゆみ予防のスキンケアの実際

洗浄（図9）

- 入浴時・シャワー時は室温に注意し，湯の温度は40℃前後でぬるめにする。
- 弱酸性の洗浄剤を使用する。皮膚が乾燥している場合は保湿剤配合の洗浄剤（例：リモイス®クレンズ・泡ベーテル®F）が望ましい。
- 泡状の洗浄剤を使用する。固形または液状のものは十分に泡立てて使用する。
- 洗浄剤を用いた洗浄は週に1～2回にする。ただし，汚れの溜まりやすい部位は毎日洗浄してもよい。成分の残留は皮膚炎や角質水分量低下，皮脂量の低下をきたすため，十分な量の微温水ですすぐ。
- ナイロンタオルやボディブラシは使用せず，洗浄後は押さえ拭きする。

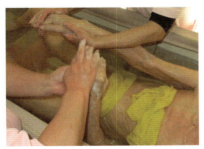

図9　在宅入浴サービスの実際

在宅での入浴時にナイロンタオルやブラシなどを使用せず，泡石鹸で介護者の手で洗っている。
刺激が少なく，細かいところまで洗浄できる。

保湿

- 入浴後は保湿剤を塗布するが，乳液またはローションタイプを選択する。
- 皮膚の乾燥が強いときは，モイスチャーライザー（保湿剤や水分，油脂成分アドニールを配合した製剤）を塗布して水分保持効果を高め，その後，油性の保湿剤エモリエント（ワセリン）を塗布すると効果的である。
- モイスチャー効果とは，皮膚に水分を与えることである。
- エモリエント効果とは，皮膚からの水分蒸散を防止し，皮膚を柔軟にすることである。
- 乾燥やかゆみが生じている場合は，保湿剤を1日2～3回塗布する。

1）保湿剤の使用方法

- 軟膏・クリームの場合は人差し指1関節分，ローションの場合は1円玉大（約0.5g）で，手のひら2枚分の面積として塗布する（図10）。

2）生活環境を整える

- 冷暖房の風が直接当たらないようにする。

図10　在宅での保湿剤塗布の実際

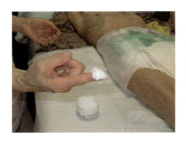
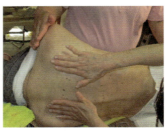

- 電気こたつや電気毛布を長時間使用しない。
- 室内湿度は40％以上にする。
- 冬季は乾燥しやすいため，室内の湿度が低い場合は加湿器を使用し，湿らせたタオルをベッドサイドにかける。

3）下着や寝具

- 着衣は柔らかい綿素材・シルク素材の肌着を選択する。
- 肌着は前開きで，ボタンよりマジックテープのものや，縫い目が直接皮膚に触れないものを選択する。
- 洗濯時，柔軟剤を過剰に使用しない。

保護

- 排泄物の付着から皮膚を守るため，入浴後やおむつ交換後には皮膚の被膜剤などを用い皮膚を保護する。
- おむつを着用している場合，尿路感染や下痢便になった場合，排泄物のpHがアルカリ性に傾き，排泄物が付着する部位が皮膚障害を起こす原因となる。
- おむつ関連は「第6章6　おむつの選びかた・使い方」を参照のこと。

（永崎真利子）

4 スキン-テア

> **ポイント**
> - スキン-テアの予防や再発予防は，外力から皮膚を守ることと適切なスキンケアをすることである。
> - 予防的スキンケアとして，定期的に保湿剤を優しく塗布することが有用とされる。
> - スキン-テア発生時は，できるだけ皮弁を元に戻し，創部に固着しにくい創傷被覆材で保護する。

スキン-テアとは

- スキン-テアとは，摩擦・ずれによって，皮膚が裂けた状態である（図1）。
- 皮膚が弱くなっていると，何気ない日々の行動によって起こる。
- 転倒したときや絆創膏を剥がしたときなど，さまざまな場面で発生し（表1），高齢者の手足に多くみられる。
- 一度発生すると，治っても新たに発生することがある。しかし，予防は可能である。
- スキン-テアの保有，既往は，「褥瘡（じょくそう）の危険因子」の1つである。

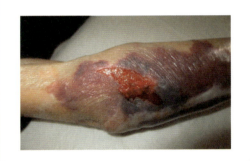

図1 スキン-テア

スキン-テアの危険度をチェックするには

- 全身や皮膚の状態をチェック（表2）して，1つ以上にチェックがついたら，摩擦・ずれが起こってないかをチェック（表3）する。
- 皮膚が弱く，摩擦・ずれにチェックがある人は，スキン-テア発生の可能性が高くなる。そのため，皮膚を守る予防対策が必要となる。

- 過去にスキン-テアが発生していた皮膚には，白い線状や星状の瘢痕がみられることがある。再発しやすいキズのため，必要に応じて予防対策をとる。

表1　スキン-テアが発生しやすい具体例

ずれ	転倒したとき	車いすなどの移動介助時にフレームなどに擦れた
	手足がベッド柵に擦れた	リハビリテーション訓練時に身体を支持していたとき
	体位変換時に身体を支持していたとき	ベッドから転落したとき
摩擦	絆創膏を剥がすとき	ネームバンドが擦れた
摩擦・ずれ	更衣時に衣服が擦れた	

表2　個体要因のリスクアセスメント表

（該当項目の□に✓をつける）

全身状態
- □ 加齢（75歳以上）
- □ 治療（長期ステロイド薬使用，抗凝固薬使用）
- □ 低活動性
- □ 過度な日光曝露歴（屋外作業・レジャー歴）
- □ 抗がん剤・分子標的薬治療歴
- □ 放射線治療歴
- □ 透析治療歴
- □ 低栄養状態（脱水含む）
- □ 認知機能低下

皮膚状態
- □ 乾燥・鱗屑
- □ 紫斑
- □ 浮腫
- □ 水疱
- □ ティッシュペーパー様（皮膚が白くカサカサして薄い状態）

一般社団法人日本創傷・オストミー・失禁管理学会編：ベストプラクティス　スキン-テア（皮膚裂傷）の予防と管理，19，照林社，2015．

表3　外力発生要因のリスクアセスメント表

（該当項目の□に✓をつける）

患者行動
（患者本人の行動によって摩擦・ずれが生じる場合）
- □ 痙攣・不随意運動
- □ 不穏行動
- □ 物にぶつかる（ベッド柵，車椅子など）

管理状況
（ケアによって摩擦・ずれが生じる場合）
- □ 体位変換・移動介助（車椅子，ストレッチャーなど）
- □ 入浴・清拭等の清潔ケアの介助
- □ 更衣の介助
- □ 医療用テープの貼付
- □ 器具（抑制具，医療用リストバンドなど）の使用
- □ リハビリテーションの実施

一般社団法人日本創傷・オストミー・失禁管理学会編：ベストプラクティス　スキン-テア（皮膚裂傷）の予防と管理，19，照林社，2015．

予防対策

環境を整える

- 可能であれば長袖，長ズボンで手足を保護する。
- もしくは，腕には肘までのアームカバー(図2)，足には膝丈靴下(図3)やレッグカバーなどを着用する。
- ベッド柵や家具の角などぶつかりやすい場所にカバーをつける(図4)。
- 転びやすい場合は，床に硬いものなどを置かないようにする。
- 車いすのフットサポートにカバーなどをつけることも検討する。

図2　アームカバー

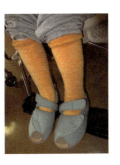

図3　膝丈靴下

図4　家具の角につけた緩衝材

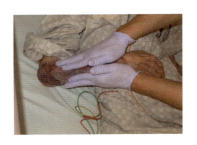

図5　優しく押さえるように塗る

入浴(保清)時の対策

- 弱酸性の洗浄剤を使用し，強く擦らずに洗い流す。
- 皮膚の乾燥が強い場合は洗浄剤を控える。または，保湿剤配合の洗浄剤を選択する。
- 浴室内やシャワーでの熱いお湯は避ける。
- 身体を洗った後は必ず保湿する。

保湿剤を塗布する

- 低刺激性でローションタイプなどの伸びがよい保湿剤を1日2回，あるいは状態によってはそれ以上塗布する。
- 1日2回の塗布でスキン-テアが予防できたという報告がある[1]。
- 保湿剤は優しく押さえるように塗布する（図5）。

体位変換等の介助

- 体位変換を行う場合はできるだけ2人以上で実施し，おむつや寝衣を引っ張らないようにする。
- 手足をつかむことでスキン-テアが発生することもあるため，弱い皮膚は上からつかまず下から支えるように保持する（図6）。
- 移動は，専用の補助具やビニール袋などを使用して滑らすように身体を動かし，強い摩擦を与えないようにする（図7）。

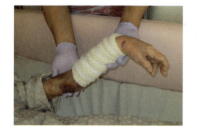

図6　下から支えるように持つ

図7　ビニール袋でスライディングシートを代用

医療用テープを使う場合

- 医療機関で最も多い発生原因は，医療用の「テープによる剥離刺激」である。
- スキン-テアが発生しやすい場合は，テープを使わず包帯や筒状包帯などで固定することを検討する。
- テープを使用する場合は，剥離刺激の少ないものを選び（例：マイクロポア™Sやさしくはがせるシリコンテープ），やさしく剥がす。テープを貼る場合は，貼付部の皮膚に緊張が加わらないように，テープの中心から外側に向かって貼る。アクリル系接着テープを使った場合は，必ず剥離剤を使用する（例：サージカルのり落とし）。

スキン-テアの分類

- 残っている皮膚（皮弁）の状態によって，「STAR（skin tear audit reserch）分類システム」

（図8）で分類することができる。

図8　スキン-テアの分類（STAR分類システム）

カテゴリー1a
創縁を（過度に伸展させることなく）正常な解剖学的位置に戻すことができ，皮膚または皮弁の色が蒼白でない，薄黒くない，または黒ずんでいないスキン-テア。

カテゴリー1b
創縁を（過度に伸展させることなく）正常な解剖学的位置に戻すことができ，皮膚または皮弁の色が蒼白，薄黒い，または黒ずんでいるスキン-テア。

カテゴリー2a
創縁を正常な解剖学的位置に戻すことができず，皮膚または皮弁の色が蒼白でない，薄黒くない，または黒ずんでいないスキン-テア。

カテゴリー2b
創縁を正常な解剖学的位置に戻すことができず，皮膚または皮弁の色が蒼白，薄黒い，または黒ずんでいるスキン-テア。

カテゴリー3
皮弁が完全に欠損しているスキン-テア。

一般社団法人日本創傷・オストミー・失禁管理学会：日本語版STARスキン-テア分類システムより

発生時の対処方法

- 発生時は軽く押さえて止血し，次に愛護的な洗浄を行う。
- 血の塊がある場合は，可能であれば洗浄しながら除去する。
- 綿棒や指を使ってできるだけ皮弁を元の位置に戻す（図9）。
- 皮弁を戻すときは痛みを生じるため，説明しながら処置を行うようにする。
- 洗浄のときに痛みが強い場合は生理食塩水を使用する。
- 創傷被覆材は，創部に固着せず，皮弁がずれないものを選択する（表4）。
- 皮弁がない場合（カテゴリー3）は，可能であれば創傷被覆材で湿潤環境を保ち，乾燥しないようにする。
- 皮膚接合用テープを使用する場合は，テープ間の隙間をあけて貼る（図10）。

図9　綿棒で濡らしながら皮弁を戻す

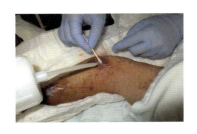

図10　皮膚接合用テープで皮弁を固定してからドレッシング材で被覆

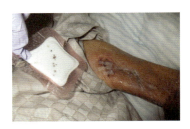

表4 スキン-テアで使いやすい被覆材の一例

市販されているドレッシング材	・ポリウレタンフォームドレッシング材 　（ハイドロジェントルエイド®，ふぉーむらいと®） ・シリコーン　メッシュドレッシング* 　（エスアイエイド®） ・非固着性ガーゼ* 　（メロリン®，デルマエイド®，モイスキンパット®，ラップキュアドレッシングなど） ・非固着性シリコンガーゼ* 　（トレックス®-C） *包帯（筒状包帯）などで固定が必要
外用薬	・油脂性基剤（白色ワセリン，アズノール®（ジメチルイソプロピルアズレン）などの上皮化促進と創面保護効果がある外用薬）と非固着性ガーゼ

ただし，紫斑の部位には貼らず，自然に剝がれるまで剝離は避ける。
- ポリウレタンフォームドレッシング材などで被覆した場合は，皮弁の生着を妨げないために次回，剝がす方向を矢印で記す（図11）。
- 創傷被覆材の交換は，皮弁の生着を促進させるために数日そのままにする。
- これらの処置は，個々の状態によってケアが異なることもあるため，迷う場合は医療専門家に相談する。

（間宮直子）

図11　シリコーン粘着剤のドレッシング材貼付後に次回剝がす方向を矢印で記す

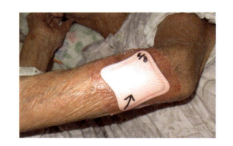

引用文献
1) Carville K, Leslie G, Osseiran-Moisson R, et al.：The effectiveness of a twice-daily skin-moisturising regimen for reducing the incidence of skin tears. Int Wound J. 11（4），446-453, 2014.

参考文献
・日本創傷・オストミー・失禁管理学会編：ベストプラクティス　スキン-テア（皮膚裂傷）の予防と管理，照林社，6-19，2015.

5 体圧分散管理
～寝具の選び方～

 ポイント

- 体圧分散寝具は，種類と特徴を理解し，身体の活動や身体の状況に合った寝具を選択する。
- 頭側挙上時は，仙骨部，尾骨部，踵部に大きな圧力とずれ力が生じる。
- 頭側挙上時は，ずれを予防するために，ベッドの背上げ軸と大転子部の位置を合わせ，ベッドの下肢側を挙上後，頭側を挙上する。
- 頭側を挙上したとき，下げたときは，背中や足の圧抜きを行い，衣服とシーツの間の圧を取り除くことで，ずれ力を解放する。
- 体圧分散寝具は，体圧分散効果が発揮できるように，定期的な評価と点検を行う。

褥瘡（じょくそう）を予防するために必要な体圧分散とは

- 褥瘡（じょくそう）は，骨突出部に垂直に圧迫が加わった場合は骨突出部を中心に発生する。褥瘡が骨突出部より少し離れた部位に発生した場合は，ずれた組織に圧迫が加わって発生しており，ポケットを形成することもある。
- 体圧分散とは，骨突出部などへの圧集中を減らすために，体圧分散用具を使用して身体との接触面積を広くし，圧力を分散させることである。

褥瘡を予防・治療するための寝具：体圧分散寝具とは

- 褥瘡予防（治療）に使用される寝具として，体圧分散寝具がある。
- 体圧分散寝具には，身体と体圧分散寝具の接触面積に加わる圧を，「沈める」「包む」「経時的な接触部位の変化」の3つの機能によって分散し，1点に加わる圧を低くする圧再分配機能[1]がある（図1）。

図1　圧再分配機能のイメージ

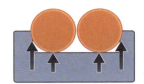
沈める機能
身体を体圧分散寝具内に沈める機能。ある特定の骨突出に集中していた圧を周辺組織やほかの骨突出部位に分配する。凹凸部において支持されない部分がある。

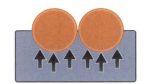
沈める・包む機能
骨突出など身体の凹凸に対する体圧分散用具の変形。身体がマットレスに沈み込むことで接触面積が最大となり，圧が分散される。静止型体圧分散寝具に備わる機能を指す。

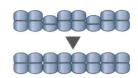
経時的な接触部位の変化
接触部位を一定時間ごとに変えることで，同一部位にかかる圧を減少させる。
接触面積が時間に従い変化する概念であり，圧切替型エアマットレスなどに備わる機能を指す。

西澤知江，須釜淳子：圧力・ずれを防止する体圧分散用具の選択，市岡滋，須釜淳子編：治りにくい創傷の治療とケア，79，照林社，2011．を一部改変

- 体圧分散寝具を機能から分類すると，「沈める」「包む」機能で骨突出部の圧力を低減する静止型体圧分散寝具と，「沈める」「包む」に加えて「経時的に接触部位を変える」ことで，継続時間を短くする圧切替型体圧分散寝具に大別される。

体圧分散寝具の種類と特徴

使用方法による分類

- 体圧分散寝具は，通常使用しているマットレスの上に重ねて使用する「上敷きマットレス」，使用しているマットレスと入れ替えて使用する「交換マットレス」，ベッド自体に体圧分散機能が備わっている「特殊マットレス」がある。
- 交換マットレスは，上敷きマットレスと比較すると厚みがあり，体圧分散効果も高い。
- マットレスの厚み（上敷きマットレスか交換マットレス）は，頭側挙上の角度や頻度，患者の在宅・施設など療養環境を考慮しながら選択する。

素材による分類

- 体圧分散寝具に使用される素材として，エア，ウレタンフォームなどがあり，複数の素材を組み合わせたマットレスとして，ハイブリッド型がある。素材の特徴を表1に示す[2]。

表1　体圧分散寝具の素材・特徴・適応の比較

素材	特徴	適応患者
エア	【メリット】 ■空気の量により個々に応じた体圧分散が可能となる ■筒状のセル構造が多層になっているものは低圧保持できる 【デメリット】 ■自力体位変換ができた人でも，体位変換ができなくなる ■付属ポンプのモーター音が騒音になる場合がある ■圧切替型の場合，不快感を与える場合がある ■鋭利なもので破損（パンク）しやすい	■上敷型：自力体位変換ができず，頭側挙上45度以下の場合 ■圧切替型：自力体位変換ができず，食事や経管栄養など，頭側挙上45度以上とする頻度が多い場合
ウレタンフォーム	【メリット】 ■ウレタンフォームの反発力が少ないほうが，圧分散効果が高い ■弾性（復元力）の異なるフォームを重ねることで，圧分散と自力体位変換に必要な支持力，安定性を得ることができる ■さまざまな加工を施し，構造を工夫することで，反発力を調整しているマットレスもある 【デメリット】 ■個々に応じた体圧調整はできない ■ウレタンフォーム上に身体が沈み込み，可動性が低い患者では，移動に支障をきたす場合がある ■年月が経つとへたりが起こり，圧分散能力が低下する ■水分の蒸散効果が低いため，発汗しやすい	■厚さ10cm以下：自力体位変換や座位バランスがとりやすいため，リハビリテーション期の患者 ■厚さ10cm以上：自力体位変換が可能で，頭側挙上45度以上を必要とする場合
ハイブリッド	【メリット】 ■2種類以上の素材の長所を組み合わせることで，体圧分散効果を高める ■現在は，エア，ウレタンフォームなど複数の素材を組み合わせたマットレスがある 【デメリット】 ■付属ポンプのモーター音が騒音になる場合がある ■鋭利なもので破損（パンク）しやすい ■年月が経つとへたりが起こり，圧分散能力が低下する ■水分の蒸散効果が低いため，発汗しやすい	■自力体位変換が可能で，頭側挙上45度以上を必要とする場合

一般社団法人日本褥瘡学会編：在宅褥瘡テキストブック，50，照林社，2020.，丹波光子：圧力・ずれ力のコントロール　臥位での体圧分散用具の選び方，宮地良樹，溝上祐子編：褥瘡治療・ケアトータルガイド，79，照林社，2009. をもとに一部改変

体圧分散寝具の特殊機能

- 特殊機能としてマイクロクライメット（皮膚局所の温度・湿度）対応，自動体位変換機能，体圧モニタリングなどが備わった体圧分散寝具（表2）がある。

体圧分散寝具の選択

- 体圧分散寝具は，身体の状況に合ったマットレスを選択する。
- 褥瘡リスクアセスメントスケールのOHスケールは，「自力体位変換能力」「病的骨突出」

表2　体圧分散寝具の特殊機能

マイクロクライメット（皮膚局所の温度・湿度）対応	外力（圧迫，ずれ，摩擦）に影響を与えるマイクロクライメットを管理できる交換圧切替型エアマットレス ■マットレス内のファンモーターにより，マットレス表面の温度と湿度を調整することで，皮膚への湿潤リスクを軽減する
自動体位変換機能	在宅療養患者の褥瘡予防，介護者の負担軽減を図る目的で開発されたマットレス ■体位変換機能：身体を傾け圧が加わる部分を移動させる ■スモールチェンジ機能：15分ごとに骨盤を中心に対角線上の小さな体位変換を繰り返す
体圧自動調整・体動監視機能	マットレス内のセンサーにより，臥床時の圧分散状態，体動を視覚的に見ることができる

「浮腫」「関節拘縮」の4項目で構成され，それぞれ0～3点の範囲で評価する。合計点で，軽度レベル（1～3点），中等度レベル（4～6点），高度レベル（7～10点）とリスクを識別し，危険要因ランクに応じたマットレスを選択する方法である。

- OHスケールにおいて軽度リスク患者の場合，静止型（ウレタン，またはハイブリッドの素材）で，厚みが8～9cmのマットレスを選択する。中等度リスク患者の場合，自力体位変換が可能であれば，厚みが10cm以上の静止型マットレス，自力体位変換が困難な場合は，圧切替型エアマットレスを選択する。高度リスク患者の場合，常に低圧を維持できる機能をもった圧切替型エアマットレスを選択する。
- 発汗や持続した尿・便失禁などにより湿潤した皮膚は，ずれ・摩擦を起こしやすい。湿潤した皮膚は，乾燥した皮膚と比較すると5倍も皮膚障害を起こしやすいといわれており，マイクロクライメット（皮膚局所の温度・湿度）対応マットレスなどの使用を検討する（表2）。
- 在宅療養患者の場合，患者の自力体位変換能力，骨突出の状態，介護力などを確認し，介護者の負担軽減を図る目的で自動体位変換機能付きマットレスの使用を検討する（表2）。
- 患者のADLのレベル，寝心地，快適性，安全面などにも配慮し，患者・家族と相談しながら体圧分散寝具を選択する。

体圧分散寝具を効果的に活用するために：ベッドメイキング

- マットレスカバーに伸縮性がない場合や，ベッドメイキングの際に下シーツを張りすぎた場合は，シーツの張力によってハンモック効果が生じ，骨突出部にかかる圧力が上昇する[3]。体圧分散寝具のシーツはしわにならないように，引っ張りすぎないようにする。
- 体圧分散寝具の沈み込み効果を活かせるように，伸縮性のあるシーツやカバー，ボック

スシーツなどを活用する。
- バスタオルは，伸縮性に乏しくエアマットレスの減圧効果も低下する。また，シーツの上に使用することで湿潤や，容易にしわができるため使用は避ける。

携帯型接触圧力測定器による体圧の確認

- 褥瘡を予防するためには，携帯型接触圧力測定器パームQ（図2）を用いて，定期的に体圧を測定する。
- 測定方法は，以下のようになる。
  ① 携帯型接触圧力測定器のセンサーパッドは，ディスポーザブルのビニール袋で覆う。
  ② 携帯型接触圧力測定器のセンサーパッドを，測定したい骨突出部にあてる。
  ③ 測定したい体位に整え，測定を開始し，結果を記録する。

図2 携帯型接触圧力測定器パームQ（株式会社ケープ）

- 仰臥位では，仙骨部に着目するが，踵部，外果部，内果部がマットレスと接しているときは，高い体圧が予測される。仙骨部とともに測定を行い，評価する。
- 仰臥位で仙骨部の体圧が50mmHg以下となるように，圧のコントロールをはかる。
- 体圧が高い場合は，マットレスやポジショニングピロー導入を検討し，再度測定を行う。ポジショニングピローを使用する際には，その姿勢で測定する。

ずれ・摩擦を予防するために

ベッドの構造と機能を確認する

- ベッドの背上げ軸と身体の屈曲部位があっていないと，仙骨部，尾骨部，踵部にずれが発生し，褥瘡発生のリスクが高くなる。
- 対象者の身体の殿部・股関節とベッドの背上げ軸（図3）・股関節と膝上げ軸（図4）の位置を確認する。

ベッドの背上げ軸と大転子部の位置を確認する

- 大転子は背上げ軸位置の指標となるため，大転子部をベッドの背上げ軸位置にあわせる。
- ベッドの背上げ軸と身体の屈曲部位があっていないと，仙骨部・尾骨部・踵部にずれが

図3 背上げ軸位置の確認

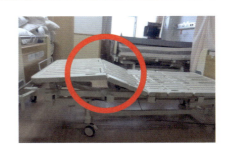

図4 膝上げ軸位置の確認

発生したり，滑り座りになったりし，胸腹部が圧迫され呼吸や嚥下機能にも悪影響を及ぼす。

頭側挙上時は，ベッドの下肢側を挙上後，頭側を挙上する

- ベッドの下肢を挙上していない場合は，仙骨部と尾骨部で体重を支えており，強い圧力とずれが生じている（図5）。
- 下肢を挙上することで，体重を大腿部の広い面で支えることができ，尾骨部の圧迫やずれを軽減することができる。
- ベッドの膝上げ軸と膝関節の位置が異なるとずれが生じやすくなる。体型とあわない場合は，殿部〜大腿部の下にクッションを挿入し調整する。
- 頭側挙上の時間や頻度が高い場合，体圧分散寝具を使用し，ずれを予防する。

図5 ベッドの下肢を挙上していないため，仙骨と尾骨で体重を支えている

ズボンのしわ

圧抜きを行う

- 頭側挙上は，ずれ・摩擦を予防するために，30度以内の挙上とする。
- 30度以上挙上する場合，30度の時点でいったん圧抜きを行う。
- 頭側挙上後は，圧迫部位を確認しながら必ず背中の圧抜き（図6），足部の圧抜き（図7），衣服とシーツの間の圧の解消（着衣のしわ取り）を行う。スライディンググローブを用いると，簡単に背面や殿部，下肢のずれ力を解放することができる。

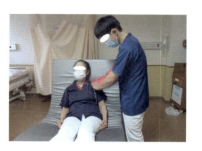

図6 背中の圧抜き：スライディンググローブを用いて，背面とベッドとの接触を解放する

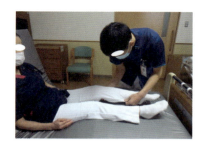

図7 足部の圧抜き：片足ずつ，ベッドと下腿後面の接触を解放する

体圧分散寝具の管理方法

- 使用している体圧分散寝具が正常に作動しているか，確認する。
- 電源が必要となるエアマットレスを使用する場合，設定どおりに正しく作動しているか，勤務ごとに確認する（表3）。
- ウレタンフォームマットレスの場合，長期間使用に伴う劣化（へたり）が生じるため，定期的にマットレスの劣化と体圧分散効果を評価する。体重や使用法により，1年以内に交換が必要になる例もある。
- 使用後は，体圧分散寝具に体液や排泄物の付着がないか観察を行い，感染対策や衛生面の観点より，アルコール含有の布などで清拭する。

表3 エアマットレスの確認ポイント

- ■電源が入っているか：プラグの接続，電源ランプ点滅の有無
- ■マットレスに触れる：形状，硬さに異常はないか，底つきの有無
- ■送気チューブの状態：CPR対応のエア抜き栓が外れていないか，チューブの閉塞や屈曲の有無
- ■設定内容確認：設定画面（体重，セルの動き，体位変換設定など）

（杉本はるみ）

引用文献
1) 日本褥瘡学会編：褥瘡予防・管理ガイドライン（第5版）準拠 褥瘡ガイドブック第3版，207-231，照林社，2023．
2) 丹波光子：圧力・ずれ力のコントロール 臥位での体圧分散用具の選び方，宮地良樹，溝上祐子編著，褥瘡治療・ケアトータルガイド，照林社，78-81，2009．
3) 西澤知江，酒井梢，須釜淳子：ベッドサイドで何を観る，真田弘美，須釜淳子編，実践に基づく最新褥瘡看護技術，35-49，照林社，2007．

6 おむつの選び方・使い方

> **ポイント**
> - おむつは，人の身体に最も長い時間触れる福祉用具の1つである。
> - 排泄をするということは本来，気持ちのよい行為であってほしい。排泄の自立が難しい対象者を支える排泄支援の方法の1つがおむつの使用である。
> - 排泄ケアを担う医療・福祉職者は，ただおむつの適否を考えるだけではなく，対象者の「健やか」「快適」という生活を支える福祉用具として活用を考えることが重要である。
> - おむつは，蒸れによる皮膚バリア機能の低下，おむつによる圧迫で褥瘡（じょくそう）発症リスクになる。不適切なサイズ選択や使用法の誤りがあると，さらに褥瘡発生リスクは高くなる。

褥瘡（じょくそう）予防とおむつ

- おむつは仙骨部，坐骨部，大転子部など，褥瘡（じょくそう）の好発部位といわれている場所を覆うように使用される。おむつそのものの圧迫によって，褥瘡を生じさせるリスクになり得る。尿を吸ったおむつは硬く盛り上がり圧迫がかかることもある。
- 尿取りパッドを重ね当てすることで，圧迫のリスクや蒸れを助長することが指摘されている。対象者や介護量に合わせた吸収量のおむつの選択が重要である。
- サイズの合わないおむつの使用は，おむつがよれることで圧迫を生じ，褥瘡につながることがある。また，ギャザーやおむつが食い込むことで褥瘡や傷を生じることもある。
- おむつは，便や尿を吸収したままで，長時間皮膚に接触すると，皮膚のバリア機能を低下させる。
- おむつに尿が付着した状態で，背上げや車いすでの座位姿勢，移乗時の摩擦やずれ力が加わることは，おむつをつけていない状態よりも褥瘡のリスクが数段高くなる。

おむつの正しい選び方

- おむつは「排泄アウター」と「排泄インナー」に分かれる。
- 「排泄アウター」は，テープ止め紙おむつやパンツ型おむつ，布製のホルダーパンツなど，1枚で使用またはパッドを固定するもののことで，「排泄インナー」は，尿取りパッドなどアウターの中に入れて使用するもののことを指す。
- 排泄インナー（尿取りパッド）は，尿を吸収するという役割があり，紙製や布製のものがある。布製のインナーは洗って繰り返し使えるが，吸収量が少ない。紙製のインナーには，男性・女性用，さまざまな種類や吸収量のものがある。使用する対象者の尿量や回数，尿の勢いなどを考慮して，適したものを選択していく。
- アウターとインナーはセットで使い，インナーはアウターの立体ギャザーの中に収まりやすいよう工夫されている。中に入りきらないインナーを使うことは尿漏れの原因になる。特段の理由がなければ，同一のメーカーのものでそろえるほうが，尿漏れなどの問題が起こりにくく，フィット感も向上する。

適正なおむつのサイズとは

- 体形に合ったサイズのおむつを選ぶことが大切である。漏れることを心配して，大きいサイズのものを選ぶと，逆に隙間から尿が漏れやすく，汚染の原因につながる。
- 商品パッケージに選び方の目安が表記されている。メーカーによってサイズが異なることもあるので，購入の際には確認することをお勧めする。
- パンツ型のおむつはウエストサイズが明記されているものが多い。テープ止めタイプはヒップサイズで表記されているので，おむつの選択の際には注意が必要である。
- 男性はウエストに比してヒップサイズが小さい場合も多く，身長やウエストサイズでテープ止めタイプのおむつを選ぶと，オーバーサイズで鼠径部などがスカスカとした状態になる。

おむつの特性とインナーの重ね使いの無効性

- おむつの機能を最大限に活かすために重要な点は，「尿をおむつのギャザー内側の，吸収できる場所で受ける」ことである。尿取りパッドやおむつは，吸収帯がついている内側のみが尿を吸収でき，裏側は尿を通さない。
- パッドを重ねても2枚目には尿は通らず，側方へ尿があふれて漏れを誘発する。

尿の排泄パターンを知っておむつを選ぶ

- まずは1日の排尿量を把握する。排尿量に応じたおむつの選択ができると漏れなどの問題が改善しやすい。おむつを使い始めるときには，排尿量の測定をすることをお勧めする。
- 排泄量の測定は，尿を吸収したおむつの重さを量り，使用前のおむつとの重量差で推測できる。
- 尿取りパッドはメーカーによって実際の吸収量が異なるので，製品を変更する際の参考にする。
- 寝たきりの人や尿意がはっきりしない人など，排尿のタイミングがわかりにくい場合は吸収量が多いものを選択しておくなど対象者の状況にも応じて使用するパッドの検討を行う。
- 適正な範囲は尿の広がり具合で判断をする。図1の中央にあるように，全体の半分～2/3程度で交換するのが妥当とされている。半分よりも少ない場合には「吸収量を下げる・交換時間をのばす」，全体に尿が広がるまたは漏れる場合には「吸収量を上げる・交換間隔を縮める」などの対応をし，見直しを行う。
- 排尿量は日中と夜間で異なることも多い。いわゆる夜間尿といわれ，昼間に比べて夜に多量に尿が出ることを経験することもある。その理由として，寝る前の水分の過剰摂取，薬剤性のもの，ホルモンバランスの乱れ，高血圧や心不全，腎機能障害などの内科の病気によるもの，睡眠時無呼吸症候群などがある。病状や生活背景に合わせて，昼と夜で使用するおむつを2パターン用意するなど，必要時は検討してほしい。

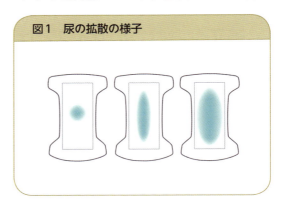

図1　尿の拡散の様子

高齢者の排泄とおむつ

- フレイル（いわゆる虚弱）は尿失禁発症の危険因子とされる。「高齢だから，認知症だから」という先入観にとらわれないように配慮する。
- とはいえ，フレイル高齢者や認知機能低下高齢者においては，一般の高齢者に比べ，尿失禁，便失禁および両者の合併の頻度が高い。
- さまざまな排尿ケア用品があり，対象者と介護者のQOLを考慮して適切なものを選ぶ。排泄用具の選択には対象者のADLを考慮し，MOCKY式排泄用具選択のフローチャートなどを活用することが考慮される（図2）。
- 療養生活のなかで，お尻の筋量が減ったり，むくんだりとサイズが変化することも多い。

図2 MOCKY式排泄用具選択のフローチャート

排泄用具選択のADLフローチャート ＜MOCKY式＞

はい → / いいえ →

座っていることができる

	歩行・移動	移乗・立ち座り	衣服の上げ下ろし	場所
	現在，トイレまで何も使わずに，一人で安全に移動できている	現在，トイレの便座に何も使わずに，一人で安全に移ることができている	現在，トイレで，衣服の上げ下げが一人で安全にできている	トイレで
	↓A	↓B	↓D	
	介助・移動用具・住宅改修などを用いれば，トイレまで無理なく安全に移動できそうですか	介助・補助用具・住宅改修などを用いれば，無理なく安全にトイレの便座に移ることができそうですか	介助・補助用具・住宅改修など用いれば，トイレで衣服の上げ下げが無理なく安全にできそうですか	
		↓	↓	ベッドサイドで
		現在，ベッドからポータブルトイレに何も使わずに一人で安全に移ることができる	現在，ベッド上あるいはベッドサイドで衣服の上げ下げが一人で安全にできる	
		↓C	↓E	
		介助・補助用具・住宅改修などを用いれば，ベッドからポータブルトイレに無理なく安全に移ることができそうですか	介助・補助用具・住宅改修などを用いればベッドサイドで衣服の上げ下げが無理なく安全にできそうですか	ベッド上で

排泄用具 ＋ 吸収用具

トイレで
- トイレに設置した便器
- 住宅改修で新設したトイレ

吸収用具：
- 布製失禁パンツ
- 軽度失禁パッド
- パッド
- 超うす型紙パンツ
- うす型紙パンツ
- 紙パンツ用パッド
- ふんどしタイプ

ベッドサイドで
- ポータブルトイレ
- しびん
- 差し込み便器
- コンドーム型採尿器
- 自動排泄処理装置（尿のみ・尿便）

吸収用具：
- 長時間安心紙パンツ
- 紙パンツ用パッド
- ふんどしタイプ

ベッド上で
- しびん
- 差し込み便器
- コンドーム型採尿器
- 自動排泄処理装置（尿のみ・尿便）

吸収用具：
- テープ止め紙おむつ
- パッド
- ふんどしタイプ
- 紙製ベッドシーツ

→ 排泄用具については下表を参照
→ 吸収用具については下表を参照

Ⓐを通った方
移動に必要な項目はどれですか？チェックした項目は下表を参照
- □人的支援の確保
- □移動用具
- □住宅改修

ⒷⒸを通った方
立ち座りに必要な項目はどれですか？チェックした項目は下表を参照
- □人的支援の確保
- □移動用具
- □住宅改修

ⒹⒺを通った方
衣服の上げ下げに必要な項目はどれですか？チェックした項目は下表を参照
- □人的支援の確保
- □移動用具
- □住宅改修
- □衣服の工夫

必要なものを確認し，ケアプランに反映しましょう

人的支援の確保
- □家族で対応
- □介護保険サービスで対応
- □それ以外で対応

衣服の工夫
- □手持ちの衣類をリフォーム
  * ワンタッチテープへ変更，チャックにリングを付ける，等
- □オープンスウェット
- □夜間の寝衣の選択
  * パジャマが良いか，寝巻きが良いか，等

住宅改修
介護保険 住宅改修の対象範囲
- □手すりの取り付け
- □段差の解消
- □床・通路面の材料変更
- □引き戸等への扉の取り替え
- □洋式便器等への便器の取り替え
- □上記の改修に付帯する工事

介護保険外の住宅改修
- □トイレの新設

移動・補助用具
福祉用具貸与の対象品目
- □歩行補助杖（1本杖以外）
- □歩行器
- □車いす，その付属品（要介護2以上の方のみ）
  *廊下の幅，トイレの面積など考慮しましょう
- □特殊寝台，その付属品（要介護2以上の方のみ）
- □体位変換器
- □手すり（工事を伴わないもの）
- □スロープ（工事を伴わないもの）
- □移動用リフト（要介護2以上の方のみ）

介護保険外の用具
- □1本杖
- □車いす（要介護2未満の方）
- □ベッド（要介護2未満の方）

排泄用具
福祉用具貸与の対象品目
- □自動排泄処理装置
  *「尿のみ」「尿便に対応（要介護4・5の方のみ）」があります
  *「尿のみ」には「手持ち式」と「装着式」があり，車いすでも使用できるものがあります

特定福祉用具販売の対象品目
- □腰掛便座（ポータブルトイレや立ち上がり補助便座）
  * ポータブルトイレは「高さ調節機能付き」や，横移乗する場合は「アームサポートはね上げ式」が便利

介護保険外の用具
- □しびん
  * 排尿後の尿こぼれが心配な場合は「逆流防止機能付き」が便利です
- □コンドーム型採尿器
  * ペニスの長さが3cm以上の方が対象。敏感肌の方は医療職と相談しましょう
- □差し込み便器

吸収用具
選んだ吸収用具はどれですか？
- □布製失禁パンツ
- □超うす型紙パンツ
- □うす型紙パンツ
- □長時間安心紙パンツ
- □軽度失禁パッド
- □パンツ用パッド
- □パッド
- □テープ止め紙おむつ
- □ふんどしタイプ
- □紙製ベッドシーツ

自治体のおむつサービスの該当品はありますか？
- □はい
- □いいえ
  * おむつの選択について迷った場合はNPO法人日本コンチネンス協会，各社おむつメーカーのお客様相談室，ドラッグストアや介護ショップなどに聞いてみましょう

牧野美奈子：これでわかる「トイレ・排泄用品」の選び方，使い方の基礎知識 トイレ・排泄用品編，一般財団法人保健福祉広報協会編：2023年度版 福祉機器の選び方・使い方テキスト，31，一般財団法人保健福祉広報協会，2023．

体重の確認とともに身体のサイズも定期的に確認し，適正なサイズのおむつが選択されることが望ましい。

水様便と便秘対策

- 特殊な製品を除いて，インナー，アウターともにおむつは尿を吸収するものであって，便を吸収する作用をもっていないものがほとんどである。
- 水様便や柔らかい便がギャザーからはみ出たり，吸収帯の上に便がとどまることで尿がギャザーの中に納まらず寝衣やシーツを汚染することがある。
- その際，便が漏れるからといって，おむつの重ね当てをしたり，アウターのサイズを大きくすると，ギャザーや吸収帯の機能を損ない，当然漏れやすくなる。このような不適切な使用は，褥瘡や皮膚障害のリスクを高めるとともに，更衣や洗濯などの介護負担を強いて，療養生活の継続が困難となることさえある。
- 便秘の場合，介護・医療現場では下剤の内服に依存することが多く，内服をした翌日には，大量の便が排出されて寝具や衣服を汚染してしまうような状況も多い。
- 排便に伴う不快感や失禁による精神的な苦痛は，高齢者の生活の質を著しく低下させる。このような不快感がある状態は，認知機能が低下した対象者の不潔行為である弄便(便をいじったり，便で衣服や家具などを汚したりする行為)などの問題につながる。
- 看護や介護でおむつ交換の工夫をすることで何とかするという視点ではなく，医師や薬剤師に医療的な介入を依頼することも重要である。
- 近年では，便が出たのか出ていないのか，おむつから漏れたか漏れていないかということだけではなく，食事や活動など日常生活への影響や，本人や家族の希望を十分に加味しながらケアにあたることができる環境がつくられてきている。

認知症とおむつの問題

- おむつ外しなど，認知症とおむつの問題の相談を受けることが多い。認知症と下部尿路症状とは有意な関連があるとされている。重度の尿失禁は認知機能の低下と関連するといわれており，排泄自立やおむつの問題と切っても切り離せない側面がある。
- 「認知症だからおむつを外す」と自分の解釈で認知症とおむつを結びつける前に，疾患や特徴的な症状を把握することが必要である。
- 例えばレビー小体型認知症であれば，「幻覚に驚いておむつを外そうとするのではないか？　それならば，おむつや下着の色を変えたら，見え方が変わって幻覚が起きないのではないか？」とみんなで考え，対処方法を見出すことができるかもしれない。
- 昨今の医療介護現場は非常に多忙で，「その人らしい排泄ケア」を支えることは，働く側

にとって過酷であるともいえる。しかし「これとって」と対象者が訴えるからには何かしらの理由があるものである。

- 代表的なものとして、脱水などによる便秘で嵌入便（かんにゅうべん）といってお尻（直腸など）に便が溜まっていて出し切れない状態の不快感を表現することがある。その際に、尿意や便意がしっかりわからないことや、うまく言葉にして表現できない、人を呼ぶなどの行動をとれずに、「これとって」「トイレ行きたい」と繰り返し訴えているかもしれない。嵌入便などの際は、自力で出すことが難しいので、摘便や浣腸などで便を出さないと症状は消失しない。
- 認知症患者の夜間頻尿の対応にあたっては、夜間頻尿そのものではなく、夜間頻尿があることによる問題への対策も重要である。問題点には睡眠障害、転倒などがあげられ、対応は個々の症例によって異なる。夜間頻尿そのものを改善できないこともあるが、付随する問題を解決・予防できるという視点で考えることも必要である。

まとめ

- おむつの使用にあたっては、サイズや吸収量の合わないおむつの使用や不適切な排泄ケアの積み重ねは対象者にとって不快であるとともに、容易に褥瘡などの皮膚のトラブルをきたす。
- 不快なおむつの使用によって、対象者のBPSD（behavioral and psychological symptoms of dementia：行動・心理症状）や抑うつ、セルフネグレクトなどの負のスパイラルに移行しやすい。おむつのみではなく、「その人らしい排泄ケア」への取り組みは重要である。
- おむつは日常的に消費するもので、在宅介護においては経済的な負担感を生じることも多いが、残念ながら介護保険など公的保険での補助は受けられない。ただ、おむつ代の負担を軽減する対策として、市区町村が実施している「紙おむつ給付およびおむつ代助成制度」などの制度がある。自治体の福祉サービスついての知識を深めたり、サービス利用の相談ができる相手を探すなど、対象者に情報を届けることも重要な支援である。

（畠山誠）

参考文献
- 日本サルコペニア・フレイル学会国立長寿医療研究センター編：フレイル高齢者・認知機能低下高齢者の下部尿路機能障害に対する診療ガイドライン2021，ライフサイエンス出版，2021．
- 浜田きよ子編著，吉川羊子編：在宅＆病棟でできる！おむつと排泄の看護ケア，メディカ出版，37-46，2020．
- 日本褥瘡学会・在宅ケア推進協会編：床ずれ予防プログラム，春恒社，28-31，2022．

7 失禁関連皮膚炎（IAD）とは

>  **ポイント**
> - 失禁関連皮膚炎（IAD）はかゆみや痛みなど苦痛を伴うことを理解する。
> - 失禁関連皮膚炎は，尿や便が皮膚に接触することで，肛門周囲だけではなく広範囲に及ぶ，皮膚の深い部位に至る炎症である。
> - 尿や便から皮膚を守る予防的なスキンケアを行う。
> - 多職種で情報を共有し，適切なケアを行う。

失禁関連皮膚炎（IAD）とは

- 日本創傷・オストミー・失禁管理学会では，失禁関連皮膚炎（IAD：incontinence-associated dermatitis）を，「尿または便（あるいは両方）が皮膚に接触することにより生じる皮膚炎である。この場合の皮膚炎とは，皮膚の局所の炎症が存在することを示す広義の概念であり，その中に，いわゆる狭義の湿疹・皮膚炎群（おむつ皮膚炎）やアレルギー性接触皮膚炎，物理化学的皮膚障害，皮膚表在性真菌感染症を包括する」[1]と定義している。

失禁関連皮膚炎の発生のメカニズム

- 皮膚に尿や便が接触すると，尿や便の水分で皮膚がふやけ，皮膚の強度が低下する。摩擦やずれなどのわずかな刺激でも皮膚が傷つきやすい状態になるため，感染のリスクも大きくなる。
- 尿や便が皮膚に長時間付着することで皮膚のバリア機能が低下し，尿や便中の刺激物質が容易に皮膚の中に入り込みやすくなり，失禁関連皮膚炎が発生する（図1）。

図1　失禁関連皮膚炎の発生

排泄物で皮膚がふやける
↓
真皮の浸軟と物理的強度の低下
↓
便中の消化酵素がさらに皮膚のバリア機能を低下させる
↓
細菌や消化酵素が真皮まで侵入し傷つける
↓
失禁関連皮膚炎が発生

- 失禁関連皮膚炎では，見た目よりも皮膚真皮が損傷されている可能性があるため，褥瘡（じょくそう）も発生しやすい状況となる（図2）。
- 好発部位は，会陰，肛門周囲，殿裂，殿部，鼠径部，下腹部，恥骨部である。しかし，排泄物が接触する部位は，場合により大腿部などにも至るため，意識して観察することが大事である[2]。

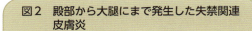

図2　殿部から大腿にまで発生した失禁関連皮膚炎

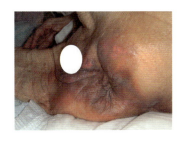

尿や便から皮膚を守る適切なスキンケアを行う

清拭・洗浄：尿や便を早めに取り除く

- 便の中にはたんぱく分解酵素が含まれており，皮膚にとって強い刺激となるため，便失禁があったときは速やかに取り除く。
- 陰部洗浄時，熱すぎる湯を使用すると，皮膚に必要な皮脂まで取り除き，皮膚のバリア機能を低下させ，症状をさらに悪化させるため，熱すぎない湯を使用する。
- 拭き取る際にタオルなどで強く擦ると，皮膚を傷つけ，失禁関連皮膚炎の症状を悪化させる。タオルを使用するときは，擦らず押さえ拭きをする。
- 皮膚に負担が少なく便を拭き取ることができる，おしりふきやサニーナ®スプレーなどを活用する（図3）。
- 皮膚のバリア機能を損なわないよう，陰部洗浄時に使用する洗浄剤は1日1回でよい。
- 洗浄剤を使用するときは，泡タイプのものを使用するか，泡立てネットなどでよく泡立てて使用する。皮膚に洗浄剤が残らぬよう，ぬるま湯で十分に洗い流す。
- 鼠径部や腹部など，皮膚のたるみが大きく，皮膚同士が接触している場合は，尿や便が

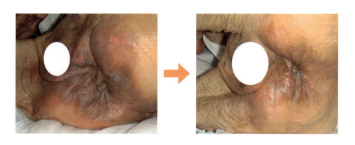

図3 拭き取りにサニーナ®スプレーを使用し症状が改善した例

残らぬよう注意して洗浄し，洗い流す。

保湿し皮膚を保護する

- 尿や便から皮膚を守るため，撥水性皮膚保護剤を活用する。保湿剤の使用でも効果はある。

尿取りパッドやおむつを適切に使用し，尿や便が広がることを防ぐ

- 尿取りパッドやおむつが適切に使用されていないと，尿や便が皮膚を伝って腹部や鼠径部まで広がり，失禁関連皮膚炎の原因になる。
- 加齢などが原因でやせて皮膚がたるむことで，腹部や鼠径部，大腿部の皮膚同士が接触しやすい状態になり，尿と便が入り込みやすくなる。
- 体形に合わない大きすぎるおむつの使用，尿取りパッドが尿道口に密着していない，大腿のたるんだ皮膚をおむつ内に巻き込むなど，おむつが適切に使用されないと，尿や便が皮膚を伝い漏れる原因になる。
- 尿取りパッドは，鼠径部にきちんと沿わせる。大腿部のたるんだ皮膚はおむつに巻き込まないように左右に引き上げると，容易に鼠径部に沿わせることができる[2]。また，尿取りパッドを尿道口に密着させる[2]など，尿や便が腹部や大腿まで広がらないよう，おむつを適切に使用する。このことを多職種間でも共有する（図4）。

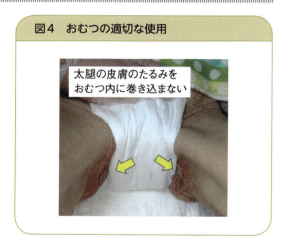

図4 おむつの適切な使用

太腿の皮膚のたるみをおむつ内に巻き込まない

おむつの使用やスキンケア方法を見直し，失禁関連皮膚炎が改善した事例

- 90代の女性，息子と2人暮らし。ヘルパーと訪問入浴だけを利用していた。
- おむつからの尿もれと陰部と殿部のただれが改善しないと介護支援専門員（ケアマネ

ジャー)から相談があり，訪問看護が開始となった。
- 肛門周囲から仙骨部付近にかけて広範囲に，失禁関連皮膚炎の症状がみられた。

実際のケア内容

- テープ式おむつと，2回吸収の尿取りパッドを2～3枚重ねて使用していた。
- 朝昼夕，ヘルパーがおむつ交換のたびに，固形石けんで陰部洗浄を行っていた。
- 利用者が気持ちよいというため，熱めの湯でしっかり拭いていた。
- 陰部清拭後，保湿剤は使用しておらず，主治医から処方された抗真菌剤の外用薬のみ使用していた。

ケア内容の見直し

1) 尿量
- 簡易計量器で尿量測定を行うと，1日の尿量が2L以上あった。
- 脱水や体調不良を心配した息子が，1日2L以上の水分補給をさせていた。
- 尿量とおむつ交換の頻度を考慮し，テープ式おむつと4回と6回吸収の尿取りパッドを使用し，1日3回おむつ交換を行った。
- 水分摂取の量は，1L程度でも十分であることを息子に助言した。

2) 陰部洗浄
- 固形石けんの使用のまま，台所用水切りネットを活用し，よく泡立ててから陰部をなで洗いした。
- 固形石けんを使用した陰部洗浄は1日1回朝だけにし，それ以外はおしりふき(アルコール含有でないもの)を使用した。
- 陰部洗浄時は熱すぎない湯を使用し，タオルで拭くときは擦らず押さえ拭きすることにした。

3) 皮膚の保護
- 皮膚の状態を医師に報告し，ヘパリン類似物質の外用薬とワセリンの処方を依頼した。

多職種間での共有

- 上記の内容を，ケアマネジャー，ヘルパー，訪問入浴業者，訪問看護師で情報共有し，共有したケアを続け，失禁関連皮膚炎の症状が改善した(図5・6)。

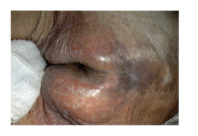
図5 ケア見直し前

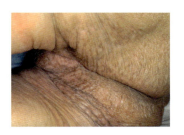
図6 ケア見直し後

陰部洗浄時のケア内容の統一

- 尿路感染を予防するため，陰部を清潔にすることは大切である。しかし，熱い湯を使用する，擦りすぎるなどのやり方で頻回に陰部洗浄すると，皮膚のバリア機能が低下し，タオルで皮膚を擦ることで皮膚が傷つき，失禁関連皮膚炎が発生しやすい状態になる。利用者に対してヘルパー，訪問看護師，デイサービスなど複数の事業所がかかわり，陰部洗浄を行うときは，陰部洗浄の方法やスキンケアについて確認し，ケア内容を統一することが必要である。

(大内淑子)

引用文献
1) 日本創傷・オストミー・失禁管理学会編：IADベストプラクティクス，6，照林社，2019.
2) 日本褥瘡学会・在宅ケア推進協会編：ケアプランが変わる！在宅介護が変わる！ 床ずれ予防プログラム—床ずれ危険度チェック表®を活かす—，29，春恒社，2022.

参考文献
・日本創傷・オストミー・失禁管理学会編：スキンケアガイドブック，231-243，照林社，2017.

8 終末期の褥瘡（じょくそう）ケア

 ポイント

- 終末期に褥瘡（じょくそう）はできやすく，治りにくい。
- 褥瘡の治癒より苦痛を減らすことに重点を置く。
- きちんと褥瘡ケアを行うことで，その人にとってのスピリチュアル・ケアになり得る。

終末期とは

- 終末期は人生の最終段階ともいわれる状態である。
- 厚生労働省の定義では，以下の通りとなっている。
  ① 医師が客観的な情報をもとに，治療により病気の回復が期待できないと判断すること
  ② 患者が意識や判断力を失った場合を除き，患者・家族・医師・看護師等の関係者（介護スタッフも含む）が納得すること
  ③ 患者・家族・医師・看護師等の関係者（介護スタッフも含む）が死を予測し対応を考えること
- 終末期の期間（亡くなるどのくらい前か？）については，けがや病気の進行度によってさまざまである。
- 例えば，交通事故で脳死状態となり病院に運ばれた場合は，残された時間が数日あるいは数時間ということもあり得る。
- がんや老衰の終末期は，亡くなる2～3か月前を指すことが多い。
- 本項で扱う終末期とは，末期がんや臓器不全（慢性心不全や慢性呼吸不全などの内臓の機能が低下する病気），認知症，老衰などによって亡くなる1～2か月前とする。

なぜ終末期は褥瘡（じょくそう）ができやすく治らないのか？

- 終末期になると身体が動かなくなるため，寝返りや起き上がることが難しくなる。そのため，同じ部分に圧力がかかることが多くなる。
- 終末期になると，食事を摂ることができない，あるいはほとんど食べられない状態になるため，栄養状態が悪くなる。
- 栄養状態が悪くなると，やせてくるため，仙骨をはじめとした骨が突出して，この部分に褥瘡（じょくそう）が起こりやすくなる。
- 終末期になると，痛みや呼吸困難などの理由から，身体の向きを変えることが困難になることがある。特定の向きしか向けなくなる人もいる。
- 皮膚のバリア機能が低下し，細菌やウイルスやカビに感染しやすくなる。
- 臓器の働きが悪くなり，むくみが起きやすくなる。
- これらの理由から，終末期は褥瘡を発症しやすく，発症しても治癒に至ることができない場合が多い。
- このため，できるだけ褥瘡を予防し，早期発見することが必要である。なお，早期発見しても，急速に褥瘡が悪化する可能性がある（図1）。

終末期の褥瘡を予防するには

- 終末期の褥瘡を予防するには以下を行う。
- 皮膚の清潔を保つ。
- 皮膚の浸軟や乾燥を防ぐための対策として，軟膏を使用する（浸軟対策：ワセリン等，乾燥対策：ワセリン，ヘパリン類似物質）。
- 体位変換ができるように，疼痛や呼吸困難を緩和する（医療用麻薬を用いることが多い）。

図1　死亡3日前に褥瘡が出現した97歳の老衰患者

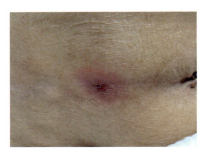

①97歳の老衰患者の死亡3日前に褥瘡が出現した

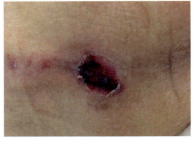

②①の翌日の状態：褥瘡が大きくなっていた

- むくみを減らすため，点滴量を減らす，または中止することを，本人，家族，医療介護チームで意見を交換しながら決めることもある。
- 経管栄養が行われている場合も，むくみが強い場合は経管栄養量を減らす，または中止することを，本人，家族，医療介護チームで意見を交換しながら決めることがある。
- リスクが高いケースには高機能マットレスを使用する。
- 体位変換を可能な範囲内で行う（高機能マットレスを使用していれば，2時間おきである必要はない）。
- 口腔内の衛生を可能な限り保つ。
- 管理栄養士等と連携しながら，少しでも口から食べる方法を模索する。

終末期にできた深い褥瘡への対応

- より高機能なマットレス導入を検討する。
- 褥瘡の局所処置が苦痛にならないように工夫する（例：処置時間が短くなるように創傷被覆材交換と洗浄のみとする）。
- 褥瘡処置はできるだけ短時間で終了する（特に体位変換時の苦痛がある場合）。
- 創の状態と患者の全身状態を勘案し，残された時間が短い場合はデブリードマン（腐った部分をメスやハサミを使って取り除くこと）等の苦痛を伴う処置を最小限にする（感染を伴いデブリードマンが必須なときは必要最小限のレベルで行う）。

終末期に点滴や栄養を控えることは死期を早めるため，よくないことではないか？

- 終末期において点滴や経管栄養は，むくみや呼吸困難などの苦痛を生み出すことがある。そのような医療やケアを終末期においても行うか，その判断は大変難しいものであるが，判断材料になり得る一つのものとして，厚生労働省は2018年に「人生の最終段階における医療・ケアの決定プロセスに関するガイドライン」を発表している。以下にその内容を紹介する。
- 医師から人生の最終段階と考えられるとの意見が示されたとき，医療やケアを受ける本人が，多職種の医療介護の専門職と今後の医療やケアの方針について話し合う。
- 本人の意向が最も尊重されるべきである。
- 本人の意向は常に変化し得るものなので，繰り返し確認を行う。
- 本人が意向を伝えられないとき，家族から本人の意向を推し量れるような情報を聞き出す（以前から延命治療は希望していなかったなど）ことも重要。
- 人生の最終段階における医療やケアは，医療・ケアチームによって，医学的妥当性と適切性をもとに慎重に判断する。

- 可能な限り，疼痛やそのほかの不快な症状を十分に緩和し，精神的なケアも行うことが必要。
- 生命を短縮させる意図をもつ積極的安楽死は，このガイドラインでは対象外である。
- 家族からも本人の意向を推定できなかった場合は，医療・ケアチームが本人にとって何が最善であるのかを家族と繰り返し相談を行う。
- 医療・ケアチームの話し合いにおいて結論が出ない場合は，複数の専門家（場合によっては弁護士などの法律家も加えて）による話し合いの場を改めて別につくり，その場で話し合う。
- 話し合った内容は文章に記録する。
- その結果，点滴や経管栄養を減量することや中止することが決められた場合は，減量，中止しても問題ないとされている。
- 医療行為やケアの中止・継続の結果ではなく，何度も話し合いを行いその人の最善を考えること，そのプロセスが重要といわれている。

患者から「自分の人生は意味がなかった」と言われたとき

スピリチュアル・ペイン

- その患者は「スピリチュアル・ペイン」を感じている。
- スピリチュアル・ペインは近年「実存的苦痛」や「哲学的疼痛」と訳される。
- 宗教的な背景の少ない日本人にとって，「人生や存在の有無が危うくなったとき」に出現する。
- 多くが答えに詰まるような質問であり，どう言葉をかければよいかわからず，ケアの糸口が見つからないことが多い。ここでは上記の発語があったときのことを考える。
- 海外では宗教者がケアを担当することが多い（チャプレンと呼ばれる牧師が病院に配属されている）。

村田理論

- 日本では「村田理論」と呼ばれるケアの方法がある。
- 人間の存在している3つの局面を考え，それぞれの局面でのケアの糸口を探る方法である。

1)「時間存在のスピリチュアル・ペイン」
- 人間は現在，過去，未来があって，安定した状態でいられる。
- 病気等にて未来がなくなると知ると，不安定な状態になる。

- 死にゆく自分，消えゆく自分，未来の目標を失った自分は不幸で，自分の人生には価値がなかったと感じやすい。
- 視点を変えて，自分の望む場所で望む医療やケアを受けていることは，「少なくとも不幸ではない」ことを患者に指摘する。
- 患者が同意したら（在宅医療を受けているほとんどの患者が同意する），さらに「不幸ではない人生の終末期を送れるとしたら，あなたの人生はどんなものであったのでしょうか」と問いかける。
- 現在を不幸ではないと考えられた人は，過去もよりよく思い出すことができることが多い。古いアルバムを見たり，古い手紙を読んだりすることも効果的である。

2)「関係存在のスピリチュアル・ペイン」

- 人間は周囲との関係性のなかで存在し，死にゆく自分，消えゆく自分は意味のない存在であって，周囲の負担となっているため，早く死んでしまいたいと感じられるつらさのことである。
- 病院や施設では家族や会社からも切り離され，自分の居場所や立ち位置が見つかりにくいため，発生しやすい。
- 在宅療養のなかでは，自宅に帰ると居場所や関係性（父あるいは母，夫あるいは妻）が自然にできるため，発生しにくい。
- しかし，家族が自分の世話のため体調を壊してしまうと，強いスピリチュアル・ペインが出現する（申し訳ない，家族に迷惑をかけている自分は早く死んだほうがいいなど）。
- 利用者本人のみならず，家族の疲労の状態もチェックする必要がある。
- 家族の疲労がひどいときには，一時的にショートステイや短期入院を勧める。ほかの介護者（親族や家族に人材がいない場合は介護支援専門員（ケアマネジャー）と相談し，ヘルパーや訪問看護）の利用を増やす。

3)「自律存在のスピリチュアル・ペイン」

- 自分の行動は自分で行いたいが，トイレに行くのも介助が必要である自分は無意味で無価値と感じられ，生きている意味がないので早く死んでしまいたいと感じられるつらさのことである。
- 家族に世話をさせるのも意味のあることと説明しても，「少なくとも不幸ではない」と説明しても少しピントがずれる。
- しかし，このように苦しむことができる人は，自分の今後の医療やケアの方針を決めることができる。
- さまざまな選択肢を医療・ケアチームが示し，その中から本人に選択してもらうことが重要である。
- ある選択を行った場合の今後をわかりやすく伝える。
- そして，その選択をできるだけ尊重する。
- 選択は病状によって変化する可能性もあり，そのつどその選択を尊重する。
- 「自分の人生に意味がなかった」と患者から言われたときには否定せず，同じ言葉を繰り

返す。「自分の人生に意味がなかったと感じられているのですね」。可能なら「それはつらいことですね。よかったら一番つらいと感じていることを話していただけますか？」とつなげられるとよい。
- 「そんなことを考えたらいけませんよ」と患者の言葉を否定すると，患者は議論をする気力がないことが多く，そのまま黙ってしまうことが多い。

在宅終末期医療における家族の意味

- 在宅終末期医療の最大の欠点は，家族の負担が増えることである。
- しかし家族はスピリチュアル・ケアにおいて重要な存在である。
- 家族から世話を受けることによって「少なくとも不幸ではない」状態になる。
- 家族のなかに帰ることにより居場所が生まれて，「関係存在のスピリチュアル・ペイン」が癒される。
- 家族と一緒に今後の医療やケアの方向性を決めることによって，「自律存在のスピリチュアル・ペイン」が癒される。
- 家族がいない場合は，ケアチームが真剣にその人の「最善」を考える。

終末期医療におけるコミュニケーション

- 終末期においてもコミュニケーションが良好であると，関係性を築くことができ，患者の孤立感が少なくなり，患者は感情を表出することができる。自分の価値観や生活感，今後の望む医療を表出しやすくなる。

コミュニケーションの基本

- 相手を尊重していることを示すため，身だしなみを整える。適度な礼節を保つ。相手に対して，ごまかしたり，うそをついたり，だましたりしない。目線をできるだけ水平に保つ（少し下からでも可）。
- 環境を整える：静かな環境を整える。家族から話を聞き出すときには本人の姿が見えない玄関などで行う。
- 穏やかさ，やさしさが相手に伝わるように，ゆっくり穏やかな口調で話す。感情が高ぶらないように冷静さを保つ。
- 相手のボディランゲージに注意する（声の抑揚，表情，息遣い，手の動き，目の動きなど）。
- 積極的傾聴：相手の話をよく聞くこと。そのとき，自分がその人の話を真剣に興味をもって聞いていることを相手に伝えることが必要。このため，やや大げさな相槌を打つこと，相手の目を見るように心がけること（つらくなったら，額や鼻，口元に視線を移しても

目を見ているように感じられる），相手の話を否定しないこと，それなりの時間をかけるつもりで対応することが大切。
- オウム返し（ミラーリング，反復）も有効：その人が話した言葉を繰り返す（「ここが痛かったのです」→「そこが痛かったのですね」など）。
- オウム返しを行った後に共感の言葉をかける。「それはつらかったでしょうね」など。
- さらにポジティブ・フィードバック（相手を褒める）を行う。「よく頑張りましたね。すごいです」など。
- 探索：相手の価値観や信念を聞き出す。さまざまな事情を聞き出す。このときに，言葉をできるだけ選ぶとよい。「死」→「旅立ち」，「不安なこと」→「気がかりなこと」など。
- 相手の感情に焦点を当てる。「そのときはすごくつらい気持ちだったのですね」「すごく心配な気持ちになってしまったのですね」など。
- その感情が理解可能であることを伝える。「お気持ちわかります。当然の感情だと思いますよ」。
- ポジティブ・フィードバック：相手を褒める，ポジティブな言葉をかける。「会えてうれしいです」「すごく素敵な方ですね」「素晴らしいお住まいですね」など，苦痛を訴えたときには，「よく頑張りましたね」「すごく我慢強いのですね，私なら無理でした」など。

最後に

- 終末期の褥瘡について解説したが，同時に終末期の患者とのコミュニケーションや，意思決定の考え方についても記載した。
- もし，終末期の患者の対応中に，気持ちがつらくなることや，これ以上続けることが無理と感じた場合は，必ずケアチームの中の医師，看護師，ケアマネジャーなどに知らせることが重要である。あなたがその人のケアに入ることによって体調を崩せば，その人はより強いつらさ（スピリチュアル・ペイン）を感じることになるためである。

（鈴木央）

第 7 章

足と爪のこと
～キズをみつけたら～

1. 在宅下肢創傷の現状と課題
2. 動脈性下肢潰瘍の診断と治療
3. 静脈うっ滞性下腿潰瘍の治療
4. 低温熱傷の治療
5. 糖尿病性足潰瘍の治療とケア
6. 爪白癬関連の足潰瘍の治療
7. 爪の診断と爪切り法
8. ウオノメ・タコ・イボの診断と治療
9. 在宅で行うフットケア ～足浴・泡洗浄～

1 在宅下肢創傷の現状と課題

> **ポイント**
> - 在宅で下肢創傷にかかわる機会は増加している。
> - アンケート調査から，下肢創傷に対する十分な知識をもつ人は少ないことがわかった。
> - 在宅にかかわる医療者や介護者が，下肢創傷の知識をもつことが今後の課題である。

在宅において下肢創傷への介入がなぜ必要か

- 下肢創傷は慢性的な経過をたどる場合と，急激に感染や虚血が進行して下肢切断に至ったり，時には生命を落とす場合もある（図1）。
- 本邦において下肢虚血による創傷を形成する患者のうち，7割は糖尿病患者，半分が透析患者といわれているが，高齢化によりその数は増加している。

図1　症例1（77歳男性・糖尿病・透析）

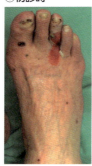

①初診時

右第3趾の水泡を主訴に透析病院から紹介された。検査の結果，下肢虚血と軽度の感染（CRP2.5）を認めた。

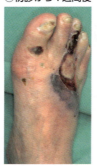

②初診から1週間後

第3趾を中心に急激に感染が進行し，壊死になった（CRP17）。入院を勧めたが拒否された。

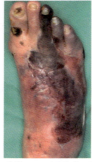

③初診から2週間後（入院時）

感染により足全体が壊死になっており，救肢は困難と判断した。

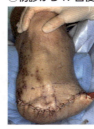

④初診から17日後

膝下での切断術を行った。

- 急性期病院の病床数削減により，今後さらに施設や在宅で下肢創傷をもつ患者を治療しなければならなくなる。
- 高齢者や糖尿病患者の増加，急性病院における入院期間短縮などにより，在宅で下肢の創傷を治療する機会は増加しているが，さまざまな問題がある。

在宅下肢創傷医療の実態調査

- 下肢創傷に関する問題を明確化し，今後の診療の改善につなげるため，2021年8月に日本褥瘡学会・在宅ケア推進協会内で多職種のメンバーからなる在宅下肢創傷対策委員会を設立した。
- 最初の活動として，現場で働く医療・介護従事者の意見を広く知るため，2022年10月20日から11月20日の1か月間，日本褥瘡学会・在宅ケア推進協会の会員を対象にwebアンケート調査を実施した。
- ①フットケアの知識，②治療・ケアの経験，③診療報酬制度・訪問看護制度に関する知識，④下肢創傷に関する勉強に関する設問を設定し調査した。本調査は日本ヘルスケア協会倫理審査委員会の承認を得た。
- 112名の会員からの回答を得た（回答率17.2％）。主な職種は看護師41人（36.6％），皮膚・排泄ケア認定看護師（WOC/ET）28人（25％），医師18人（16.1％），介護職7人（6.3％），リハビリテーション職7人（6.3％）であった（図2，表1）。
- 以下では，アンケートの中から注目すべき項目について，実際にアンケートに回答してくれた会員の回答を提示するとともに，その内容を解析した。さらに在宅での下肢創傷医療の問題点，今後の進むべき道について述べたい。

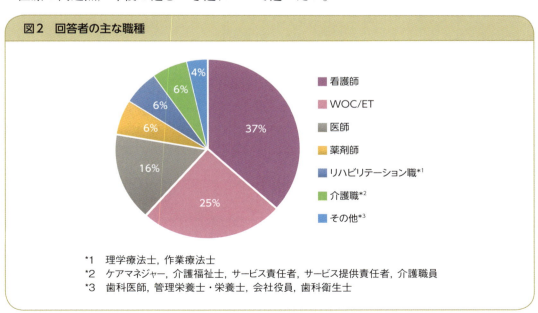

図2　回答者の主な職種

*1　理学療法士，作業療法士
*2　ケアマネジャー，介護福祉士，サービス責任者，サービス提供責任者，介護職員
*3　歯科医師，管理栄養士・栄養士，会社役員，歯科衛生士

表1 回答者の主な勤務場所と職種のクロス集計

職種＼主な勤務場所	病院	診療所	訪問看護	施設	介護系事業所	調剤薬局	教育機関	企業	その他	計
医師	9	9								18
WOC/ET	19	2	7							28
看護師	6	7	22	3	1		1	1		41
薬剤師				2		5				7
リハ職		1		2	2			1	1	7
介護職				4	3					7
管理栄養士	1									1
歯科医師							1			1
歯科衛生士		1								1
その他								1		1
計	35	20	29	11	6	5	2	3	1	112

アンケート調査内容

胼胝（タコ）は足潰瘍の前駆症状

- フットケアに関する知識についての質問：胼胝（タコ）が感染を起こすことはない
- 正解：いいえ
- 解説：胼胝は皮膚表面に蓋をしている状況なので，深部の状況がわかりにくく，皮下で広範囲に炎症が広がることもある．また，胼胝が長く続くと，いずれ胼胝下潰瘍（深くえぐれたキズ）となり，皮下組織への感染（蜂窩織炎）を併発し，骨髄炎に至ることもある．「タコだから大丈夫」と安易に考えないようにする．
- アンケート解析結果：全体（112名）のうち，88.4%（99名）が正解，2.7%（3名）が不正解，8.9%（10名）が「わからない」を選択していた．そのうち，勤務場所，職種別（回答数10例以上に限定，以下同様）ではわからないと回答した人のうち，27.3%は施設で勤務していた．

下肢の血流が悪いと毛が生えにくくなる

- フットケアに関する知識についての質問：足の毛は血流障害とは関係ない
- 正解：いいえ
- 解説：慢性的な足部の虚血により，足背（足の甲）や足趾（足の指）背部の毛が生えなくなることが知られている．

- アンケート解析結果：全体（111名）のうち，69.4%（77名）が正解，2.7%（3名）が不正解，27.9%（31名）が「わからない」を選択していた。「わからない」と回答した人のうち54.5%は施設で勤務していた。

下肢創傷の重症度や緊急度

- 下肢創傷治療・ケアの経験に関する質問：下肢創傷の重症度や緊急度を判断できますか？
- アンケート解析結果（表2）：「自信をもってできる」という回答は全体の8%のみであり，約半数が「あまり自信がない」「まったく自信がない，または経験がない」という結果だった。またWOC/ET以外の看護師の56.1%，施設勤務者の81.9%も「あまり自信がない」「まったく自信がない，または経験がない」と回答していた。

表2　下肢創傷の重症度や緊急度の判断に関する解析結果*

質問項目	水準	回答数	人数	%
下肢創傷の重症度や緊急度を判断できますか？		112		
	自信をもってできる		9	8.0
	ある程度自信をもってできる		51	45.5
	あまり自信がない		41	36.6
	まったく自信がない，または経験がない		11	9.8

勤務場所別

質問項目	水準	病院 (n=35) n	%	診療所 (n=20) n	%	訪問看護 (n=29) n	%	施設 (n=11) n	%
重症度・緊急度判断	自信をもってできる	5	14.3	4	20.0	0	0.0	0	0.0
	ある程度自信をもってできる	19	54.3	10	50.0	15	51.7	2	18.2
	あまり自信がない	9	25.7	5	25.0	13	44.8	5	45.5
	まったく自信がない，または経験がない	2	5.7	1	5.0	1	3.4	4	36.4

職業別

質問項目	水準	医師 (n=18) n	%	WOCN/ET (n=28) n	%	看護師 (n=41) n	%
重症度・緊急度判断	自信をもってできる	8	44.4	1	3.6	0	0.0
	ある程度自信をもってできる	8	44.4	19	67.9	18	43.9
	あまり自信がない	2	11.1	8	28.6	20	48.8
	まったく自信がない，または経験がない	0	0.0	0	0.0	3	7.3

*回答数10例以上の職種・勤務場所のみ

専門医に紹介するための判断

- 下肢創傷治療・ケアの経験に関する質問：あなたの職場で主に専門医に紹介するための判断は誰がしていますか？

表3 専門医に紹介するための判断に関する解析結果*

	病院 (n=35)		診療所 (n=20)		訪問看護 (n=29)		施設 (n=11)	
	n	%	n	%	n	%	n	%
主治医	29	82.9	17	85.0	7	24.1	3	27.3
看護師	6	17.1	2	10.0	22	75.9	8	72.7
ケアマネジャー	0	0.0	0	0.0	0	0.0	0	0.0
本人・家族	0	0.0	0	0.0	0	0.0	0	0.0
歯科医師	0	0.0	1	5.0	0	0.0	0	0.0

*回答数10例以上の勤務場所のみ

- アンケート解析結果（表3）：80％以上の病院，診療所では主治医が判断しているのに対し，訪問看護，施設の70％以上は看護師が判断する役目を担っていた。

アンケートからわかること

下肢創傷の知識と経験

- 全体を通じて施設勤務者において下肢創傷の知識や経験が不足している傾向にあった。
- ただし「わからない」との回答には，「実際に知識がない」のみではなく，「質問の意図がわからない」「ケースバイケースで決められない」「例外的状況や裏技がある（例えば，褥瘡（じょくそう）という診断名にすれば可能である）」などの場合にも，「わからない」を選択している可能性があるので注意が必要である。

専門医への紹介

- 注目すべき点は，72.7％の施設では主治医ではなく，看護師が専門医に紹介するための判断を行っているにもかかわらず，施設勤務者の45.5％が下肢創傷の重症度や緊急度の判断に自信がなく，36.4％は「まったく自信がない，または経験がない」を選択していることである。
- 訪問看護においても44.8％が「あまり自信がない」を選択していた。病院や施設と異なり，1人で患者を診察しなければならない訪問看護師がこの状況というのは問題といえる。

下肢創傷の緊急度の判断

- 本項の冒頭で述べたように，下肢創傷は慢性的な経過をたどる場合と，急激に感染や虚血が進行して下肢切断に至ったり，時には生命を落とす場合もある。今後，患者の高齢化や急性期病院の病床削減などの影響により，施設や在宅で下肢創傷をもつ患者を治療しなければならなくなる。

- このような状況下で，実際に患者の緊急度を判断しなければならない医療従事者の知識が不足しているのは問題であり，至急解決しなければならない。

爪切りの実施

- 一方で，爪切りに関する設問（表4）では，施設の70%，訪問看護ではすべてにおいて爪切りを実施しており，爪を安全に切る知識があると答えた人も多かった。
- 看護師の資格をもつ人であれば，爪を切ること自体はそれほど難しくはないと考える。しかし，虚血のリスクのある患者や糖尿病患者では爪の切りすぎや，間違った爪の処置により容易に足趾の壊死に至ることを知らない状態では，「爪を安全に切る知識がある」とはいえないはずである（図3）。

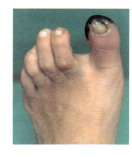

図3　症例2（40代女性）

虚血があることを認識しないまま爪を切りすぎた（深爪）ために，母趾の壊死に至った。

表4　爪切りの実施，知識*

質問項目	水準	回答数	人数	%
①普段，患者・利用者の爪を切っている		111		
	いいえ		29	26.1
	はい		82	73.9
②患者・利用者の爪を安全に切る知識がある		111		
	いいえ		27	24.3
	はい		84	75.7

質問項目	水準	病院 (n=35)		診療所 (n=20)		訪問看護 (n=29)		施設 (n=11)	
		n	%	n	%	n	%	n	%
爪切りの実施	いいえ	9	25.7	4	20.0	0	0.0	3	30.0
	はい	26	74.3	16	80.0	29	100	7	70.0
爪を安全に切る知識	いいえ	4	11.4	4	20.0	3	10.7	6	54.5
	はい	31	88.6	16	80.0	25	89.3	5	45.5

質問項目	水準	医師 (n=18)		WOCN/ET (n=28)		看護師 (n=41)	
		n	%	n	%	n	%
爪切りの実施	いいえ	2	11.1	5	17.9	5	12.2
	はい	16	88.9	23	82.1	36	87.8
爪を安全に切る知識	いいえ	3	16.7	1	3.6	6	15.0
	はい	15	83.3	27	96.4	34	85.0

*回答数10例以上の勤務場所のみ

今後の進むべき道

- 今回のアンケート調査により，下肢創傷に対する知識が不足していること，もっと勉強したいと思っているがその時間や機会がないことが判明した。
- 下肢創傷の重症度，緊急度の判断に自信がないのに，専門医に紹介するかどうかの判断を任されているということは，患者にとってはもちろん，医療従事者にとっても好ましくない状態である。
- 今後，日本褥瘡学会・在宅ケア推進協会，在宅下肢創傷対策委員会では，会員が下肢創傷について勉強できる場を提供していきたいと考えている。

（藤井美樹）

2 動脈性下肢潰瘍の診断と治療

> **ポイント**
> - 動脈性下肢潰瘍とは，動脈硬化による「虚血性足病変」の1つである。
> - 虚血性足病変の症状として，足の冷え・しびれ，歩行での疲れやすさ（間欠性跛行），安静時の痛みなどがある。
> - 病状が進めば動脈性下肢潰瘍，すなわち足の潰瘍（キズ）や壊疽が出現し，さらには足の切断に至ることもある。
> - 潰瘍や壊疽の存在にかかわらず，早い段階で動脈硬化や虚血性足病変に気づき，対処することが大切である。

虚血性足病変とは

- 動脈性下肢潰瘍，すなわち動脈硬化による虚血性足病変は，糖尿病性足病変と並び，下肢に潰瘍や壊疽を生じる代表的な病気である。
- 血管が硬くなり弾力性が失われる"動脈硬化"が加齢や動脈危険因子（脂質異常・肥満・高血圧・高血糖・喫煙）によって全身の血管に生じ，下肢の動脈硬化は血流の障害，すなわち「虚血性足病変」につながる。
- そのため，虚血性足病変の患者では，心臓や脳など他の重要臓器にも動脈硬化をきたす場合が少なくない。
- 一般的に，日本での虚血性足病変有病率は加齢とともに増加し，70歳以上では2～5%といわれている。また，男性は女性に比べ1～2倍リスクが高いとの報告がある。

動脈硬化による虚血性足病変の経過

- 動脈硬化などにより大腿（太もも）から足先までの間のどこかで血管が少しずつ狭くなり，虚血変化がゆっくりと進んでいる状態（慢性動脈閉塞症）である。
- ゆっくり進むため，側副血行路（血流の悪くなった部分に血液を届けるため新しく血管

網が成長する変化）が徐々に発達する。急性動脈閉塞症のような急激な症状の変化はみられない。
- しかし虚血（血が十分に巡らない）の程度に応じて種々の症状が現れる。病状の進行と症状についてはフォンテインの分類（表1）が参考となる。
- （放置すると）そのうちちょっとしたキズやタコなどをきっかけとして皮膚の潰瘍や壊死が始まり（動脈性下肢潰瘍），なかなかキズが治らず，壊死が拡大し，感染（化膿）の危険も高くなる。
- さらに進行すれば，場合によっては足の切断が必要となる。切断場所は，軽い場合は足の指だけだが，重症になると膝の下や膝の上での切断もあり得る。
- そうなれば全身への影響も大きく，生活の質は低下し，生命予後にもかかわってくる。

表1　虚血性足病変の臨床症状　〜フォンテインの分類〜

Ⅰ度	症状なし，しびれ感，冷感
Ⅱ度	間欠的跛行：歩行時に下肢，特にふくらはぎにだるさ，痛みが生じ歩行が困難になる。数分〜10分程度休憩すると症状が改善し，また歩けるようになることが特徴
Ⅲ度	安静時疼痛：じっとしていても足が痛む
Ⅳ度	潰瘍，壊死：足のキズができたり，キズが治りにくい，壊死する

下肢血流の診察・検査

虚血肢の視診・触診（図1）

- 正常な（健康的な）肌色に比べ，蒼白（青白い），暗色（赤黒い，または暗い灰色）といった変化がみられる。左右差も意識して観察する。

図1　虚血足部の典型像　〜視診・触診〜

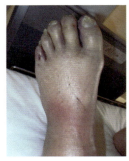

足が蒼白。
触れると冷たい。

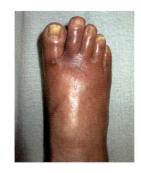

テカテカしている。足背や足趾の毛がない。

図2　足の動脈 〜足背動脈と後脛骨動脈〜

足の動脈は外から触れやすい場所が2か所ある！

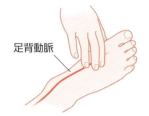

足背動脈

足背の盛り上がった部分で
I-II趾間の延長線上を触れる

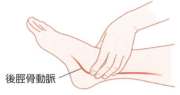

後脛骨動脈

足関節部で内くるぶしと
アキレス腱との間を触れる

- 皮膚がテカテカと光沢のある感じがする。足背や足趾の毛がなくなっている。
- 手のひらで触ると、ぬくもりが感じられず、明らかに冷たい。
- 温かく感じた場合でも、虚血のときがあるので注意する。
- 足背動脈と後脛骨動脈の血管の拍動を指先で確認する（図2）。

超音波ドップラー（図3）

- 診察時、最も手軽にできる血流検査の1つである。
- 足背動脈や後脛骨動脈の拍動をチェックする。指先でチェックするより感度が高い。
- ゼリーをつけた測定部位にプローブを当て、本体からの"シュワシュワ"という拍動音や画面の波形によって判断する。

図3　超音波ドップラー

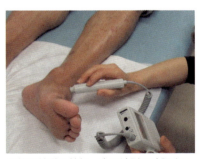

血管の拍動を検知。音や波形で確認する。

足関節上腕血圧比（ABI：ankle brachial pressure index）

- 外来で行える、比較的簡単な検査であるが、測定できる施設は限られる。
- 両上腕・両足関節にマンシェットを巻き血圧を測定し、その血圧の比で評価する。
- 通常、下肢血圧が若干高く、ABIは1.0以上である。
- 下肢の動脈硬化などにより血流が下がるとABIも小さくなり、0.9未満は要注意である。

皮膚灌流圧（SPP：skin perfusion pressure）

- 外来で行える、比較的簡単な検査だが、装置があるのは専門施設に限られる。

- レーザードプラセンサーと血圧カフを用いてセンサー部位のSPPを測定する。ABIが下肢全体の血流評価であるのに対し、SPPは測定部位の皮膚血流を表す。
- SPPが低いほど血流が悪いと判断する。一般に40より小さい場合、その部位でのキズの治りが悪いと考える。

血管超音波／CT／MRI／動脈造影

- いずれも下肢の動脈の詳細を画像として確認する方法であり、病変の細かい評価や治療方針の検討には必要な検査である。
- しかし、検査ができる施設は限られており、また、場合により造影剤を使用するなど本人にも多少の負担がかかる。

動脈性下肢潰瘍・壊疽の特徴（図4）

- 虚血が進行すれば（フォンテインの分類でのⅣ）、足部に皮膚障害が出現する。
- 足先のほうにできることが多い（足趾、足趾の付け根、踵）。
- キズの面の色が暗い、または真っ黒である。赤い部分（肉芽）がほとんどない。
- 出血がみられない、あっても不自然なほど少ない。
- 滲出液（膿汁）が少ない、またはまったくない、キズが乾いている。これらは、いわゆる"ミイラ化"が進みつつある状態である。

図4　動脈性下肢潰瘍（足壊疽）の典型像

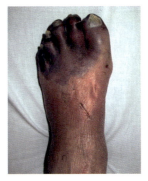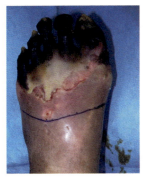

壊疽の進行：滲出液は少なく乾燥し、黒色化（ミイラ化）が進んでいる

治療・対処の考え方、順番、具体的な対応

- 痛々しいキズに目がいきがちだが、最も大事なことは"足の血流がどうなっているか"

である。
- 前述したような特徴がある場合は，医療者に相談し判断を仰ぐ。検査のため病院受診も検討する。
- 特に数時間で急激に症状が出現／変化する場合は緊急性が高い（急性動脈閉塞症）。

血流の治療

- まずは禁煙，血圧・血糖のコントロールをしっかり行う。
- 血流の治療は，血流障害の程度によって異なる。
- 軽度なら内服薬（抗血小板薬：アスピリン，プラビックス®，プレタール®など）で経過をみる。
- 重度の場合は入院し，血行再建術として血管内治療または外科的バイパス手術を検討する。
- そのほか，LDLアフェレーシス，高気圧酸素治療，再生医療などがあるが，一般的とはいえない。
- 足に潰瘍がある場合は，血流改善の治療と並行して創傷治療も進めていく。

下肢潰瘍の治療

- 前提条件として，前述の血流の治療をできるだけ行う。
- 血流の改善を図りながら，基本は通常の皮膚潰瘍と同じ考えで治療を進める。
- ただし，虚血の足では少しの外力が大きく影響する場合もあるので，十分注意が必要である（表2）。
- 治療のための創部安静も必要となるが，できるだけADLを落とさないように工夫する必要がある。
- この治療に慣れた医師や看護師，また理学療法士などと相談し，本人・家族の意向を尊

表2　虚血性足病変の処置で注意すべきこと（例）

✓ 趾同士の圧迫を避けるため，趾間にガーゼをしっかり挟んだ
　⇒趾の側面を圧迫し，かえって趾の血流を悪くする
　〈対策〉挟むガーゼは極力薄くする，またはスポンジなどを利用する

✓ キズを保護するガーゼを固定するため，伸縮包帯を普通に巻く
　⇒伸縮包帯により圧迫がかかり，巻いた部分全体の血流をさらに悪くする
　〈対策〉意識して緩めに巻く，または包帯を使わない固定方法を考える

✓ 足が冷たいので，湯たんぽを一晩中，足に当てておいた
　⇒極めて危険。低温熱傷をきたし，壊疽のきっかけとなる可能性がある
　〈対策〉湯たんぽは就寝前の布団を温めておくにとどめ，就寝時には取り出す

重したうえで，総合的な判断のもと治療を進めることが望ましい．

下肢血流の改善が困難な場合

- 全身状態や金銭面を含めた生活環境で，血流改善のための治療を受けられない場合，また重症であるためベストの治療を行っても改善が得られない場合，どうするかを考える．
- 本人のつらさとして，痛みの存在がある．鎮痛処置については医療者と相談し，鎮痛剤の内服，外用剤の種類を検討，また神経ブロック治療なども考える．
- 感染を合併した場合，悪化させないためキズの洗浄や消毒処置を行いながら，慎重に経過をみる．
- 深いキズがある場合，バケツなどの微温湯に長時間浸すことで感染が上行性に広がる可能性がある．原則，流水で十分な洗浄を行うようにする．
- ゴールとして「安定したミイラ化」を進めることも多いが，ケースバイケースであり，状況に応じて対処方法を決めていく．
- 本人や家族の気持ち，全身状態，金銭面も含めた生活環境などの条件が整うなら，病院での大切断手術（膝下または膝上での下肢切断手術）も検討する．

（中川宏治）

参考文献

・太田敬：循環障害のアセスメント，日本フットケア学会編：フットケアと足病変治療ガイドブック，第3版，60-67，医学書院，2017．

3 静脈うっ滞性下腿潰瘍の治療

ポイント

- 静脈うっ滞性下腿潰瘍は，静脈弁不全による静脈高血圧状態となった血行障害部に外傷などが関与して発症する。
- 静脈弁不全の徴候としては，下腿静脈瘤，皮膚炎（鱗屑・湿疹・苔癬化など），下腿の脂肪皮膚硬化症，色素沈着，そう痒感，疼痛などがある。
- 静脈うっ滞性下腿潰瘍の治療には，圧迫療法と下肢挙上によるうっ滞の治療と潰瘍の局所管理が重要である。また，感染の合併や，潰瘍の再発を繰り返すことが多いため，治療と継続的な予防も大切である。

静脈うっ滞性下腿潰瘍発症のメカニズム

- 正常な下肢静脈血流は，皮下の表在静脈と深部静脈およびそれらを介在する穿通枝によって環流される（図1）。

図1　正常な下肢静脈の流れ

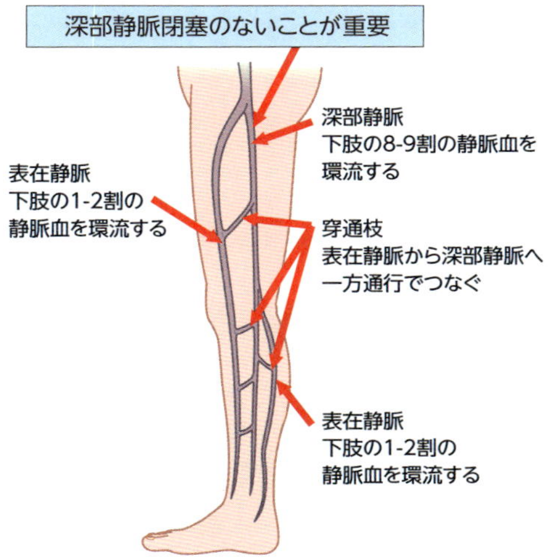

深部静脈閉塞のないことが重要

表在静脈
下肢の1-2割の静脈血を環流する

深部静脈
下肢の8-9割の静脈血を環流する

穿通枝
表在静脈から深部静脈へ一方通行でつなぐ

表在静脈
下肢の1-2割の静脈血を環流する

図2 正常な静脈弁機能と静脈弁不全

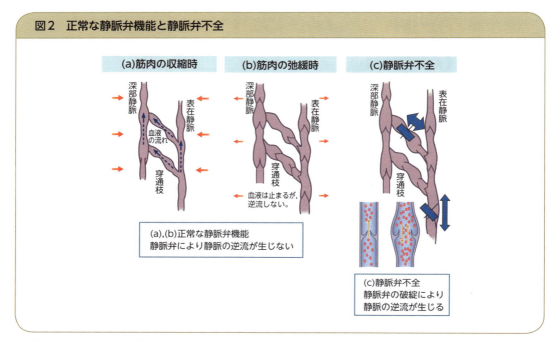

- 静脈弁によって，静脈血流は一方向に環流されるが，さまざまな原因で皮下の静脈弁が機能不全（弁不全）に至ると，静脈血が停滞（うっ滞）する状態になる（図2）。

静脈うっ滞性下腿潰瘍の特徴と診断

静脈うっ滞性下腿潰瘍の特徴（図3）

- 下腿1/3から足背（足の甲）に生じることが多い。
- 潰瘍の周囲には皮膚炎や色素沈着を伴うことが多い。
- 潰瘍面の肉芽の色調が暗赤色〜暗紫色で，黄色〜白色の壊死を伴い，強い痛みがある。

図3 静脈うっ滞性下腿潰瘍

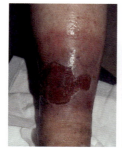 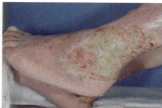

潰瘍底は暗赤色。
潰瘍周囲に皮膚炎と色素沈着を伴う。
潰瘍底に白色壊死や黄色壊死を伴うことがある。

静脈うっ滞性下腿潰瘍の診断

1) 所見や症状
- 下腿静脈瘤，潰瘍周囲の皮膚炎（鱗屑・湿疹など），下腿の脂肪皮膚硬化症，色素沈着などの所見や，痛み，むくみ，下肢の重たさ，そう痒感，こむらがえりなどの症状がある。
- 超音波検査では静脈逆流，表在静脈の立位ドップラ聴診器検査では静脈逆流音が聴取される。

2) 鑑別疾患
- 鑑別疾患は，褥瘡（じょくそう），動脈性血行障害，膠原病，壊疽性膿皮症，外傷などである。
- 動脈性血行障害と静脈環流障害を合併している場合がある。
- 静脈環流障害のなかで，深部静脈の閉塞・弁不全はドップラ聴診器やMRI・CT検査での確認が推奨される。

静脈うっ滞・静脈弁機能不全の治療

- 静脈弁機能不全によるうっ滞の治療を行う必要がある。

日常生活指導

1) 下肢を腹部より高く挙上する
- 座位では下肢を下垂させず，台やいすなどに乗せて挙上する時間を増やす。
- 臥位ではクッション，枕などを膝下から下腿に入れて下肢を体幹より挙上する。

2) 運動療法
- 下腿の筋肉の収縮と弛緩を繰り返してポンプ機能を改善させる。

3) 減量
- 肥満は静脈弁機能不全の発症・進行因子のため，減量を指示する。

圧迫療法

- できる限り行うべき基本的な治療である。
- 朝起床時に圧迫療法を開始，就寝時まで継続し，夜間は圧迫を解除し下腿を挙上する。
- うっ滞性下腿潰瘍の足関節部での適正圧迫圧は40mmHg前後とされる。
- 動脈性血行障害合併の場合，圧迫は要注意であり，動脈血流障害の治療を優先させる。
- ABI（ankle brachial pressure index：下肢圧/上肢圧比）が0.5以上，足関節動脈圧60mmHg以上であれば40mmHgまでの低めの圧迫療法を慎重に行う。
- 急性期炎症があり疼痛が強い時期は，安静や感染の管理などを優先し，炎症が治まって

表1　形状のタイプ

		長所	短所
ハイソックスタイプ		着脱が容易 不快感が少ない 比較的安価	大腿部の圧迫ができない
ストッキングタイプ		着脱は比較的容易 大腿部も圧迫できる 陰部の不快感などがない	ずり落ちやすい
パンストタイプ		ずり落ちにくい	着脱が比較的困難 陰部の不快感・ムレなどがある 値段が高い

ディアケアホームページ（https://www.almediaweb.jp/varix/stockings.html）を参考に作成

から圧迫療法を開始する。
- 再発の予防が重要であり，患者自身が継続の重要性を認識し，医療者は患者が受け入れられる方法を選択する必要がある。

1）弾性包帯
- 伸縮性の包帯で，比較的安価で圧迫力や範囲を調整しやすい。
- 潰瘍がある場合には，圧迫による痛みに対する圧調整が可能で，被覆材もずれにくく使用しやすい。
- 必ず足部も圧迫するように，末梢から巻き上げる。

2）弾性ストッキング
- サイズを合わせることで，一定の圧迫を安定してかけることができる。
- 創傷被覆材が剥がれやすいため，創がある場合は薄いストッキングを装着した後に弾性ストッキングを装着するとよい。
- 再発予防の第一選択となる。
- ストッキングは長さや圧など各種販売されているが，長所と短所がある（表1）。高齢者では足趾の血行障害や褥瘡のリスクがあるため，つま先なしタイプや着脱しやすい圧が低めのものを選択するとよい。

外科治療・血管内治療

- 静脈弁機能不全に対する逆流遮断治療として，弁機能不全に至った表在静脈，穿通枝を外科的に切除する方法，血管内から焼灼する方法や血管内に硬化剤を注入する方法がある。

潰瘍に対する治療とスキンケア

潰瘍に対する治療

- 褥瘡などの慢性創傷の管理に準じ，壊死・感染創にはデブリードマンを行う。
- 滲出液が多い場合が多く，周囲の皮膚の浸軟を防ぐ吸湿性の被覆材を使用する。
- 潰瘍部は湿潤環境とし，ハイドロコロイドドレッシング材などを使用し，乾燥を防ぐ。
- 滲出液が増加したり臭いが強い場合には感染が疑われるため，ヨード系軟膏やAg含有軟膏・被覆剤を使用する。
- バイオフィルムの関与が疑われる場合は，界面活性剤入りの被覆剤の使用も勧められる。
- 難治の場合には植皮術，陰圧閉鎖療法，細胞移植治療なども検討する。

スキンケア

- 創周囲を含め，石けん洗浄する。
- 潰瘍周囲は浸軟しやすく，皮膚被膜剤やストーマ用皮膚保護剤を使用してもよい。
- うっ滞性皮膚炎の部位はそう痒感が強いため，そう痒感にはステロイド軟膏，抗ヒスタミン薬，乾燥にはヘパリン類似物質含有軟膏等の保湿剤を使用し，これらの混合軟膏を使用することもある。

在宅高齢者における静脈うっ滞性下腿潰瘍

- 静脈うっ滞性下腿潰瘍は寝たきりの高齢者では発症しにくいが，車いすや座位で長時間過ごす場合は生じやすい。
- 下肢運動が少ないため筋ポンプ機能が作用せず，静脈うっ滞が起こりやすい。また，深部静脈血栓症のリスクがある。
- 高齢者では，皮膚の脆弱性，下腿骨の突出および動脈性血行障害を伴うことが多く，過圧迫にならないように，低い圧の圧迫療法を勧めるのもよい。
- 車いすのフットレスト，ベッドなどにぶつけて生じた外傷により難治化しやすいため，ゆるめのレッグウォーマーなどで下腿を保護するとよい。

静脈うっ滞性下腿潰瘍の危険性

- 治癒に時間がかかり，再発を繰り返すことが多い。
- 感染を合併しやすく，創部感染から蜂窩織炎に至ると入院加療を要したり，重症化する

ことがある。
- 適切な管理が行われない場合，潰瘍の多発化，下腿の全周に至る潰瘍など，さらに難治化してうっ滞は悪化する。
- 強い痛みを伴うことがあり，患者のADL（activities of daily living：日常生活動作）やQOL（quality of life：生活の質）の著しい低下をきたす。
- 治療と予防の必要性を患者本人・介護者に十分に周知する必要がある。

(陶山淑子)

4 低温熱傷の治療

 **ポイント**

- 高齢者では知覚の低下，発汗量の減少，体動の減少などのため，低温熱傷を発症しやすい。
- 低温熱傷は発症早期には重症皮膚潰瘍にみえないが，治療に抗して進行するようにみえる。
- 治療には数か月を要することを認識し，患者や家族に治療経過予測を伝えることが大切である。
- 低温熱傷の治療には，感染予防のためにハイドロコロイドドレッシング材が勧められるが，病期に合わせて治療法を選択する。

熱傷（やけど）処置の基本

熱傷発症のメカニズム

- 熱傷は高温による直接作用で組織蛋白が変性し，組織壊死によって発症する。
- 熱を受けた部位では，白血球などによる過剰な炎症反応や活性酸素が関与し，毛細血管に血栓を形成して皮膚の虚血が起こり，受傷後も組織障害が進行していく。
- 熱傷の初期治療としては，冷却（水と氷を入れたビニール袋を使用）によって炎症の持続による組織障害の進行を止めることが重要である。

スキンケアと局所療法

- 受傷部皮膚にはスキンケアと創傷ケアが必要である。
- 受傷部皮膚はバリア機能が失われているため，外界から密閉し乾燥化を予防する。ハイドロコロイドドレッシング材が理想的だが，代用として油性軟膏を厚く塗布した上から非固着性衛生材料（モイスキンパッド®やメロリン®など）を用いてもよい。
- 創部が安定するまでの急性期の傷にハイドロコロイドドレッシング材を用いる場合は，

貼りっぱなしは危険であるため，毎日貼り替えて創部の観察を行う。
- 保険非適応であるが，ハイドロコロイド材のストーマ用皮膚保護材（バリケア®など）も比較的安価で代用できる。目的外使用のため，使用にあたっては十分な説明を行う。
- 損傷部が潰瘍化し，滲出液がみられるようになったら，ハイドロコロイドドレッシング材の貼付が勧められる。あるいはゲーベン®クリームなどのクリーム剤または油性軟膏を用い，穴あきフィルムや非固着性衛生材料で覆う方法も選択できる。

高齢者の低温熱傷発症メカニズム

- 低温熱傷は，皮膚が40〜50℃程度の比較的低い温度に，数分〜数時間触れ続けることで発症する。
- 冬場に寒さを訴える高齢者は，湯たんぽや電気アンカ，使い捨てカイロなどを用いている。
- これらは肌着などを介して用いられ，温度も高温とはいえないが，長時間接触し続けることで低温熱傷の原因になる。
- 寝ているときなど，発熱保温具が身体の下になって圧がかかるとさらにできやすくなる。
- ファンヒーターの風を下肢に長い時間あてていても同様の変化がみられる。
- 高齢者では知覚低下のみられる人が多く，また一般的に発汗量が減少している。さらに寝たきりの人では自力で身体を動かしにくい場合もある。
- このような高齢者特有の状況下では，局所の温度が40℃を超える状態が持続しやすいため，低温熱傷を発症する人が多くなる。

低温熱傷の診断と治療

- 低温熱傷発症早期には疼痛や発赤がみられるが，外見上はあまり重症皮膚損傷にはみえない。実際はすでに深部まで熱による組織障害が起こっており，褥瘡（じょくそう）の発症初期の状態と似ている。
- そのまま様子をみていると，次第に滲出液が出てくるようになり，やがて感染を伴う重症皮膚潰瘍の状態になる。
- たとえ早期に治療を開始したとしても，当初は治療に抗し組織損傷は進行していく。
- 低温熱傷との認識がないと，治療法選択ミスと判断され，患者や家族との信頼関係にも影響が出る。
- 低温熱傷と診断した場合，患者や家族に病名を告げ，外見上は今後いったん悪化していき，完治には3〜5か月かかることを伝える（図1）。
- 局所療法は，熱傷の基本処置を行う。

- 感染予防のために，当初からハイドロコロイドドレッシング材による密閉療法が勧められる。

図1　電気アンカによる高齢者の低温熱傷

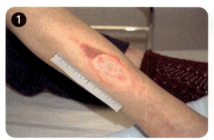
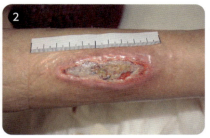
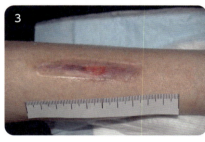

受傷当初は比較的皮膚も保たれており，デュオアクティブ®による治療を開始した（❶）。3週間後の写真では，創の状態は悪化し，筋膜も巻き込んだ深い組織障害であることがわかる（❷）。いったん，ゲーベン®クリームによる治療に切り替えた後，再びデュオアクティブ®による治療に戻したが，治癒には4か月半を要した（❸）。

- 創感染が疑われる場合は感染の治療を優先し，感染が治まれば湿潤状態を維持した治療を行う。

（塚田邦夫）

5 糖尿病性足潰瘍の治療とケア

ポイント
- 糖尿病性足病潰瘍について，神戸分類の4タイプに分類できるようにする。
- それぞれのタイプ別のアセスメント，ケアのポイントを学ぶ。

糖尿病患者と足潰瘍

- 欧米のデータでは，糖尿病患者のうち4人に1人は生涯で足潰瘍を生じるといわれている[1]。また，糖尿病患者では下肢の骨や軟部組織の感染を生じる確率は健常人の10倍も高く[2]，感染を生じると切断になる危険性は40倍高いという報告[3]もあり，外傷以外で足や下肢を切断する最も多い原因となっている。
- 糖尿病患者が足潰瘍を生じる原因は多くあるが，治療方針を決定するうえで重要なのが①末梢神経障害，②末梢血行障害，③感染症の3つである。
- この3つに着目して，糖尿病性足潰瘍を4つのタイプに分けたのが「神戸分類」[4]である。これは，Type 1：末梢神経障害による足潰瘍，Type 2：末梢血行障害による足潰瘍，Type 3：感染による足潰瘍，Type 4：末梢血行障害と感染を伴う足潰瘍，というようなタイプに分けられ，最初にどのような治療をすべきかが，わかりやすい分類になっている。

Type 1：末梢神経障害による足潰瘍（図1）

どのような潰瘍か？

- わが国では，約半数の糖尿病患者が末梢神経障害をもつとされている[5]。
- 末梢神経には運動神経，感覚神経，自律神経があり，末梢神経障害があるとこれらすべての神経が障害される。
- 運動神経が障害されると筋肉や腱のバランスが崩れ，さまざまな足趾の変形が起こる。

- 変形した足で歩行すると，突出した部分（足底や趾尖部，趾関節背側）に加わる圧が上昇し，胼胝（タコ）や鶏眼（ウオノメ）を生じるが，知覚障害により痛みを感じないため，合わない靴を履いて歩行を続ける。
- 圧やずれが繰り返し加わり，最終的に潰瘍になるのがType 1の潰瘍である。糖尿病がなくとも高齢者では末梢神経障害をもつ人が多いため，同様の潰瘍を見かけることがある。

見るポイント

1) 末梢神経障害があるか？
- 患者に足を伸ばしてベッドに座り，目を閉じてもらう。足趾の先を指で軽く1, 2秒触り，どの趾を触っているか言ってもらうテストである。

2) 足趾の突出した部位に発赤，胼胝・鶏眼がないか？
- Type 1の潰瘍ができる前徴で，注意が必要である。

3) 胼胝の下に潰瘍がないか？
- 胼胝の下に黒く出血痕が透けて見えたり（ブラックヒール），白い液体の貯留を認めた場合は，胼胝の下に潰瘍を形成しているサインである。

どのような治療をすればよいのか？

- フットウェアによる免荷（圧とずれを減らすこと）が必須である。
- フットウェアとは，インソールや特殊な靴，装具など足に装着するものの総称である。
- 小さな創であればフェルトを直接足に貼付したり，除圧サンダルやインソールの着用でも免荷が可能だが，創が大きく活動性の高い患者では，足関節を固定する短下肢装具が必要となる。
- 創傷管理は，胼胝の削除を行うとともに，滲出液をコントロールし，創を適切な湿潤環

図1　62歳女性：糖尿病性足潰瘍 Type 1

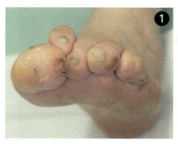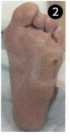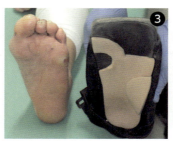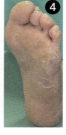

❶ハンマー趾変形により母趾先端が靴にあたり，潰瘍を形成している。
❷運動神経障害による足の変形のため，高い圧がかかる第5趾基部の底面に胼胝ができ，その下に潰瘍を形成している。感染して排膿しているが，知覚神経障害により痛みを感じないので歩き続けている。
❸第5趾の潰瘍部を免荷できるように，くりぬいたフォーム材と踏み返しのできないサンダルでフットウェアを作成し，歩行は継続した。
❹手術をしないで潰瘍は治癒した。

境にできるような軟膏，創傷被覆剤を選択する。

ケアのポイント

- ガーゼや創傷被覆剤の厚みにより，フットウェアの除圧効果を妨げないよう注意しなければならない。
- 実際に装着して歩行するときには医師や看護師が一緒に立ち会い，歩行した状態できちんと免圧ができているか確認する必要がある。

Type 2：末梢血行障害による足潰瘍（図2）

どのような潰瘍か？

- 糖尿病で高血糖の状態が慢性的に続くと，血管の壁が傷つきコレステロールが蓄積する。
- この蓄積したコレステロールは血管内にプラークという塊を形成し，動脈の壁が硬くなる動脈硬化を起こす。
- すると血液の流れる部分が狭くなったり（狭窄），閉塞を起こす。
- 動脈硬化は全身に起こるが，特に下肢の動脈に生じると，足に行く血液が少なくなる（虚血）。
- 透析患者に多い潰瘍である。
- 足趾尖端，爪や足趾同士があたる趾側面，踵部，外果部などにできた小さな外傷が，虚血により拡大して潰瘍となる。

図2　96歳男性：糖尿病性足潰瘍 Type 2

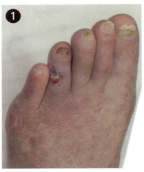
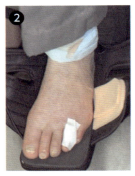
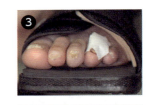
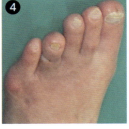

❶第5趾があたることで第4趾に潰瘍を形成した。腱が露出している。足は冷たく動脈は触知できない。本来は末梢血行再建術による血流回復が必要だが，全身状態が悪く，できない。日常では自宅で自力歩行している。

❷❸患部を浮かせるように形成したサンダルを作成し，自宅で歩行を継続した。このとき，テープは趾を1周巻かないよう，処置をする家人に説明した。2～3週ごとに外来通院したときに，少しずつ浮いた壊死組織を切除した。

❹半年後，末梢血行再建術や入院加療をせずとも潰瘍は治癒した。

見るポイント

1）足は冷たいか？　毛は生えているか？
- 虚血があると足は冷たく乾燥し，体毛も生えにくくなる。

2）血流の評価
- まず足を触って足背動脈，後脛骨動脈が触知できるか確認する。
- 触診できなければドップラ聴診器を使用する。

どのような治療をすればよいのか？

- バイパス術やカテーテル治療である血管内治療（endovascular therapy：EVT）による末梢血行再建術で，創傷治癒が得られるのに必要な血流を回復することが必須である。
- 小さな浅い創であれば，末梢血行再建術により血流が回復すれば治癒するが，創が大きい場合は，血流の十分な位置での手術が必要になる。
- ただし，全身状態不良な高齢者などで末梢血行再建術が行えない場合でも，適切な免荷と創傷管理により治癒することもある。

ケアのポイント

1）ガーゼやテープ，包帯で血流を妨げていないか？
- ガーゼや創傷被覆剤を固定するテープは，足趾を1周巻くと血流を妨げてしまうため，必ず隙間を空けて固定する。
- 趾のテープは縦に貼ると血流を妨げにくくなる。また，包帯も，浮腫や動作により巻いたときよりもきつくなることが多いため，注意が必要である。

2）外傷の要因がないか？
- 多くの場合，靴の先端，隣の足趾や爪などキズをつくる原因がある。
- 足趾同士があたるのを予防するために，趾間にガーゼなどを入れる際も過度の圧迫にならないよう気をつけ，ガーゼより柔らかく，滲出液を吸収しやすい創傷被覆剤（バイアテン®など）やスポンジを適宜利用する。
- 不注意な医療行為により創を悪化させてはならない。

3）安静のために歩行禁止となっていないか？
- このタイプは高齢者が多いため，創を悪化させないために歩行を禁止すると容易にADLが低下してしまう。
- 適切なフットウェアの使用と創傷管理により，創部の安静を保ちつつ極力歩行を継続する。

Type 3：感染による足潰瘍（図3）

どのような潰瘍か？

- Type 1の末梢神経障害による潰瘍が感染し，腱や筋肉の走行に沿って足全体に感染が広がったものである。知覚障害，視力障害により本人に自覚がなく，足が発赤・腫脹して初めて来院することが多い。

見るポイント

- 創部の感染が重篤になると，全身性炎症反応症候群（systemic inflammatory response syndrome：SIRS）となり生命を脅かす。
- 感染している足潰瘍を見たら，必ず全身状態（体温，呼吸数，倦怠感）を確認し，敗血症の疑いがある場合は緊急での治療が必要になる。

どのような治療をすればよいのか？

- 壊死・感染組織の切除（デブリードマン）と感受性のある抗菌薬の投与が必須である。

ケアのポイント

- 感染拡大を防止するため，入浴や足浴は禁止する。
- シャワー浴などの創部の洗浄は毎日行う。

図3　34歳男性：糖尿病性足潰瘍 Type 3

3年前に糖尿病を指摘されるも放置していた。数日前から身体がだるくなり，熱も出て動けなくなったため救急受診した。足底に感染した胼胝下潰瘍があり，足全体が赤く腫脹し，異臭を伴っていた。検査の結果，敗血症になっていたため，緊急でデブリードマンを施行した。
足の温存は難しく，数日後に下腿の切断となった。

Type 4：末梢血行障害と感染を伴う足潰瘍（図4）

どのような潰瘍か？

- 虚血と感染を合併し，4つの中で最も治療が難しいタイプである。

- Type2と同様に透析患者に多い。
- 軽度の虚血はあるものの壊疽を生じるほどではなかったのが，小さな外傷や自分の爪や趾により生じたキズが感染し，血管が潰れることで重症の末梢動脈疾患（peripheral artery diseas：PAD）となり，潰瘍から壊疽を生じたものである。

見るポイント

- 同じ感染症でもType3と比べて，感染した部位より末梢の部分（特に足趾）は虚血により黒色壊死になっていることが多い。

どのような治療をすればよいのか？

- 末梢血行再建術とデブリードマンが必要である。

ケアのポイント

- 末梢血行再建後は感染に要注意である。
- 末梢血行再建により血流が回復すると，潜んでいた細菌が栄養分を得て一気に繁殖する傾向にある。
- EVT（カテーテル治療）を行い，自宅に帰ってから感染が悪化することがあるので，注意が必要である。

図4　67歳男性：糖尿病性足潰瘍 Type 4

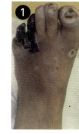 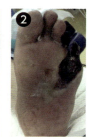

❶透析患者。虚血による潰瘍を認めた。
❷EVTの翌日に自宅に退院したが，2日後に感染した。

おわりに

- 糖尿病患者の足潰瘍は，早期にアセスメントを行い，適切な治療を行わなければ容易に悪化して下肢切断に至る。
- それを防ぐためには，病態を理解し，日々のケアでどこを観察すべきか知っておく必要がある。

（藤井美樹）

引用文献

1) Donovan A, Schweitzer ME: Current concepts in imaging diabetic pedal osteomyelitis. Radiol Clin North Am, 46 (6), 1105-1124, 2008.
2) Gnanasegaran G, Chicklore S, Vijayanathan S, et al.: Diabetes and bone: advantages and limitations of radiological, radionuclide and hybrid techniques in the assessment of diabetic foot. Minerva Endocrinol, 34 (3), 237-254, 2009.
3) Russell JM, Peterson JJ, Bancroft LW: MR imaging of the diabetic foot. Magn Reson Imaging Clin N Am, 16 (1), 59-70, 2008.
4) Terashi H, Kitano I, Tsuji Y: Total management of diabetic foot ulcerations-Kobe classification as a new classification of diabetic foot wounds. Keio J Med, 60 (1), 17-21, 2011.
5) 細川和広：糖尿病合併症の疫学研究の現状と課題 神経障害と足病変を中心に. 糖尿病合併症, 19, 35-39, 2005.

6 爪白癬関連の足潰瘍の治療

ポイント
- 爪白癬は内服・外用の治療薬があるが，治療前の確定診断が必須である。
- 白癬によって生じた肥厚や変形した爪で皮膚潰瘍を生じることがある。
- 皮膚潰瘍の治療に特別な手順は要さないが，爪白癬の治療や爪を削るなど皮膚潰瘍の原因となる肥厚・変形した爪への対処が必須である。

爪白癬とは？

- 白癬菌が爪に感染して爪甲の混濁・肥厚・崩壊などの症状を生じたものである。
- 全国調査では，5人に1人が足白癬を，10人に1人が爪白癬に罹患しているとされ，高齢者ではさらにその罹患率が高いとされている。
- 変形した爪甲が皮膚潰瘍の原因になることがある（図1）。
- 爪白癬に関連した皮膚潰瘍の治療に特別な手順は必要ないが，原因となっている爪の変形を解消しなければならない。

図1 爪白癬で湾曲した爪がキズをつくったケース

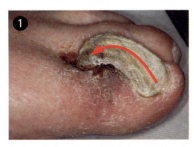 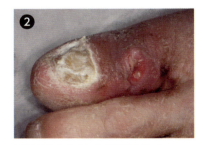

❶ 矢印のように爪甲が湾曲して足趾に突き刺さっている。

❷ 爪甲を除去すると皮膚潰瘍がある。

爪白癬の診断

- 爪白癬治療薬での治療を始めるには顕微鏡での確定診断が必須だが，それができない場合には爪白癬抗原検査キット（保険適応あり，検査料：233点，判断料（月1回）：144点）で代用することができる。
- 爪甲の肥厚・混濁・鉤彎のすべてが爪白癬によるとは限らないため，安易な治療薬の使用は控えるべきである。

爪白癬

1) 内服治療（図2）

- 2024年現在，ホスラブコナゾール（ネイリン®カプセル），テルビナフィン（ラミシール®錠），イトラコナゾール（イトリゾール®カプセル），3種類の内服薬が使用可能で，その特徴を表1に示す。
- 3種類の内服薬の治療について，日本皮膚科学会皮膚真菌症診療ガイドライン2019での推奨度はAである。

図2 ネイリン®カプセル内服による治療

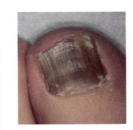
内服前

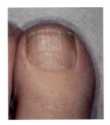
内服終了から6か月後

表1 爪白癬の内服薬

商品名	ネイリン®カプセル	ラミシール®錠	イトリゾール®カプセル
使用方法	1日1回1カプセル（100mg） 12週連続	1日1回1錠（125mg） 24週連続	1日2回 各4カプセル（50mg） 1週間内服・3週間休薬を3回
相互作用	併用禁忌薬はない シンバスタチン・ミダゾラム・ワルファリンなどは併用注意	併用禁忌薬はない 三環系抗うつ薬などは併用注意	トリアゾラムなど併用禁忌薬が多数ある
肝機能検査	定期的に行うことが望ましい	開始後2か月間は月1回 その後も定期的に肝機能検査を行う	定期的に行うことが望ましい

2) 外用治療（図3）

- 2024年現在，エフィナコナゾール爪外用液（クレナフィン®爪外用液）とルリコナゾール爪外用液（ルコナック®爪外用液）の2種類が使用可能である。
- 内服薬・外用薬とも薬価はやや高く，完全治癒率も含めた内容を表2に示す。

図3 クレナフィン®爪外用液を使用して6か月の経過

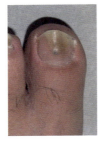
使用前

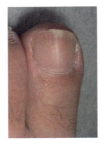
外用を始めて6か月後

表2 爪白癬治療薬の概要と完全治癒率

商品名	薬価	標準使用期間	総薬価	3割負担で	完全治癒率
ネイリン®カプセル（100mg）	814.8円/1cap	12週 1日1回1カプセル	68,443円	20,533円	59.4%（48週後）
ラミシール®錠（125mg）	60.3円/錠	24週 1日1回1錠	10,130円	3,039円	46%（72週後）（海外データ）
イトリゾール®カプセル（50mg）	134.7円/1cap	12週 1日8カプセル 1週間内服・3週間休薬×3	22,630円	6,789円	―
ルコナック®爪外用液（3.5g/本）	709.3円/g	52週 1本/4週	32,273円	9,682円	14.9%
クレナフィン®爪外用液（3.56g/本）	1435.5円/g	52週 1本/4週	66,435円	19,930円	17.8% or 15.2%（独立した2つの報告がある）

完全治癒率とは，爪甲の変形・真菌学的検査の両方で治癒と診断されたものである

注意すべきこと

- 検査キットだけでの確定診断は保険適応ではあるものの，条件を満たさない場合には査定の対象となるので，参考文献にある資料集などを確認・理解したうえで使用すべきである．
- 爪白癬抗原検査キットは白癬菌にしか反応しないので，爪カンジダ症を見落とす危険性がある．
- 肥厚した爪甲を削る際には，爪切り用のニッパーのほかにフットケア用のグラインダー

（爪や皮膚を研磨する器具）やヤスリなどを適宜使用するとより削りやすくなるが，隆起した爪床から出血することがあるので注意する。
- 硬く肥厚した爪甲は，尿素製剤やサリチル酸ワセリンなどを厚めにのせてラップで覆い（occlusive dressing technique：ODT），一晩置くと爪が柔らかくなって削りやすくなる。
- 爪白癬を放置すると，同居家族やケア従事者へ感染が拡大する懸念があるので注意を要する。
- 爪白癬患者は，ほぼ全員が足白癬に罹患しているので，爪だけでなく足白癬の治療も並行して行うべきである（図4）。

図4　趾間型足白癬から蜂巣炎を生じたケース
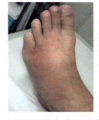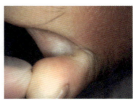
趾間型足白癬で角質が浸軟し，そこから蜂巣炎を生じた。

（高橋秀典）

参考文献

- Watanabe S, Harada T, Hiruma M, et al.: Epidemiological survey of foot diseases in Japan: results of 30,000 foot checks by dermatologists. J Dermatol, 37（5），397-406, 2010.
- 日本皮膚科学会皮膚真菌症ガイドライン委員会，日本皮膚科学会医療問題検討委員会：白癬菌抗原キット（販売名：デルマクイック®爪白癬）の臨床活用に関して，2021（https://www.dermatol.or.jp/uploads/uploads/files/guideline/Gaku_20220224_jda_hakusenkit_rinsyokatuyou.pdf）
- 日本皮膚科学会皮膚真菌症診療ガイドライン改訂委員会：日本皮膚科学会皮膚真菌症診療ガイドライン2019（https://www.dermatol.or.jp/uploads/uploads/files/guideline/shinkin_GL2019.pdf）
- Watanabe S, Tsubouchi I, Okubo A: Efficacy and safety of fosravuconazole L-lysine ethanolate, a novel oral triazole antifungal agent, for the treatment of onychomycosis: A multicenter, double-blind, randomized phase III study. J Dermatol, 45, 1151-1159, 2018.
- Evans EG, Sigurgeirsson B: Double blind, randomised study of continuous terbinafine compared with intermittent itraconazole in treatment of toenail onychomycosis. The LION Study Group. BMJ. 318, 1031-1035, 1999.
- Watanabe S, Kishida H, Okubo A: Efficacy and safety of luliconazole 5% nail solution for the treatment of onychomycosis: A multicenter, double-blind, randomized phase III study. J Dermatol, 44, 753-759, 2017.
- Elewski BE, Rich P, Pollak R: Efinaconazole 10% solution in the treatment of toenail onychomycosis: Two phase III multicenter, randomized, double-blind studies. J Am Acad Dermatol, 68, 600-608, 2013.

7 爪の診断と爪切り法

> **ポイント**
> - 介護現場における爪切りは，整容面を求めるのではなく，伸びた爪による二次的な皮膚障害を予防することを主眼にする。
> - 爪切りだけでなく，爪甲下に貯留した角質を除去することも大切である。

介護現場における爪切りの重要性

- 爪を専門に扱う独立した診療科はないため，爪にトラブルを抱えた患者はどの診療科を受診すべきか迷うことも多いだろう。
- 高度に変形した爪の処置（爪切り）は特殊な技術を要するため，医師や看護師の資格があっても全員が対応できるわけではない。
- 介護現場においては，爪切りは身体の保清の一部ととらえられ，介護職に委ねられることが多いが，高度に変形した爪や糖尿病など基礎疾患のある人に対する爪切りは，現時点では介護職には許可されていない。
- このように，爪切りに対応できる医療機関が少ないことや，資格上の問題などがあり，結果的に放置されていることも多い。

爪によるトラブルとその対策

伸びすぎた爪

- 伸びすぎた爪が皮膚に食い込んで痕がついたり，キズをつくることがあるため，皮膚に食い込まないレベルでの爪切りが大切である。
- 伸びた爪がその趾だけでなく，他の趾に当たりキズをつくることがある。当たってキズにならないような適切な爪切りが大切である（図1）。

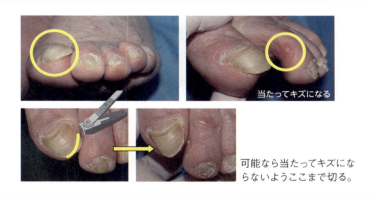

図1　伸びすぎた爪によるキズ

当たってキズになる

可能なら当たってキズにならないようここまで切る。

薄い爪

- 薄い爪でも伸びすぎていると引っかかって危ないため，趾先を越えないレベルまで爪を切っておくことが大切である。

爪の下にたまった垢

- 加齢に伴い爪が硬くなり，厚くなる。硬くて厚い爪や，爪の下にたまった垢（角質）などが，皮膚に食い込んでキズをつくることがある。爪の角を落としたり，垢を除去しておくことが，爪と皮膚との境界を見極めるためにも大切である（図2）。

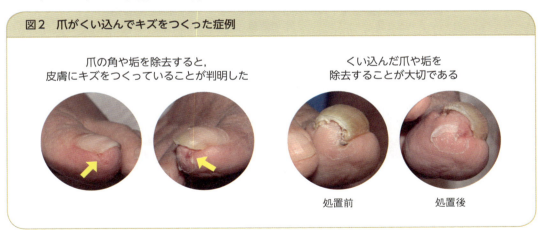

図2　爪がくい込んでキズをつくった症例

爪の角や垢を除去すると，皮膚にキズをつくっていることが判明した

くい込んだ爪や垢を除去することが大切である

処置前　処置後

1）症例

- 右第2趾先端の潰瘍（キズ）を主訴に来院したが，爪甲や爪甲周囲の角質を除去してみると，主訴以外の他の足趾にも潰瘍が多発していた。
- 潰瘍の原因は爪甲が食い込んだことではなく，爪甲周囲に貯留した角質が原因であると思われる。爪甲周囲の角質を除去するだけでも，潰瘍形成などの二次被害を予防することができる（図3）。

図3 潰瘍形成の予防

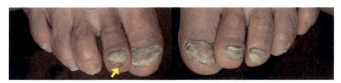

右第2趾先端の潰瘍（キズ）を主訴に来院。

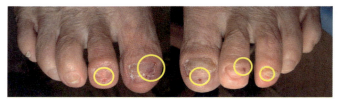

爪甲や角質を除去すると潰瘍が多発していた（○印）。
爪甲をここまで薄く削る必要はないが，爪甲周囲の角質除去により潰瘍形成は予防できる。

図4 爪周囲の角質除去

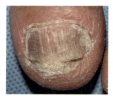
足浴前

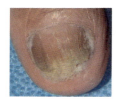
足浴直後

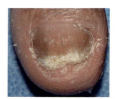
角質除去後

爪甲周囲の角質がふやけて除去しやすくなっている。

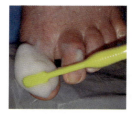
泡で角質をふやかし，歯ブラシでかき出す。

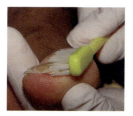
歯ブラシの毛を横から当てて角質をかき出す。

耳かき綿棒でも角質除去できる。

2）爪甲下角質除去の方法

- 乾燥した硬い角質のまま除去しようとせず，足浴やシャボンラッピングなどにより角質をふやかすと，浸軟し除去しやすくなる。泡石鹸を5分程度のせておくだけでも角質はふやけてくる（図4）。ワセリンや市販のハンドクリームなどでODT（occlusive dressing technique：爪周囲に薬を塗布し，ラップなどで密閉し数時間放置）することでも代用できる。

図5 爪甲下の空間のつくり方（右利きの場合）

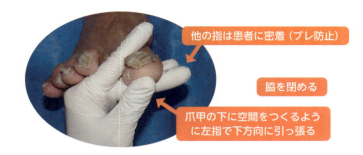

- 他の指は患者に密着（ブレ防止）
- 脇を閉める
- 爪甲の下に空間をつくるように左指で下方向に引っ張る

- 利き手が右手の場合，左手で皮膚を引っ張り，爪甲下に空間をつくると，角質を除去しやすい（図5）。

分厚い爪（爪甲鉤彎症）

- 爪甲鉤彎症とは，爪が分厚く，硬くなり，鉤型に彎曲している状態である（図6）。
- 爪甲鉤彎症の原因は，①爪甲脱落による変化，②爪甲下角質増殖（爪の下に垢がたまった状態）である。

図6 爪甲鉤彎症

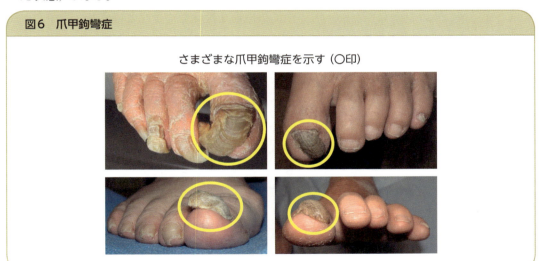

さまざまな爪甲鉤彎症を示す（○印）

- 伸びた爪で皮膚にキズをつくることがあるため，事前に爪を切っておくことが大切である。その際，「正常な爪，きれいな爪」といった"整容面"を求めるのではなく，「伸びた爪でキズをつくらない」という"二次障害の予防"が目標と筆者は考えている（図7）。
- 分厚い爪を切る際，家庭用爪切りでは歯が開かず切りにくいため，ニッパータイプの爪切りを使用する。ニッパータイプ爪切りは，歯の開きが大きいだけでなく，切り口が滑らかに切れるため使いやすいが，工具用ニッパーでも代用できる。

図7 二次障害の予防が目標

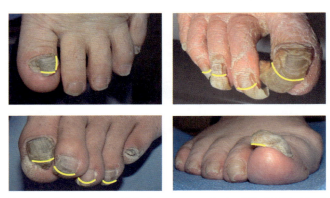

「正常な爪，きれいな爪」を求めるのではなく，「**伸びた爪でキズをつくらないこと**」が目標である．黄色線まで爪を切っておく．

1）爪甲脱落による変化

- 爪甲は足趾先端までカバーすることにより，足趾先端の軟部組織が上方へ押し上げられるのを予防している．
- 爪下血腫後に爪が剥がれたとか，医原性に抜爪術を受けたことなどにより，爪甲が足趾先端皮膚をカバーしなくなったとき，爪甲で覆われていない足趾先端の皮膚が隆起する．
- こうして生じた皮膚の隆起を，新しく生えてきた爪甲が乗り越えることができず，爪甲が伸びても足趾先端方向へ伸びていけないため，爪甲は分厚くならざるを得ない．
- ネイルサロンなどでは爪甲に人工爪を付けて足趾先端方向へ誘導することもあるが，筆者は足趾先端の皮膚をテープで押し下げるようにして爪の成長を誘導している（図8）．その際，体重がかかる日中はテーピングを行い，就寝時（夜間）は周辺皮膚を休ませるために，テープは外すよう指導している．また，テーピングにより趾先の血液が低下しないよう注意すべきである．

2）爪甲下角質貯留によるもの

- 爪甲下角質増殖（爪の下の垢が貯留している状態）を生じると，爪甲の発育方向が上方を向くことになり，必然的に爪甲は分厚く硬くなり，鉤状に変形する．
- 爪甲下角質増殖の原因としては爪白癬が最も多いが，カンジダ感染などもある．
- 爪白癬の診断は，顕微鏡で白癬菌の存在を確認することが必須であり（KOH直接鏡検法），むやみやたらに抗真菌薬を塗布すべきではない．近年では爪白癬抗原検査キットが発売され，KOH法で陰性であった際の追加診断や，KOH法が実施不可能な場合に適用される．
- 爪甲肥厚を呈する疾患として，爪白癬以外に，尋常性乾癬，掌蹠膿疱症，爪扁平苔癬などの可能性があり，診断が確定できない場合は皮膚科専門医を受診すべきである．

図8　爪が埋もれないためのテーピング方法

爪が埋もれないためのテーピング方法①（当院での方法）

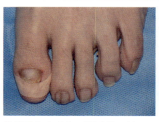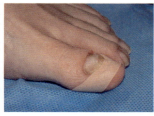

①爪甲と皮膚との境界ギリギリにテープを貼る。
②テープ装着時は，押し下げたい皮膚の部分だけテープを強く引っ張って貼付し，周囲皮膚はテープの緊張を緩めてそっと貼付する。

爪が埋もれないためのテーピング方法②（当院での方法）

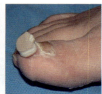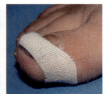

就寝時は外して皮膚を休めましょう。体重がかかるときにテーピングを行いましょう。テープは趾先の血流が低下しない程度の強さにつけましょう。

①先端にスポンジを置き，伸縮テープで留める。

②スポンジ部を押さえながら別のテープで先端方向に引き，趾の裏側に貼る。

☆できあがり☆

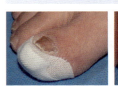

爪が黒いとき

- 小さな靴を履いていたり，適切なサイズの靴を履いていても靴紐が正しく結べておらず，靴の中で足が前滑りして足先が靴の先端に常に当たっているなど，慢性的な刺激により，爪甲全体が黒〜茶褐色に変化することがある。
- 靴擦れ後に生じた爪下血腫の名残りであったり，放射線治療後の色素沈着のこともある。
- 色素細胞性母斑（いわゆる"ほくろ"。良性腫瘍）のこともあるが，メラノーマ（悪性黒色腫）やボーエン病のような疾患が隠れている場合もあるため，爪甲の黒色変化が自然消退しない場合は，一度皮膚科専門医を受診すべきである。

（山口梨沙）

意見　ひとつのフットケア外来

フットケア外来で目指すこと

　私は，下肢のトラブル（爪疾患，胼胝，鶏眼，創傷，褥瘡（じょくそう）など）で困っている患者が気軽に相談できる医療機関を増やしたいと思い，フットケア外来開設を推進しています。

　多職種で足を診るということを当たり前にしていきたい，放置されていた足のケアや疾患に伴う足病変に対応するなど，「足を救う」ということが目標です。

　図1は，フットケア外来でケアしたケースです。爪が伸びて一部血腫ができているのではないかと思われる足です。医師に相談したところ，血腫は古いものであるとのことで丁寧に爪を切ることになり，対応しました。爪の角は削って丸みをもたせることで自分の爪で足を傷つけないように仕上げています。足が乾燥すると皮膚の肥厚や炎症などのトラブルリスクが上がるため保湿にもこだわり，ケアを行っています。セルフケアができることも大切になりますので，セルフケアの方法もお伝えしています。

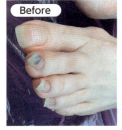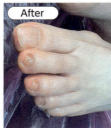

図1　フットケアの介入前・介入後

フットケア外来の形は2通り

　フットケア外来の形は2通りあります。医療の専門職（医師・看護師）が保険適用で行うケース（看護師は医師の指示の下で行った場合に保険適用されます）と，フットケア専門職が保険適用外で行うケースに分かれます。私は介護職でフットケア専門職のため，医療機関の支援でフットケア外来に携わってはいますが，自費での料金請求になります。

　病院，診療所の診療において保険適用で行う場合は，比較的安価で治療を受けてもらえます。しかし，実際はフットケア専門職が少ないのが現状です。フットケア専門職がいないところで診てもらった場合は，対症療法が主となり，根本的な原因に対応したフットケアや，生活動作を考えたケアが十分に行われない可能性があります。

　一方，医療機関に外部からフットケア専門職が加わり行う場合は，予約制にしているため，患者一人ひとりに時間をかけて丁寧なケアを行うことができます。さらに医療機関で行うため，ケースによって医師，看護師の介入も速やかに行うことができます。もし，医療行為が必要な足病変がある場合は，医師や看護師への引き継ぎをスムーズに行え，安全に適切なケアが提供できるということです。

　内科で行っている糖尿病患者へのフットケア外来における爪のケアでは，皮膚に傷をつけないように細心の注意を払って行います。脳神経リハビリテーション

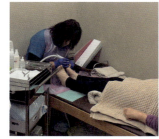

図2　脳神経リハビリテーションクリニックでのフットケア

クリニックでは，リハビリテーションが必要な患者の足を診ています（**図2**）。また，装具外来とも連携しています。下肢装具による傷や潰瘍がある患者がフットケア外来に訪れる場合もあり，治療後，再発を防ぐために，本人の生活動作を考えたケアの提供と，セルフケアに向けアドバイスもしています。

皮膚科では自由診療を含めたフットケア外来も行っており，こちらも医師，看護師とのコラボレーションでスムーズなケアを行っています。現在，透析患者へのフットケアを充実させるようなフットケア外来も準備中です。さらに，透析クリニックや訪問診療とも連携して行えるよう，取り組み方を検討中です。

今後のフットケア外来の展望

フットケアは，診療科を限定せず横断的に行うことができます。

足を診る医療機関がまだまだ少ないため，かかりつけ医に気軽に相談できるようになれば，救われる患者は増えると思います。私のように，介護職が医療職との協働でフットケア外来を行っている事例もあり，フットケア専門職をもっと増やし，「足を診る」ことの大事さを患者や家族だけでなく，介護職や医療関係者にも周知することが大切です。

フットケア外来の開設に向けて

前述したフットケア外来の開設を目指して，私は開設する前に「足を診られる医師，診たい医師」を探しました。また，足の疾患はさまざまなため，さまざまな診療科の医師に声をかけました。そして，賛同してくれた医師や看護師に，開設前から予防的ケアと治療における連携を考え，研修会を開催しました。

フットケア外来の将来

図3は，私がケアしたケースではなく発見した例で，実際に在宅で見逃された，足に褥瘡があったケースです。②では毎日ヘルパーが訪問し，週1回訪問看護もしていたのに，このように悪化してしまっていました。

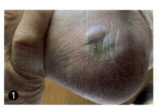 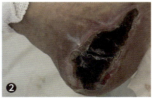

図3　実際に在宅で足の状況が見逃されて褥瘡ができた例

介護職・医療職が常に足先が置かれている状況にまで注意を払えば，このような重篤な褥瘡を防ぐことができたのではないかと思います。介護・医療職との協働でフットケアを推進していきたいと願い，今は日々フットケア外来や研修会を開催し続けています。

私は，いつかフットケア外来やフットケア研修会を開催しなくても，皆が適切なフットケアができるようになる日を夢見ています！

（大場マッキー広美）

8 ウオノメ・タコ・イボの診断と治療

> **ポイント**
> - タコもウオノメも，ともに発生要因は同じであり，治療方針も同じである。
> - しかし，イボの発生要因はタコやウオノメとは違うため，治療方針も異なる。
> - タコ・ウオノメは削るだけでは根本的解決にならないため，発生しないような環境調整が必要である。

タコ・ウオノメ

タコ・ウオノメとは

- タコ（胼胝）もウオノメ（鶏眼）も，ともに身体を外的刺激から守るための生体防御反応の1つである。
- 関節や骨の突出部位の皮膚上に慢性的な機械的刺激（荷重や摩擦）が繰り返されることで，皮膚が厚くなる（角質増殖）。
- タコは皮膚表層が円型の板状となって身体の外側（皮膚の表面）に向かって厚くなるも

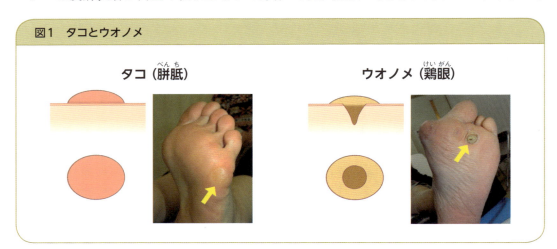

図1　タコとウオノメ

タコ（胼胝）　　　　ウオノメ（鶏眼）

- のを指し，面積の割に痛みは軽いことが多い（図1）。
- 一方，ウオノメは皮膚表層の一部分が皮下に入り込み，核のように身体の内側に向かって増殖している（図1）。
- 核の部分は2,3mm程度までの大きさのものが多いが，小さくても激痛を訴える人が多いのが特徴である。
- ウオノメは表面から見ると，ニワトリの眼のように見えることから，鶏眼と呼ばれている。

タコ・ウオノメの治療法

- 治療法はタコ・ウオノメ共に共通しており，まずは原因となっている外的刺激を減らすことである。
- 足に合った靴を選び，それを正しく履くだけでも改善が期待できる。
- 次に，除圧を目的とした患部のインソール着用やフェルト貼付なども有用である（図2）。
- インソールやフェルトは足に体重がかかるすべての時間に着用・貼付するほうが効果的である。外出時のみだけでなく，室内でも着用・貼付を心がける。
- インソールが着用できない場合は，クッション性のある靴下を着用するだけでも改善する。
- また，足首のストレッチをすることで関節可動域が改善し，患部にかかる圧が減弱するため，タコ・ウオノメの形成速度を遅らせる効果が期待できる（図3）。
- しかしながら，これらすべてを行っても，歩行を続けている限り，タコ・ウオノメが完全に消失することはない。その場合は，ヤスリなどを用いて肥厚した皮膚を削ることも有用である（図4）。
- 角質を柔らかくする外用剤を貼付する際は，歩行によりずれて別の部位に貼付しないよう注意する。

図2　オーダーメイドインソール

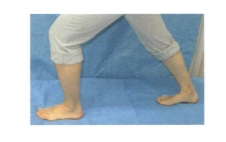

図3　アキレス腱ストレッチによる足関節可動域改善

図4　肥厚した皮膚を削るヤスリ

- 体重がかからない就寝時のみの貼付がお勧めである。
- タコ・ウオノメは放置しておくと，潰瘍化や骨髄炎を併発し，最終的には足を切断しなければならなくなることもある（図5）。
- 軽症のうちに先述の予防対策をしっかり行い，潰瘍化や骨髄炎を併発しないように注意する。

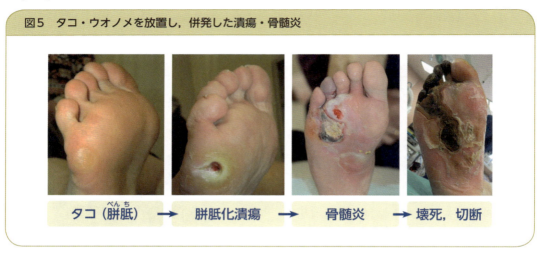

図5　タコ・ウオノメを放置し，併発した潰瘍・骨髄炎

タコ（胼胝） → 胼胝化潰瘍 → 骨髄炎 → 壊死，切断

イボ

- イボ（疣贅）の発生原因は，外的刺激ではなく，ヒト乳頭腫ウイルスの感染によって生じるものである。
- 治療はウイルスの死滅を目的として液体窒素による凍結療法が有用である。
- 削るだけでは完治しない。
- 皮膚の外側に向かって増殖しているため，タコと間違えやすいが，見分けるポイントは，①多発していること，②荷重部ではないところに発生していること，③皮膚表面では増殖している血管が黒い点として見えることもある，などがあげられる（図6）。

（山口梨沙）

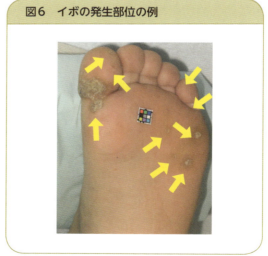

図6　イボの発生部位の例

9 在宅で行うフットケア
～足浴・泡洗浄～

> **ポイント**
> - 足浴はスキンシップを伴うコミュニケーションであり，信頼関係を得ることが容易になる。また，かかわる双方が優しくなれ，癒される。
> - 足浴を通して継続してかかわることが大切で，生活や身体の状態を把握できる。

足浴

メリット

- 手から優しさが伝わる。
- 足が清潔になる。
- リラックスでき，癒される。
- 痛みが和らぐ。
- 血行やリンパの流れがよくなり，温まる。
- 足の様子から，栄養状態・生活習慣・運動状態・介護力などがわかる。

介護状態，健康状態などの情報を得る

- 皮膚の変色（赤や紫色）や乾燥をみる。湿って臭いがないか，汚れがないか，足潰瘍がないかをみる。
- 足の関節可動域，左右差の確認をする。
- むくみ，冷えなど，血液やリンパの流れが悪くなる疾患や状態がないか確認する。
- 感覚過敏や麻痺がないか，また痛みの有無をみる。
- 前回と今回の違いなど，時間の経過による変化をみていく。

足浴の方法

- 必要物品：湯，タオル，爪切り（さまざまな爪の状態に対応できるよう，複数の爪切り

図1　足浴の方法

手順

療養者が汚れを気にしている場合など，白濁する沐浴剤など工夫する。

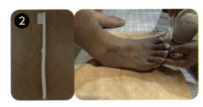
指の間は丁寧に洗う（爪は歯ブラシ等で磨く）。

石鹸洗浄後，シャワーボトルで洗い流す。

拭き取りながらバケツを移動する。

爪切りは横から行うとやりやすい。

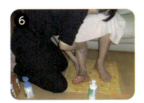
保湿・マッサージを行う。

※感染予防のため，ゴム手袋を使用するか，お湯が手首から入った等の際には，手洗いの徹底をすること。

を準備する），足浴バケツ（足が入りやすいものを選択する），敷物2枚，石鹸，シャワーボトル（ペットボトルを応用する），着替え，その他（沐浴剤，アロマオイル，ローション，水虫等の外用薬）。準備は途中でケアが中断しないよう万全にする。
- 湯の温度は40℃前後で足浴用のバケツを用意する。汚れが目立つ場合，白濁の沐浴剤など湯の汚れを気づかせない配慮が必要である（図1-❶）。
- 足を湯につけ十分保湿し，表面を軽く擦り指の間も丁寧に汚れをとる。爪は歯ブラシ等で磨く（図1-❷）。
- 石鹸洗浄後タオルで拭き，爪切りを行い，保湿ローション等を使用しながらマッサージを行う（図1-❸～❻）。
- 着替え，後始末は速やかに行う。湯の廃棄場所は事前に確認しておく。
- 前後の様子や変化，効果や状態を観察する。
- 痛みや動きに制限がある場合，濡らしたタオルを電子レンジで温めて清拭する。熱湯に注意しながら行う。
- なお，ゴム手袋にお湯が入るなどでゴム手袋を使用しない場合には，感染予防の観点から，石鹸を使用して，足浴バケツの洗浄，手洗いを丁寧に行う。

シャボンラッピング

メリット

- 汚れが落ちる。
- 必要物品が手に入りやすく安価である。
- 準備や片付けの負担が少ない。

必要物品（図2）

①ポリ袋30〜40L
②ボディソープ（弱酸性）
③50〜60℃の湯60mL程度
④タオル
⑤防水シートまたはバスタオル
⑥保湿剤

図2 シャボンラッピングの必要物品

シャボンラッピングの方法（図3）

①ポリ袋にボディソープ2プッシュぐらいと湯30mLを入れ，振ったり擦ったりして泡立てる（図3-❶）。

図3 シャボンラッピングの方法

❶ 袋にお湯とボディソープを入れて振り，泡をつくる。

❷ ポリ袋の中に足を入れる。

❸ 指間も洗う。

❹ 絞るように取る。

❺ 石鹸成分が残らないように洗う。

❻ 丁寧に拭き取る。

❼ 拭き取ったら保湿剤を塗布する。

②ポリ袋の中に足を入れ，ポリ袋の口から泡が出ないように口を結ぶ（図3-❷）。
③袋の上から泡で軽くマッサージ，指の間も洗う（図3-❸）。
④皮膚に袋を密着させながら絞るように袋を取る（図3-❹）。
⑤洗浄用のお湯で石鹸成分を洗い流し（図3-❺）（温タオルで洗剤が残らないよう拭き取ることもある），丁寧にタオルでお湯を拭き取る（図3-❻）。
⑥軽くマッサージをしながら保湿剤を塗布する（図3-❼）。

熱布清拭（図4）

- 痛みや動きに制限がある場合は，熱布清拭を行う。
- 必要物品（図4-❶）：湯（濡らしたタオルを電子レンジで温めてもよい）は，熱傷をきたさないよう注意する。バスタオル，タオル4〜5枚，石鹸，シャワーボトル，ビニール袋，爪切り，ローション，軟膏，着替え。
- 方法は図4-❷〜❹を確認のこと。

図4　熱布清拭

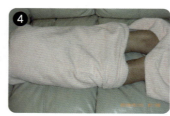

❶必要物品
❷タオルを湯で濡らす。湯がないときは電子レンジで温める。
❸足にタオルを巻き，ビニール袋，敷物で被う。
❹バスタオル，掛け物で保温する。

踵のケア

- ずれ摩擦の予防をする。
- 原因となる生活習慣や癖を知り，工夫する（ソファやファウラー位によるポジション，車いす等の姿勢，福祉用具の選択などを見直し，検討する）。

（白瀬幸絵）

第8章

家族とヘルパーに知ってほしいこと

1 家族に伝えておくこと

2 ヘルパーの教育
　　〜できることとできないこと〜

3 認知症を伴う高齢者への対応

1 家族に伝えておくこと

ポイント

- 褥瘡(じょくそう)が発生したと報告を受けても,決して家族を責めてはいけない。
- 利用者,家族との信頼関係があってこそ,褥瘡予防が可能となる。
- 褥瘡予防のために保湿ケアを取り入れてもらうことを提案する。
- 褥瘡ができたらすぐに相談できる環境があることを家族に知ってもらう。
- 皮膚の異常を見つけたらできるだけ早めに相談する。

在宅褥瘡(じょくそう)ケアに関し,家族やヘルパーにぜひとも伝えたいこと

- 褥瘡(じょくそう)は発生しないことに越したことはないが,万が一褥瘡が発生したとしても,医療者やヘルパーは,「どうして褥瘡ができたの?」と決して家族を責めてはいけない。
- 褥瘡をもつ利用者やその家族は,「床ずれができたら大変だ」「床ずれは治らない,一生ものだ」など,マイナスイメージを抱くことが多い。
- マイナスイメージを少しでもプラスにするため,利用者や家族を支援している多職種で協力して,褥瘡がよくなるようにしましょう,という思いで一緒に考えていくと伝えることが必要である。
- 利用者やその家族との望ましいかかわりのスタートは,まず相手に関心をもつことから始まる。それとは逆に,一瞬のずれで信頼関係が崩れることもあるため,褥瘡ケアに携わる

図1 利用者と信頼関係を築く

信頼関係が築かれており,安心して薬管理ができている利用者と訪問看護師(顔写真の掲載については利用者の許諾を得ている)

- 関係スタッフは上下関係なく，コミュニケーションをとっていく必要がある（図1）。
- 利用者と家族，ヘルパーには，皮膚に何かあったら誰に相談したらよいかを，事前に明確にしておく。このことで介護支援専門員（ケアマネジャー）などを通じて医療者が早めに介入することができ，早期治癒が期待できる（図2）。

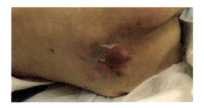

図2　悪化してしまった褥瘡

褥瘡処置依頼があった初回訪問看護の写真。誰に相談してよいかわからなかったと家族が話していた

家族やヘルパーに，日々の清潔ケアで伝えたいこと

- 褥瘡予防の鍵は皮膚を健康に保つことである。そのためには毎日の清潔ケアに，保湿ケアを加えることが重要である。
- 筆者の地域では，近隣の施設やデイサービスなどの介護サービスにおいて，保湿ケアを通常のケアに加えているところがほとんどである（図3）。
- 更衣や体位変換などにおいて，皮膚を引っ張る行為となってはいけない。無理に引っ張ったり引きずったりすると，皮膚にずれがかかり，褥瘡やスキン-テアになる可能性が高くなる。
- 訪問看護で使用している体位変換に用いるスライディングシートや皮膚トラブル予防に用いるアームカバー，フットカバーなど，介護のアイテムをデイサービスなどの他介護サービスを利用する際にもフル活用してケア方法を統一することを，ケアマネジャーやヘルパー，訪問看護師と情報共有する（図4）。

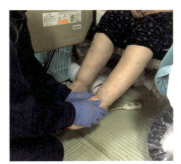

図3　訪問看護で行う保湿ケア

訪問看護で保湿ケアを行っている

図4　弾性ストッキングを着用している場面

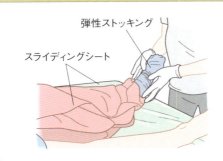

高齢者はもとより，足趾の血栓予防を目的に弾性ストッキングを着用するよう，医療機関から指示を受けることがある。弾性ストッキングは履きづらく，途中で中止してしまうことも少なくない。そのような場合，1人でも装着しやすいようにスライディングシートを用いて装着することを指導している。また，体位変換や更衣などにも幅広く利用でき，軽量で持ち歩きできるため，使用しやすい。

家族やヘルパーにしておいてほしいこと

家族やヘルパーに，日々の褥瘡ケアで伝えたいこと

- 普段の清潔ケアをしていて皮膚の赤み（発赤）を見つけたら，すぐケアマネジャーなどに相談することが望ましい。発赤には一時的なものと持続するものがあり，持続的な発赤が褥瘡となる。これを見分ける方法である「指押し法」「ガラス板圧診法」とあわせておさえておく。
- できれば，赤くなった部位の写真を撮っておくと，褥瘡の状態を共有しやすい。
- 「褥瘡処置は可能であるが，怖くて見たくない」という家族も少なくないため，家族に「褥瘡ができた場合は処置が必要である」ことと，「処置に協力できるかどうか」について確認することが必要である。
- 家族が褥瘡ケアに協力的な場合は，ガーゼやパッドに軟膏を塗り交換する方法など，できるだけ簡単で介護負担が少ない方法でお願いする。
- ヘルパーには「褥瘡の滲出液や尿便失禁でガーゼが汚れている場合は，洗浄や軟膏塗布はせず，ガーゼやパッドのみを交換」してもらうよう話す。
- 褥瘡が汚染されたままの環境は治癒を遅らせる可能性が高いため，ヘルパーは医師・看護師およびケアマネジャーの指導のもとで，創処置とならない範囲で協力してもらうことが必要である。
- 在宅での褥瘡処置は家族と行うことが多い。そのため処置しながら褥瘡の状況を一緒に確認し，よくなっていることを共有すると，本人も介護している家族も笑顔になる（図5）。
- 褥瘡は予防することが一番であるが，万が一褥瘡が発生したとしても，チーム一丸となってゴールに向けてケアを行っていくことが最も貴重で重要であると考える。

図5　笑顔の利用者

筆者が初めて在宅褥瘡処置に携わり，治癒した利用者である。介護している家族が，「床ずれになっちゃったけど，そのあと治ってよかった。田舎でも床ずれって治るのね！　きれいなまま最期を迎えられて本当におじいちゃん幸せだ」と話していた。高齢化が進んでいる現代において，在宅での褥瘡は切っても切れないものであると実感している（顔写真の掲載については利用者の許諾を得ている）。

（荒谷亜希子）

2 ヘルパーの教育
〜できることとできないこと〜

👉 ポイント

- 訪問介護を実施するにあたっては，まず介護支援専門員（ケアマネジャー）がサービス計画書を作成する。訪問介護員（ヘルパー）は，サービス計画をもとに作成された，利用者にあわせた具体的内容が記載された訪問介護計画に基づいてサービス提供をしなければならない。

- 褥瘡（じょくそう）ケアにおける，ヘルパーが行える行為と行ってはいけない行為については，厚生労働省の通知「医師法第17条，歯科医師法第17条及び保健師助産師看護師法第31条の解釈について」（平成17年7月26日医政発第0726005号）を参考に判断する。

- ヘルパーは仕事柄，利用者の生活状況をよく知り，生活のなかにある課題についても理解が深いため，褥瘡の発見だけでなく，褥瘡ができる原因を見つけることも期待される。

- ヘルパーに必要な知識と技術は，①褥瘡の発生機序と発生リスクについて知ること，②利用者の生活上の改善点を考えるための知識，③褥瘡部位の清潔保持，圧抜きの方法，体位変換などの技術，④褥瘡発生時に医療・訪問看護と連携し，訪問介護の役割を確実に実施することであり，⑤褥瘡の症状の理解・評価ができるとなおよい。

訪問介護でできること・できないこと

訪問介護におけるサービス行為

- 通知「訪問介護におけるサービス行為ごとの区分等について」（平成12年3月17日老計第10号厚生省老人保健福祉局老人福祉計画課長通知，最終改正平成30年3月30日老振発0330第2号）には，訪問介護で行うサービス行為の一連の流れが例示されている。
- サービス行為は，身体介護と生活援助の2つに分けて示されている。

1）身体介護

- 身体介護とは，①利用者の身体に直接接触して行うサービス，②利用者の心身の状況，生活の状況，生活の質の部分において意欲向上のために利用者とともに行う自立支援・重度化防止のためのサービス，③その他専門的知識・技術をもって行う利用者の日常生活上・社会生活上のためのサービスをいう（表1）。
- 要介護状態が改善されたときは，不要となる行為である。

2）生活援助

- 生活援助とは，掃除・洗濯・調理などの日常生活の援助であり，利用者が単身，家族が障害・疾病などのため，利用者や家族が家事の実施困難な場合に行われるものをいう。
- ①商品の販売，農作業などの生業の援助的行為，②直接，利用者の日常生活の援助に属しないと判断される行為は，生活援助には含まれないものとする。

表1　訪問介護におけるサービス行為（身体介護）

- サービス準備・記録等
    - ・健康チェック
    - ・環境整備
    - ・相談援助，情報収集・提供
    - ・サービス提供後の記録等

    以上は，以下のどの援助も共通で実施される。
- 排泄・食事介助
- 清拭・入浴，身体整容
- 体位変換，移動・移乗介助，外出介助
- 起床および就寝介助
- 服薬介助
- 自立生活支援・重度化防止のための見守り的援助（自立支援，ADL・IADL・QOL向上の観点から安全を確保しつつ常時介助できる状態で行う見守り等）

厚生労働省老健局振興課長通知：「訪問介護におけるサービス行為ごとの区分等について」の一部改正について．平成30年3月30日老振発0330第2号より抜粋・改変

- 訪問介護員（ヘルパー）のサービス提供に関しては，介護支援専門員（ケアマネジャー）のサービス計画に記されたもの以外の行為は実施できない。

ヘルパーが実施できる行為か確認する

- 通知「医師法第17条，歯科医師法第17条及び保健師助産師看護師法第31条の解釈について」（平成17年7月26日医政発第0726005号），および「医師法第17条，歯科医師法第17条及び保健師助産師看護師法第31条の解釈について（その2）」（令和4年12月1日医政発1201第4号）には，医師・看護師等の医療に関する免許を有しない者が行うことので

きる行為が示されている。
- ヘルパーの行うサービス行為については，これらの通知を参照し，適切か否か判断してほしい。
- 「医師法第17条，歯科医師法第17条及び保健師助産師看護師法第31条の解釈について」の記載内容を表2に示す。これらの行為に関しては，介護のサービス事業者として事前にサービス担当者会議において確認したうえで，ヘルパーへ指導することが重要である。
- 「医師法第17条，歯科医師法第17条及び保健師助産師看護師法第31条の解釈について

表2　ヘルパーが介護現場で実施することができる行為

- 水銀体温計・電子体温計・耳式電子体温計による体温測定
- 自動血圧測定器による血圧測定
- 新生児以外の者で，入院治療が必要ない者に対するパルスオキシメーターの装着
- 軽微な切り傷・擦り傷・やけど等について，専門的な判断や技術を必要としない処置（汚物で汚れたガーゼ交換を含む）
- 医薬品の使用の介助[*1]：皮膚への軟膏の塗布（褥瘡の処置を除く），湿布の貼付，点眼薬の点眼，一包化された内服薬の内服（舌下錠も含む），肛門からの坐薬の挿入，鼻腔粘膜への薬剤噴霧の介助
- 爪切りの使用，爪やすりのやすりがけ（爪そのものに異常がなく，爪の周囲の皮膚にも化膿や炎症がなく，糖尿病等の疾患に伴う専門的な管理が必要でない場合）
- 日常的な口腔内でのケアにおいて，歯ブラシや綿棒などを使用し，歯，口腔粘膜，舌に付着した汚れの除去（重度の歯周病等がない場合）
- 耳垢の除去（耳垢塞栓の除去を除く）
- ストーマ装具のパウチにたまった排泄物を廃棄（肌に接着したパウチの取り替えを除く）
- 自己導尿の補助のためのカテーテルの準備と体位の保持
- 市販のディスポーザブルグリセリン浣腸器[*2]を用いて浣腸すること

[*1]：利用者が次の3点の条件を満たしていることを医師，歯科医師または看護職員が確認し，ヘルパーが介助できることを本人または家族に伝え，本人または家族から具体的に依頼があった場合に行うことができる
　①患者が入院・入所して治療する必要がなく容態が安定していること
　②副作用の危険性や投薬量の調整等のため，医師または看護職員による連続的な容態の経過観察が必要である場合ではないこと
　③内用薬については誤嚥の可能性，坐薬については肛門からの出血の可能性など，当該医薬品の使用の方法そのものについて専門的な配慮が必要な場合ではないこと

[*2]：挿入部の長さが5～6cm程度以内，グリセリン濃度50％，成人用の場合で40g程度以下，6～12歳未満の小児用の場合で20g程度以下，1～6歳未満の幼児用の場合で10g程度以下の容量のもの

厚生労働省医政局長通知：「医師法第17条，歯科医師法第17条及び保健師助産師看護師法第31条の解釈について．平成17年7月26日医政発第0726005号をもとに作成

（その2）」には，平成17年の通知に記載のない行為のうち，介護現場で医行為ではないと考えられる行為として，「在宅介護等の介護現場におけるインスリンの投与の準備・片付け関係」「血糖測定関係」「経管栄養関係」「喀痰吸引関係」「在宅酸素療法関係」「膀胱留置カテーテル関係」「服薬等介助関係」「血圧等測定関係」「食事介助関係」「その他」について，19項目の記載がある。
- ケアの提供体制について，本人，家族，ヘルパーや介護福祉士などの介護職員，看護職員，主治医等と事前に合意をするプロセスが重要である。
- 必要に応じてマニュアルの作成や研修を行うことが適当である。
- 実施にあたっては，本人や家族に対してわかりやすく適切な説明を行うとともに，ヘルパー等が実施する行為に対して患者本人や家族が相談できる環境づくりが重要となる。
- 介護サービス事業者は，ヘルパーに対して一定の研修や訓練を行うことが望ましく，また業務遂行上，安全にこれらの行為が行われるよう監督することが求められる。
- ヘルパーのサービス内容の幅は広がっており，研修・訓練等を通して医療の知識やケア技術などを高めていくことが求められているのは明らかである。制度のうえでも，その実施過程における検討会議やマニュアル等の整備，必要な手続きが求められている。

訪問介護における褥瘡（じょくそう）ケアについて

訪問介護のサービス開始時に確認すること

- ヘルパーの利用者は自身である程度動ける状態のことが多いが，寝たきりの状態でサービス提供を開始するときは，利用者の体調や病状，寝たきりの状態をチェックし，褥瘡（じょくそう）の情報も聞き取る。
- また，寝たきりの人だけではなく，動ける人であっても，低栄養がある場合は，皮膚組織の機能低下などが起こるため，褥瘡発生リスクが非常に高くなることに注意が必要である。
- 生活においては，どれくらい食事がとれているのか，起き上がりの程度はどうか，などを確認する。
- 医師や訪問看護師からの情報と指導をもとに，今ヘルパーの自分たちにできることは何か，どのようにサービスを実施していくのかを，前述した法律に則して検討する。
- これらが訪問介護計画に記載され，利用者・家族の了承のもと，サービスが開始される。

訪問介護の場で経験する褥瘡

- 褥瘡とは，長い時間同じ姿勢で寝ていたり，同じ姿勢で座っていたりすることで，圧迫された部位の血流が悪くなり，発赤からさらに進んで潰瘍ができることである。
- 褥瘡はいったん発症すると治療に長期間かかる場合が多い。

- 訪問介護の利用者はどうしても同じような姿勢になってしまうことが多く，ヘルパーの苦慮するところである。
- 仙骨部は特に褥瘡の好発部位であるが，かかとや膝関節などの骨突出部以外でも，褥瘡はどこにでもできる。
- 手指が握りこぶしの状態で拘縮し，強い力がかかることで爪が掌に食い込んだり，足の指の変形と拘縮により，隣り合う指の関節がぶつかって赤く腫れ上がり出血したりすることで，褥瘡が発症することもある。ポジショニング方法を検討することで拘縮が緩むことも多い。褥瘡発生予防のためにも，適宜ポジショニング方法を見直すことも大切である（ポジショニングについては，第4章3などを参照）。

ヘルパーが実施できる褥瘡への対応

- ヘルパーができる褥瘡への対応は，患部の状態によっても異なるが，患部の清潔保持に努力すること，安全に行える範囲のガーゼ交換，圧抜きをするためのポジショニングや圧抜きの方法の検討，常に全身観察することである（第4章6などを参照）。
- ヘルパーは定期的に利用者宅を訪問するため，訪問介護計画で決めた内容を実施しながら，医師や看護師等と連携して援助内容の再検討をすることが重要である。

ヘルパーへの教育

- ヘルパーは，褥瘡の基本的な知識・食事の摂取状況・清潔動作の手技・ポジショニングと圧抜きについて学ぶ機会が必要である。
- 訪問介護事業所は，適切なサービス提供を実施するにあたり，職員に対して知識や技術を学ぶ機会や訓練を受けさせる責任がある。
- ヘルパーの自己研鑽はさることながら，事業所は個別研修計画を作成して実施することも義務づけられている。
- ポジショニングについては，理学療法士や訪問看護師から有効なアドバイスを得られることが多い。

連携ノートを活用する

- 在宅においては，看護師やそのほかの関係者との連絡に，連携ノートがよく使われる。
- 連携ノートには，訪問介護の実施内容と利用者の状況，伝達したいことなどを記入する。

（久保田恵子）

3 認知症を伴う高齢者への対応

ポイント

- 認知症患者への対応では，本人の意思を汲み取るアプローチを意識する。
- 認知症は脳の病気であるが，認知症と間違えやすい疾患や状態がいくつか存在する。
- 認知症の薬には，中核症状に使う薬と行動・心理症状（BPSD）に使う薬がある。
- 認知症を伴う高齢者の服薬管理は，多職種で連携した対応が望ましい。

認知症患者への対応
〜どのようなことを，どのように教えていくとよいのか〜

- 認知症患者への対応は，何もできない，わからない人とせず，認知症に伴う認知機能低下のある生活人であることを理解する必要がある。
- 認知症の人への対応においては，"3つの「ない」"という「①驚かせない，②急がせない，③自尊心を傷つけない」[1]が提唱されており，本人の意思を汲み取るよう意識するアプローチが求められる。
- 認知症患者は，自身の身体についての訴えや苦痛を感じても，訴えないことなども危惧され，褥瘡（じょくそう）のリスクが高いことから，ケアする人の観察とケアの質を高めることが重要である。

陥りやすい間違いや注意点

- 認知症は脳の病気で，脳の障害によって脳のはたらきが悪くなるため，記憶力，判断力，時間や場所，人などの認知機能などが低下し，日常生活に支障をきたしている状態である。
- 認知症は原因により，主な4つの疾患に分類されている（表1）。

表1 認知症の主な疾患と主な特徴

アルツハイマー型認知症	脳の神経細胞が減り，大脳全般が萎縮する疾患 物忘れ，時間や場所などの理解，判断力の低下
血管性認知症	脳梗塞や脳出血により認知機能が障害される疾患 物忘れ，感情のコントロール不全，まだらな認知障害
レビー小体型認知症	レビー小体が大脳にでき神経細胞が減少する疾患 幻視，うつ状態，パーキンソン症状，症状の日内変動
前頭側頭型認知症	前頭葉と側頭葉が特異的に萎縮する疾患 性格の変化，社会性の欠如，会話のどもりや途切れ

健忘

- いわゆる「物忘れ」には，加齢に伴う物忘れの生理的健忘と，認知症に伴う病的健忘がある[2]。
- 最近は，正常と認知症の中間の状態で，MCI（mild cognitive impairment：軽度認知障害）といわれる軽い症状でも診断が行われるようになり，健忘についての理解が必要となる（表2）。

表2 生理的健忘と病的健忘（アルツハイマー型認知症）の違い

	生理的健忘	病的健忘
物忘れ	体験した一部	体験した全部
進　行	あまり進行しない	徐々に進行する
判断力	低下しない	低下する
自覚症状	自覚する	ないことが多い
日常生活	支障ない	支障ある

地域活性化協同組合フロンティア：認知症対応力向上研修の研修教材及び実施方法に関する調査研究事業，薬剤師認知症対応力向上研修テキスト＜令和3年度改訂版＞，44，2022．を参考に作成

認知症とせん妄・うつ病

- 高齢者に多いせん妄とうつ病は，認知症と間違えやすい[2]ことから，それらは区別されているという認識をもつことが大切である（表3）。

表3 アルツハイマー型認知症とせん妄，うつ病（仮性認知症）の違い

	せん妄	アルツハイマー型認知症	うつ病
発症	急激（数時間から数日）	潜在性（数か月から数年）	急性（週か月単位）
初期症状	幻覚・妄想・興奮	記憶障害	抑うつ・無気力
自覚症状	ないことが多い	ないことが多い	自覚する
思考の内容	無秩序	他罰的	自責的・自罰的
記憶障害	ある	短期記憶が多い	一定でない
日内変動	ある（特に夕刻から夜間）	少ない	ある（特に朝から午前中）

地域活性化協同組合フロンティア：認知症対応力向上研修の研修教材及び実施方法に関する調査研究事業，薬剤師認知症対応力向上研修テキスト＜令和3年度改訂版＞，48-52, 2022. を参考に作成

薬剤・アルコールの影響

- 認知機能の低下の背景に，薬剤の影響（薬剤性せん妄）や，アルコールの長期多量摂取による影響も考慮する。
- 特に高齢者は，肝臓や腎臓の機能が低下し，薬が効きすぎたり，必要以上に体内にとどまったりすることがある。
- 高齢者に多くみられる多剤併用は，認知機能障害のリスクを高める。市販薬や健康食品についても起こり得るため，確認を忘れてはならない。
- 高齢者が認知機能障害を起こしやすい主な薬剤[3]を以下に示す。
  ①三環系抗うつ薬：アナフラニール®，アモキサン®，トリプタノール®など
  ②パーキンソン病治療薬（抗コリン薬）：アーテン®，アキネトン®など
  ③過活動膀胱治療薬：ポラキス®など
  ④ヒスタミンH_1受容体拮抗薬（第一世代）：アタラックス®，ポララミン®など
  ⑤ヒスタミンH_2受容体拮抗薬：アシノン®，ガスター®，タガメット®など
  ⑥ベンゾジアゼピン系睡眠薬，抗不安薬：ハルシオン®，デパス®，セルシン®など

薬の位置づけ

- 認知症に使う薬として，認知機能低下を示す記憶力や判断力の低下などの中核症状に使う薬と，中核症状から発症する徘徊や抵抗，不安，妄想など問題行動を引き起こすBPSD（behavioral and psychological symptoms of dementia：行動・心理症状）に使う薬がある。

中核症状に使う薬

- 中核症状に使う薬を表4に示す[4]。

表4 認知症の進行を遅らせる認知症治療薬

商品名	アリセプト®	レミニール®	リバスタッチ®	メマリー®
一般名	ドネペジル塩酸塩	ガランタミン臭化水素酸塩	リバスチグミン	メマンチン塩酸塩
作用	アセチルコリンを活性化			グルタミン酸を抑制
特徴	意欲向上・活動性亢進			興奮抑制
副作用	悪心・嘔吐など	悪心・嘔吐など	悪心・かぶれなど	めまい・傾眠など
剤形	飲み薬	飲み薬	貼り薬	飲み薬
用法	1日1回	1日2回	1日1回	1日1回
適応	アルツハイマー軽度から高度 レビー小体	アルツハイマー軽度から中等度	アルツハイマー軽度から中等度	アルツハイマー中等度から高度

認知症に対するかかりつけ医の向精神薬使用の適正化に関する調査研究班：かかりつけ医のためのBPSDに対する向精神薬使用ガイドライン（第2版）, 2-5, 厚生労働省老健局認知症施策・地域介護推進課, 2015. を参考に作成

- 認知症治療薬の新しい薬（2022〜2024年承認の表4以外の薬）には次のものがある。
  ①アリドネ®（一般名ドネペジル）貼り薬：レビー小体型には適応がない
  ②レケンビ®（一般名レカネマブ），ケサンラ®（一般名ドナネマブ）点滴：アルツハイマー病による軽度認知障害と軽度の認知症に適応がある

BPSDへの対応

1）薬を使わない非薬物療法（優先）

- 原因となるような身体症状（感染症，脱水，痛みなど）の有無や生活環境の不都合，薬による影響の評価と介入が検討される。介護サービスでは，認知機能訓練や認知リハビリテーション，運動療法，音楽療法などの利用ができる。また，家族など介護者の支援にも介護保険を利用できる。

2）BPSDの薬物療法

- 上記で改善しない場合や緊急性がある場合に，認知症治療薬のほか，抗精神病薬，抗うつ薬，抗不安薬，睡眠薬が使われる。これらの薬の多くは，脳の興奮を抑制させるが，ふらつきの副作用が見受けられ，転倒や骨折リスクを高める。定期的に有効性の評価を行い，継続または減薬や中止かの検討が必要である。
- BPSD治療に使われる主な抗精神病薬[4]を以下に示す。

①抗精神病薬：幻覚・妄想・不安・興奮・攻撃などの症状が対象。糖尿病患者に使えない薬が多い
レキサルティ®，リスパダール®，ルーラン®，セロクエル®，セレネース®など

②抗うつ薬：抑うつ・不安・不眠などの症状が対象。効果が出るまでに2〜4週間必要である
サインバルタ®，ジェイゾロフト®，レメロン®，テトラミド®，レスリン®など

③抗不安薬：ベンゾジアゼピン系の抗不安薬は，75歳以上の高齢者，中等度以上の認知症患者には，副作用が発現しやすく，使用には注意が必要である
セルシン®，レキソタン®，ワイパックス®，デパス®など
④睡眠薬：高齢者には，ふらつきの少ない非ベンゾジアゼピン系が使いやすいが，ベンゾジアゼピン系と同様の副作用もあるので注意が必要である
マイスリー®，ルネスタ®，ロゼレム®，デエビゴ®，ベルソムラ®など

認知症を伴う高齢者の服薬管理

- 認知症の薬は，認知症の進行を遅らせるだけではなく，認知症を悪化させたり，活動性の低下による褥瘡のリスクを高めたりする可能性があることも忘れてはならない。
- 認知症を伴う高齢者は，認知機能低下による飲み忘れや飲み間違い，服薬拒否，嚥下機能の低下による服薬困難など問題は多い。そのため多職種で連携した服薬管理対策が，とても重要になってくる。
- 認知症患者や高齢者では，便秘薬の作用持続時間（薬の半減期による）に注意しないと，便失禁の問題が起こることがある。便秘薬使用の目標を「服薬を指示通りに行う」ことにするのではなく，「排便コントロールが良好である」ことにし，服薬を調整できるようにしたい。排便状況とともに，服用している便秘薬，服用量，生活状況，介護者の状況も薬剤師に伝えて，最善の便秘薬を選択する助言を医師に伝えてもらうとよい。
- 薬剤師は，医師とともに影響のある薬剤の検討や服用方法の変更，剤型の変更などを行っている。薬に関する問題は，身近にいる薬剤師に相談していただきたい。

(梅村恵美)

引用文献
1) 名古屋市社会福祉協議会編：認知症サポーター養成講座標準テキスト(名古屋市版), 21, 名古屋市健康福祉局高齢福祉部地域ケア推進課, 2018.
2) 地域活性化協同組合フロンティア：認知症対応力向上研修の研修教材及び実施方法に関する調査研究事業, 薬剤師認知症対応力向上研修テキスト＜令和3年度改訂版＞, 44, 48-52, 2022.
3) 日本医師会：超高齢社会におけるかかりつけ医のための適正処方の手引き, 2 認知症, 10-11, 2018.
4) 認知症に対するかかりつけ医の向精神薬使用の適正化に関する調査研究班：かかりつけ医のためのBPSDに対する向精神薬使用ガイドライン(第2版), 2-5, 厚生労働省老健局認知症施策・地域介護推進課, 2015.

第9章

みんなで治そう・防ごう・つながろう

1 病院と，介護施設や在宅とのつながり

2 医師同士のつながり

3 医師と他職種とのつながり

4 遠隔診療でのつながり

5 災害・緊急時のつながり

6 利用者・家族・介護者，医療・介護提供者の声

1 病院と，介護施設や在宅とのつながり

ポイント

- 病院は治療を中心とした療養環境，在宅は生活を中心とした療養環境であり，同じ対策はとれないことを念頭に置く。
- 入院時に病院医療者が知りたいのは，基本的な褥瘡（じょくそう）対策に関する診療計画の項目のほか，退院に向けた日常生活状況の情報である。
- 退院時に在宅ケア担当者が知りたい情報は，医療的な問題と日常生活機能の状況である。
- 病院と在宅ケア担当者が連携して動くためには，医療・介護制度を活用し，相互の関係をつくっておくことが重要である。

病院と在宅・施設での対策について

病院と在宅・施設では環境や褥瘡（じょくそう）ケアの視点が違う

- 入院は，通院できない状態や通院では行えない治療のため，病院で病状を改善させることを目的としており，非日常な環境に置かれる。歩行可能でも，入院生活ではベッドから離れて自由に動くことが制限される。
- 在宅では，日常生活を中心とした環境で，介護が必要な状況でも介護サービスを利用して自立した生活が送れることを目指している。
- 病院と在宅・施設では，環境や目的が違うことから，褥瘡（じょくそう）対策も同じではないことを病院も地域もそれぞれが認識することが重要である。

褥瘡対策のために，入院時に病院の医療者が知りたい情報

- 入院時の褥瘡アセスメントは「日常生活の自立度」の低い患者について，「危険因子の評価」と「褥瘡の状態の評価」で行われており，基本的にはその項目についての情報が必要である（表1）。

表1　褥瘡対策に関する診療計画書（1）（一部抜粋）

褥瘡の有無　1. 現在　なし　あり（仙骨部，坐骨部，尾骨部，腸骨部，大転子部，踵部，その他（　　））　褥瘡発生日　＿＿＿＿
　　　　　　2. 過去　なし　あり（仙骨部，坐骨部，尾骨部，腸骨部，大転子部，踵部，その他（　　））

＜日常生活自立度の低い入院患者＞

危険因子の評価	日常生活自立度	J(1, 2) A(1, 2)	B(1, 2)	C(1, 2)	対処
	・基本的動作能力　（ベッド上　自力体位変換） 　　　　　　　　　（イス上　坐位姿勢の保持，除圧）		できる できる	できない できない	「あり」もしくは「できない」が1つ以上の場合，看護計画を立案し実施する
	・病的骨突出		なし	あり	
	・関節拘縮		なし	あり	
	・栄養状態低下		なし	あり	
	・皮膚湿潤（多汗，尿失禁，便失禁）		なし	あり	
	・皮膚の脆弱性（浮腫）		なし	あり	
	・皮膚の脆弱性（スキン-テアの保有，既往）		なし	あり	

- 2022年の診療報酬改定からは，薬学的管理に関する事項と栄養管理に関する事項が追加されている。
- 「日常生活の自立度」は，在宅でよく利用される「障害高齢者の日常生活自立度（寝たきり度）」によって自立・J1～C2に評価される。
- 危険因子評価項目（p48・49参照）の「基本的動作能力（ベッド上：自力体位変換，いす上：座位姿勢保持・除圧）」「栄養状態低下」「皮膚湿潤（多汗，尿失禁，便失禁）」「皮膚の脆弱性（浮腫）」は，術後安静や病状によって比較的急激に変化する項目なので，そのつど注視する必要がある。
- 一方，「病的骨突出」「関節拘縮」「皮膚の脆弱性（スキン-テアの保有・既往）」は，短期間の入院中では変化しにくい項目なので，特に入院時のアセスメントが重要である。
- 入院前に歩行していても，ベッドサイドの範囲しか移動しないことで筋力が低下したり，トイレが遠くなることでおむつ内に排泄したり，病室の環境によって褥瘡発生危険度が高くなることに留意する。
- 褥瘡保有で入院する場合，褥瘡の状況だけでなく，在宅での褥瘡発生要因や褥瘡治療は誰の指示なのか，ほかの医療職の介入の有無，ベッドやトイレなどの生活環境についての情報は，院内の褥瘡対策の検討に必要である。

褥瘡対策のために，退院時に在宅の担当者が知りたい情報

- 退院時は，「診療情報提供書」や「退院時看護要約」，退院時共同指導で提示される退院後の療養生活支援の文書などで，入院中の状況を在宅担当者に文書で伝達している。
- 訪問看護の内容は，入院前後で変わることが多い。在宅担当者が退院時に知りたいのは，退院後の生活支援に必要な日常生活機能の状態がどれだけ変化したかである。
- 施設間での「退院・転院時看護要約」を受け取った場合は，入院中の問題点と看護実践

表2　申し送られる日常生活機能項目の一例

項目	評価			
麻痺や拘縮の有無について	□なし	□あり（部位　　　　）		
寝返り	□できる	□何かにつかまればできる	□できない	
起き上がり	□できる	□できない		
座位保持	□できる	□支えがあればできる	□できない	
両足での立位保持	□できる	□支えがあればできる	□できない	
歩行	□できる	□支えがあればできる	□できない	
視力	□障害なし	□障害あり	□眼鏡利用あり	
聴力	□障害なし	□難聴あり(左　右)	□補聴器利用あり	
移乗	□できる	□見守り・一部介助でできる	□できない	
ナースコールが実用的に押せる	□できる	□押せないことがある	□できない	
診療・療養上の指示が通じる	□通じる	□通じないことがある	□通じない	
危険行動	□ない	□ある		
排尿	□できる	□一部介助	□全介助	
	□トイレ	□ポータブルトイレ	□おむつ	□その他
排便	□できる	□一部介助	□全介助	
	□トイレ	□ポータブルトイレ	□おむつ	□その他
入浴	□できる	□一部介助	□全介助	
	回数（　　　）回			

の内容を踏まえ，残された問題点は何かを確認する。
- 退院時共同指導などの文書では，手を持ち上げられるか，寝返りが打てるかなど認定調査項目に似通った日常生活機能項目の評価などが申し送られる（表2）。
- 申し送られる内容は，「治療目的での入院であり，マンパワーが豊富な病室という非日常な環境下での評価」であることを念頭に置き，必要な情報は質問する。

病院と在宅・施設との連携の方法

在宅で利用できる介護サービス，入所施設の種類を把握する

- 病院側も地域で利用できる医療保険や介護保険のサービスや，老人保健施設，老人福祉施設，有料老人ホーム，ショートステイなどの入所施設の種類と特徴を把握する。

病院と在宅・施設との連携に関する報酬制度

- 介護保険の退院時共同指導加算は，入院中の利用者やその家族に対して，退院時に入院施設の主治医やそのほかの職員が協力して，在宅生活における療養に必要な指導を行い，その内容を文書で提供した場合に適用される。病院と在宅担当者が，顔を突き合わせられる貴重な機会である。
- 前述の指導のほか，退院前や退院後に病棟看護師が患者の自宅を訪問することができる方法がある。
- 病院の看護師が，入院期間が1か月を超えると見込まれる患者の円滑な退院のために，退院前に患者の自宅を訪問して在宅での療養上の指導を行った場合に「退院前訪問指導料」を算定できる。
- 真皮を越える褥瘡保有があるなど厚生労働大臣が定める状態にある場合，地域における円滑な在宅医療への移行および在宅医療の継続のため，患者の自宅を訪問して，患者本人や家族に在宅での療養指導を行った場合，退院後1か月の間に5回を限度に「退院後訪問指導料」を算定できる。
- このような診療報酬制度を活用できるよう，あらかじめ院内でのシステムを構築し調整しておく。
- 地域連携パスを作成している地域では，それを活用する機会を設ける。

質の高い訪問看護のための連携制度の活用

- 医療保険の「在宅患者訪問看護・指導料3」「訪問看護基本療養費（Ⅰ）ハ」では，質の高いケアの提供のため，皮膚・排泄ケア認定看護師や特定行為研修修了者（創傷管理関連）などの専門性の高い看護師が，真皮を越える状態の褥瘡保有者に対して，ほかの事業所の訪問看護師と同行訪問することができる。
- ほかの医療機関・訪問看護ステーションの皮膚・排泄ケア認定看護師などへの同行依頼は，所属施設によって取り扱いが違うため，連絡をとって確認する必要がある。
- 2022年からは医療保険で，2024年からは介護保険で，訪問看護の「専門管理加算」が追加されている。これは，皮膚・排泄ケア認定看護師や特定行為研修修了者（創傷管理関連）が真皮を越える状態の褥瘡保有者に対して，1月に1回以上定期的に専門的なケアを提供し，訪問看護で計画的な管理を行った場合に適応される。

地域での相互の連携

地域での普段からのつながりが大切

- 病院と介護施設や在宅との連携を深めるには，それぞれにかかわる医療・福祉関係者と

の普段からのつながりが大切である。
- 地域には病院内にいるような褥瘡だけに特化した専門の看護師は少なく，地域から病院看護師に相談することはハードルが高い。
- 病院の専門の看護師は，地域から相談されやすいシステムを構築するとともに，あらゆる機会をとらえて地域の看護師やケアマネジャー，介護職のほか，福祉用具貸与業者とも良好な関係を築くことが必要である。

地域での褥瘡対策の底上げ

- 地域の連携を深め，地域全体の褥瘡対策を底上げするためには，褥瘡セミナーの開催などで情報提供の機会をつくることが重要である。
- 褥瘡セミナーでは，情報提供だけでなく，情報交換の場を設けることで，病院・在宅の相互の理解が深まり，連携がスムーズになる。

（山本由利子）

2 医師同士のつながり

 **ポイント**

- 医師一人ひとりの得意分野，知識，技術，考え方は同じではない。
- 医師の働く場所によってもその役割は異なる。
- 褥瘡（じょくそう）治療という目的のため，これらの医師がつながり協力すると大きな力となる。

地域のなかではさまざまな立場の医師がいる

- 一口に「医師」といっても，その勤務先，立場などでその役割は異なっている。
- それぞれの得意としている部分（専門性といわれている）も一人ひとり異なっている。
- このようなさまざまな医師が協力して一人の患者に対応することが重要となる場合がある。

高齢者を診るさまざまな医師

高齢者を診察する医師にはどのような医師がいるか

1）かかりつけ医（内科や外科の開業医）
- 長くその患者にかかわり，人間関係ができていることが多く，患者の総合的な体調管理を担当する。
- 多くは一人の医師で開業している。
- かかりつけ患者の訪問診療を行うことが多いが，一人で行うため，夜間や休日の対応は困難であることもある。
- 24時間の対応が困難であるため，訪問診療を行わない医師もいる。

2）在宅医療のみを行う開業医
- 訪問して全身的な管理を行うが，褥瘡（じょくそう）などの処置には専門的な医師が別

3）専門医として働く開業医
- 皮膚科医や眼科医が該当する。
- なかには糖尿病やリウマチを専門とする医師もいる。
- 専門領域の診療が中心である。歯科医師も専門的な医師の1つ。

4）一般病院の医師
- さらに専門性が高まる。
- 自分の担当科以外の医療にはタッチしないこともある。

5）大学病院などの大きな病院の医師
- さらに専門的な医療を行う。
- 褥瘡に対する手術（皮膚を移植する手術）を行うことも少なくない。

褥瘡をもつ患者の肺炎の治療を軸とした医師のかかわり

- 92歳のAさんは訪問診療で褥瘡を治療していた。
- ある日，発熱，呼吸の苦しさが出現し，酸素の値も低いため，肺炎と診断されて入院して治療を行うことになった。
- 急性期病棟に入院し，担当医C医師は肺炎の治療を開始した。
- 一方でC医師は，訪問診療を行っていたB医師からの紹介状で，褥瘡を治療中であることを知った。
- C医師は肺炎に対する治療経験は十分であったが，褥瘡に対する治療経験はなかったので，褥瘡を得意とする別のD医師に相談し，治療を行ってもらうことになった。
- C医師はAさんの肺炎の治療と全身状態（栄養状態や移動能力，嚥下能力など）のチェックを担当し，D医師はこれらの情報を参考にしながら，Aさんの褥瘡の治療を行った。
- 2週間後，Aさんの肺炎はかなり改善したため，自宅に戻ることになった。C医師は肺炎の治療状況について，D医師は褥瘡の治療状況について，それぞれ訪問診療を行うB医師に情報提供を行い，肺炎の治療や，よりよい褥瘡ケアが在宅でも継続できるようにした。
- ここでは，少なくとも3名の医師がAさんの情報を共有しながら，治療やケアが継続して行われるようにした。
- 患者の病気が増えるほど，かかわる医師も増えてくる。
- このように複数の医師がつながり，患者の情報を共有し，治療にあたることが，今後の地域医療のなかでは重要といわれている。

地域で高齢者を診ていくということ

- 高齢者はさまざまな病気を抱える。
- より専門性の高い治療が必要になることもある。
- それぞれの病気を専門とした医師にそれぞれの病気を診てもらい，さらにかかりつけ医

で全身状態全体を診てもらう。

多疾患併存の高齢患者の治療を軸とした医師のかかわり

- Eさんは高血圧のため，かかりつけ医で30年来，薬を処方されていた。
- 高齢になり，慢性心不全，骨粗鬆症のほか，糖尿病，脂質異常症も発症。認知症も指摘され，先日の健診で早期の肺がんが見つかった。
- Eさんはそれぞれの疾患について次のようにさまざまな医師から治療を受けた。
  - (1) 高血圧：かかりつけ医
  - (2) 慢性心不全：かかりつけ医が心臓専門医に紹介→投薬内容を調整し，再びかかりつけ医受診
  - (3) 骨粗鬆症：近隣の整形外科医またはかかりつけ医
  - (4) 糖尿病，脂質異常症：かかりつけ医
  - (5) 認知症：かかりつけ医が認知症専門医に紹介→診断および投薬内容が決まる→かかりつけ医に逆紹介
  - (6) 早期肺がん：かかりつけ医から肺がん専門医に紹介→手術等の治療，経過観察→病状が安定していればかかりつけ医に経過観察を依頼
- ここでは，かかりつけ医，心臓専門医，近隣の整形外科医，認知症専門医，肺がん専門医とたくさんの医師が登場し，これらがつながり，患者の情報を連絡し合い，よりよい状態になるように協力している。

褥瘡（じょくそう）を診るさまざまな医師

褥瘡を診る医師にはどのような医師がいるか

1）かかりつけ医
- 多くの医師は内科や外科が専門で，褥瘡にはあまり経験のないことが多いため，十分に対応できないこともある。
- 一方，なかには褥瘡を得意としている医師もいる。
- 褥瘡を得意としている医師は，日本褥瘡学会・在宅ケア推進協会に所属している医師が多い。在宅では褥瘡の手術は行うことができない。

2）皮膚科の開業医
- 基本的には褥瘡には対応可能なことが多い。
- なかには褥瘡に不慣れな医師もいる。訪問診療にかかわらない医師もいる。

3）形成外科の開業医
- 基本的には褥瘡に対応可能なことが多い。訪問診療を行わない医師も少なくない。

4）一般病院の医師

- 褥瘡には皮膚科，形成外科が担当することが多い。
- 病院内で看護師，管理栄養士，理学療法士，薬剤師などとチームを組んで対応していることが多い。
- 皮膚を移植する手術は病院によって対応が異なる。

5）大学病院などの大きな病院の医師
- 専門医が対応し，病院内の多職種とチームとして対応する。
- 皮膚を移植する手術も行う。
- 長期の入院ができない。

褥瘡自体の治療を軸とした医師のかかわり

- 94歳の男性，Fさん。認知症で寝たきりの状態である。
- 1年以上，自宅でかかりつけ医や訪問看護師が訪問して褥瘡の治療を行っているが，まだあまりよくない。
- かかりつけ医は近くの皮膚科医に相談した。
- 皮膚科医は大学病院の形成外科受診を勧めたため，紹介状を持ち受診することになった。
- 大学病院では皮膚を移植する手術を行うことになった。
- 大学病院では身体の栄養状態をみる医師，飲み込みを評価する医師，歯科医師などがFさんを診察した。
- 手術後の状況，それぞれの診察の結果はかかりつけ医に連絡され，再び，訪問診療が再開されることとなった。
- このようにさまざまな医師がつながり，地域のなかで褥瘡ケアを行い，患者と家族を支援することができる。一人の医師だけで治療は完結しないことがあり，さまざまな得意分野をもった医師が協力することが，今後の医療のなかではとても重要である。

（鈴木央）

3 医師と他職種とのつながり

>  **ポイント**
> - 医師と他職種・多職種との連携はなぜ重要なのかを理解する。
> - 職種間のコミュニケーションの重要性を理解する。また，互いの職種はその道のプロフェッショナルであることを理解する。
> - 他職種との良好な関係性の構築や連携が必須である。他職種の顔が見えて，相手がわかる，相手の技量がわかる関係性を築くようにする。
> - すべては対象となる利用者とその家族のためであることを忘れてはならない。

なぜ他職種・多職種との連携が大切か

- 現代の医療体制は，病院にせよ在宅にせよ，資格や職能だけではうまく回らないことを認識する必要がある。
- 病棟と比べ在宅の現場では，医師が知らないことが特に多くあることを自覚する。
- 医師や看護師の役割が大きいところもあるかもしれないが，特に在宅においては在宅の現場で活躍する職種の役割は非常に重要である。
- 連携作業を大切にし，よりよい医療・ケアの提供を心がける。
- 療養の現場での視点としては，生活にかかわること，すなわち，衣・食・住にかかわる食事，排泄，保清，移動，睡眠などを考慮する。
- 多職種連携は，本人・家族が中心となることを確認する（図1）。
- 多職種連携のセッティングを行うのに最適な職種は介護支援専門員（ケアマネジャー），もしくはソーシャルワーカーである。医師が主役ではない。
- お互いに対等的で，援助的な姿勢が基本となる。
- 在宅療養の現場においては，病院におけるヒエラルキー（階層的な構造）は必要ではなく，むしろ妨げになることが多い。
- 良好な連携を行う基本となるのは，よいコミュニケーションをつくることである。

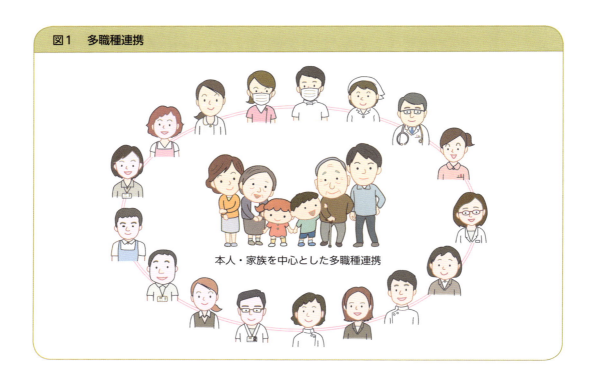

図1　多職種連携

本人・家族を中心とした多職種連携

職種間のコミュニケーション

コミュニケーションとは

- コミュニケーション（communication）の語源は，ラテン語のcommunis（コミュニス），communicare（コミュニカーレ）で，「同じものをもつ」「共有する」ということである。
- 一方通行のコミュニケーションではなく，双方向的である（言葉のキャッチボールができる）ことが大切である。

コミュニケーション・マナー

- 相手のペースにあわせること，受け入れること，気持ちにゆとりをもち，マナーを守った情報交換が大切で，迅速で適切，真摯な対応が重要である。
- 利用者の声の抑揚や表情，生活背景（方言など）も見逃してはならない。
- 一方的に話すのではなく，「聴く姿勢」が重要である。
- 医師は，専門用語を共通言語にしないように気をつけ，自分だけが話しすぎないように注意する。

基本的なコミュニケーションスキル

- 環境を整える（例：時間を守る，あいさつをする，礼儀正しくする，同じ目線にする）。

- 話を聴く（例：相づちを打つ，目や顔を見る，最後まで聴く）。
- 利用者に質問する（開かれた質問・閉じられた質問）。
- 利用者に共感する（共感＋承認＋探索）。

コミュニケーションに最適なツールを見つける

- 人と交流するときに使われる手段すべてが，コミュニケーション・ツールである。
- 対面でのコミュニケーションはすべてにおいて最良の方法であるが，利用者の中には対面が苦手な人がいることにも留意する。
- 近年のコミュニケーション・ツールとして，SNS（social networking service）やICT（information and communication technology：情報通信技術）を用いたコミュニケーションも有効であるが，個人情報の取り扱いに注意する必要がある。

チームのスタッフはその道のプロフェッショナルである

- それぞれの職種は，専門教育を受けたプロフェッショナルであることを理解する。
- プロフェッショナルであっても，得手不得手があることを理解する。
- 他職種のもつ知識，情報を学ぶことで，自分の引き出しを増やすことができる。
- そのためにはわからないことに関してはお互いよく聴き，教え合い，お互いのフィールドを理解する，コミュニケーション・マナーが大切である。
- 他職種とのコミュニケーションから，共通言語を理解して増やしていく。
- さまざまなケアに関するリソースの情報を仕入れるため，互いに良好な関係性を構築することが重要である。
- 医師は，看護師や介護職員がよりたくさんの時間を利用者や家族と共有していることを認識し，情報収集は積極的に行う。
- 優秀な人材も必要であるが，チームとして問題に対応できる集団を目指す。
- 職種内・職種間での連携パスや評価ツールを活用する。
- 連携を実践する場として活用できるのは，サービス担当者会議，退院前カンファレンス，ケアカンファレンスなどである。医師はそれらへの参加が極めて少ないことを自覚する必要がある。

医師と他職種との良好な関係性

良好な関係性とは

- 双方向的にやりとりができる，質問しやすい関係性，雰囲気がある。

- お互いを受け入れる，否定しない，聴く姿勢をもち，お互いのペースに合わせられる。
- わかりやすい言葉を使い，専門性の高い言葉は使わない会話が可能である。
- 自分に何ができるかをはっきりと示すことができる。
- 成功体験があれば，それを共有できる雰囲気が得られる。
- いざというときに頼れる，頼ってもらえるような安心感がある。

良好な関係性を築くために

- 何気ない会話や雑談，コミュニケーションを大切にする。
- 関係性を良好にするには，自己開示の方法にも注力する。
- 会話のなかから相手の気持ちや状況を探り，相手のことに関心をもつ。
- 約束を守る。できない約束はしない。
- 医師は，他職種が医師との壁を感じないように注意する。
- 医師は対等的で援助的なコミュニケーションの構築を行うことに尽力する。

良好な関係性が築けると

- 信頼感・達成感のある仕事ができ，仕事そのものがスムーズに流れる。
- 問題点を共有し，困難に一緒に立ち向かえる。
- リスクの回避がしやすくなり，ミスの減少につながる。
- モチベーションを上げること，維持することが可能になる。
- ポジティブなフィードバックが出やすくなる。

顔の見える関係

- 利用者にとって必要なことより，大切なことに気づけるようになる（例：「キズを治すこと」は必要なこと，「キズを治したい」は大切なこと）。
- 顔がわかる，顔の向こう側（人となり）がわかる，顔を通り越して信頼できる。
- 上下関係ではなく，水平で対等，援助的な関係性で協働できる姿勢が必要である。
- 前述のサービス担当者会議，退院前カンファレンス，ケアカンファレンスなどに加えて，地域で行われる勉強会には積極的に参加するのがよい。
- 多職種の参加する研修会は，顔の見える関係をつくるには最適の場である。
- 研修会などでは，疑問点を抱えたままで終わらない。質問を積極的に行う。
- 研修会などでの質問も，よいコミュニケーションの一環となり得る。
- 研修会などでは，他職種に伝わりやすい表現や用語を用いる。
- コミュニケーションとともに飲みニケーション（多食酒連携）も大切にする。

利用者への最良・最適なケア

利用者とその家族のことを知る

- 利用者とその家族は家庭での主役的存在である。
- 利用者はもちろん，家族との信頼関係を築くことが大切である。
- また，利用者や家族のもつ価値観も探り，共有することが必要となる。
- 共有する内容には感情や価値観も含まれる（例：できるだけお金はかけたくない）。
- 利用者と家族のペース・視点をつかむ。
- 医療・介護者と家族の視点は異なることを理解する。
- 家族目線ではどのように感じているかをいつも気にかけることが重要である。
- 当事者目線・家族目線にならないとわからないことがある。
- 家族が患者のことをすべてわかっているわけではないこともある。
- 提供したケアが在宅で使えるかどうか，フィードバックしてもらうことも重要である。
- 医療者は利用者に対して思い込みや先入観をもたないように心がけることが大切である。

すべては利用者と家族のために

- 主役は利用者とその家族であることを忘れてはならない。
- 「最良・最適」なケアの提供を心がけ，「最高」である必要はないことを理解しておく必要がある。
- 「最良・最適」なケアの提供のためには，他（多）職種がうまくつながることが大切である。

（三村卓司）

4 遠隔診療でのつながり

> **ポイント**
> - 新型コロナウイルス感染症の流行を機に，対面ではない医療サービスの提供も求められる時代である。
> - オンラインを使えば，在宅でもどこでも患者も医療従事者も一人ぼっちにならない。これからは対面とオンラインを併せて活用していく時代である。

遠隔診療とは

- スマートフォン（以下，スマホ）やパソコンのオンライン機能を日々の臨床に利用する診療方法である。日本では2016年から遠隔診療が保険診療の中で行えるようになった。
- 従来，診療は患者と直接対面して行うことが原則とされ，これは医師法や医療法の中にも明記されているが，時代の流れに合わせて医療のさまざまな場面においてオンラインが取り入れられるようになってきた。
- 特に，新型コロナウイルス感染症の世界的流行に対応するために，患者と直接対面でない診療方法が必要になり，オンライン診療を推進するための特例法が発令された。
- 日本国内では現在，十数社の遠隔診療関連ソフトが市場にリリースされている。これらのソフトは想定される診療状況に応じて開発されており，各ソフトが得意とする分野をよく検討して選ぶ必要がある。
- 例えば，患者が医師に相談するために開発されたテレビ会議タイプのソフトもあれば，看護師や介護職が医師と相談するためのチャットソフトがあるなど，特色が分かれる。
- 国土面積が広いため，近隣に診療所や病院がない遠隔地に住む人のために，遠隔診療は開発されてきたものである。
- 日本においては北海道や沖縄，その他一部の離島などを除いては，最寄りの医療機関がまったくないという遠隔地は少ない。
- しかし，在宅をはじめ介護福祉施設などには，常時医師がいるわけではなく，また何かあったときにすぐに医師が駆けつけられるとは限らない状況というのは，少なからず存在する。遠隔診療が最も有効に活用されるのは，こうした状況である。

誰がどのようなときに使う？

患者⇔医師 (patient to doctor/P to D)
- 患者が自身でスマホなどから，かかりつけの医師と診療相談を行うものである。
- テレビ会議システムを使えば，対面して診察を受けているのに近い状況が得られる。

患者⇔看護師⇔医師 (patient to doctor with nurse/P to D with N)
- 特に高齢者の患者の場合，スマホなどを十分に操作できないことが多い。
- こうした場合に，担当看護師などが間に入ってスマホの操作を補助するなどして，遠隔での診療を受ける方法が推奨されている。

医師⇔医師 (doctor to doctor/D to D)
- かかりつけ医と専門医が遠隔で診療相談を行う形式のものである。
- この応用として，訪問看護師とかかりつけ医の間でも，同じように情報交換することが有用であるケースも多い。
- 注意点として，患者にオンラインで個人情報をやり取りする旨をきちんと説明し，必要に応じて同意書を取得しておくことが望まれる。

遠隔診療のメリットとデメリット

メリット
- 遠隔地や自宅で診察が受けられる。
- コロナウイルスなどの人から人への感染の心配がない。
- 褥瘡（じょくそう）診療を専門とする医師に相談することもできる。

デメリット
- 触診や聴診はできない。
- 軟膏塗布，切開排膿などの処置はできない。
- 緊急時や急変時には適さない。

具体的にどのようなことを相談するのがよいか？

早期発見

- 仙骨部に排膿している大きな褥瘡を発見した場合に，医師に相談するか迷う人はいない．
- 一方で，ちょっと皮膚が赤くなっているであるとか，小さなキズになっているという段階では，これを医師に相談すべきか迷う人が多い．
- すべての病気に共通する大原則として，早期発見・早期治療に勝るものはない．
- 少し怪しいか？　と思ったその瞬間が，遠隔診療相談を行ってみる最も価値のあるタイミングである．

重症化予防

- 残念ながら，治療を受ければすべての褥瘡が治るというわけではない．
- できてしまった褥瘡を悪化させないことも，現実的に重要なゴールである．
- 悪化させないためには，褥瘡をよく観察して，何らかの変化に気がついたならば，その変化に対する処置方法を検討することが重要である．
- 例えば，キズの中から膿が出ていることを発見したのであれば，閉鎖タイプの創傷被覆材はただちに中断するのがよく，褥瘡の周りの皮膚がかぶれてきたのであれば，適切な軟膏を追加塗布するといったケア方法の変更が求められる．
- こうした次の対処法をオンラインで医師に相談することは，今あるキズをそれ以上悪化させないために重要である．

再発予防

- 褥瘡は非常に再発率の高い疾病である．いったん治ったからといって油断することはできない．
- 再発が疑われる状況では，マットレス交換が必要であるか？　体位変換のタイミングを変更したほうがよいか？　食事や栄養の状況はどうか？　といったさまざまなことを，患者にかかわるチームの全員で情報共有しないとならない．
- オンラインをうまく使えば，チーム全員で情報を共有できるようになる．

遠隔創傷管理における現在のトピックス

- 遠隔創傷管理における現在のトピックスは，創傷外科医と特定行為看護師が共同で創傷治療を行うことである．実例を図示する（図1）．

図1　遠隔創傷管理の実例

① 2回目以降の処置は包括指示下に行われるが、指示・報告ともにオンラインが活用できる

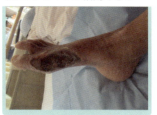

あなた
初回の画像と、血行再建後にデブリードマン処置をした画像を送ります

あなた
■さん、ベッドサイドでのデブリードマンをしながらNPWTをしていきたい患者さんです。

② 特定行為指示書をオンラインテンプレートで共有する。初回に医師が壊死組織除去を行った後のキズの状態を画像で共有

あなた
特定行為の指示書です

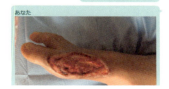

③ 陰圧閉鎖療法の特定行為指示書をオンラインで共有

あなた
よろしく〜

松本先生、わかりました。次回の交換から介入させていただきます。

④ 看護師から医師に創部の色調変化について報告と相談

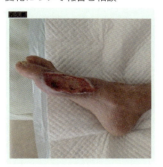

創部の評価をしてみたのですが、潰瘍底の色調はこのままで大丈夫でしょうか？

⑤ 医療行為介入が必要と判断され、医師が追加処置を実施

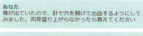

あなた
骨が出ていたので、針で穴を開けて出血するようにしてみました。肉芽盛り上がらなかったら教えてください

あなた
確かに良くないですね、確認しておきます

⑥ 創傷の状態が改善してきたため、再び特定行為による創傷管理を実施

肉芽良さそうだったので、NPWT継続にしてます

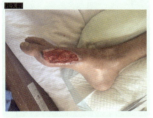

あなた
骨が出ていたので、針で穴を開けて出血するようにしてみました。肉芽盛り上がらなかったら教えてください

⑦ 陰圧閉鎖療法機器装着時の報告

あなた
ばっちりです！

NPWTのつけ方はこんな感じでよいですか？

⑧ 壊死組織除去の特定行為実施

今日、ベッドサイドデブリしていて気に、関節のところの不良肉芽が気になったのですが

⑨ 再び医師による鋭的デブリードマンが必要と画像から判断された。包括指示下であるが、双方向の情報共有ができている。

確認しました、いい感じですね

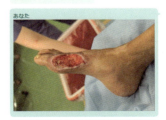

あなた
確認しました、MTP関節部の上が確かに不良肉芽になっているので、オペ室で骨除去することにしました

⑩医師によるデブリードマン後に再び特定行為による陰圧閉鎖療法に戻る

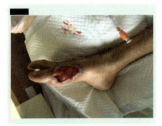

⑪良好な肉芽が形成され，オンラインチャットで相談の結果，皮膚移植手術を計画する方針となる

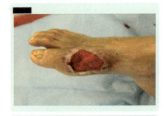

⑫皮膚移植術に成功したことの医師から看護師への報告があり，退院後のケアについてオンラインチャットで相談

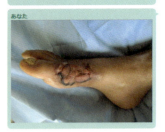

⑬創部保護のために厚手の靴下を常時装着をする方針となる。退院後の在宅療養まで一連の情報共有においてオンラインチャットは非常に有用である

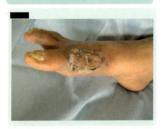

セキュリティは大丈夫？

SNSや匿名のチャットソフト，オンライン掲示板などは利用を推奨しない

- 個人情報保護法という法律の中に，個人の医療情報は要配慮個人情報として特に取り扱いに留意する旨が記されている。
- SNSに代表される，私たちが日々使っているオンラインソフトは非常に便利ではあるが，情報漏えい対策が不十分なソフトも少なからず存在する。

薬事承認を取得しているソフトを推奨

- 厚生労働省の審査を受け，薬事承認を取得しているソフトが推奨される。
- 例えば，筆者が利用している株式会社アルムのJOIN®というソフトであれば，ホームページから「汎用画像診断装置用プログラム」として薬事承認されていることが確認できる。

可能な限り業務用専用端末の用意を推奨する

- スマホを紛失してしまうこともあり得る。こうした場合に，先に紹介した薬事承認ソフトであれば，スマホ端末の中に情報が残らないように設定されているため，患者情報の流出を心配する必要がなくなる。
- 遠隔診療は業務として行うものであるので，事業者と相談のうえで専用の端末を準備できれば，機器の準備としては万全といえる。

今後の展望

医療介護の連携をオンラインで！

- 顔の見える連携にオンライン連携をプラスする。
- オンラインに医療と介護の境界線はない。
- 気になったことをお互いに聞き合えるチームをつくる。

褥瘡（じょくそう）は病院で治す時代から，予防・在宅オンラインケアをする時代に

- 在宅で医師と患者の間に入ってくれる人が今後の医療の中心である。
- キズのことは電話だけでは伝わらないことも多いため，画像を共有する。
- 「医療は予防に介入できない，悪くなったら病院！」ではなく「悪くしない！」を目標に。

褥瘡だけでなく，在宅患者のすべての診療相談をオンラインで行えるように

- 在宅患者はさまざまな健康問題を抱えていることが多い。
- 在宅患者が各専門医の医師の所まで通院することは非常に大変である。
- オンライン診療を普及させることができれば，すべての診療相談を，まずはオンラインで受けられるようになると期待される。

（松本健吾）

5 災害・緊急時のつながり

ポイント

- コロナウイルスの特性を正しく理解し，正しくおそれ，対策することが重要。
- 新型コロナウイルス感染症は世界的な大流行となり，日本でも人的，財政的支援を国策で行った。
- 新型コロナウイルス感染症の経験で生活様式が変化した。コロナで人と人との距離を意識したが，心のつながりを忘れてはならない。
- また，災害対策の重要性を理解することが必要である。
- 過去の大規模災害の課題を褥瘡（じょくそう）の災害対策に活かす。災害対策においては，日頃からの備えが必要不可欠である。
- 国，自治体の災害対策を理解し，自施設，在宅，地域の災害対策の体制を構築する。また，災害対策は，自己，患者・家族，地域の人々の命を守ることにつながる。

新型コロナウイルス感染症など感染対策

新たな感染症の到来

- 新型コロナウイルス感染症は，2019年12月，中華人民共和国湖北省武漢市において確認され，2020年1月16日，日本国内でも感染者が初めて確認された。その後，2020年2月1日に新型コロナウイルス感染症が指定感染症となり，国内でも「恐怖の感染症」というムードが徐々に広がることとなった。
- 2020年4月には，特別措置法に基づく緊急事態宣言が全国に出され，密閉・密集・密接のいわゆる「3密」を避けるコロナ対策を国レベルで行った。

未知の感染症と闘う

- ウイルスは目に見えないため，どこで，どのように侵入するのかがわからない。感染者

の行動などを調査することによって，新型コロナウイルスがどのような病原体なのかが少しずつわかってきた。
- 当初，ほとんどの人は発熱や咳など軽度の症状が出現し，数日後に軽快していったが，20%ほどは呼吸器系の増悪傾向があり，5%は人工呼吸器治療やエクモ（人工肺とポンプを用いた体外循環回路による治療）などを用いるような重症例もみられ，死亡する例もあった。
- 現在（2025年）でも感染は根絶していないが，大流行の波はおさまっている。
- 日本では3,000万人以上，実に4人に1人は感染し，7万人以上の命が奪われた。

流行を制御する

- 新型コロナウイルス感染症が指定感染症になった2020年2月から，5類に変更となった2023年5月までに，日本では8回の流行拡大（感染の波）を経験した。ウイルス株が徐々に変化し，感染力が強くなり，感染者も爆発的に増加していった。
- 感染者を減らすためには，行動変容が必要である。緊急事態宣言にて外出制限をかけたり，学校を休校にしたりすることで，人の往来や接触を減らし，感染を減らす努力を続けた。
- 行動制限を強くかければ感染者は減り，緩和すれば感染者が再び増加するというのが感染症である。

ワクチンの開発

- 新型コロナワクチンには，重症化を防いだり，発熱や咳などの症状が出ること（発症）を防いだりする効果がある。接種で感染しないということではない。
- 初期の頃は，重症化や死亡するケースもみられ，ワクチン接種による症状の軽減化が期待された。
- 接種後の副反応として，接種部位の痛み，頭痛・倦怠感，筋肉痛などが報告されているほか，ごくまれに，接種後のアナフィラキシー（急性のアレルギー）が報告されている。
- 国はワクチン接種を呼びかけ，感染拡大を防ごうとした。特に高齢者や持病をもつ人，妊婦などには効果的な対策であった。

国策として行ったコロナ対策

- 新型コロナウイルス感染症の拡大を防ぐために，国は緊急対策として巨額な財政支援と人的支援を行ってきた。
- 2類相当の感染症では，原則，他人と接しないように対策をしてきた。初期には入院勧告で，個室管理まで徹底された。
- 検査や治療に関する自己負担もほとんどなく，感染を軽減する策には，国費が使われた。
- 3年以上続いたコロナ対策の収束は，たくさんの人・多くのお金を投入した成果である。

正しく理解し，正しくおそれる

- 新型コロナウイルスは，ほとんどが接触感染と飛沫感染によって感染する．当初は感染経路もわかっていなく，そのため感染者は，まるで犯罪者のような扱いをされた．感染が家族や職場で広がり，集団感染いわゆるクラスターが発生すると，マスメディアに大きく取り上げられ，それによっていじめや差別を受けたケースも少なくない．
- その後，ウイルスの特性が少しずつ解明され，また感染しやすくても，重症化しにくいように進化してきた．
- ワクチンの接種も進み，どうしたらコロナの感染を防ぐことができるかということがわかってきた．
- もちろん，コロナ感染を甘くみてはいけないが，コロナを正しく理解し，正しくおそれることが重要である．

コロナから学んだこと

- 3年以上続く新型コロナウイルス感染症は，私たちの生活様式を変化させるまでになった．人と人との密接を避けるため，オンラインによる診療や会議，リモート対応による集会イベント，キャッシュレス決済の普及などで，今までになかったスタイルが日常の生活に導入された（表1）．
- とても効率よくスマートになった反面，直接的なつながりがなくなり，本来あるべきコミュニケーションが薄くなっていることも否めない．心のつながりまで距離をつくることなく，必要なことはもっと強固につながっていくことを意識すべきである．

表1 新型コロナウイルス感染症による社会課題の変化

6分野	コロナ禍で生じた新たな問題	コロナ禍で解決が加速したもの
ウェルネス	外出自粛などによる運動や移動の減少がフレイルのリスクを拡大	オンライン診療の拡大で医療資源へのアクセスが改善
水・食料	観光産業や外食産業の低迷に伴い一次産業が大ダメージを受ける	需要が減った商品を消費者が生産者から直接購入するなど新しい消費形態が発生
エネルギー・環境	テレワーク拡大に伴い，家庭の消費電力が増大してエネルギー効率が悪化	分散型エネルギーへのシフトが加速
モビリティ	感染拡大防止のため移動が制限され，リアルな体験・満足感が求められる	テレワーク，eコマース拡大で移動しなくても需要が満たされ消費者の利便が増す
防災・インフラ	次のパンデミックに備えるため，感染症の拡大防止や早期発見が課題に	平常時でも災害時でも共通して利用できるサービスの概念が広がる
教育・人財育成	学校や自宅でのIT環境格差がそのまま教育格差に反映される	学校へのタブレット端末配布や通信網整備が進み，オンラインサービス開発も加速

三菱総合研究所：コロナ禍で社会課題はどう変わったのか．(https://www.mri.co.jp/knowledge/mreview/202101-6.html)

- パンデミックは繰り返されるといわれている。コロナの3年間で学んだことを活かして、次のパンデミックにも国民全員で対策しなければならない。

（切手俊弘）

災害時への対策・対応・地域での取り組み

わが国における災害対策の現状

- 近年、わが国では、地震、津波、台風、豪雨、豪雪、洪水、土砂災害などの自然災害が多発している。
- 1995年1月17日に発生した阪神・淡路大震災の甚大な被害に災害対策の重要性が叫ばれるようになったものの、多くの地域では具体的な災害対策がなされないまま2011年3月11日に東日本大震災が発生し、その後の大津波により東北の沿岸部は壊滅的な被害を受けた（図1）。2024年1月の警視庁のまとめでは、この震災による全国の死亡者数は1万5,900人、行方不明者数は2,523人にのぼる[1]。
- この災害の経験をもとに、内閣府、自治体をはじめ、多くの病院や団体で詳細な災害対策が策定されるようになった。しかし、その後に発生した2016年の熊本地震、2024年1月に発生した能登半島地震においても、過去の教訓が活かされていない場面も多い。
- 以前は、「いつ発生するかわからない」災害が、「今発生するかもしれない」災害となっている。それゆえに日頃からの災害対策が必要不可欠である。
- この項では、筆者が経験した東日本大震災の経験から、「褥瘡（じょくそう）対策」に焦点をあて、災害時への対策・対応、地域での取り組みについて述べる。

図1 2011年3月11日 東日本大震災の発生

地震後大津波により、東北の沿岸部は甚大な被害を受けた。撮影日は2011年3月29日、女川湾入り口付近

＊写真提供：宮城県医療機器販売業協会 浅若前会長（現（一社）日本医療機器販売業協会会長）

東日本大震災の経験から見えた災害対策の問題点と課題

- 当時，筆者は東北大学病院のWOCセンターに所属しており，被災者の受け入れと東北の拠点病院の皮膚・排泄ケア認定看護師（WOCN）として被災地の支援を行った。

1）災害対策上の問題点

（1）災害への備え上の問題点

- 阪神・淡路大震災で災害対策の重要性は理解していたものの，当時は，国，自治体の災害対策の体制が不十分であったこと，個人の災害対策への意識が希薄で，災害への備えが不十分であったことが大きな反省点となった。

（2）ライフライン寸断による問題点

- 道路の寸断，停電，断水，ガソリン不足などライフラインが寸断され，沿岸部とはまったく連絡が取れない状況が続いた。被災地とは固定電話，携帯電話が使用できず，安否確認，被災状況などの情報収集が困難であった。被災地の病院と通常の会話ができたのは震災発生後，石巻赤十字病院30日目，気仙沼市立病院50日目であった。
- 道路の寸断，ガソリン不足により支援物資を送ることが困難であり，被災者の手元に届けられない状況が続いた。

2）受け入れ体制が混乱

- 被災地の病院では，被災者の受け入れで混乱をきたし，支援物資を受け取る窓口が明確化されていないために，持ち帰ることがあった。また，届けた物資の内容が明記されていないために，開封に時間を要した。

3）関連学会の連携不足と役割分担

- 各学会からの連絡が，拠点病院のWOCNに集中し，その対応に追われた。
- 各学会に災害関連の委員会がなく，支援が後手に回った。
- 関連学会で役割分担が行われ，震災発生後約3週間目に日本褥瘡学会からは体圧分散マットレス，日本創傷・オストミー失禁関連学会（JWOCM）からは創傷ケア用品，日本ストーマ・排泄リハビリテーション学会（JSSCR）からはストーマ用品が，各県の担当者に送付され，県内の病院に分配された。

4）褥瘡（じょくそう）に関する対応

- 断水を念頭に置いたスキンケア用品の準備が不十分であった。
- 褥瘡ケア用品，排泄ケア用品の備蓄が不十分であった。
- 宮城県においては，震災直後から震災発生約6週間までに，沿岸部より救急車やヘリコプターで搬送された215名中26名（12.1％）が褥瘡を保有していた[2]。
- 避難所生活で褥瘡を発生した患者は，身体障害者手帳保持者や要介護者が6割以上を占め，避難生活による福祉サービスの停止や床の上に臥床していたことや津波による低体温，避難生活による食事摂取量の不足，肺炎，敗血症，廃用症候群，寝たきりによる褥瘡のハイリスク状態の患者に褥瘡発生が多かった[2]。
- 避難所へのマットレスの配布が遅れ，褥瘡発生につながった。

- 自宅・施設では，停電のためにエアマットレスの空気が抜け，褥瘡の発生や褥瘡の著しい悪化につながった。

過去の震災を踏まえた災害の備え

1）行政における災害対策を把握し，地域の災害対策に活かす
- 東日本大震災の経験をもとに，内閣府，各都道府県のホームページに災害対策の詳細が記載されている。平常時より確認し，地域の災害対策に活かしてほしい。

2）関連学会の災害対策を把握
- 東日本大震災発生後，日本褥瘡学会では危機管理委員会，JSSCRでは災害対策委員会，JWOCMでは災害対応委員会が設置された。JWOCMでは「皮膚・排泄ケア領域における災害対応ガイドブック」を作成し，日頃より災害対策を呼びかけている。現在は，能登半島地震による褥瘡発生者の支援を行っている。

3）自施設の災害対策の備えを充実させる
- 災害対策マニュアルの作成など，自施設の災害対策の体制を整え，職員に周知しておく必要がある。最近は，さまざまな災害対策用のグッズも開発されている。定期的に内容の見直しを行い，災害に備える必要がある。
- 褥瘡発生者，褥瘡のハイリスク患者では，ライフラインの寸断を予測し，水のいらないスキンケア用品，褥瘡ケア用品，排泄ケア用品などの備蓄を行う。
- エアマットレス使用時は，電力停止時の対策方法を施設内で周知する。発売時期により空気の保持時間に違いがあるため，確認が必要である。
- 平常時より体位変換，体圧分散ケア，スキンケア，栄養管理等を習得しておく。
- 栄養補助食品など，簡単に栄養を摂取できる製品を非常用に備蓄する。

4）在宅患者の災害対策
- ライフライン遮断を念頭に置いた連絡方法を患者，家族，関連職種と共有する。
- 褥瘡患者，褥瘡のハイリスク患者は，褥瘡ケア用品の備蓄を行う。
- 水のいらないスキンケア用品の必要性，使用方法を説明し，備蓄する。
- エアマットレスを使用している場合は，停電時の対応について指導する。
- 外力軽減ケア，スキンケア，排泄管理，栄養管理，水分管理等の必要性を説明し，必要物品を備蓄する。
- 他の疾患で使用している医療機器，医療材料，衛生材料等の確認を行い，必要に応じて備蓄する。
- 近隣の避難所を確認する。

5）避難所
- 平常時より近隣の避難所，福祉避難所の確認をし，避難所の備蓄内容を把握しておく。
- 避難所では，医療行為が必要な場合や高齢者では，優先的に病院への入院，施設に入所するなどの措置がとられる場合が多い。無理をせず担当者に身体の状況を伝えるよう指導する。

地域での取り組み

- 筆者らは，東日本大震災の反省から2014年10月1日に「宮城県におけるストーマ保有者のための災害対策」を構築した．その後に発生した火山噴火勧告や水害においても成果を得ている．ストーマ保有者の災害対策ではあるが，褥瘡対策にも活用し，成果を得ている．今後，地域の災害対策を構築するにあたり参考にしてほしい．

- この災害対策の特徴は，大規模地震，風水害などの災害発生時，特にライフライン遮断時におけるストーマ保有者の支援を目的とし，災害発生により，ストーマ用品が流出，消失するなどストーマ管理に困難をきたしたストーマ保有者を対象とし，ライフライン遮断時では，情報伝達が困難なため，災害対策マニュアルに沿ってただちに支援を開始している．

- 支援体制では，東北ストーマリハビリテーション研究会・講習会，宮城県皮膚・排泄認定看護師会，日本オストミー協会宮城県支部，宮城県，宮城県医療機器販売業協会，ストーマ用品メーカーなど，関連団体の代表者13名による宮城県ストーマケア災害対策委員会と宮城県WOCNによる支援を行うこととし，2か所の拠点病院と19か所の基幹病院が中心となって支援を行う．各病院では，近隣エリアにある病院，施設，訪問看護ステーション，避難所のストーマ保有者の支援を行うことにしている（図2）．

- 褥瘡に関しては，安否確認や情報収集の段階で，褥瘡に関連する問題についても収集を

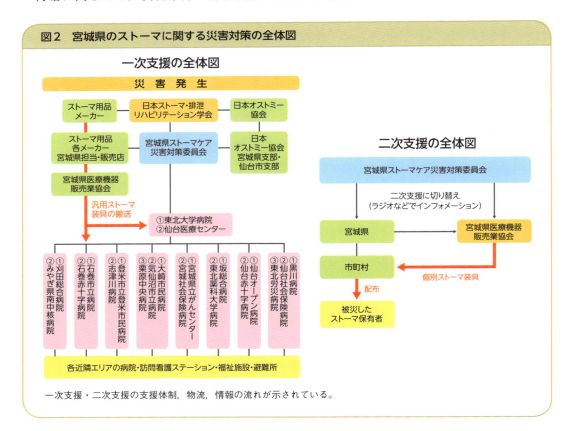

図2　宮城県のストーマに関する災害対策の全体図

一次支援・二次支援の支援体制，物流，情報の流れが示されている．

- 行い，被災地の病院へのスキンケア用品，排泄ケア用品，エアマットレスの貸し出しなど，販売店や関連メーカーと連携を取りながら早期対応を行っている。
- 避難所における褥瘡患者の抽出やハイリスク患者においては，避難所担当者や災害支援ナースと連携し，優先的に病院や施設で支援を受けられるよう調整してもらっている。
- 「宮城県におけるストーマ保有者のための災害対策」については，JSSCRのホームページ，在宅WOCセンターのホームページで紹介している。また，ストーマ保有者向けの「ストーマ保有者のための災害対策マニュアル」は，宮城県のホームページからダウンロード可能となっている[3]。

災害対策の課題

- 筆者が経験した東日本大震災の教訓から「褥瘡対策」に焦点をあて，災害時の対策・対応，地域での取り組みについて述べた。災害対策は，自己，患者・家族，地域の人々の命を守ることにつながる。大規模災害が頻発している現在，地域での早急な災害対策が望まれる。

（熊谷英子）

引用文献
1) 河北新報社：東日本大震災．河北新報（日刊），第45675号，2024/1/21．
2) 高橋真紀，館正弘，熊谷英子他：学会支援物資の宮城県内調整役と当院に搬送された患者群の状況．日本褥瘡学会誌，14（1），13-20，2012．
3) 宮城県：ストーマ保有者のための災害対策マニュアルについて，宮城県ストーマ保有者のため災害対策マニュアル（2021/4）．（https://www.pref.miyagi.jp/ documents/26496/847769.pdf）

6 利用者・家族・介護者，医療・介護提供者の声

ポイント

- ヘルパーの役割と心得としては，介護職としての専門性と生活全体をみていく視点が重要となる。
- サービス担当者会議は介護支援専門員（ケアマネジャー）を中心に行われるものであり，状況に応じた柔軟なコーディネート力がケアマネジャーには求められる。
- 訪問看護師は褥瘡（じょくそう）発生のリスクを予測し，発生前に予防する。褥瘡を有する場合，どのような理由で発生したか対象者ごとに評価し，原因に対して具体的介入をする。
- 歯科は栄養と関連しており，褥瘡の発症に間接的に関与する。
- 在宅歯科診療の体制は全国で整えてあり，各地域で利用可能である。
- 認知症当事者の声も参考に，ケアに活かしていく必要がある。
- ケアを継続していくうえで，他職種の専門的意見や的確な指示は大切である。利用者の生活を支えるうえで小さなことも見逃さず，他職種との連携と顔の見える関係づくりが必要である。

ヘルパーとのつながり

ヘルパーの役割，そのために心がけていること

1）介護職としての指針

- 介護保険法の第1条（目的）には「この法律は，加齢に伴って生ずる心身の変化に起因する疾病等により要介護状態となり，入浴，排せつ，食事等の介護，機能訓練並びに看護及び療養上の管理その他の医療を要する者等について，これらの者が尊厳を保持し，その有する能力に応じ自立した日常生活を営むことができるよう（後略）」とあり，第2条

第2項には「(前略) 要介護状態等の軽減又は悪化の防止に資するよう (後略)」とある。
- これらは介護職としての指針ともいえる。特に在宅のヘルパーは，一人ひとりに対して対人援助していくため，利用者本人の意向を十分に聴き，介護者である家族の意向も十分に確認することが大切である。
- 本人ができること，できないこと，家族ができること，できないことを確認して，利用者にとって必要な援助を確実に実施できることが求められる。
- ここでは，訪問介護 (ホームヘルプ) として何ができるのか，また，できないのかを考えていく。

2) 訪問介護の仕事の流れ
- 介護支援専門員 (ケアマネジャー) の作成するサービス計画書 (ケアプランの原案) を受けて，訪問介護事業所のサービス提供責任者が訪問介護計画書を作成する。
- その後，利用者に関係するサービス事業者が一堂に会してサービス担当者会議が開催され，それぞれの役割，援助の進め方について合意のもと，利用者への援助が開始される。
- 訪問介護では，まずサービス提供責任者が初回訪問を行い，援助の手順や物品の場所の確認，使い方などを確認する。その後，サービス提供責任者は実際に援助に入るヘルパーと何回か同行訪問をして，ヘルパーが確実に支援できるようにする。
- ヘルパーが数回援助に入った後で，利用者に確認して援助内容を確立していく。
- 在宅のヘルパーは数名でかかわる。ヘルパー同士の情報交換，問題点の発見があった場合など，しばしばカンファレンスを行う。
- 特に身体状況に変化がありそうなケースは，連携が重要になる。ターミナルケアや褥瘡 (じょくそう) ができてしまったケースには必須である。また，このようなケースは医療との連携がないと，支援を継続できなくなる。利用者の状態の予後，治療の方針に合わせて，援助内容を確認していく。

利用者・家族とのかかわりと信頼関係

- ヘルパーは，利用者と家族の意向に沿って必要な援助をしていくが，「このようにあるべきです」とか「こうしてください」とはあまり言うべきでない。利用者本人の人生観や生活観，家族の思いに耳を傾け，援助を実施していく。

1) 利用者と家族に寄り添いケアをした事例
- Aさん，90歳女性，要介護4。夫は5年前に他界，子どもは4人。長女と一緒に暮らしている。ほかの子どもたちは他県で生活している。
- 少し前まではガーデニングや散歩もできていたので心配していなかったが，心不全で入院してから急に老衰が進んで，年に数回入退院を繰り返した。今回の退院で褥瘡は改善してきているということだったが，直径3cm程度で，ステージ1から一部は2程度になっていた。
- 介護用ベッドの導入，訪問診療，訪問看護，訪問介護がかかわることになった (表1)。
- 退院後，数日経ってサービスが整ったため援助がスタートしたが，褥瘡が悪化していた。

長女1人での介護には限界があり，土日のたびに弟家族や妹家族が交代で介護に来るようになった。

> **表1　Aさんの情報**
>
> - 疾患名：高血圧症，心不全，心筋梗塞，老衰
> - 支援内容：訪問看護3回/週，訪問診療1回/週，訪問介護2回/日，福祉用具（ベッド・エアマットレス・車いす）
> - 利用者，家族の希望：最期まで家で過ごしたい。時々家族が全員集まって楽しく過ごす時間がほしい。毎日，庭の花を見て暮らしたい。家族は本人の希望をできるだけかなえてあげたい。

(1) 褥瘡の管理にかかわる支援

- 訪問し，まずは明るくごあいさつさせていただく。笑顔があればいいのだが，痛みが強いとつらそうな顔をする。
- 「痛いですか？」「うん」「少しお尻のところを浮かせましょうね」と会話をしながらクッションを1つ，腰の横から入れる。
- 「どうですか，少しはいいですか？」と聞くと「うん」と返事があり，それから体温測定，血圧測定，気分の確認，痛いところ，つらいことの確認，今日一緒にしたいことを聞く。
- 話をしていると，痛いことを少しは忘れることができるのか，Aさんの笑顔が見えたので，声かけをしながら援助する。
- ホットタオルでの全身清拭とパジャマの着替え，おむつ交換，仙骨部の褥瘡にはドレッシング剤が貼ってあるが，尿や便の付着があったので洗浄をする。
- 温かいタオルで顔を拭くと「温かいから気持ちがいい」と言う。おむつ交換のときには陰部洗浄をするが，「床ずれが少しよくなりましたよ」などと本人が見えないところなので伝える。
- 褥瘡部を圧分散するように体位変換して安楽の姿勢をつくり，ポジショニングする。家族は身体のよい傾き具合，身体を支えるクッションの置き方などポジショニングがうまくできないことが多いため，毎回説明しながら，「こんなふうにしてみたらどうでしょう？」と一緒に行うと，だんだん上手になる。
- クッションがどのような状態であったかは，朝に訪問したときにわかる。うまくいっていたときには「上手にクッション入っていますね」と伝え，随時シーツ交換も行う。慣れない介護で頑張っている長女，またAさん本人も不安を隠せない様子もあったため，毎日かかわるヘルパーは，家族と利用者の気持ちに寄り添うようにする。
- 家族がポジショニングがうまくできず，Aさんが痛みを訴えたことがあった。仙骨部のところにクッションを入れていたことが原因で，朝訪問したときに「痛そうですね，まずお尻のケアからしましょうね」とそっとクッションを外し，体調確認の前におむつ交換から始めたこともあった。

(2) 生活全体をみる視点

- 数日が経ち，Aさんの元気がないので，「朝ご飯は召し上がりましたか」と尋ねると，長女が「あんまり食べてくれないの」と言い，「何か食べたいものはありますか」「果物？ アイスクリーム？」と聞いても「あんまりほしくない」という返事で，長女も困っていた。
- 長女は「もっと細かく刻んだほうがいいかしら」などと一生懸命に食事づくりもしていた。そこでヘルパーが「今どんな状態で食べていますか？ 入れ歯の具合はどうですか？」「むせ込みはどうですか？」「とろみ剤を使ったことがありますか？」と長女に聞くと，「まだないです」という返事だった。
- そこで，食事の形態について検討してみることになった。早速ケアマネジャーに相談し，ヘルパーが手伝うことになった。
- 帰り際に長女に小声で「あんまり頑張りすぎないでください，毎日のことですから。身体も休めるようにしてくださいね」とねぎらいの言葉かけをした。
- ヘルパーは，利用者の生活全体をみる視点が重要である。決められた援助内容だけで暮らしは成り立たない。食べることにもかかわり，本人の楽しみも見つけていくことが必要である。
- Aさん宅の壁に1枚の写真が飾ってあった。「この写真はAさんの若い頃の写真ですね」「社交ダンスですか？ 素敵ですね」と話しかけると「大昔のことよ」との返事があったが，「大会の写真ですよね，すごいです」と言うと，笑顔が出てきた。昔を思い出したようだった。そこへ長女が果物をすりつぶしたものとアイスクリームをもってきた。「あら，おいしそうですね。ベッドを少し起こして，召し上がってみますか」と言うと「はい」と返事をし，頭側挙上をすると自分で食べ始めた。「よかった，食べてくれたわ」と長女も喜んだ。
- 利用者は気分が変わると食べることができることもある。話をたくさんしながら食べてもらうことがよいのかもしれない。
- 利用者とその家族に寄り添いながらたくさん傾聴していると，そのなかにケアのヒントがある。これは対人援助の大切なところである。信頼関係を築くまでに時間もかかるが，丁寧に接していくことが必要である。

他職種とのつながり

- 利用者の心身の状態の変化は，いち早く医療につなげる必要性がある。
- 訪問看護師とヘルパーの間には，「連携ノート」があることが多い。緊急の場合もあるため，すぐに確認したいことはその場で連絡を取る。小さなことでも見逃さないというヘルパーの姿勢と判断が必要である。
- 連携がしっかりできることで，ケアプランの変更もできる。利用者のQOLを上げていくためにも，何でも相談できる体制づくりと，顔の見える関係づくりが必要である。
- 人と人とのつながりが「利用者とその家族との信頼関係の形成」「褥瘡の治療」につながっていく。

（久保田恵子）

ケアマネジャーとのつながり

ケアマネジャーの褥瘡（じょくそう）治療・予防に関する役割

- 在宅での各種サービスは，ケアマネジャーのつくるケアプランによって計画し実行される。
- ケアマネジャーは，それぞれの利用者が利用できるサービスの限度額内で，必要なサービスの優先順位を考え，利用者・家族・介護者の意向を聞き，サービス提供者の都合も考慮し，月間のケアプランを作成し利用者の承認にて実施していく。
- 日々の生活のなかでいかに褥瘡を予防するか。ケアマネジャーは予防の視点をもってケアプランを作成することも重要である。
- 褥瘡発生の危険度を知るために，アセスメントを実施するとともに，アセスメントで浮かび上がった危険要因を検討することで，褥瘡を発生させないケアプラン作成につなげていく。
- 褥瘡発生予防のためのケアプラン作成を念頭に作成されたアセスメントツールとして，「床ずれ危険度チェック表®」がある（p39参照）。

1）在宅で褥瘡を発症した場合

- 在宅で褥瘡が発症してしまったら，利用者・介護者・各専門職が連携して取り組んでいくための具体的なケアプランを立てる。
- 治療に有効なケアプランをつくるために，医療・介護提供者，利用者・家族・介護者によるサービス担当者会議は必須である。主治医からの治療方針や医療情報の説明を受け，看護師から褥瘡発生の原因についてのアセスメント内容と対策についての意見を聞き，介護職から生活環境調整についての意見を聞く。リハビリ関連担当者の意見を聞いて，福祉用具や姿勢介助の必要性などの情報を共有する。
- 必要なサービスをすべて利用することは現実的ではなく，優先順位をつけて選択する。その際，サービス担当者会議で，利用者・家族・介護者の意向を重視し，経済力や，家族の負担状況（疲弊など）に配慮をしてプランを作成する。

2）退院時に褥瘡のケアが必要な場合

- 退院時に褥瘡のケアが必要な場合は，退院時カンファレンスの前に病棟より情報収集を行う。また，利用者・家族・介護者に退院後の生活について希望を聞くことが大切である。そのうえで必要なチームメンバー構成を考え，退院時カンファレンスを開く。
- 退院したその日が，褥瘡治療において最も重要な日である。訪問看護師は病院主治医・病棟看護師と褥瘡ケアに関する留意点を共有し，在宅主治医には退院前に十分な情報を伝えてもらうことで，退院直後から必要な福祉用具も使うことができるようになる。
- 褥瘡治療についても，退院当日から主治医と訪問看護師による在宅療養が開始できるように準備を行う。訪問看護指示書は，退院前に病院主治医から提出されている必要がある。
- 退院したその日から始まる食事に関しても，誰がどのようにつくるのか，また誰が利用

者の食事介助を行うのか，具体的なイメージができているか確認の必要がある。
- これらの調整すべてにケアマネジャーが関与するが，病院・在宅の医療・介護の他職種の協力が必要で，ケアマネジャーを孤立させてはならない。

サービス担当者会議（表2）

- 在宅医療・介護が開始されている在宅現場で行う「サービス担当者会議」は，ケアマネジャーが日程を調整して開催されるが，利用者・家族・介護者，医療・介護提供者が参加して実施し，その意見はケアプラン作成に活かされる。
- 褥瘡に関するケアプランは，褥瘡発症危険群に対する予防的ケアプランと，できた褥瘡に対する治療的ケアプランがある。
- 予防的ケアプラン作成においては，あらかじめ今ある褥瘡発症危険要因について，主治医や訪問看護師から利用者・家族に十分に説明してもらうとともに，具体的な対策についても説明してもらう。ケアマネジャーは医療者からの説明の後，より優先度が高く，利用者・家族の経済的・身体的・心理的な負担が少ない方法をいくつか提案して，利用者・家族に納得し，賛同してもらった事項に対してケアプランを作成する。
- 褥瘡が発生してしまったら，迅速に新しいケアプランを作成する必要がある。主治医や訪問看護などの医療・介護提供者および福祉用具相談員等間で情報共有し連携するために，改めてサービス担当者会議を開催する。
- ケアプランの作成時や変更時に開催されるサービス担当者会議は，いずれにおいても利用者・家族のために開催するものであり，まずは褥瘡治療に関する思いや希望を自由に話せる，和んだ雰囲気づくりが必要である。

表2 サービス担当者会議で検討される主な内容

検討項目	対応方法
主疾患の状況	主疾患の状態と留意点，介護上の注意点，内服薬の確認
ADLの改善	現状の移動・移乗能力，姿勢保持能力，移動法，体位変換法，福祉用具の活用（体圧分散用具，介護ベッド・車いすなど），リハビリテーション（通所・訪問リハビリテーション，福祉機器など）
スキンケア	皮膚状態の確認，排泄の確認（尿・便失禁，排泄法），皮膚の清潔保持（洗浄・清拭・保湿剤），入浴サービス
栄養	栄養状態の確認（食事水分摂取量），口腔の確認，摂食嚥下能力の確認，口腔リハビリテーション，食事提供の状況，栄養補助食品，食事姿勢調整

ケアマネジャーが考えること

1）家族全体の状況

- 利用者・家族・介護者支援においては，個々の家族観と家族の歴史・価値観の理解が必

- 要である。
- 個人尊重型家族へと変容しているなかで，こちらの価値観を押しつけないように柔軟な対応を心がける。そのためにはよく話を聞く姿勢が必要である。

2）地域のサービス資源

- 考慮すべきこととして，近隣の相互支援や地域の風土，習慣として行っていることなどや，近くの店舗，買い物の範囲，通院している医療機関と，これらへの交通・移動手段等の情報が必要である。
- 地域で利用可能なサービス資源として，医療・福祉系サービスの種類や提供する事業所の情報，自治体などで提供しているサービスや，ボランティア事業，近隣住民による自治活動などの社会資源を把握することも重要である。

3）個人の状況

- 以下の情報を把握する。
- 主病・併存症・既往歴・褥瘡・皮膚トラブル・内服薬
- 身体状況（ADL）・生活状況（IADL）
- 生活歴・職歴・余暇・コミュニケーション能力・社会とのかかわり・認知機能・趣味・性格
- 経済状況・介護力・住宅環境・食歴・口腔機能および口腔衛生・食事摂取能力

課題の解決に向けて

- 各専門職が，次々とケアの提案をすると，介護者はその通りケアしなくてはいけないと思い，一生懸命行う。このような状況において提案された内容は矛盾や相違がみられることが多く，家族・介護者に戸惑いや焦りが生じ，介護が苦痛になってくる。その結果，一生懸命介護していた家族は疲弊してしまい，大好きな利用者の顔を見るのも嫌になり，介護放棄につながる事例も散見される。
- 主人公である利用者が取り残されてしまっていないか，また，家族・介護者が疲弊していないかの確認が大切である。
- 各専門職は，ケア方法を変更したときに情報共有として，常にケアマネジャーに報告することが基本である。さらに，速やかに情報共有するために介護連絡帳にも記載したり，情報共有ICT（バイタルリンク®など）も使っていく。

地域包括ケアシステムのなかでの実践

- 医療・介護連携のなかで，2022年には地域包括ケアシステムの深化・推進が掲げられた。
- 地域包括ケアシステムにおいては社会全体の連携が必要である。地域の医療・介護が抱えている問題は病院・介護事業所だけの問題ではなく，地域の異分野・異業種の人々にも関係する社会全体的・包括的な課題である。
- 複雑に絡んだ課題解決に向け，各機関・組織がもっている資源を活用し，さまざまな社会活動を行っている人や医療・介護専門職の知識とスキルを共有し連携していくには，

- キーパーソンとなり得るコーディネーターが大切である。ケアマネジャーはこうした意図を伝え，実践していく役割をもつ。
- 医療とは非日常であるが，いずれ生活の場である介護への移行が必要である。日々の生活を安心して過ごすには，医療と介護の役割分担をしっかり認識するとともに，両者に共通する最終的な目的を理解し，共通の認識をもつために，顔の見える・腕の見える関係づくりが必要である。

結びに

- 地域包括ケアシステムへ移行しているなか，地域に根づいた社会との連携が必要である。まさしく，まちづくりを見据えた活動である。
- 地域で働く人や住んでいる人々の「win-win-winの関係づくり」，すなわち「本人よし，機関よし，地域よし」が目標になる。そのためにも，地域の社会資源を的確にとらえて，強み・特色・役割を発展させ，そのための人材も育成することが重要である。
- ケアプランが変われば在宅介護も変わる。その人の望む生活につながるために，共通認識の確認と役割分担の明確化を行い，その人に合った生活を継続できるようにすることが求められる。

（小川豊美）

訪問看護師とのつながり

訪問看護師の役割

- 訪問看護では，看護師が利用者の自宅や入居施設に訪問し，利用者の病気や障害に応じた在宅療養の手伝いをする。
- 訪問看護師は医師の指示を受けて医療処置と日常生活の支援を行う。生きるための支援だけでなく，自宅で最期を迎える看護も行う。
- 褥瘡に関する訪問看護師の役割は，発生のリスクを判断し，必要時，体圧分散寝具の導入依頼やポジショニング方法などをチームに発信することである。
- 日常生活の支援は他の職種とも重複する項目であるため，サービス利用時にはケアマネジャーを中心に，もれなく，重複なくかかわれるよう調整し協働する（図1）。

図1　ケアマネジャーと訪問看護師との同行訪問

- 「褥瘡を有する＝毎日訪問看護が必要」とも限らない。介入頻度は褥瘡状態と対象者の疾患，予後，本人・家族の考えや経済的負担などの社会的背景を考慮して，相談しながら進めていく。
- 褥瘡処置は訪問看護師だけでなく，デイサービスなどサービス利用施設でも対応することになるため，情報を共有する。
- 進化する介護・ケア用品などの情報や知識を得て，必要な人に活用する。現在リモートで学べるものが多数あるので活用するとよい。
- 訪問看護指示を出す医師とも共通認識できるよう，日頃から連携しておく。
- 訪問診療・看護利用の相談は，ケアマネジャー，かかりつけ医，地域包括支援センター，役所の高齢福祉課などで行える。

訪問看護で心がけていること

- 本人・家族が実施できること，できないことを遠慮なく話してもらい，それをもとに利用者と家族にあった褥瘡ケアを提案する。
- 何のために行うケアか，わかりやすい説明を心がける。
- 褥瘡状態や全身状態が悪化していても判断できない場合や，介護者の体力的限界や認知症など介護が困難なことがあればケアマネジャーに伝え，家族も含めチームで検討し，病院など必要な機関につなぐこともする。
- 個々の利用者・家族の考え，想いはさまざまであり，訪問看護師には，それらを受け入れて支援する度量と，医学や看護知識，応用力が求められる。

1）褥瘡を正しく理解できるように伝える

- 寝返りや座り直しができなくなると，同じ姿勢で過ごすことになり，同一部位を圧迫し続けていることになる。
- 深い褥瘡の場合，皮膚表面からではなく，骨の近くの軟部組織もダメージを受けており，放っておくと感染したり，命にかかわることもあることを説明する。
- 体圧分散寝具や車いす用の体圧分散マットレスなどのケア用品選びはとても大切である。
- 加えて，ずれが発生する引きずる介護方法などでも，軟部組織と皮膚にダメージが加わり褥瘡は発生したり悪化したりする。

2）発生原因を探り，原因を減らす

- 褥瘡の状態を観察し，生活の場，使用している物，過ごす体勢などを見聞きすることで，なぜ褥瘡が発生したのか，治りづらいのかがわかる（図2・3）。

3）褥瘡の発生原因を特定し，改善策を見つけた例

- 突出した仙骨部に褥瘡が発生した。1日1回薬をつけてもよくならないので2回にしたがいっこうによくならないと相談があった。
- 訪問看護師が観察すると，褥瘡は骨の真上だけでポケット形成はなかった。これは圧迫による褥瘡であり，仙骨座りなどのずれでできたものではないと鑑別ができた。
- 足腰が弱り，畳にふとんの寝床では寝起きが大変なので，介護用ベッドの搬入を待って

図2　普段の体勢の把握

普段過ごしている姿勢をしてもらい，褥瘡発生の原因を見つける。

図3　普段使用している用品の把握

使用している用品，使用できそうな用品を見せてもらう。

いた。その間に簡易ベッドに変えたが，マットレスはなく，板の上に薄い敷布団を敷いて寝ていた。寝た状態で殿部に手を入れて圧を重さとして確認すると，手が入らないほど重かった。

- 介護用ベッドと体圧分散寝具を使用したところ，圧迫されて褥瘡になっていた部分に容易に手が入るようになり，1か月で治癒した。
- この例の原因は，硬い板と薄い敷布団であり，改善策は体圧分散寝具であった。

4）在宅褥瘡予防・ケアは「生活」になじむ方法で

- 退院後で，入院施設で受けてきた指導内容が「○時間ごとの体位変換」などといった介護負担が大きい場合は，体圧分散寝具を見直し，実施可能な体位変換頻度にするなどの計画変更を検討し，家族に説明する。指導例の詳細は第10章1を参照してほしい。

5）退院時カンファレンスやサービス担当者会議に参加し情報共有する

- 治療の経過，現在の病状や予後，日常生活動作の範囲，介入職種，施設ごとの役割を再確認する場とする。
- 初めての会議の場は利用者・家族が緊張することが多いので，遠慮なく本心を話せるような気配りをする。
- 病院によって褥瘡ケアサマリーの提供がある。褥瘡状態の評価，発生状況，経過，入院中の使用体圧分散寝具と設定，局所ケアを記載している。
- また，退院後の支援体制（皮膚・排泄ケア認定看護師の同行訪問や褥瘡外来，退院後施設での褥瘡ケアの相談も可能など）を記載している。

他の職種の方々へ

- かかりつけ医，訪問看護師，ケアマネジャー，利用施設職員，リハビリテーション専門職など，利用者・家族とかかわる人との共通理解・協働が大切である。筆者は皮膚・排泄ケア特定認定看護師として，地域での活動も行っているが，このような立場にある者も活用していただければ幸いである。

利用者や家族・介護者とどのようなことに気をつけ，かかわるか

1）利用者や家族・介護者とのかかわりの例

- Aさん，80歳代女性。脳梗塞を発生し，ベッド上の生活で1年が経過した。発語はできず，食事は胃ろうからの経管栄養，排泄は失禁でおむつ使用。息子と娘は2人とも会社員で日中仕事をしている。夜は交互に寝泊まりしている。

- Aさんは脳梗塞発症直後から，仙骨部に褥瘡ができたり，治ったりの状態。「痛いと言えないので，とてもかわいそう。どうしても褥瘡を治してあげたい。どんな大変なことでもするから，よい方法を教えてほしい」と皮膚・排泄ケア特定認定看護師の同行訪問依頼があった。

- 訪問すると，Aさんはベッドを背上げした状態でいたが，足方向にずれている姿勢だった。娘も息子も訪問看護師も圧抜きの知識，技術がなく，実施していなかった。

- スライディンググローブで褥瘡発生部の仙骨部を触ると，手が入りづらい状態で過圧迫の状態であった。その他の環境は，表3の「変更前」の状態であった。

- 発生原因は，本人の日常生活動作に比べてマットレスの機能が不足しており，ベッドを背上げしたときに発生するずれを解除できずに過ごすことで，突出した骨と周囲皮膚がずれていた。体位変換はバスタオルを引っ張ってクッションを押し込む方法で2時間ごとに行っており，ずれと圧迫を繰り返すことにつながっていたと考えた。

- 娘，ケアマネジャー，訪問看護師に，ベッドの背の上げ・下げのときのずれと圧迫，圧抜きの体感をしてもらい，褥瘡発生の理由を理解してもらった。

- そして，表3の「変更後」のケアを行ったところ，2週間後に褥瘡は治癒した。娘から，「どんな大変なことでもすると言ったけど，体力的には厳しく，仕事は辞めるようになると思っていた」「こんなに負担なくよくなるなんて，仕事を辞めなくても介護できそう」と評価をいただいた。

- 「褥瘡を治す」という目標は達成する必要があるが，介護者の時間や体力を使いすぎるこ

表3　Aさんの褥瘡予防対策の変更前後

	変更前	変更後
体圧分散寝具	ウレタンマットレス	除圧機能付き体圧分散寝具「オスカー®」（モルテン）
シーツ	綿シーツ＋防水シーツ＋バスタオル	ぴったりシーツ1枚
体位変換	夜間も含めて2時間ごとに，バスタオルを引っ張る方法	しない
おむつ交換	2〜4時間ごと	1日3回
圧抜き	していない	ベッドの背の上げ・下げ時，移乗時

とはよくないと考える。よい機器や訪問看護などに任せてよい部分は任せる後押しもしたい。

（大山瞳）

歯科医師とのつながり

歯科と栄養と褥瘡

- 歯科は褥瘡ケアに直接関与しないが，褥瘡発症の原因となる栄養状態との関与が深い。
- 口腔内状態の悪化と褥瘡は相関する（図4・5）。
  - ▶ 口腔内状態が悪化すると口から食べることがおろそかになり，栄養状態が悪化すると褥瘡を誘発する。
  - ▶ 褥瘡（の痛み）により緊張状態が続くと，交感神経優位になり唾液分泌が減少し，口腔内状態が悪化する。

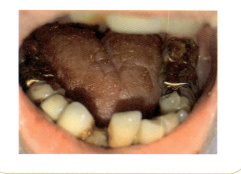

図4 口腔乾燥が進み，ほとんど水分がない状態

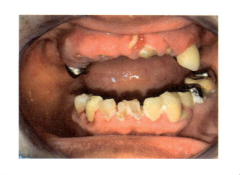

図5 むし歯で歯が折れ，汚れが多く残っている状態

- 口腔内にも褥瘡は生じる。
  - ▶ 入れ歯の不適合，金属冠の不適合が原因となる。
  - ▶ 原因を除去すると治る。

歯科の役割と食支援

- 歯科の役割は，「口腔環境を整え，口腔機能を維持向上すること」である。
  - ▶ いわゆる一般的な歯科治療は，口腔環境を整えている。
  - ▶ 口腔環境を整えることは，口腔機能向上のための手段である。
- 歯科の1つの役割として，食支援がある。
- 歯科の関与による大きな成果の1つとして，栄養状態の改善がある。
- オーラルフレイル，口腔機能低下症への対応もできるようになってきた。
- オーラルフレイルは，歯の喪失や食べること，話すことに代表される口の機能がわずか

に衰えてきた状態である。放置しておくと，口の機能がさらに低下していくが，適切に対応できれば回復できる時期である。
- 口腔機能低下症は，歯科で診査，評価して診断する病名で，加齢だけでなく，病気や障害などさまざまな要因によって，口腔の機能が複合的に低下している状態である。
- オーラルフレイルと口腔機能低下症はオーバーラップされる部分が多く，区別されるものではない。

在宅歯科医療

- 在宅歯科診療として往診，訪問診療が可能である。
- 多くの地域で整備体制は整えてあり，全国で利用可能である。
- 在宅歯科医療の役割は，歯科診療のみならず，口腔のケア，摂食嚥下機能の評価，社会活動への参加がある。
- 在宅歯科医療の依頼の多くは入れ歯に関するものであり，すなわち食の問題でもある。
- 在宅歯科医療の依頼は，ケアマネジャー，主治医，訪問看護師をはじめ，家族からの依頼も受けられる。

口の観察ポイント

- 歯の数は通常28本（上下左右に7本ずつ）である。
  - ▶ その他に，親知らずが萌出することがある。
  - ▶ 歯の頭が折れて，残根になることがある（図6）。
- 舌はピンク色で，うっすら白っぽい感じが正常である。
  - ▶ 舌苔の付着などが原因で，白色や黒色になることがある（図7・8）。
  - ▶ 口の中が不潔であったり，乾燥などが原因で舌が汚れる。
- 口の中は唾液で潤っている状態が正常であるが，乾燥したり，唾液が粘っていると，乾燥状態であ

図6　上顎の残根状態

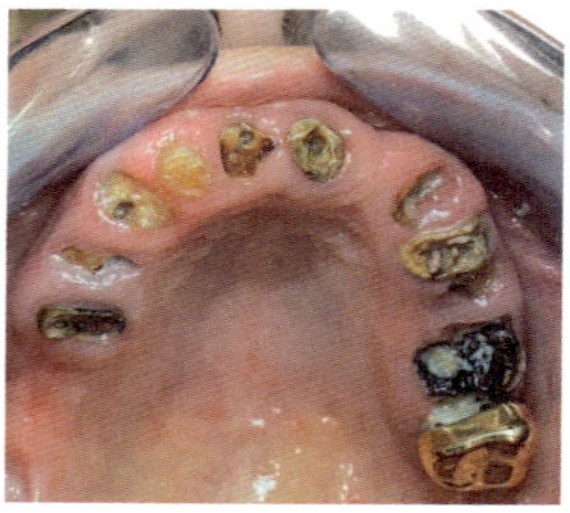

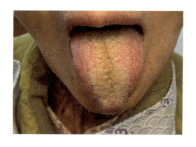

図7　舌苔が多く付着している

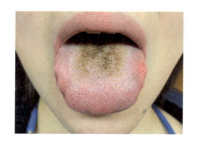

図8　薬の影響などで舌表面が黒くなる

る。
- ペンライト，デンタルミラーなどがあると観察しやすい（図9）。

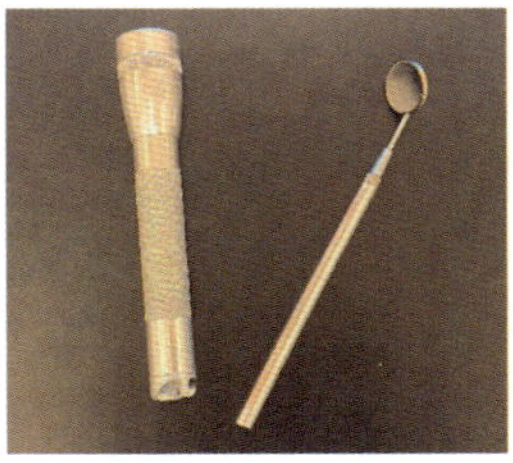

口腔ケア

- 歯科衛生士による訪問口腔ケアもある。
- 介護保険利用の訪問口腔ケアもある。

歯科による摂食嚥下機能評価

- 歯科で咀嚼から嚥下まで機能評価ができる。
- 歯科でVE（嚥下内視鏡検査）も実施可能である。

地域食支援とは

- 食支援とは「本人，家族に口から食べたいという希望がある，もしくは身体的に栄養ケアの必要がある人に対し，適切な栄養管理，経口摂取の維持，食を楽しんでもらうことを目的として危険の予測と対応の視点をもち，適切な支援を行うこと」である[1]。
- 地域には多様な専門職がおり，多くの職種が食支援に関与している。
- 各職種はそれぞれの利点を活かし，地域で食支援を多職種で実践することが地域食支援である（図10）。
- 地域食支援は，地域単位として，専門職，市民も一体となり，「食に何か異常がある人

図9　観察用のペンライトとデンタルミラー

図10　地域食支援の職種とその仕事

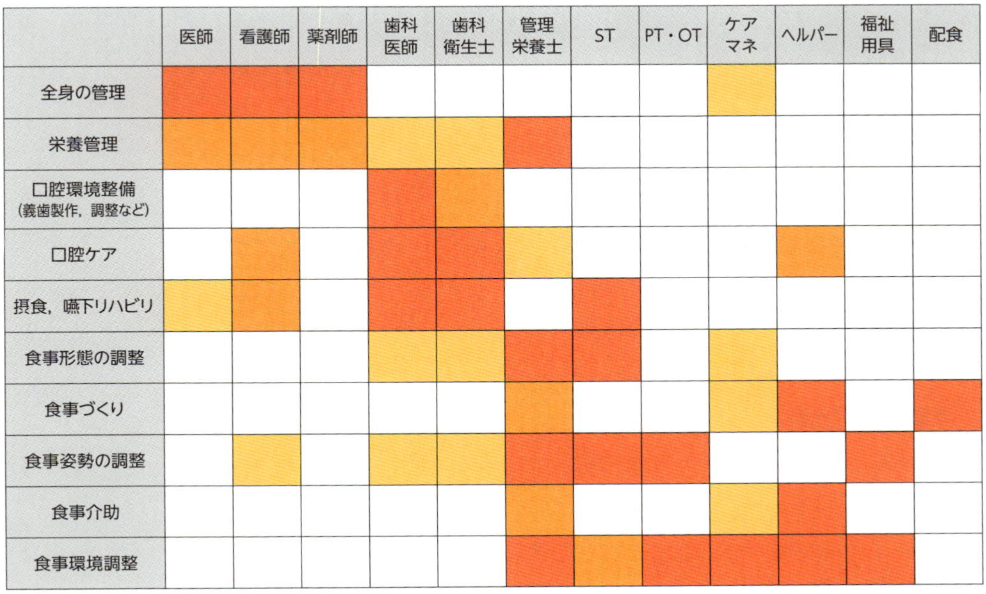

	医師	看護師	薬剤師	歯科医師	歯科衛生士	管理栄養士	ST	PT・OT	ケアマネ	ヘルパー	福祉用具	配食
全身の管理	●	●	●						●			
栄養管理	●	●	●		●	●						
口腔環境整備（義歯製作，調整など）				●	●							
口腔ケア		●		●	●					●		
摂食，嚥下リハビリ	●			●	●		●					
食事形態の調整				●	●	●	●					●
食事づくり						●				●		●
食事姿勢の調整				●	●		●	●		●	●	
食事介助		●			●		●		●	●		
食事環境調整						●	●	●	●	●	●	●

＊赤いものほど関与が深い

を見つける人，それを適切な人につなぐ人，結果を出す人」をつくり出すことである．
- 地域の食支援専門職は，市民に対して食の知識，意識を高めるよう働きかけなければならない．

介護者へのアドバイス

- 口から食べることが難しくなり，栄養状態の低下がみられたら，早期に歯科とかかわる．
- 褥瘡が発症したら，口腔内のチェックをする．
- 各地域に在宅歯科医療体制が整えられているので，歯科が必要なときは，自分の地域で調べてみる．

（五島朋幸）

認知症を伴う人とのつながり

認知症と診断されたときのこと

　私は11年前，39歳のときにアルツハイマー型認知症と診断されました．認知症と診断されると，当事者も家族も病名ばかりが気になり，目の前の人が見られなくなってしまいます．

　私も診断後は，自分で弱い自分をつくり上げていた時期があったと感じています．それは，認知症の症状が進行したせいではありません．診断されたからといって次の日から急に「物忘れ」が増えるわけではありません．周りの人たちや自分の意識が大きく変わってしまったのです．なぜなら，認知症になったら何もわからなくなるなどの情報や，重度の情報だけが蔓延していたりすることで，自分がどのようになっていくのだろうと不安と恐怖に陥ってしまったのです．

　私は，このような当事者や家族の不安を煽っている社会に，疑問をもっています．確かに，以前は当事者が工夫できる環境（ITを使うなど）がなかったので，家族も当事者も大変だったと思います．でも，環境が変わってきたのです．今ではスマートフォンをうまく利用することで，認知症の症状を軽減することができます．それを多くの人たちに知ってもらい，認知症になったら何もできなくなるという間違った情報を変えたいと私は思っています．

1）当事者を不安にさせること

　昨年，私に一番相談が多かったのは，診断直後に医師から「身の周りを整理したほうがよいと言われた」「10年で亡くなると言われた」と泣きながら話してくる人たちでした．医師からそのように言われると，これからどのように症状が進行していくのかわからない不安から，家族は追い詰められ，当事者も普通に暮らすことができなくなります．なぜ，不安にさせる言葉がけをするのでしょうか．

私は診断後，この先どうしたらよいか，仕事をクビにならないか，など不安でいっぱいだったので，何か国からの支援がないかと思い，区役所に行ってみました。区役所で言われたことは，40歳未満の場合は介護保険が使えないので何もありません，ということでした。地域包括支援センターへ行ってみても，福祉にかかわる人に会っても，どこに相談しても介護保険の話ばかりで，私がほしかった情報ではありませんでした。今までの生活を，どのようにしたら続けていけるかを知りたかっただけなのに，誰もそのことについて教えてくれることはありませんでした。

　なぜ，介護保険だけにつなげようとするのでしょうか。認知症の症状はあるけれど，まだ工夫をすれば普通に生活できるのに，介護保険をとったほうがよいと言われ，仕事を辞めてデイサービスに行ったほうがよいと勧められたのです。そのことによって，私は自分でももう何もできない人になっていくと思い込み，自分で弱い自分をつくり上げてしまったのです。この時期に周りの人たちから前向きな話をされていたら，落ち込む時期が短く済んだと感じます。

2) 前向きになったきっかけ

　私が前向きになったきっかけは，笑顔で元気で前向きな当事者との出会いでした。この人のように生きてみたいと思ったことで，あきらめずに工夫をして生活するようになったのです。当事者同士の出会いが気持ちを変化させたのです。

　現在は前向きに生活している認知症の当事者と，不安をもった当事者が出会える場所が増えてきました。そのような場所へ診断直後に行くことを勧めてほしいと思います。どんな薬よりも元気になることをみなさんに知ってもらいたいです。

認知症の当事者としてやめてほしい2つのこと

　私は認知症になり，今まで多くの当事者とゆっくりと話をしてきて気づいたことがあります。それは，認知症の症状は今のところ止めることはできませんが，次の2つのことは止めることができるのではないかと思うのです。

1) 外出や財布をもつことを禁止すること

　1つ目は，1人で外出することや財布をもつことを禁止することです。家族の心配から，診断直後から1人で出かけるのを禁止されたり，財布をもつのを取り上げられてしまう当事者が多くいます。みなさんは，「1人で出かけるのを禁止させられたら，素直に受け入れることができますか？」「また，財布や携帯電話をもたないで，安心して出かけられますか？」。私は不安になります。不安があるから当事者は出かけることもなくなるのです。

　当事者は，家族に心配をかけさせたくない，自分が病気になり申し訳ない，という気持ちから，嫌でもやめてとは言えないのです。そしてすべてをあきらめてしまった当事者は，すぐに「うつ」になります。

2) 失敗させないようにと家族や支援者が先回りすること

　2つ目は，みなさんの優しさから，失敗させないようにと先回りをしてしまうことです。先回りをされることは，最初は嫌でも，やってもらうことを受け入れると楽になります。

しかし，それに慣れると，家族や支援者がいないと不安になってしまいます。当事者が，家族や支援者が立ち上がるだけで目で追ってしまうのは，依存をつくり出した結果だと思います。依存は認知症の症状ではなく，周りがつくり上げた結果ではないでしょうか。

失敗をするから，自分で考え工夫をするようになります。工夫をするから成功体験が生まれて前向きに気持ちが変化するのです。成功体験が当事者の自信となるのです。周りの人たちは，心配してもよいので，信用してあげてほしいのです。心配したうえに信用しないことで，監視や管理になり，当事者はすべてを奪われてしまうのです。

本当に必要な支援とは

1）なぜ家族や支援者が先回りしてはいけないのか

うつ状態と依存を防ぐことができれば，認知症の症状だけになります。認知症の症状に関しては，当事者が自分で決めて工夫することで困りごとを補うことができて，不安を軽減することはできます。工夫をするときに，工夫の道具などを自分で決めて購入するから，記憶に残り，使い続けることができるのです。家族や支援者が買ってきた物が，本当に当事者の欲しかった物でなければ，使い続けることはないのです。使わなければ，家族や支援者から「せっかく買ってきてあげたのに」と怒られます。怒られなくてもいいことなのに怒られるから，当事者は何も言わなくなったり，イライラしたりするのです。そして家族との関係性も悪くなるのです。

当事者が自分で決めることが大切なのに，何でも説得になってしまいます。「説得」ではなく当事者に必要なのは「納得」することなのです。

当事者が買い物に行くのは大変だろうという思いから，買ってきてあげるというやさしさからの行動だと思うのですが，そのやさしさが間違っていることに気づいていないから，家族は怒ってしまうのです。そうすると，当事者は嫌な気持ちにしかならないし，家族もせっかく買ってきたのになぜ使わないのかと嫌な気持ちになり，お互いにイライラして家族との関係性が崩れてしまうのです。

2）認知症の当事者が困ることとは

先回りをされることで当事者の自立が奪われ，しっかりしてほしいという気持ちから叱咤激励となってしまうことがあります。なぜ認知症の人は病気なのに怒られるのでしょうか？　足を骨折した人に速く走れと誰も言わないのに，認知症の人が忘れると「きちんとして」と言われることがあります。これが認知症になると困ることなのです。診断後，当事者が困る理由は，周りの人たちの行動や悪気のない一言なのです。

そして，診断直後から間違えるからと何でもやってあげることで，当事者は工夫することもさせてもらえず，自立を奪われているようにも思います。自立は自分で何でもやることだと思っている人もいますが，私は違うと思います。サポートしてもらいながらもできることは自分でする。本当の自立とは，自分の意見をはっきり言って自分で決めること，できないことはできないと周りに自然に頼めることだと思います。

私たち当事者は，守られるのではなく，目的を達成するために，みなさんの力を借りて

できるように頑張ることで，自信が出てくるのです．もちろんリスクはありますが，守られることで機能の低下を招くのです．

3）症状の程度に合わせた支援を考える

今までは，診断直後から認知症は介護問題とされ，守らなければならない人と思われてきました．なぜ，診断直後から「管理と監視の対象」となってしまうのでしょうか？　目が悪くて眼鏡をかけている人も，視力は0.7，0.1，0.01などと，人それぞれ違うし，みなさんが違う度数の眼鏡をかけています．その人たちをひとまとめにして，0.01の人の度の強い眼鏡をみんなにかけさせたら，どうなると思いますか？　度数が合わない人たちは動けなくなってしまうし，どんどん症状も進んでしまうと思うのです．

このようなことが認知症の当事者には普通に起きていて，初期でも重度と同じように守らなければならない人とひとまとめにされている現実があります．まずは，病名から人を見るのではなく，目の前の人をきちんと見ることが必要だと感じます．

確かに，進行していって介護が必要な人もいます．その人たちには適切な介護が必要だと思いますし，介護する方にも適切な支援が必要です．でも，その人たちにも初期の時期があったことを忘れないでほしいのです．今まで認知症は，重度になってからのことばかり考えられてきましたが，重度になる前に必ず初期があり，診断直後があるのです．

今まで，多くの当事者や家族とゆっくりと話をしてきましたが，1テンポ2テンポ遅れるだけで，家族が当事者に代わって話をしたり，当事者を前にして，この人は何もできなくなった，話ができなくなった，最近うろうろするようになった，などと言っている光景をよく見てきました．当事者は，まだ聞く力も残っているし，考えることもできるのに，本人を目の前にしてそのようなことを言ったら，当事者はイライラするし，落ち込むに決まっていると思います．よく認知症の人は怒るようになると言われますが，怒る人になったわけではなく，気づかないうちにみなさんが怒らせていることをわかってほしいのです．

4）家族中心の支援になっていないか

診断直後から，継続的に家族へのサポートをもっとお願いしたいと思っています．しかし，そのサポートが家族の困りごとの解決ではなく，当事者の暮らしをよりよくすることが中心であってほしいと思います．

支援者に最初に相談するのが家族で，家族が大変だという悩みから，支援者は家族の悩みを解決するのを優先してしまうので，当事者の困りごとがいっさい解決されないのです．家族が悪いのではなく，支援者のあり方に課題があるのではないかと考えます．支援者が家族と話をして，家族の困りごとを中心に話を進められるので，結果，家族が楽になるためにと，当事者の意思とは関係なく施設や精神科病院へ入れられてしまうこともあります．

支援者が，最初に当事者にではなく家族にあいさつし，名刺も家族にだけ渡し，冊子も家族に渡して説明している姿を見てきました．当事者は無視された対応をされたうえに，さらに「何に困っていますか？」など，アセスメントに沿った一方的な質問しかされないので，尋問と感じてしまい，話をしたくなくなるのは当然です．

支援者は，診断された当事者との関係性を最初につくることが大切だと思います．当事

者と家族の両方にきちんと説明をしてほしいと思います。

5）当事者中心の支援が家族を楽にする

よく当事者家族から，「丹野さんは当事者のことばかりで家族はこんなに苦労して大変なのに」と言われます。私は，当事者が笑顔になり前向きになり，自立をするようになったら家族が楽になると実感しているからこそ，当事者が笑顔になる支援を一番に考えてしているのです。家族が大変だからこそ，当事者が笑顔になることを大切にやっているし，当事者目線の支援を応援しているのです。

6）環境づくり

診断後，認知症の当事者に必要なのは，今までの生活をあきらめずに続けていける環境です。今までは支援者が「当事者の生活の維持」ではなく，「家族の不安や困りごとを解決する支援」を優先してきたのだと思います。支援者にはもっと地域にある社会資源を知ってもらい，地域で暮らしていける環境をつくることが大切です。

しかし，そのためには工夫が必要です。認知症の症状の進行により，徐々にできないことが増えてきます。その症状が出て当事者が困ったとき，不安を軽減するためにも，工夫を一緒に考えてくれる人が必要です。それが認知症の当事者同士，支援者や家族でもいいのです。

しかし，家族は大切な人だからこそ，当事者は家族に自分の不安や困りごとが言えないのです。それは心配をさせたくないという気持ちからです。家族以外で関係性ができた人には，自分の不安な気持ちを伝えることができ，そのことによって気持ちがスッキリすることもあるのです。

これからの支援を考える

今までは，認知症は重度になってから診断されてきました。支援も少なかったので，仕方がない時代もありました。今までの介護や支援を否定するのではなく，これから認知症と診断される当事者があきらめない環境，工夫をして症状を補うことができる環境が大切だと考えます。そして，現在は早期診断ができるようになってきました。当事者が工夫することで困らなくなるようなITやグッズも多く出てきたのです。それらを診断直後に当事者が利用して，今までの生活を続けることができれば，家族も困らず，混乱しなくなると思うのです。

1）家族の意識を変える

当事者が自立して工夫することで，家族の不安が軽減され，混乱しなくて済むと思います。診断後支援の一番の落とし穴は，支援者が家族の介護負担を減らすためにと支援方法を考えてしまい，当事者の暮らしが崩れてしまうことだと思います。当事者の暮らしをよくするために，家族へ認知症の理解をうながす支援が必要なのです。

2）スマートフォンを活用する

現在，当事者のなかには，スマートフォンを使っている人も増えてきたので，診断直後にグーグルマップを使って，家の帰り方や目的地の行き方を学ぶようにする．また，道に

迷ったときにスマートフォンの映像で会話する仕方を学ぶことで，道に迷っても映像でどこにいるかもわかるし，どのような状態かも周りの人たちがわかるのです。

しかし，スマートフォンを取り上げたり，社会と遮断してしまうことが起きれば，誰からもメールも連絡も来なければ関心がなくなるので，充電をしなくなるのです。家族からの連絡はドキドキワクワクしないので，家族以外の友達や支援者から遊びの誘いなどの連絡を，途切れないようにすることが大切です。

また，毎日注意され，小言を言われると嫌になり，わざとスマートフォンを置いて出かけてしまうこともあります。当事者の失敗する権利を奪わないことが大切です。失敗するから工夫もするし，考えるのです。工夫しながら行動することで成功体験が増えていくことで自信をもつのです。

3）最後に

今までは，診断直後すぐに介護保険制度内の支援につなげていたので，当事者は自信を失い，あきらめてしまうことで，何もできなくなる環境をつくっていたのだと思います。医師も当事者ができるように応援してくれることが必要です。そのことで自立が続くことになり，健康の維持，進行を遅らせることができると思います。それは，医療費や介護費用の軽減につながると思います。

認知症になっても安心な環境づくりではなく，みなさんが（誰もが）安心して認知症になれる環境をつくっていきましょう。

（丹野智文）

引用文献
1）五島朋幸：最期まで食べられる街づくり，日静脈経腸栄会誌，30（5），1107-1112，2015．

参考文献
・大山瞳：褥瘡ケア 私たちの退院指導はこうする!!，デザインエッグ，2019．
・大山瞳：在宅褥瘡ケア 一番大事な外力のコントロール，地域連携入退院と在宅支援 7-8月号，81-87，2023．

第**10**章

こんなふうに
やってみたら成功した

1 ひたちなか市での取り組み
〜在宅褥瘡ケアひたちなかメソッド®〜（茨城県ひたちなか市）

2 コアスタッフ会議の活動（愛知県）

3 地域連携と褥瘡（じょくそう）予防の取り組み
（北海道旭川市）

4 高岡地区での地域教育システム
（富山県高岡市）

5 地域のケアを支える仕組みづくり
〜基本ケアとノーリフティングケアの普及〜（高知県）

6 劇的な成果を実感した，行政を巻き込んで地域で
取り組んだ褥瘡（じょくそう）予防対策（愛知県みよし市）

7 奈良県での持続的な地域在宅褥瘡（じょくそう）ケアに
関する活動

1 ひたちなか市での取り組み
～在宅褥瘡ケアひたちなかメソッド®～
（茨城県ひたちなか市）

ポイント

- 褥瘡（じょくそう）発生のおおもとは「ずれと圧迫」なので，予防はずれや圧迫が過度にならないようにする。
- 在宅は生活の場であるので，病院のような画一的なケアではなく，個々の利用者・家族の「生活」に添った褥瘡ケアにする。
- 誰でも無理なく簡単にでき，褥瘡を発生させない，良くする，治す方法がよい。

在宅褥瘡ケアひたちなかメソッド®の誕生背景

- 筆者は，介護保険開始以前からの訪問看護経験者である。その頃より，在宅診療にかかわる医師たちから「患者さんと家族がいいなら，それがいい」という言葉をよく聞いて看護をした。その患者の人生の主人公である本人と家族の想いに対応すること，希望をかなえること，希望しないことをしないこと，無理しすぎないことなどを意味している。
- 在宅でのケアは，急性期病院の画一的なケアとは異なる。
- 現在，ひたちなか市において，皮膚・排泄ケア特定認定看護師の筆者が訪問看護師等との同行訪問に対応し，地域ぐるみで褥瘡（じょくそう）ケアに取り組んでいる。近隣市町村の医師会，看護協会，ケアマネジャー協会などの職能団体や，病院，施設，地域で行われる褥瘡勉強会にも講師として呼んでいただける環境にある。加えて，日本褥瘡学会・在宅ケア推進協会のコアスタッフ勉強会として，通称「在宅在宅るるるるる」を定例開催している。
- このような背景もあり，介護支援専門員（ケアマネジャー）をはじめ在宅支援者の褥瘡予防意識も高く，介護・看護介入のある人の褥瘡発生は少なく，治癒も早いと感じている。
- 簡単で効率よく効果的な方法として，在宅ケアを病院に持ち込んだ。それが，以下に示す「在宅褥瘡ケアひたちなかメソッド®」である。
- これにより，病院での褥瘡発生率も激減した。ここではその内容を紹介するが，地域により患者背景や環境，リソースやチームメンバーの考えなどが異なる。特徴を理解し有

用に活用されたい。

在宅褥瘡ケアひたちなかメソッド®の内容

基本知識を得て共有する

- 褥瘡は皮膚の病気ではなく，ずれと圧迫から逃れられない部位の骨の近くの柔らかい組織から発生する。
- 在宅褥瘡ケアひたちなかメソッド®では，ベッドの正しい臥床位置と，褥瘡発生のもとである「ずれ」，予防で最も重要な「圧抜き」を体感してもらう。
- はじめてずれを体感すると「想像を絶する。こんなにひどいことをしていたとは申し訳なかった。呼吸も苦しいし，ご飯も食べられない」などの感想があった。
- 体感することで，ケアの根拠と必要性が理解できる。

体圧分散寝具の選択

- ADL（日常生活動作）の拡大が見込まれる人には，寝返りや起き上がりをしやすい体圧分散寝具を選ぶ。自身で寝返りや座り直しができるようになれば褥瘡は予防できるためである。
- ADLの拡大が見込まれない人には，体圧分散寝具（㈱モルテンのスコープ®かオスカー®）を導入し，褥瘡予防のための体位変換はしない。在宅褥瘡ケアひたちなかメソッド®ではこの用品を使用しているが，他の用品でも特徴を理解し有用に活用されたい。

スライディンググローブ・スライディングシート・スライディングボード

- 必要な人のベッドサイドにオオサキメディカル㈱の体圧除圧グローブ，スライディングシートを配備し，ケア時に活用する。
- 移動の際は患者のADLにより，スライディングボードなども活用している。

敷きもの

- 当院では全床に，ぴったりシーツ®（㈱信公）を使用し，横シーツ，防水シーツは使用しない。
    - ベッド上での介助や運動でもしわにならず，次のシーツ交換まで手直しが不要である。
    - 汗の吸収がよく，乾燥も早い。
    - 摩擦抵抗が少ないので，圧抜きや移動

図1　ベッド端：ベッドのアップダウンを繰り返してもシーツがはずれない（ぴったりシーツ®）

の際に使用するスライディンググローブやシートの操作性もよい（図1）。

おむつ用品・交換

- 排泄物は時間が経つとアルカリ性に傾く。
- 当院でのおむつは，尿がおむつに吸収されると肌と同じ弱酸性に傾く働きをする白十字社のものを使用し，おむつかぶれなどのトラブルを予防することを勧めている。
  - ▶ おむつを適正サイズにし，立体ギャザーを倒さない方法，吸収量を多くする，形を変えるなどの工夫をすることで漏れなくする。
- 排尿量に見合った吸収量のおむつ用品を選択する。
  - ▶ 夜間は睡眠を優先し，本人を起こすことや介護者が起きなければならないおむつ交換は勧めない。
- おむつの重ね当てを避ける。
- アウター1枚，もしくはアウター1枚とインナー1枚での使用を勧めている。

ズボン

- 腰上げができず，ズボンの着脱で骨突出部が擦れる場合は，前合わせの寝間着や脇スナップズボン（図2）を着用し，擦れる機会を少なくする。
- ケア提供者の腰痛予防の観点からも有用である。
- 通常のズボンを着脱する場合，骨突出部をスライディンググローブを用いた片方の手でカバーし，もう片方の手で上げ下げする（図3）。

図2　筆者が依頼し導入した脇スナップズボン

図3　仙骨の骨突出部をスライディンググローブで支えてズボンを着脱介助

局所ケア（キズの処置・手当て）

- 感染徴候がなければ，1週間に1〜2回，入浴やシャワー浴時に石鹸で身体を洗うときに褥瘡と周囲の皮膚も一緒に洗う。
- 皮下組織までの損傷，皮下組織を越える損傷時には，創傷被覆材の処方が可能（保険適応条件あり：p84参照）。

- 軟膏の場合は，おむつ使用者でおむつに覆われている部位であれば，おむつに直接塗布し，ガーゼ，テープは使用しない。
- おむつを使用しない場合は，褥瘡部位や滲出液の量により，被覆には母乳パッドや尿取りパッドを用いる（図4）。
- 腕や脚では筒状包帯や靴下，アームカバーなどで固定し，皮膚に直接テープを貼付することは避ける。
- 母乳パッドや尿取りパッドには吸収体があるので，滲出液が少なくても逆戻りしづらく，皮膚のふやけ（浸軟）が生じにくいため，創の治りを妨げにくい。

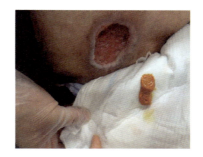

図4　褥瘡に面する位置の尿取りパッドに軟膏を塗って，あてる

共に学ぶ場「在宅在宅るるるるる」

- 第3木曜日19時から20時に定期的に開催している。
- 会場参加とZoom参加がある（会によって変更あり）。
- 褥瘡に興味関心のある人が参加者である。医療・介護・福祉職だけでなく市民，患者・家族，介護経験者などもいる。
- この場では，①日本褥瘡学会・在宅ケア推進協会編集の本書，『床ずれ予防プログラム』などの読み合わせ，②介護・看護用品等の情報提供，③困りごと相談などを行っている。

（大山瞳）

参考文献

- 大山瞳：医療処置を必要とする患者のショートステイの経過から　在宅療養を支援する地域ケアシステムを考える．茨城県救急医学会雑誌，22，137，1998．
- 大山瞳，立山未紀：在宅褥瘡ケア　介助者による夜間の体位変換をしなくても褥瘡は改善する．日本褥瘡学会誌，20(3)，305，2018．
- 大山瞳：終末期における褥瘡対策，皮膚障害へのケア　在宅褥瘡ケアひたちなかメソッドで終末期も全人的ケア．エンド・オブ・ライフケア，4(2)，28-34，2020．

2 コアスタッフ会議の活動
(愛知県)

ポイント

- 「コアスタッフが地域で褥瘡（じょくそう）ケアに率先してかかわっていける，また悩みや問題点を共有して解決できる」ことを目的として活動している。
- メンバーは多職種で構成されており，2009年にスタートしてから基本的に月1回のペースで開催しており，現在160回を超えている。
- それぞれの視点が共有できることで，褥瘡治療・予防・ケアへ多彩なアプローチをすることができている。
- よりネットワークを広げていくことで，地域の褥瘡対策のさらなる充実を図っていく。

コアスタッフ会議について

- 日本褥瘡学会・在宅ケア推進協会では，「地域の褥瘡対策を充実させるために，在宅の褥瘡創傷ケアにたずさわっている方々の，人的ネットワーク作りと活動支援の中心になって頂ける方」をコアスタッフとして命名している。
- 中部ブロックでは，地域の褥瘡（じょくそう）対策を充実させるために，コアスタッフが率先して動けるよう，堀田由浩先生，前川厚子先生を中心に「コアスタッフ会議」を開催している。
- 2009年10月に第1回目のコアスタッフ会議（参加者11名）をスタートしてから，毎月第2水曜日の19〜21時まで開催している。
- 現在162回（2024年4月10日現在）開催されており，今後も継続していく予定である。
- 医師，歯科医師，薬剤師，看護師，理学療法士，作業療法士，ケアマネジャー，歯科衛生士，ヘルパー，福祉用具貸与事業所，メーカー等，幅広い構成メンバーとなっている。

コアスタッフ会議の内容について

- 本書に基づいた褥瘡予防の知識，技術を高めること，また地域コアスタッフ間の連携を図り，在宅における悩みや問題点を集約して，解決に向けて一緒に取り組むことを目的としている。
- 褥瘡や創傷の治療・予防・ケアに関する知識の共有，技術実習，事例検討等を行っている（図1）。会場には，ベッドや介護福祉用具，創傷被覆材など，企業の協力を得てさまざまな商品を持ち込んで，体験を重視している。

図1　リアル開催時およびZoom開催の様子

リフト体験実習

フットケア研修

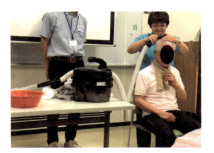
洗髪機のデモンストレーション

Zoom開催の風景

コアスタッフ会議の特徴

- その場でそれぞれの職種が意見を持ち寄り，その日のうちに解決策を考えるため，明日からの業務にすぐに役に立つ。
- 知識だけでなく，実際に道具等を使って体験ができる。
- それぞれの職種が持ちまわりで，専門領域の勉強会を行っているため，さまざまな視点から褥瘡ケアを考えることができる（表1）。
- 実臨床で携わっている症例を持ち寄って，小さな課題でも大切に，参加者全員で一生懸命取り組んでいるので，参加者にとってもハードルが高くない。協力して取り組んでい

- る仲間がいる，という認識をもつことができ，明日への力につなげることができる。
- コロナ禍以降Zoom開催となっていたが，中部地域以外からの参加者もいて，広域での情報収集が可能となっている。
- なお，Zoom開催になっていたコアスタッフ会議だが，2024（令和6）年6月15日，4年ぶりにリアルな形で開催した。「移動・移乗・歩行の積極的な改善で重度者の日常生活を変える！」というテーマで，企業のショールームを借り，リフト知識の向上，実習で体感をするという内容を，参加者17名で楽しく学ぶことができた。今後はリアル開催を増やしていく予定である。

表1　研修会内容の一部抜粋

研修内容	担当職種
足病の話（シリーズ）	医師
福祉用具と床ずれ予防対策（防水シーツ編）	医師
軟膏基剤と外用薬（シリーズ）	薬剤師
褥瘡の薬剤選択について（シリーズ）	薬剤師
エアマットレスについて	看護師
災害時のトイレ対策について	看護師
ノーリフティングケア	作業療法士
「ポジショニングクッション」の紹介	企業

地域での活動

- 現場での課題を共有し，それぞれの職種ならではの視点からのアプローチ方法を持ち寄ることで，問題解決の一助となっている。
- 各自がもつ課題から派生した勉強会等を行い，現場へフィードバックをしている。

今後の展望

- 褥瘡ケアにかかわる人に一人でも多く参加してもらい，個々で抱えている課題を解決していけるよう，さらにネットワークを広げていく。
- 地域の褥瘡対策をさらに充実させるために，コアスタッフが率先して動けるよう，本書に基づいた褥瘡予防の知識，技術を高める。

（魚住三奈）

3 地域連携と褥瘡（じょくそう）予防の取り組み（北海道旭川市）

ポイント

- ヘルパー，ボランティア，看護助手を対象に研修会を開催した。
- 研修会や福祉，医療にかかわる学校の授業，実習に褥瘡（じょくそう）予防の取り組みを入れることで，褥瘡は「できてしまうもの」から「予防するもの」という視点に変換することができた。
- 褥瘡の原因を知り，予防技術を習得することで連帯感が出てきた。
- 褥瘡予防の視点が芽生えたことで，家族，介護職，看護師等，皆の負担が減り，褥瘡という共通課題をもつことで，地域，病院の連携・協力も図ることができるようになった。

どのような取り組みをしたか
～褥瘡（じょくそう）予防を通して地域の力を引き出す～

- 褥瘡（じょくそう）予防は，介護職，介護支援専門員（ケアマネジャー），看護師，家族など，すべての人が同じ方向性で進めることができれば誰もが取り組むことできるもので，チーム連携も深まると考えたことから，直接ケアをする介護職，看護師のほか，多くの職種の方々に研修会に参加してもらっている。
- 旭川市訪問看護ステーション連絡協議会や旭川地区在宅ケアを育む会，旭川市医療福祉の役員会などで研修会が企画されて広報される。研修会は約20年続けられており，口コミによる参加者も多い。
- 初回に，ポジショニング，紙おむつのあて方，移動・移乗等の介護技術などについて簡潔に説明した後，家族とヘルパーがともに褥瘡予防ケアを実践できるよう個々のチーム単位でさらに技術を習得し，現在では予防のための技術を習得したチームが増えている状況である。
- また，長年研修会で学んだ人たちが，さらに地域の病院や施設へケア方法を伝えてくれている。

どのように取り組んでいるか

- 福祉,医療にかかわる学校の授業,実習等の機会を活用する。
- また,出前研修もしている。訪問看護師である筆者は,要請があれば施設等にも出向き研修を行っている(図1)。
- 地域等の講演会では,実践も交え,ポジショニング,移動・移乗,紙おむつのあて方等についても体験してもらっている(図2)。
- 参加者には利用者の立場となって,力を使って持ち上げられたり抱え上げられたりする従来のやり方を体験することで,利用者と介護者の双方に負担,苦痛が生じることを感じてもらい,福祉用具等も活用したケアが大切であることを理解してもらうようにしている。
- 褥瘡の原因,誘因を一緒に考え,理解できるように伝える。
- かかわるすべての人に,褥瘡予防,介護負担,腰痛対策のために必要な福祉用具の活用法や最新情報を伝え,協働していくようにしている。
- 簡単で継続できる方法を,かかわるチームで考え統一する。
- 予防方法や制度をあわせて伝える。
- 予防の成果を確認し,継続性とやりがいを確認し合う。

図1　出前研修

図2　講演会での実践の様子

予防の取り組みと実践効果

1）授業，実習に取り入れる
- 福祉，医療にかかわる学校の授業で「褥瘡」を取り上げ，その原因を知り，予防技術の習得によりケアの実践や介護，看護に活用することで，学生の自信やその後の看護・介護観によい効果を及ぼしている。

2）ケアの場所で方法を考える
- 利用者を中心に医療，連携の場で予防ケアの方法を伝え，実践することで，チームの力，連帯感を引き出している。

3）互いに楽である
- 持ち上げ，抱え上げる方法よりも，福祉用具の活用等をすることで，より簡単な方法でケアを行うことができ，利用者と介護者双方にとって負担が少ないため，継続性が図れる。

4）予防の視点が自然に芽生える
- 褥瘡予防の視点がリスクを発見する。また，他の疾患や事例にも対応できる予防の視点とアセスメント能力が培われる。

5）関係者にとって
- 連携する看護師，介護職，家族等が情報を共有することで，利用者を中心にチームワークを発揮し，かかわる人が元気になる。
- 予防の視点でかかわることで，福祉用具の活用のタイミングや方法がわかる。
- 褥瘡になってからの利用者の苦痛や処置などの大変さがなくなる。
- チームで創意工夫が生まれ，褥瘡予防の技術や個人に合った衛生材料や福祉用具の実用的な活用ができる。
- 緩和ケア，グリーフケアになったときに，悔いを残さないようにかかわれる。

6）利用者にとって
- 苦痛がない。
- 安心であり，信頼できる。
- 経済的である。
- 最期の瞬間，褥瘡のないきれいな身体で旅立つことができる。

（白瀬幸絵）

4 高岡地区での地域教育システム（富山県高岡市）

ポイント

- 在宅褥瘡（じょくそう）ケアの現場では，知識と技術の格差が大きく，継続的な勉強会が必要で有効性も高い。移動・移乗，ポジショニング，おむつ，摂食嚥下などの在宅現場で使う実技を中心とした勉強会も行った。
- 在宅での褥瘡・創傷ケアの向上には医師の参加が欠かせないが，勉強会への出席は期待できず，地区医師会情報誌への継続的投稿が有用であった。
- 在宅の栄養改善には，病院から在宅へのスムーズな移行が欠かせず，病院と在宅の両方の関係者による在宅NST研究会を継続している。

在宅褥瘡（じょくそう）ケアを始めたときの戸惑い

- 筆者は，1997年に富山県高岡市でクリニックを開業し，褥瘡（じょくそう）の往診を開始した。
- 往診して困ったのは，「湿潤環境を用いた局所療法」「体圧分散寝具の導入」「積極的な入浴」等について，必要性を家族に説明し納得してもらっても，訪問看護や在宅サービスで対応してもらえなかったことであった。
- 湿潤環境を用いたドレッシング法を行っても，次回の往診時には厚いガーゼがあたっていた。エアマットレスの導入の必要性を家族に説明し手続きの方法を伝えても，行政の対応が遅く，導入に1か月を要した。入浴の必要性をいくら話しても，褥瘡のある患者の入浴はしてもらえなかった。
- そこで，直接ケア担当者に電話連絡し，必要性を繰り返し話したが，地域での改善は遅々として進まなかった。

地域でのレベルアップ

「高岡褥創勉強会」の開始

- 問題の解決には，地域での基礎的事項について共通認識をもつことだと考え，在宅にかかわる人に限定した勉強会を開くことにした。
- 2002年1月からクリニック内の多目的室で，奇数月の第3木曜日の夜に「高岡褥瘡勉強会」を開始した。参加者は毎回20～50名くらいであった。
- 毎回30分の講義を筆者が行うことにしたが，参加型でないと力がつかないと考え，毎回2施設（現在は1施設）から症例提示をしてもらうことにした。
- コロナ禍以降は症例発表は行わず，症例相談を行うことに変更した。
- 勉強会参加の呼びかけは，訪問看護ステーション，特別養護老人ホーム，老人保健施設，療養型医療施設，個人病院，開業医等とし，基幹病院は基本的に参加不可とした。大病院では褥瘡の情報は十分あり，勉強会でも積極的に発言されるため，在宅にかかわる人たちが萎縮するのではと懸念したためである。

勉強会の効果

- 勉強会を始めてから，目覚ましい変化が起こった。
- 褥瘡訪問診療依頼後の初回訪問までの間に，体圧分散寝具の導入は普通になった。あるいは，褥瘡訪問診療時にエアマットレスが必要と判断し，介護支援専門員（ケアマネジャー）に電話連絡すると，その日のうちにエアマットレスが導入されるようになった。
- 褥瘡のある人の入浴は当たり前となり，入浴に関する依頼をする必要はなくなった。
- 褥瘡の局所療法も，穴あき粘着フィルム法などちょっと変わった方法でも，その理論を理解し，問題なく行ってもらえるようになった。処置法の変更も，ケアにかかわるすべてのメンバーに伝わり，速やかに確実に行われるようになった。
- こうした変化のなかから，ケアマネジャーの力がいかに大きいのかを実感した。また，当院在宅担当看護師も連絡係となり，各施設へケアの要点や処置法についての連絡をしている。ケアマネジャーと当院看護師からの2ルートによる情報伝達は，内容が確実に早く伝わるうえで大変有効であった。

勉強会から研究会へ

- 在宅にかかわる人々の知識と技術の向上によって，もはや会をクローズドにしておく必要性がなくなったため，2007年3月より「高岡在宅褥瘡研究会」と名称を変更するとともに，開かれた研究会にした。2025年1月時点で，計133回の開催となっている。
- 研究会の内容はホームページに公開してきたが，コロナ禍となってからは講義内容をビデオに撮り，オンデマンドで会員が見られるようにした。
- もともと医師の参加が少ないことが問題であったが，オンデマンド開始によって，現地への参加者そのものが減ってきているのが現在の問題である。

医師会への働きかけ

- 勉強会には当初から一貫して医師の参加が少なかった。

- そこで，高岡市医師会報に毎月，褥瘡と創傷に関する情報の投稿をすることに決めた。
- 2005年5月から2008年4月まで3年間にわたって，毎回3,000字前後の話題を35回提供した。最新の創傷に関する内容は共感を得たようで，少しずつ新しい方法を取り入れてくれる医師が増えたと実感している。
- 意外だったのは，診療所医師よりも病院医師のほうに受けがよかった点である。

地域での栄養改善ネットワーク

- 褥瘡ケアをやっていて，在宅での栄養改善の必要性があるにもかかわらず，対策は大変難しいと感じるようになった。
- 在宅栄養改善には，食形態の改善だけではなく，歯の状態，摂食嚥下能力，これらの適切なアセスメントと有効な方法の提示と実行などが関係する。さらに，介護力と経済力も関係するのでさらにやっかいになる。
- これは病院も含めた地域全体で対応していかなければならないと考え，2006年3月に「高岡在宅NST研究会」を立ち上げ，年3回の研究会開催を行ってきた。
- 途中から年2回に減らすとともに，当番世話人制として継続している。
- 6月の研究会は病院が当番世話人で，12月は在宅関係者が当番世話人になっている。
- 2024年12月時点で計42回の開催となっている。
- 病院からの参加者には，在宅の事情に関してかなり理解してもらえるようになった。また，在宅の関係者には，最新の栄養管理に関する情報に興味をもってもらえるようになってきた。ここでも問題は，医師の参加者が少ないことである。

実技講習：北陸コアスタッフ勉強会の開始

- 移動・移乗，ポジショニング，おむつ，リフト，摂食嚥下，看護・介護など，実技を中心とした勉強会を，2012年11月より隔月で開催した。
- 2020年1月時点で計39回開催したが，病院の会議室を会場としていることから，2020年3月の開催回がコロナ禍により直前に中止となった。その後，2025年2月に第40回勉強会を再開した。

（塚田邦夫）

参考文献
- 高岡市医師会報への投稿論文，高岡在宅褥創研究会での講演内容については，高岡駅南クリニックホームページ（www.ekinan-clinic.com）に掲載。
- 動画については，無料の会員登録により入室用のキーワードを送付。

5 地域のケアを支える仕組みづくり
～基本ケアとノーリフティングケアの普及～（高知県）

- 地域の褥瘡（じょくそう）ケアを保障するためには，ケアにかかわる人すべてが「してはいけないケア」「するべきケア」を知り，実践すること。そのための地域に浸透する仕組みづくりが必要である。
- 人口減少により，医療や介護人材が減少しても，ケアの質が向上できる地域をつくるために，官民一体でその仕組みをつくっている。
- 仕組みづくりに必要なことは，ファーストステップの普及と指導者の養成，そしてチームケアの実践である。

ファーストステップである「統一基本ケア」を普及

- 誰もが最低限の同じケアの知識を身につけられるよう「統一基本ケア」のパッケージをつくり，高知県全域で普及してきた。
- 人材不足も深刻になっている今，ファーストステップをすべて講義形式の研修では限界があると考え，eラーニングに切り替えた。
- eラーニングは80項目からなり，訪問介護版と施設病院版の2種類がある。業務の隙間時間で視聴できるよう，1項目約15分で制作している。
- 教材は，県下の専門家が集い，作成している。
- 管理者が年間計画を立て，職員の視聴学習を管理している。法令必須項目や課題に対し，必要な項目を選択するなどで活用している。

ノーリフティングケアとその必要性

- ノーリフティングとは，すべての作業を対象とし，現場から腰痛をなくすための労働安全衛生の取り組みである。安全に働くための最低限必要な仕組みである。
- ノーリフティングケアとは，介護する側，される側双方にとって安全で安心な，持ち上

げない，抱え上げない，引きずらない，そして不良姿勢を継続しないケアをいう。
- 褥瘡（じょくそう）予防のために実践すべきケアは，「ずれ力をなくすこと」，そしてリスク者をつくらないためには，拘縮を引き起こさないことが重要であり，ノーリフティングケアはいずれにおいても有効である。
- 高知県は2016年，全国に先駆けてノーリフティングケアを推進することを宣言した（図1）。行政の事業として「ノーリフティングケアをスタンダードに」を合言葉に，普及に取り組んでいる。

図1　ポスター

- ケア現場の労働災害では，「腰痛」と「転倒」が増加している。ケア現場の腰痛は，他の産業が横ばいや減少のなか，増加の一途である。指針では，「人力による人の抱え上げは原則行わせない，福祉用具を積極的に使用すること」とされ，腰痛予防の環境整備を管理者の責務として求めている。
- 高知県内でも，在宅ケアを担う訪問介護事業所の閉鎖が後を絶たず，不足だけでなく，ヘルパーの高齢化による負担が懸念されている。高齢介護者でも安心して実施できるケアの普及は急務である。

「ノーリフティングケアの体制整備」と地域の仕組みづくり（図2）

- 取り組みは，計画（Plan）→実践（Do）→結果の確認（Check）→改善策（Action）のPDCAを回して実践していく。
- 計画（Plan）：組織と仕組みをつくるための指導者を養成する。推進と指導を行う「マイスター養成」，現場指導にあたる「技術リーダー養成」を行っている。地域の指導者を「リーディングマイスター養成」とし，推進と指導ができる人材を育成している。
- 重要なことはトップが取り組む宣言を行い，積極的に推進することである。
- 推進メンバーを選出し，目的と役割を理解し共有する。小規模事業所や在宅は，サービス事業者や家族らと理解と共有を重ね，核となる人が推進し，マネジメントを担う。
- 実践（Do）：リスクマネジメントの視点でケアを行う（図2）。腰痛につながる業務を職員や介助者が報告できる流れをつくり，ハイリスクな業務から低減策を立て実践する。職員の腰痛調査を行い，推移を管理する。
- 対象者の重度化防止や自立支援，介助者の介護負担軽減に向けて，ノーリフティングの

視点でアセスメントを行い，プランを立てる。介護支援専門員（ケアマネジャー）などの理解は必須となる。
- 指導者を養成できる体制をつくり，教育する。全職員が学べる計画と管理を行う。理解度確認は必須である。
- 環境整備と福祉用具の管理を行う。不足している用具は計画を立てて導入することも，推進の役割である。
- 評価（Check）：ノーリフティングケアの効果は，腰痛保持者の減少，対象者の二次障害の予防と減少（褥瘡や剝離，拘縮の減少，姿勢など機能改善，受診数の減少など），業務改善（持ち上げケアの解消や介助負担軽減度，2名から1名介助による時間短縮と効率度）の視点で確認をする。
- 改善（Action）：取り組みを見直して次期の計画を立て，定着を目指す。

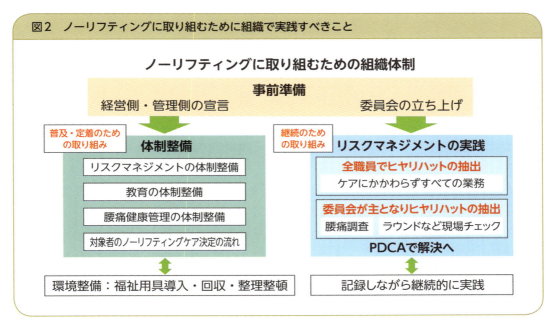

図2　ノーリフティングに取り組むために組織で実践すべきこと

成功したこと

- 高知県内のノーリフティングケア実践登録施設の状況を図3に示す。対象者の二次障害の減少，職員の労働安全への意識向上に効果を出しながら，取り組みを継続し定着化させている。またこのうち，約10施設がモデルとなり，県内外や海外からの視察を受けている。

図3 実践登録施設の状況

ノーリフティングケア　高知県内　実践登録施設の状況

120施設（2024年5月現在）　　　　　　　　　※施設数（％＝施設種別ごとの実践登録率）

- 特別養護老人ホーム：32（50％）
- 介護老人保健施設：14（44％）
- 有料老人ホーム・ケアハウス：4（5％）
- グループホーム：10（7％）
- 地域密着・複合：2（1.5％）
- 短期入所療養介護：4（3％）
- 障害者支援施設：6（18％）
- 病院・医療機関：13（12％）
- 小規模多機能事業所：1（3％）
- 居宅介護支援事業所：4（2％）
- 通所事業所：21（7％）
- 訪問事業所：8（4％）
- 養護老人ホーム：1（9％）

まとめとこれからの課題

- 少ない人手でケアが行える仕組みはノーリフティングのほかに，ICT（情報通信技術）や介護ロボットなどを整備し，生産性と業務効率を上げ，誰もが行えるケアに転換することで，地域のケアが持続できると考える。そのなかで褥瘡ケアも実践されていく。
- 高知県は施設での実践が増えている。しかし，小規模事業所や在宅は実践率が低い。人材不足がより深刻で，複数の事業所でサポートする在宅こそこの仕組みが必要であり，普及を急ぐ必要があると感じている。
- 早期からの予防的な取り組みが大切である。対象者が自力で何とか動ける，介助でできる状態のなかにリスクがある。人手不足で生活リハビリテーションは行えない。車いすで長時間座り続け重度化したり，介助者の介護負担増につながる。
- 労働安全と生産性向上でケアの価値を高め，心身の余裕を生むことができ，ケアを行う側が元気で笑顔なら，ケアを受ける側も元気で笑顔になる。それを目指して次の課題に向けて取り組みたい。

（福島寿道）

6 劇的な成果を実感した，行政を巻き込んで地域で取り組んだ褥瘡（じょくそう）予防対策（愛知県みよし市）

ポイント

- 地域でOHスケールを使った褥瘡（じょくそう）発生リスクアセスメントによる予防である「床ずれ対策事業」を実施した。
- 介護保険の付加サービスとして，OHスケールによるリスクアセスメントに基づいた対策を行い，福祉用具の貸与費用の自己負担額を無料とした。
- 居宅で使用する創傷処置材料の費用に補助が受けられ，合わせて1人2万5,000円まで無料とした。
- これらの結果，アンケート調査ではNPUAP分類ステージ（当時）Ⅲ・Ⅳの深い褥瘡の発症はみられなかった。
- この事業は，2023年3月31日をもって地域に十分根づいているとのことで，同年4月1日から，在宅要介護高齢者に対する在宅介護者等介護手当へ増額変更されている（月額3,000円，年額3万6,000円）。

「床ずれ対策事業」の経緯と結果

- 筆者はかつて，OHスケールを用いた褥瘡（じょくそう）予防対策システムを確立し，ある病院での褥瘡患者数を激減させることができた。その成果を地域にも広げる目的で，2004年4月から愛知県三好町（2010年1月よりみよし市）で，行政と協力して褥瘡対策事業（2006年4月から「床ずれ対策事業」）を行った。
- 対象は，日常生活自立度がA2またはBまたはCで，OHスケールによる褥瘡発症リスクが1点以上の人である。リスクに応じた体圧分散寝具や車いすクッションなど，褥瘡防止用具のレンタル自己負担額が無料になるシステムとなっていた。
- また，居宅で使用するポリウレタンフィルムなど創傷被覆材も，治療だけでなく予防的使用も含めて，100％補助の対象とした（ただし，上記レンタル料金補助と合わせて1人あたり年間2万5,000円まで）。
- この制度を運用した後，家族にアンケート調査を行ったところ，2004年度の褥瘡発症

- は2例で，いずれもNPUAP分類ステージ（当時）Ⅱであり，Ⅲ・Ⅳの深い褥瘡は発症していないことがわかった（表1）。
- この対策に要した費用は，表2のように，年間21万3,541円～25万7,450円で平均23万2,550円であった。NPUAP分類ステージⅢ・Ⅳの深い褥瘡で3～4週間入院すると，少なくとも50～60万円の費用が必要なことを考えると，本事業は，地域の床ずれ予防に貢献するとともに，医療費の削減にも貢献していると思われた。
- 本事業は2023年3月31日をもって地域に十分根づいているとのことで，同年4月1日から，在宅要介護高齢者に対する在宅介護者等介護手当へ増額変更された（月額3,000円，年額3万6,000円）。なお，みよし市の人口は2020年現在，6万1,952人に増加している。

（堀田由浩）

表1　アンケート結果

- 利用者・家族へのアンケート調査
- 2005年
- 対象36名：回答22名（61%）
- 体圧分散マットレスの有効性を認識しますか？
  はい19（86%）　いいえ0　不明3（14%）
- 2004年度の褥瘡発症
  2例：NPUAP分類ステージⅡ

表2　事業決算の推移（2004～2008年度）

年　度	請求者数(人)	平均(円)	総額(円)
2004	36	6,119	220,297
2005	34	6,900	234,603
2006	35	7,356	257,450
2007	21	10,168	213,541
2008	33	7,178	236,860
平均	32	7,317	232,550

参考文献

- 大浦武彦，堀田由浩：日本人の褥瘡危険要因「OHスケール」による褥瘡予防，第2版，日総研出版，2007．
- みよし市ホームページ：在宅介護者等介護手当の支給
  (https://www.city.aichi-miyoshi.lg.jp/kourei/koureifukushi/zaitakukaigoteate.html)
- みよし市ホームページ：在宅介護者等介護手当支給条例
  (https://www1.g-reiki.net/aichi-miyoshi/reiki_honbun/i569RG00001775.html)

7 奈良県での持続的な地域在宅褥瘡（じょくそう）ケアに関する活動

ポイント

- 在宅世話どりセンターは，1991年4月に地域中核病院に併設された，在宅医療専門部門である。
- 「褥瘡ケアを在宅に」というスローガンに呼応して，2008年2月に，「第1回日本褥瘡学会・奈良県在宅褥瘡セミナー」を急遽開催した。
- 当初は当センターがリーダーシップをとっていたが，やがて奈良県の皮膚・排泄ケア認定看護師（WOCN）が中心となり，一度も休会することなく開催した。
- 年1回の在宅褥瘡（じょくそう）セミナーに加えて，日本褥瘡学会・在宅ケア推進協会（在宅協）の「床ずれセミナー」等を介して，医師，（訪問）看護師，薬剤師，管理栄養士，リハビリテーション職，介護職，ケアマネジャー等の各職種間の垣根は低くなっている。

在宅世話どりセンターについて

- 在宅世話どりセンターは，奈良県の地域中核病院である天理よろづ相談所病院の在宅医療専門部門で，専属の在宅医と訪問看護師とで構成されている。2019年7月には，同病院の白川分院に移転し，強化型在宅療養支援病院として地域医療の一翼を担っている。

日本褥瘡学会・奈良県在宅褥瘡（じょくそう）セミナー（図1）

- 第1回（2007年度）から第17回（2023年度）まで，一度も休会することなく，継続できた。当初は，在宅世話どりセンターのスタッフが日本褥瘡学会の方針に呼応して主体的に開催したが，やがて地域の皮膚・排泄ケア認定看護師の会（奈良勉）が，強い団結とリーダーシップを発揮して，セミナー実行体制を築いている。
- 第3回のセミナーからは，天理市のセミナー会場（収容人数372席）で，公益財団法人天

理よろづ相談所病院理事長の協力のもと，年間4回程度のセミナーを開催できた。
- 各セミナーは，医師と皮膚・排泄ケア認定看護師（WOCN）の2名が互選のうえ，実行委員会のリーダーシップをとっている。
- 病院看護師よりも訪問看護師を中心に参加を呼びかけ，病院看護師に加え，訪問看護師の参加も多い。
- 初期の頃は，社会福祉協議会へのあいさつを含め，奈良県医師会や天理地区医師会，奈良県歯科医師会へのはたらきかけを行い，参加を募るのみならず，時には講師として開業医や歯科医の協力をお願いした。
- 実行委員は医師，薬剤師，WOCN，訪問看護師，病院・施設看護師，管理栄養士，リハビリテーション職，介護職，事務員のほか，一般ボランティアで構成され，毎回30名から50名がスタッフとして参加している。
- スタッフに対しては毎回，セミナー主催者として，各個人の損害賠償保険加入を原則としてきた。
- 医師，看護師，薬剤師，管理栄養士には，それぞれの所属学会の資格認定単位が取れるよう，各学会へのはたらきかけを行っている。
- プログラムは，代表委員を中心に時流に応じたテーマを決定し，講演3題，ランチョンセミナー3題を基本構成として，1日ないし半日のプログラム構成としている。
- 新型コロナウイルス感染拡大以前は，毎回300名前後の参加者と20社以上の企業協賛を得て，開催された。
- 新型コロナウイルス感染拡大以降は，オンライン開催，ハイブリッド開催など工夫をし，開催した。
- 2024年度はほぼ感染拡大以前の規模での開催を目指している。
- 参加者数および協賛企業数を増やすための工夫としては，参加費用は1,000円から2,000円の範囲に抑え，企業協賛費は15,000円から20,000円に抑えてきた。

図1　セミナーの様子

日本褥瘡学会・在宅ケア推進協会（在宅協）奈良県「床ずれセミナー」

- 2012年2月11日に，筆者は，この在宅協の「近畿地区床ずれセミナー」での講演の機会を得た。それを契機に，以降，2024年までの12年間，近畿地区での在宅協活動に参加し，現在は理事として当協会の発展に尽くしている。
- 近畿地区における年1回の「床ずれセミナー」は，手づくり感満載のセミナーである。兵

庫・大阪・京都・滋賀・和歌山・奈良の6府県の会員を対象に開かれている。講義などの座学はもちろん，実演や参加型の企画も多く，多職種が参加するセミナーとなっている。セミナーを通して，近畿地区の在宅褥瘡（じょくそう）創傷ケアのレベルアップに貢献している。

新型コロナウイルス感染拡大以降，停止または鈍化した活動

- 新型コロナウイルスの感染拡大は3年以上にわたり，地域医療に与えた影響は大きかった。在宅の特性のひとつである，顔の見える関係を重視してきたセミナーなどへの影響は大きく，それまで，さまざまな機会をとらえて行っていた草の根活動が中断に追いやられることも多かった。いくつかを紹介する。

1) 地域褥瘡勉強会「ひまわり勉強会」

- 褥瘡認定医師が中心となって，地域訪問看護師の有志とともに行っていた褥瘡勉強会である。
- 2か月に1回の，褥瘡ケアの基本からのアップデートを目指した情報交換の会であった。しかし，現在は再開の機会をうかがいつつ，中断したままになっている。

2) NAT・NETの勉強会（奈良天理多職種ケアネットワーク NaraTenri Network）

- 訪問看護師，リハビリテーション職，介護福祉士，その他の介護職を交えた，ポジショニング，移動・移乗などの実践研究会。これも，中断したままである。

3) 天理地区医師会勉強会

- 天理医師会を中心とする在宅医療に関する集談会。最近になって活動を再開した。

4) 奈良在宅医療を推進する会

- 奈良県の開業医中心の在宅医療に関する集談会。

5) 宇陀地区の在宅医療を推進する会

- コアスタッフらによる，地区の自主的な在宅医療関連集談会である。
- 2023年，約3年ぶりに開催された。今後，普及することが期待される「床ずれ危険度チェック表®」に関する講演および討論会が開催された。

（中村義徳）

付録

在宅褥瘡(じょくそう)ケア実施者が選んだお勧め商品

付録　在宅褥瘡（じょくそう）ケア実施者が選んだお勧め商品

　在宅での褥瘡（じょくそう）ケアは，いろいろな商品を上手に活用することで，より効果的に本人，介護者の負担を軽減することが可能になります。下記の一覧は，在宅褥瘡ケア実施者がお勧めする商品です。ちょっとしたアイデアが褥瘡ケアに役立ちます。お勧め理由などを参考にしてお試しください（表中の参考価格はメーカー希望小売価格のほかに，執筆者が調査した実勢価格を掲載しています。あくまで参考としていただき，購入にあたっては販売店にお確かめください）。

カテゴリー（分野）	商品名	製造／販売	写真	お勧めの理由	参考価格（税込）
体位・移動関連	Heel up（かかと・下肢用クッション）	ハイビックス		ディスポ製品で衛生的に使用できる。ポジショニングクッションを使用しにくい場合や，レンタルが難しい場合も導入しやすい。	2,888円
体位・移動関連	マーブルクッション	ヒトラボ		姿勢安定の新しいクッション。特殊素材がミックスされ，サポートが必要な部位へきめ細かな調整が行える。	9,900～45,100円
体位・移動関連	エニモ，ロンボ	ケープ		姿勢が崩れにくい構造のクッション。使いやすいデザイン・仕様のエニモ。豊富な形状のロンボ。側臥位などのポジショニングにも使いやすい。	3,520～31,900円
体位・移動関連	もふピタ	フランスベッド		「もふっ」とした柔らかな感触と，「ピタッ」とフィットし姿勢の保持や安全な体位変換をサポートするポジショニングクッション。特殊構造で詰め物の偏りや劣化による変形を抑制。	オープン価格
体位・移動関連	コンフィット	アルケア		大きさ・種類が豊富で多様に使える。肌触りがソフトで比較的熱がこもりにくく，へたりも少ない。	7,150～27,500円
体位・移動関連	ウェルピーHC	タイカ		ずれにくく隙間までフィットし，ポジショニングと圧抜きにより体圧分散効果を維持しやすい。	7,700～31,900円
体位・移動関連	ハーティーグローブ	タイカ		感染症対策に有効な使い捨てタイプ。先端が丸いため指先を広げやすく，手が抜けづらい構造。ズボンの上げ下げなどの介助時にも使いやすく，骨突出部を摩擦から保護できる。	1箱50枚入り 6,050円
体位・移動関連	ポジショニンググローブ	モルテン		腕につけて身体の下へ差し込むだけで，誰でも簡単に患者さんや利用者さんの身体にかかる苦しい圧を取り除くことができる，ポジショニング専用グローブ。	3,025円 ※2枚入り
体位・移動関連	マルチグローブ	パラマウントベッド		介助する方が腕にはめ，介助される方の身体の骨突出部に差し込み，腕の厚みで身体を持ち上げ，滑らせて移動する。介助する方される方の負担軽減だけでなく，背部のマッサージやポジショニングクッションと身体をなじませることに有用。	オープン価格

付録

在宅褥瘡（じょくそう）ケア実施者が選んだお勧め商品

カテゴリー（分野）	商品名	製造／販売	写真	お勧めの理由	参考価格（税込）
体位・移動関連	介助グローブ	ケープ		滑りのよい素材のため，殿部などの重い箇所にも簡単に手を差し込むことが可能。介助しやすいスリムフィットサイズで，女性にもお勧め。	1セット2枚入り 2,420円 10セットパック 22,990円
体位・移動関連	ぴったりシーツ	信公		ボックスシーツで伸縮性があり，しわにならないため，体圧分散寝具の機能を十分に発揮でき，褥瘡発生リスクを低減させることができる。吸水性がよく，乾燥も速い。	介護ベッド用 3,850円 エアーマット対応
体位・移動関連	スマイルシート	タイカ		体位変換や身体の移動時に，身体の下に敷き込んで使用するスライディングシート。パラシュートの生地を使用しているため，滑りがよく丈夫。	M (145×100cm) 1枚 9,350円 L (145×200cm) 1枚 15,400円
体位・移動関連	トレイージースライドシート	東レ		360度どの方向にも回転する抜群のスライド性。体位変更，移動もスムーズにサポート。	10,450円
体位・移動関連	移座えもんシート	モリトー		筒状に縫製され，キャタピラーのようにローリングしながら，少しの力だけでスライドし，移動・移乗を容易にする。	M 3,300円 ML 6,050円 L 8,250円
体位・移動関連	介護リフト SOEL CX	日本ケアリフトサービス		日本の住環境で安全・安心して使いやすい介護リフトをコンセプトにしたシリーズ。日本語での音声アナウンス，浴室利用を想定した強い防水・防湿性が特徴。	オープン価格
体位・移動関連	介護リフト SOEL MX	日本ケアリフトサービス		日本の住居の狭い床面積でも旋回しやすい6輪構造と，着座クオリティが高くなる垂直昇降の2つの特徴を有した床走行式リフト。	オープン価格
体位・移動関連	スカイリフト	アイ・ソネックス		立位姿勢を保持できるスタンディングリフト。排泄ケアで使いやすい。	680,000円（非課税）
体位・移動関連	介護リフト つるべーBセット	モリトー		介護ベッドの重さで固定する介護リフト。ベッドの下に設置するため，設置スペースが少ないことが特徴。	649,400円（非課税）
体位・移動関連	グレイスコア	松永製作所		日本人の体格・生活習慣にコンセプトを合わせたモジュール型車いす。	151,250円～（非課税）
体位・移動関連	レボ6	ラックヘルスケア		さまざまな箇所が身体に合わせて調整ができる，シーティングの教科書にも出てくる車いす。スウェーデン生まれ。	298,000円～
体位・移動関連	タカノクッション MOLA（コンタータイプ）	タカノ		高齢者シーティングで，ひと通りの機能を有した車いすクッション。背張り調整の車いすに合わせやすく，耐久性に優れている。	33,880円
体位・移動関連	パワークッション	モルテン		座面の体圧コントロールに優れている。	オープン価格

カテゴリー(分野)	商品名	製造／販売	写真	お勧めの理由	参考価格(税込)
体圧分散マットレス	C-MAX(シーマックス)	シーホネンス		独自のオリジナル構造で、体圧分散性の高いウレタンフォームマットレス。広く硬いサイドエッジは起居動作、移乗動作が安定して行える。	117,150～119,570円
体圧分散マットレス	アルファプラ FⅡ	タイカ		体圧分散性能・快適性・安定性を保ちつつ、マットレス上での動きをサポートする、新たな機能を導入。	169,400～205,700円
体圧分散マットレス	ウェブリーマットレス	ケープ		WEB（クモの巣）から学んだ新発想のマットレス。糸の太さに変化をつけることで沈み込みを調整した、リバーシブル構造。療養者のADLに合わせて使い分けが可能。	オープン価格
体圧分散マットレス	エバープラウド	パラマウントベッド		「体圧分散性」と「ずれ軽減」「蒸れ軽減」、3つの機能で褥瘡防止を多面的にサポートするリバーシブル構造のマットレス。	オープン価格
体圧分散マットレス	ここちあ利楽flow	パラマウントベッド		独自の制御アルゴリズムを搭載したi-fittingによる全自動運転に、スモールフロー機能（自動体位変換機能）を搭載。	オープン価格
体圧分散マットレス	スコープ	モルテン		殿部の体圧を可視化、自動体位変換機能付きの全自動運転エアマットレス。除圧機能に優れ、体圧が可視化できるので、介護者が安心できる。	オープン価格
体圧分散マットレス	ネクサスアイビー	ケープ		マイクロクライメイト対応のファンモーターを搭載。中央部に配置された傾斜型2層式エアセルは、背上げ中の身体のずり落ちを軽減。液晶パネルには、背上げの角度と経過時間を表示。	209,000～231,000円
体圧分散マットレス	ラグーナ	ケープ		15分ごとに小さな体位変換を繰り返す「スモールチェンジ機能」を搭載したエアマットレス。	228,000～248,000円(非課税)
体圧分散マットレス	ビリーブ	モルテン		寝返りの頻度を感知し、最適な圧対策に導く自動フィッティングマットレス。	オープン価格
エネルギー補給用食品	MCTパウダー	日清オイリオグループ		一般的な植物油と比べて、「消化・吸収がよい」「エネルギーになりやすい」という特長をもつMCT（中鎖脂肪酸）100％を使用した粉末油脂。温かいものや冷たいものにも溶けるので、料理や飲み物に加えて簡単に無理なくエネルギーをアップさせることができる。	250g缶3,138円
エネルギー補給用食品	PFCパウダー	フードケア		P：プロテイン、F：脂肪、C：炭水化物と三大栄養素を含む。料理やお粥に混ぜて、少量で高カロリー、高たんぱくが期待できる。たくさん食べられない低栄養の方にお勧め。	オープン価格
エネルギー補給用食品	アイソカルゼリーハイカロリー	ネスレ ヘルスサイエンス		1個66gで150kcal。たんぱく質は3gで、お粥1膳分のエネルギーが摂取できる。味もさまざまで、誤嚥防止にも有用。凍らせてアイス風にして食べることもできる。	24個入り(1個66g)3,696円

付録 在宅褥瘡(じょくそう)ケア実施者が選んだお勧め商品

カテゴリー(分野)	商品名	製造／販売	写真	お勧めの理由	参考価格(税込)
エネルギー補給用食品	エナチャージ	ヘルシーフード		ゼリータイプで，水分とエネルギーが少量で補給でき，鉄分や亜鉛が補給できる商品もある。	143〜539円
エネルギー補給用食品	ジャネフ エナップ100	キユーピー		マヨネーズのようななめらかさでコクがあり，料理に混ぜて利用する。炒め物やペースト状の料理によく合う。1パックで100kcal補給できる。	40個入り 2,211円
エネルギー補給用食品	エプリッチ パウチゼリー	フードケア		味がよく，さっぱりした甘味があり，飲みやすい。味はイチゴ風味，バナナ風味など全5種類がある。1袋に200kcal，たんぱく質7gが含まれている。	オープン価格
エネルギー補給用食品	エンジョイ クリミール	森永乳業クリニコ		125mLと小さい紙パックで200kcalの飲み切りタイプ。全8種類。たんぱく質は7.5g，ビタミンやミネラルを多く含む。シールド乳酸菌®配合。	24パック 5,184円
エネルギー補給用食品	カロリーメイト	大塚製薬		スーパーやドラッグストア，コンビニなどで購入しやすい。ブロック（4本入り），リキッド，ゼリータイプともにたんぱく質が8g以上含まれている。また，5大栄養素がバランスよく摂れるため，手軽に栄養補給できる。	ブロック 242円 リキッド 242円
エネルギー補給用食品	ジャネフ ワンステップミール ごはんに あうソース	キユーピー		お粥やごはんにかけて食べる海苔の佃煮のようになっている。1パックで60kcal，味は明太風味やうに風味などがあって，ごはんが進みやすい。料理にかけてもおいしい。	40個入り 1,088円
エネルギー補給用食品	ミニタスゼリー	日清オイリオグループ		25gと超軽量で，エネルギー100kcalが補充できる。一口サイズで味もよい。食事が摂れない，時間がかかる等の問題があるときにお勧め。その他ラインアップに，たんぱく質や食物繊維を強化したものもある。	25g×9個 1,458円
エネルギー補給用食品	リピメイン400	ヘルシーフード		1パックで400kcal補給でき，エネルギー源はほとんどが脂質のため，呼吸に負担をかけづらい。	519円 (通販価格)
エネルギー補給用食品	粉飴	ハーバー研究所		ほとんど味を変えずに，糖質によってエネルギーアップができる。お粥や嚥下食や好きな飲み物に入れることができる。便利な分包タイプ。1包(13g)当たり50kcal。	分包(13g×40包) 1,350円 1kg 1,296円
エネルギー補給用食品	粉飴ムース	ハーバー研究所		本来，腎臓病の方のエネルギー補給としてつくられた食品で，慢性腎不全の方や透析患者さんのエネルギー補給にお勧め。1個160kcal，ほんのりした甘みで食べやすい。味の種類もいろいろある。嚥下調整食学会分類1j	1個(52g) 135円
プレ・プロバイオティクス食品	からだに 食物せんい	宮源		不足しがちな食物せんい（難消化性デキストリン）を飲み物などに加えて手軽に補える。腸内ビフィズス活性の高い2つのオリゴ糖（フラクトオリゴ糖・ガラクトオリゴ糖）が配合されている。	1kg 3,888円 スティック箱 (5g×50本) 3,024円
プレ・プロバイオティクス食品	ビフィズス菌末 BB536	森永乳業クリニコ		機能性表示食品。腸内環境を改善し，腸の調子を整える機能が報告されたビフィズス菌BB536を1本(2g)当たり500億個配合した高菌数プロバイオティクス食品。	1箱(30本) 4,536円

カテゴリー（分野）	商品名	製造／販売	写真	お勧めの理由	参考価格（税込）
栄養素補給製品	ブイ・クレスCP10	ニュートリー		消費者庁から「褥瘡を有する方の食事療法として使用できる食品」との表示許可を取得した特別用途食品 個別評価型 病者用食品である。コラーゲンペプチド10,000mg（10g）に加え，ビタミンCをはじめとした12種類のビタミンと，亜鉛などのミネラルが配合されており，褥瘡の治りを早める効果が期待できる。	1箱30本入り6,318円（通販価格）
栄養素補給製品	アバンド	アボットジャパン		HMB，L-アルギニン，L-グルタミンを配合したアミノ酸飲料（粉末）。HMBは筋肉づくりに効果の高い必須アミノ酸の1つ"ロイシン"から生成される成分で，食事から十分量を摂取することが難しいとされている。スッキリしていて飲みやすい。	14袋入り5,746円30袋入り12,312円（通販価格）
栄養素補給製品	アルジネード	ネスレ ヘルスサイエンス		たんぱく質5g（含アルギニン2,500mg），ビタミンA 150μgRAE，ビタミンC 500mg，ビタミンE 5mg，鉄7mg，亜鉛10mgほかを配合。ジュース感覚で飲みやすい。	12本入り（1本125mL）3,528円24本入り（1本125mL）7,056円
栄養素補給製品	たんぱくゼリー・セブン	ホリカフーズ		10種類の味があり，1個当たりエネルギー100kcal，たんぱく質7.5g，ビタミン，ミネラルをバランス良く摂取できるクリアタイプのゼリー。	143円（通販価格）
栄養素補給製品	リハたいむゼリー	森永乳業クリニコ		分岐鎖アミノ酸（BCAA）を豊富に含む乳清たんぱく質やビタミンDを配合し，運動後にもさっぱりとおいしく飲めるゼリー飲料。1袋100kcal。マスカット味，もも味，はちみつレモン味，甘夏味の4種類。場所を選ばず，手軽に片手で飲める。	24袋5,961円
栄養素補給製品	リハデイズ	大塚製薬工場		筋肉のための栄養素，特にたんぱく質のロイシンを強化しており，骨のための栄養素（カルシウム・ビタミンD）を配合しているので，リハビリや運動の前後に摂取する。筋肉のための栄養素であるシトルリンも含まれている。1パック160kcal。	1本 260円
物性調整食品	宮源のソイムースi	宮源		食材に宮源のソイムースと少量の水分を加えてミキサーにかけるだけで，ゼリー状やムース状になる。大豆たんぱく質が含まれているので，通常の食材よりエネルギーやたんぱく質が多く摂取できる。	1kg 5,700円分包タイプ（10g×30包）2,000円
物性調整食品	つるりんこシリーズ	森永乳業クリニコ		つるりんこQuicklyは，特別用途食品，嚥下困難者用食品，とろみ調整用食品。飲み込みやすいつるりとした物性と，飲料や食品本来の風味や色調を損なわないこと，使い勝手の良さにこだわった。炭酸飲料や牛乳・流動食に特化したとろみ調整食品もある。	Quickly 3g×50本×2箱3,326円300g×3袋4,924円800g×2袋7,495円
たんぱく質補給食品	コラーゲンプロ	新田ゼラチン		コラーゲンペプチドは腸管から直接吸収されるたんぱく質で，無味無臭で飲み物に簡単に溶ける。アルギニンを含み，線維芽細胞を刺激し創傷治癒を促進。1日5～10gを摂取する。	2,700円（通販価格）
処置・スキンケア用品	フットブラッシュライオン レギュラーブラシ	ライオン		フットケアに必須の足を洗うために開発された足用ブラシ。超極細毛が足全体や指，爪の間の汚れをしっかり落とし，座ったままでも足に届く長い柄が特徴。	1,650円

付録

在宅褥瘡(じょくそう)ケア実施者が選んだお勧め商品

カテゴリー（分野）	商品名	製造／販売	写真	お勧めの理由	参考価格（税込）
処置・スキンケア用品	デルマエイド	アルケア		非固着性フィルムを両面に使用しているため，創傷面に固着しにくい非固着性ガーゼ。4つ折りガーゼ約2枚分の吸収力がある。	10×10cm（100枚）5,940円
処置・スキンケア用品	メロリン	スミス・アンド・ネフュー		創接触面は，多孔性ポリエステルフィルムで傷に固着しない。吸収層はコットンポリエステル繊維で滲出液等を吸収・保持する。外装面は撥水処理されたポリエステル不織布からできた3層構造の創傷用ガーゼ。	10×10cm 979円
処置・スキンケア用品	モイスキンパッド	白十字		表面材のフィルムの孔より，滲出液を適度に吸収し，創部面を保護する外科用パッド。表面材（創部側）が創部に固着しにくい構造で，軟膏剤との併用も可能。	15×15cm 30枚入 5,296円
処置・スキンケア用品	バンドエイド® キズパワーパッド™	Kenvue		傷を乾かさずに自然治癒力を活用したハイドロコロイド材。完全防水素材を使用しているため，シャワーや水仕事でも貼ったままでいられ，剥がれにくい。	ふつうサイズ 888円 ジャンボサイズ 888円
処置・スキンケア用品	ケアリーヴ 治す力	ニチバン		ハイドロコロイド素材が滲出液を吸収・保持し，傷を治すのに適した湿潤環境をつくる。	Mサイズ（12枚入）825円
処置・スキンケア用品	ハイドロ ジェントルエイド	スミス・アンド・ネフュー		クッション性に富んだパッドで肌なじみがよく，擦り傷や切り傷など浅い傷の保護に適している。低刺激性のシリコン粘着剤を使用。剥がす時の痛みを軽減できる。	5×5cm 1,958円
処置・スキンケア用品	ふぉーむらいと	コンバテック		防水性外層，吸収性パッド，シリコン素材の創傷接触面の3層構造で安全に創部に貼付できる。剥離刺激のやさしい粘着剤の救急絆創膏。	10×10cm（10枚入り）2,860円
処置・スキンケア用品	母乳パッド	各社		吸収体あり，非固着。後面に付いたテープを利用すると，皮膚にテープを粘着させなくてもよい。安価。	1枚あたり約10円
処置・スキンケア用品	サニーナ	花王		肛門周辺の清浄剤。オイル成分（スクワラン配合）で汚れを落とし，皮膚の保護と清潔保持に有用。消炎剤（有効成分）が，かぶれ・ただれ，股ずれを防ぐ。	660円
処置・スキンケア用品	キャビロン™ 皮膚用リムーバー	ソルベンタム		NPWTドレッシング材などの粘着製品を剥離する際に，皮膚から剥がしやすくし，剥離時の刺激，皮膚損傷のリスクを低減。	ボトル（30mL）1,650円 ボトル（50mL）2,090円 ワイプ（3mL 30枚入）2,970円 スプレー（60mL）2,970円
処置・スキンケア用品	キャビロン™ 非アルコール性皮膜	ソルベンタム		撥水性の皮膜を形成し，刺激物から皮膚を保護するほか，NPWTドレッシング材などの粘着製品による剥離刺激から皮膚を保護。	ナプキンタイプ（1mL 5枚入）880円 スティックタイプ（1mL）154円 スティックタイプ（3mL）220円 スプレータイプ（28mL）2,200円

カテゴリー（分野）	商品名	製造／販売	写真	お勧めの理由	参考価格（税込）
処置・スキンケア用品	tgソフト	ナック商会		腕や脚の皮膚を守るタオル地タイプの筒状包帯。ラテックスフリーでやわらかいコットンを使用している。	Mサイズ 1m 1,650円 10m 9,680円
処置・スキンケア用品	セキューラ ノンアルコール 被膜（スプレー）	スミス・アンド・ネフュー		皮膚の上に撥水性のある無色透明の膜をつくることで、被覆材やテープ等を剥がすときに生じる刺激から皮膚を保護する。	28mL 2,222円
処置・スキンケア用品	ダーマカバー	ベーテル・プラス		外部刺激から手や腕、足やすねなど四肢を保護し、皮膚のトラブルを防ぐソフトな肌触りの保護カバー。	腕用 1,540円 脚用 1,650円
処置・スキンケア用品	フェルト絆	アルケア		足潰瘍部や胼胝部の除圧に使う粘着剤付きのフェルトシート。貼付部位に合わせてカットして使用する。	250mm×110mm×5mm厚（20枚）13,200円 580mm×400mm×5mm厚（3枚）16,500円
処置・スキンケア用品	まもろーる	白十字		医療機器や自重による外力を低減する粘着式のポリウレタンフォーム。剥離刺激を抑え、皮膚にやさしい設計。必要な長さに切って使用する。	100mm×2m 4,158円
処置・スキンケア用品	ラバラバ2	九州メディカルサービス		弱圧ソックスで、通常の靴下を履くように引っ張り上げることができる。浮腫の軽減のほか、パッドの保持や保護などにも使用できる。	S・M 2,420円 L 2,750円
処置・スキンケア用品	リムーブ 粘着剥離除去剤（ナプキン/ポリ容器タイプ）	スミス・アンド・ネフュー		被覆材やテープなどを剥がしやすくする。剥がす時の傷みを緩和するとともに、皮膚のダメージを抑える。	ナプキンタイプ 2,772円 ポリ容器タイプ 236mL 4,400円
処置・スキンケア用品	マイクロポア™ S やさしくはがせる シリコーンテープ	ソルベンタム		やわらかい"シリコン粘着剤"は、皮膚や体毛を引っ張りにくく、角質剥離が少ない。剥離時の痛みを軽減できる。時間が経ってもやさしく剥がせる。	25mm×5m 1,089円
処置・スキンケア用品	シルキーテックス	アルケア		伸縮性サージカルテープ。屈曲部位にフィットする伸縮性と安定した粘着力を備えおり、ガーゼ固定から軽度の圧迫固定まで広汎な用途に対応している。	R-5号 5cm×5m（1巻）748円
処置・スキンケア用品	スキナゲート	ニチバン		皮膚が脆弱な方や高齢の方に適した低刺激のテープ。柔軟性が高く、皮膚の動きに追従しやすい。	25mm×7m（12巻）4,620円
処置・スキンケア用品	メピタック	メンリッケヘルスケア		皮膚にやさしいソフトシリコン固定テープ。交換時の痛みや組織損傷を軽減することができる。通気性、防水性を備えている。	3,410円
処置・スキンケア用品	優肌絆™ EasyCut ペールオレンジ	ニトムズ		優肌ゲル粘着剤が、貼付・剥離時の皮膚の損傷・刺激を抑える。	1箱 4,994円

付録 在宅褥瘡（じょくそう）ケア実施者が選んだお勧め商品

カテゴリー（分野）	商品名	製造／販売	写真	お勧めの理由	参考価格（税込）
処置・スキンケア用品	コラージュフルフル撥水保護クリーム	持田ヘルスケア		皮膚を刺激や汚れから守る撥水保護クリーム。長時間持続する高い撥水性を併せもつ保湿保護クリーム。べたつかずサラリとした使用感。	150g 1,980円
処置・スキンケア用品	リモイスバリア	アルケア		排泄物の刺激から皮膚を守る撥水性保湿クリーム。なめらかなテクスチャーでべたつかない。	レギュラー(160g) 2,640円 ミニ (50g) 1,540円 ハンディー4g/パック (20パック) 4,070円
処置・スキンケア用品	ハイコロール	ニチバン		ハイドロコロイドのロールタイプ。ロールタイプのため，必要な長さに切れ，使いやすい。褥瘡や医療関連機器による圧迫創傷対策等における皮膚の保護に適している。	25mm×5m (1巻) 1,980円 50mm×5m (1巻) 3,740円 100mm×5m (1巻) 6,820円
処置・スキンケア用品	バリケア®パウダー	コンバテック		水分を吸収してゲル状になり，排泄物の刺激から皮膚を保護する補正用皮膚保護剤。皮膚保護剤の親水性コロイド成分を粉状にしたもの。	1本 1,419円
処置・スキンケア用品	優肌パーミロール®Lite	ニトムズ		ロール状のフィルムドレッシング。角質層を守る優肌ゲル粘着剤で，貼り替え時の刺激が少ない。柔軟性・伸縮性があり，屈曲部・凹凸部にもよくなじみ，高水蒸気透過性。	1箱 5,610円
処置・スキンケア用品	エアウォールふ・わ・り	スキニックス		ロール状のフィルムドレッシング。透明・極薄・防水で，水濡れやさまざまなこすれ，刺激などから肌をやさしくしっかり守る。	50mm×2m 704円 100mm×2m 1,056円
処置・スキンケア用品	マルチフィックス・ロール	アルケア		ロール状のフィルムドレッシング。部位や用途に合わせ自由な長さにカットできる。シワになりにくい貼付が可能で，シャワー浴などでの防水が可能。	10cm×10m (1巻) 4,279円
処置・スキンケア用品	キュレル潤浸保湿ローション	花王		「セラミド」の働きを効果的に補い，皮膚のバリア機能を助けて潤いを与える。伸びがよく，べたつかない，顔にも使える全身用乳液。	410mL 2,530円
処置・スキンケア用品	シルティ保湿ローション	コロプラスト		ピュアセリシンTMとセラミドNPの2つの保湿成分が配合されている。バリア機能を助け，肌荒れを防ぐ。皮膚保護剤やテープの貼付を妨げない。	180mL 1,078円
処置・スキンケア用品	ベーテル保湿ローション	ベーテル・プラス		セラミドが配合された保湿剤。少量でよく伸び，塗りやすい。べたつきが少なく，使用後にテープも貼れる。	300mL 1,155円 65mL 550円 3mL×30パック 1,155円
処置・スキンケア用品	リモイス me 保湿ローション	アルケア		3種のセラミド，ヒアルロン酸，コラーゲンを配合した乳液タイプの保湿剤。伸びがよく，べたつかない，皮膚にやさしい使用感。	200mL 1,078円

カテゴリー(分野)	商品名	製造／販売	写真	お勧めの理由	参考価格(税込)
処置・スキンケア用品	コラージュフルフル泡石鹸	持田ヘルスケア		抗真菌成分と殺菌成分配合で，真菌や細菌の増殖を抑制し，肌トラブルを防ぐ。おむつ利用者の外陰部カンジダ症予防に効果が期待できる。	300mL 2,530円
処置・スキンケア用品	ミノン全身シャンプーW	第一三共ヘルスケア		顔，身体，頭が1本で洗える泡タイプの全身シャンプー。「植物性アミノ酸系洗浄成分」配合で肌のうるおいを守りながら汚れを落とす。弱酸性，無香料。	500mL 1,628円 医薬部外品
処置・スキンケア用品	リモイスクレンズ	アルケア		痂皮や鱗屑などを浮かせて拭き取ることができる，拭き取りタイプの洗浄料。マッサージしながら使用すると，疼痛が少なくきれいに拭き取ることができる。保湿作用があり，皮膚の乾燥が防げる。	プッシュボトル(500g) 4,070円 レギュラー(180g) 1,760円 ハンディー5g/パック(10パック) 825円
処置・スキンケア用品	泡ベーテルF清拭・洗浄料	ベーテル・プラス		保湿成分セラミド配合の低刺激性の泡洗浄料。傷がない皮膚では，ガーゼ等で拭き取るだけで汚れを落とすことができる。	500mL 1,595円 150mL 1,045円 80mL 715円
口腔ケア用品	AD PRO　SS	歯愛メディカル(Ciメディカル)		とてもやわらかく，粘膜にも優しい歯ブラシ。	オープン価格
口腔ケア用品	マウスピュア口腔ケアジェル(口腔保湿ジェル)	川本産業(カワモト)		口腔内の保湿のためのジェル。ドラッグストアなどで手に入りやすく，またお手頃価格なので，在宅の方にはお勧めしやすい。	オープン価格
口腔ケア用品	コンクールマウスジェル	ウエルテック		口腔内保湿のためのジェル。少し値段は高めだが，保湿効果はかなり高く，ターミナル期の口腔ケアにかなり有効。	1,650円
口腔ケア用品	モンダミンハビットプロ(洗口液)	アース製薬		歯科専売品だが，口腔内の殺菌効果はかなり高く，歯肉炎の予防や口臭の予防に効果的。	100mL 440円 380mL 847円 1,080mL 1,650円
口腔ケア用品	ヒノーラ	大塚製薬工場		無色透明な歯磨きジェルで，発泡せず，うがいができない方にも使用できる。ヒノキチオールという成分がカンジダにも効果があり，口腔内を殺菌してくれる。	1本 1,210円
口腔ケア用品	不織布ガーゼ25×25cm	歯愛メディカル(Ciメディカル)		口腔内を拭き取るために使用するガーゼ。乾いたままの使用や，濡らしての使用も可能。災害時のケア用品としても使える。	オープン価格
排泄ケア用品	アテント夜1枚安心パッド	大王製紙		対象者の排尿量と介護者の交換のタイミングに合わせて，吸収量4・6・8・10・12回分が選べる，夜間専用の尿取りパッド。睡眠を妨げず，おむつ交換の負担を低減できる。	4回吸収(39枚入り) 1,738円
排泄ケア用品	サルバオーバーナイト(男性用)	白十字		袋形状になった男性用尿取りパッド。男性器を包み込んで尿モレを防止。	50枚入 4,620円

付録 在宅褥瘡（じょくそう）ケア実施者が選んだお勧め商品

カテゴリー（分野）	商品名	製造／販売	写真	お勧めの理由	参考価格（税込）
排泄ケア用品	ライフリー のび〜るフィット うす型軽快テープ止め	ユニ・チャーム		寝て過ごすことが多い方にお勧めのテープ付きおむつ。「すっきりフィット構造」で正しい座位姿勢をキープでき，離床をサポートする。	1枚あたり約100円
排泄ケア用品	リリーフ ズレずにピタッと超安心パッド 紙パンツ用	花王		立体ギャザーと幅広テープでモレ・ズレを防ぐ紙パンツ専用のインナー尿取りパッド。青色の目印線でパッドが紙パンツにつけやすい。	36枚入 1,400円 52枚入 2,000円
排泄ケア用品	ネピア B-lock インナーシート（男性用）	王子ネピア		目立たず快適なつけ心地の男性用尿ケア専用商品。アウターに響かない超薄型のインナーシート。	30mL（20枚入り）680円
排泄ケア用品	ネピア インナーシート SARAStyle（女性用）	王子ネピア		女性用尿ケアシート。吸水後も皮膚と同じ弱酸性を保つ。吸収量に合わせて4タイプがある。	30mL 少量用（20枚入り）680円
排泄ケア用品	サルバ ケア楽 おしり洗浄液	白十字		1本に洗浄・保湿・肌保護の成分配合。すすぎ不要の簡単スキンケア。オレンジの香り。	390mL 1,691円
排泄ケア用品	ピュレル シュアステップ ペリケア	ゴージョージャパン／メディコン		陰部洗浄1回のケアを5ステップで行う清拭用ワイプシート。介護時間の短縮と清潔保持，保湿ケアを行うことができる。	1袋 374円
その他	骨突出判定器	日本褥瘡学会・在宅ケア推進協会		褥瘡発症危険度をわずか1分で判定！シンプル・カンタン・コンパクト！	1,000円
その他	携帯型接触圧力測定器 パームＱ	ケープ		センサーパッドに加わる接触圧力を，数値と円グラフで表示する携帯型接触圧力測定器。褥瘡発生のリスク評価や体圧分散式マットレスの評価に活用できる。	46,200円
その他	Pライト	ベーテル・プラス		褥瘡のポケットの大きさを簡単に・正確に計測するための専用器具。ポケット内の組織を傷つけない素材を使用しており，どんな体位でも計測可能。	17,050円
その他	SRソフトビジョン 数値版	住友理工		体圧分布センサー。色や数値で褥瘡のリスクの把握につながる体圧状態を測定し，可視化できる。	456,500円
その他	もしもしフォン	ピジョン／ピジョンタヒラ		軽量・伸縮自在なプラスチック製で手軽に持ち運べる。難聴の方に大声を出さなくても小さな声でしっかり届く。1個2,000円前後で購入できる。	2,002円

索引

欧文

BPSD……………………169, 273, 346, 347
DESIGN-R®2020……3, 33, 55, 60, 66, 95, 246
DTI……………………………………3, 57
DTPI……………………………………6
IAD………………………………18, 42, 274
ICF………………………………125, 173
ICT…………………………………23, 361
MCI……………………………………345
MDRPU……………………………42, 104
MNA®-SF……………………………187
MWH……………………………………66
MWST…………………………………209
NA123…………………………………183
NPIAP分類………………………………6
NPWT…………………18, 99, 109, 112
OHスケール…………43, 47, 264, 417
OKメジャー……………………………45
OT………………………………………16, 124
PEG……………………………………233
PEM……………………………………179
PT………………………………………16, 124
RSST……………………………………209
SNS……………………………………361
STAR分類システム…………………259
TASS……………………………………8
TIMEコンセプト………………………66
TIMERS…………………………………66
VE………………………………………210
VF………………………………………210
WBP……………………………………66, 112
WOCN……………16, 244, 374, 420

あ

アセスメント……13, 18, 31, 127, 173, 240
アセスメントツール……………………38
圧抜き………5, 18, 98, 141, 161, 163, 164, 266, 343, 401
圧迫……………………………………2
圧迫療法………………………………303
アルギネート……………………………80
アルツハイマー型認知症………205, 345, 392
泡洗浄…………………………………331
異化亢進状態…………………………178
医行為…………………………………342
医師………………………………22, 355, 361
移乗………………………130, 133, 148, 153
移動……………………………………132
イボ……………………………………330
医療関連機器褥瘡……………………42, 104
医療保険………………………117, 245, 352
入れ歯…………………………………198
胃ろう…………………………………231
ウオノメ…………………………311, 328
うつ病…………………………………345
エアマットレス……26, 45, 264, 267, 411
衛生材料………………………80, 83, 120
栄養アセスメント………………183, 191
栄養改善………178, 221, 225, 231, 412
栄養管理………………………………230
栄養危険度……………………………184
栄養剤……………………………121, 230
栄養状態…………………………11, 23
栄養補助食品……………121, 225, 227
栄養療法…………………………170, 212
壊死組織…………34, 55, 69, 75, 87
壊疽……………………………………298, 315

遠隔診療⋯⋯⋯⋯⋯⋯⋯⋯⋯⋯⋯⋯⋯364
嚥下状態⋯⋯⋯⋯⋯⋯⋯⋯⋯⋯⋯⋯⋯⋯24
嚥下造影検査⋯⋯⋯⋯⋯⋯⋯⋯⋯⋯⋯210
嚥下内視鏡検査⋯⋯⋯⋯⋯⋯⋯⋯⋯⋯210
円背⋯⋯⋯⋯⋯⋯⋯⋯⋯⋯⋯⋯140，143
オーラルフレイル⋯⋯⋯⋯⋯⋯⋯⋯⋯390
起き上がり⋯⋯⋯⋯⋯⋯⋯⋯⋯⋯⋯⋯131
おむつ⋯⋯⋯11，41，54，130，268，276，402
オンライン⋯⋯⋯⋯⋯⋯⋯⋯⋯⋯⋯⋯364

か

ガーゼ⋯⋯⋯⋯60，67，73，74，85，90，313
介護サービス計画書⋯⋯⋯⋯⋯⋯⋯⋯379
介護支援専門員⋯⋯⋯⋯16，22，32，39，240，245，339，359，379，400
介護食⋯⋯⋯⋯⋯⋯⋯⋯⋯⋯⋯⋯⋯⋯220
介護保険⋯⋯22，149，159，240，245，378，393
介護リフト⋯⋯⋯⋯⋯⋯⋯⋯⋯⋯⋯⋯153
介助⋯⋯⋯⋯⋯⋯⋯⋯⋯⋯⋯⋯130，153
介助者⋯⋯⋯⋯⋯⋯⋯⋯⋯129，142，153
改訂水飲みテスト⋯⋯⋯⋯⋯⋯⋯24，209
回転周期⋯⋯⋯⋯⋯⋯⋯⋯⋯⋯⋯⋯⋯249
外用薬⋯⋯⋯⋯⋯⋯⋯⋯⋯⋯⋯⋯64，72
外力⋯⋯⋯⋯⋯⋯⋯⋯⋯⋯⋯⋯⋯⋯⋯2
かかりつけ医⋯⋯⋯⋯⋯⋯⋯⋯⋯23，355
角質⋯⋯⋯⋯⋯⋯⋯⋯⋯⋯⋯⋯322，328
学生⋯⋯⋯⋯⋯⋯⋯⋯⋯⋯⋯⋯⋯⋯409
下肢潰瘍⋯⋯⋯⋯⋯⋯⋯⋯⋯⋯⋯⋯⋯78
下肢創傷⋯⋯⋯⋯⋯⋯⋯⋯⋯⋯⋯⋯288
家族⋯⋯⋯28，32，71，220，284，336，384，392，410
課題分析標準項目⋯⋯⋯⋯⋯⋯⋯⋯⋯241
カテーテル⋯⋯⋯⋯⋯⋯⋯⋯⋯⋯⋯⋯233
かゆみ⋯⋯⋯⋯⋯⋯⋯⋯⋯⋯⋯⋯⋯250
簡易栄養状態評価表⋯⋯⋯⋯⋯⋯⋯⋯187

関節拘縮⋯⋯⋯⋯41，45，49，125，137，351
感染症⋯⋯⋯⋯⋯⋯⋯⋯⋯⋯⋯⋯⋯370
感染の四徴⋯⋯⋯⋯⋯⋯⋯⋯⋯⋯⋯⋯35
乾燥⋯⋯⋯⋯⋯⋯⋯⋯⋯⋯⋯⋯⋯⋯250
肝臓病⋯⋯⋯⋯⋯⋯⋯⋯⋯⋯⋯⋯⋯226
管理栄養士⋯⋯⋯⋯⋯⋯⋯16，27，184，191
キチン⋯⋯⋯⋯⋯⋯⋯⋯⋯⋯⋯⋯⋯⋯81
機能訓練⋯⋯⋯⋯⋯⋯⋯⋯⋯⋯124，170
局所陰圧閉鎖処置用材料⋯⋯⋯⋯⋯⋯109
局所陰圧閉鎖療法⋯⋯⋯⋯⋯18，99，112
局所療法⋯⋯⋯⋯⋯⋯⋯⋯⋯⋯⋯⋯⋯87
虚血⋯⋯⋯⋯⋯⋯⋯⋯⋯101，288，297，312
虚血性足病変⋯⋯⋯⋯⋯⋯⋯⋯⋯⋯295
居宅サービス計画書⋯⋯⋯⋯⋯⋯⋯⋯241
居宅療養管理指導⋯⋯⋯⋯⋯⋯⋯⋯⋯117
記録⋯⋯⋯⋯⋯⋯⋯⋯⋯⋯⋯⋯⋯⋯92
空腸ろう⋯⋯⋯⋯⋯⋯⋯⋯⋯⋯⋯⋯231
クッション⋯⋯⋯⋯⋯⋯⋯⋯⋯136，144
グリーフケア⋯⋯⋯⋯⋯⋯⋯⋯⋯⋯203
クリティカルコロナイゼーション⋯59，78，100
車いす⋯⋯⋯⋯⋯⋯⋯⋯⋯⋯⋯143，151
ケア計画⋯⋯⋯⋯⋯⋯⋯⋯⋯⋯⋯⋯31
ケアチーム⋯⋯⋯⋯⋯⋯⋯⋯⋯⋯⋯128
ケアプラン⋯⋯⋯⋯⋯⋯22，241，379，382
ケアマネジャー⋯⋯⋯⋯16，22，32，39，240，245，339，359，379，382，400
鶏眼⋯⋯⋯⋯⋯⋯⋯⋯⋯⋯⋯⋯311，328
経管栄養⋯⋯⋯⋯⋯⋯⋯⋯⋯⋯⋯⋯24
経腸栄養⋯⋯⋯⋯⋯⋯⋯⋯⋯⋯⋯⋯230
軽度認知障害⋯⋯⋯⋯⋯⋯⋯⋯⋯⋯345
経皮内視鏡的胃ろう造設術⋯⋯⋯⋯⋯233
下痢⋯⋯⋯⋯⋯⋯⋯⋯⋯⋯⋯⋯⋯⋯228
原疾患⋯⋯⋯⋯⋯⋯⋯⋯⋯⋯⋯⋯⋯24
健忘⋯⋯⋯⋯⋯⋯⋯⋯⋯⋯⋯⋯⋯⋯345
コアスタッフ会議⋯⋯⋯⋯⋯⋯⋯⋯⋯404
更衣⋯⋯⋯⋯⋯⋯⋯⋯⋯⋯⋯⋯⋯⋯130
口腔機能低下症⋯⋯⋯⋯⋯⋯⋯⋯⋯390

口腔ケア	24, 180, 196, 236, 391
拘縮	33, 125, 137
抗生物質	70
行動・心理症状	169, 273, 346
好発部位	5, 33
紅斑	3
神戸分類	310
高齢者	168, 249, 355
誤嚥性肺炎	24, 180, 189, 197, 218, 232
呼吸器疾患	227
国際生活機能分類	125, 173
骨突出	7, 33
古典的外用薬	70
コネクタ	234
コミュニケーション	360

さ

座圧分布チェックリスト	151
サービス担当者会議	383
座位	142
災害	373
再建術	111
在宅医	16, 87
在宅患者訪問看護・指導料	353
在宅患者訪問褥瘡管理指導料	27, 29
在宅時医学総合管理料	26
在宅歯科診療	390
在宅褥瘡管理者	29
在宅褥瘡ケアひたちなかメソッド®	400
在宅褥瘡対策チーム	17, 29
在宅寝たきり患者処置指導管理料	26, 84
在宅リハビリテーション	124
在宅療養支援診療所	26
作業療法士	16, 124
サルコペニア	171, 179, 218, 227
酸化亜鉛	70

シーティング	142, 151
歯科医師	196, 389
歯科衛生士	196
歯科訪問診療	202
施設看護師	32
施設入居時医学総合管理料	26
失禁	270, 275
失禁関連皮膚炎	18, 42, 274
湿潤	75, 410
湿潤環境下療法	66
市販食品	221
事務職員	17
社会的フレイル	173
シャボンラッピング	333
重度褥瘡処置	26
終末期	15, 279
主治医	22, 382
手術	113
障害高齢者の日常生活自立度	47, 351
静脈うっ滞性下腿潰瘍	301
静脈栄養	230
静脈弁不全	301
ショートステイ	27
食支援	391
じょくそう	2
褥瘡	2
褥瘡危険因子評価票	47
褥瘡対策チーム	16
褥瘡対策に関する診療計画書	47
褥瘡対策未実施減算	16
処方箋	121
自力体位変換	44, 48
新型コロナウイルス感染症	370
滲出液	55, 65, 73, 75, 250, 305
親水性基剤	64
腎臓病	225
身体介護	340

浸軟	250
真皮	6, 248
深部組織損傷	3, 4, 6
深部損傷褥瘡	57
深部損傷褥瘡疑い	56
水様便	272
スキンケア	248, 255, 275, 305, 307
スキン-テア	49, 255
スキントラブル	250
スピリチュアル・ケア	284
スピリチュアル・ペイン	282
スライディンググローブ	141, 164, 266, 388, 401
スライディングシート	132, 337, 401
スライディングボード	135, 401
スリーステップ栄養アセスメント	183
スリングシート	154, 156
ずれ	2
生活援助	340
清拭	130, 275
摂食嚥下関連医療資源マップ	211
摂食嚥下訓練	180
摂食嚥下障害	204, 229
摂食嚥下リハビリテーション	24
洗浄	275
前頭側頭型認知症	205
全人間的復権	170
せん妄	345
専門管理加算	353
爪甲鉤彎症	323
創傷	75
創傷被覆材	18, 22, 66, 75, 84, 109, 120
創面環境調整	66
そう痒	250
ソーシャルワーカー	359
足浴	331
組織障害	6

疎水性基剤	64

た

ターンオーバー	249
体圧分散	13, 18, 49, 126, 164, 261
体圧分散クッション	166
体圧分散寝具	11, 40, 261, 385, 401, 410
体位変換	127, 136, 258
退院後訪問指導料	353
退院時共同指導加算	353
退院前訪問指導料	353
タコ	290, 311, 328
多職種連携	17, 22, 190, 203, 359
脱水	24, 185
弾性ストッキング	304, 337
地域包括ケアシステム	15, 384
地域包括支援センター	393
チームアプローチ	203
チーム医療	28
力任せ	126, 129
中核症状	344
爪切り	293, 320, 332
爪白癬	316, 324
吊り具	154, 156
低栄養	180, 187, 226, 227
低温熱傷	299, 307
デイサービス	27
ティルト・リクライニング型車いす	146
デブリードマン	18, 22, 69, 87, 314
テレビ会議	364
転倒	414
当事者	392
透析	288
頭側挙上	261, 266
糖尿病	226, 288, 310, 320
糖尿病性足潰瘍	310

動脈硬化……………………………295,312
動脈性下肢潰瘍……………………295,298
特定福祉用具………………………150,159
特別訪問看護指示書…………………23,27
床ずれ…………………………………………2
床ずれ危険度チェック表®……4,13,17,39,
　　241,245
床ずれ予防プログラム………………13,17,40
ドレッシング材………………73,75,96,109

な

肉芽組織………………………………………55
二次障害……………………………136,142
日常生活動作…………………………………4
日常生活用具………………………………160
日本褥瘡学会…………………………………55
尿取りパッド…………………11,268,276,403
認知症……………161,168,180,205,272,344,392
塗り薬……………………………………64,72
寝返り………………………………………130
寝たきり……………………………………180
寝たきり度…………………………………351
熱傷……………………………………307,334
ノーリフティングケア………126,148,159,
　　162,413

は

パーソン・センタード・ケア………………161
バイオフィルム…………60,81,97,198,305
排泄…………………………………171,268
ハイドロコロイド材…………………………77
ハイドロコロイドドレッシング材…………307
ハイドロファイバー…………………………81
白癬…………………………………………316
発生要因………………………………………9

発赤…………………………………………338
反復唾液嚥下テスト………………………209
東日本大震災………………………………374
皮脂欠乏症…………………………………250
皮膚・排泄ケア認定看護師…16,244,374,420
肥満…………………………………………227
病的骨突出……………………………41,44,49
表皮…………………………………………248
フィルム材……………………………………79
フォーム材……………………………………80
福祉用具…………………124,129,149,268
福祉用具専門相談員………………18,26,150
不顕性誤嚥…………………………………208
浮腫……………………………42,45,49,251
フットケア……………………………290,326
フットケア外来……………………………326
ふやけ………………………………………250
プランニング………………………………127
フレイル………………………………171,270
ブレーデンスケール……………………51,190
ベッドメイキング…………………………264
ヘルパー………16,23,220,221,276,336,
　　339,378
胼胝……………………………………290,311,328
便秘……………………………………228,272
訪問介護……………………………………379
訪問看護……………………………………339,400
訪問看護基本療養費………………………353
訪問看護師………16,22,26,32,168,243,
　　277,381,382,385
訪問看護指示書………………………………27
訪問診療………………………………………26
訪問薬剤管理指導…………………………118
ポータブルエコー…………………………246
ポケット………………………………………94
ポケット切開…………………………………96
ポジショニング…18,136,142,343,380,385

ポジショニングクッション……………………150
保湿…………70, 253, 258, 276, 332, 337
ポスチュアリング……………………………148
母乳パッド……………………………………403
訪問介護員……………………………………339

ま

マイクロクライメット…………………11, 263
枕………………………………………………140
摩擦力……………………………………………8
末梢神経障害…………………………………310
マットレス………………18, 23, 45, 138, 262
むくみ…………………………………………251
村田理論………………………………………282
メンテナンスデブリードマン…………………91
モジュール型車いす…………………………146
物忘れ…………………………………………345

や

薬剤師……………………………………16, 117
薬剤誘発性褥瘡………………………………122
やけど…………………………………………307
薬局……………………………………………117
疣贅……………………………………………330

ユニバーサルデザイン………………………163
ユニバーサルデザインケア…………………161
ユマニチュード®……………………………162
要介護度………………………………………129
腰痛………………129, 135, 138, 153, 414
予防………………126, 147, 241, 245, 383

ら

ラップ療法………………………………………85
理学療法士………………………………16, 124
リハビリテーション……………………124, 170
リフト…………………………………………154
臨界的定着…………………56, 59, 78, 100
臨界的定着疑い…………………………………56
レビー小体型認知症……………………205, 272
連携……………………………………………359
連携ノート………………………………343, 381
レンタル制度…………………………………149
ろう管法………………………………………231
ろう孔…………………………………………234
老人性乾皮症…………………………………250

わ

ワセリン…………………………………………70

じょくそうケアナビ
――在宅・介護施設における対策実践ガイド

2025年6月10日　発行

編　集	日本褥瘡学会・在宅ケア推進協会
発行者	荘村明彦
発行所	中央法規出版株式会社
	〒110-0016　東京都台東区台東3-29-1　中央法規ビル
	TEL　03-6387-3196
	https://www.chuohoki.co.jp/
印刷・製本・DTP・装丁	株式会社ルナテック
カバー・本文イラスト	イオジン

定価はカバーに表示してあります。
ISBN 978-4-8243-0254-0

本書のコピー，スキャン，デジタル化等の無断複製は，著作権法上での例外を除き禁じられています。また，本書を代行業者等の第三者に依頼してコピー，スキャン，デジタル化することは，たとえ個人や家庭内での利用であっても著作権法違反です。

落丁本・乱丁本はお取り替えいたします。

本書の内容に関するご質問については，下記URLから「お問い合わせフォーム」にご入力いただきますようお願いいたします。
https://www.chuohoki.co.jp/site/pages/contact.aspx